自由の命運

国家、社会、そして狭い回廊

下

The Narrow Corridor

States, Societies, and the Fate of Liberty

ダロン・アセモグル＆
ジェイムズ・A・ロビンソン
Daron Acemoglu & James A. Robinson
櫻井祐子［訳］

早川書房

専横のリヴァイアサンがあなたを見ている　天安門広場

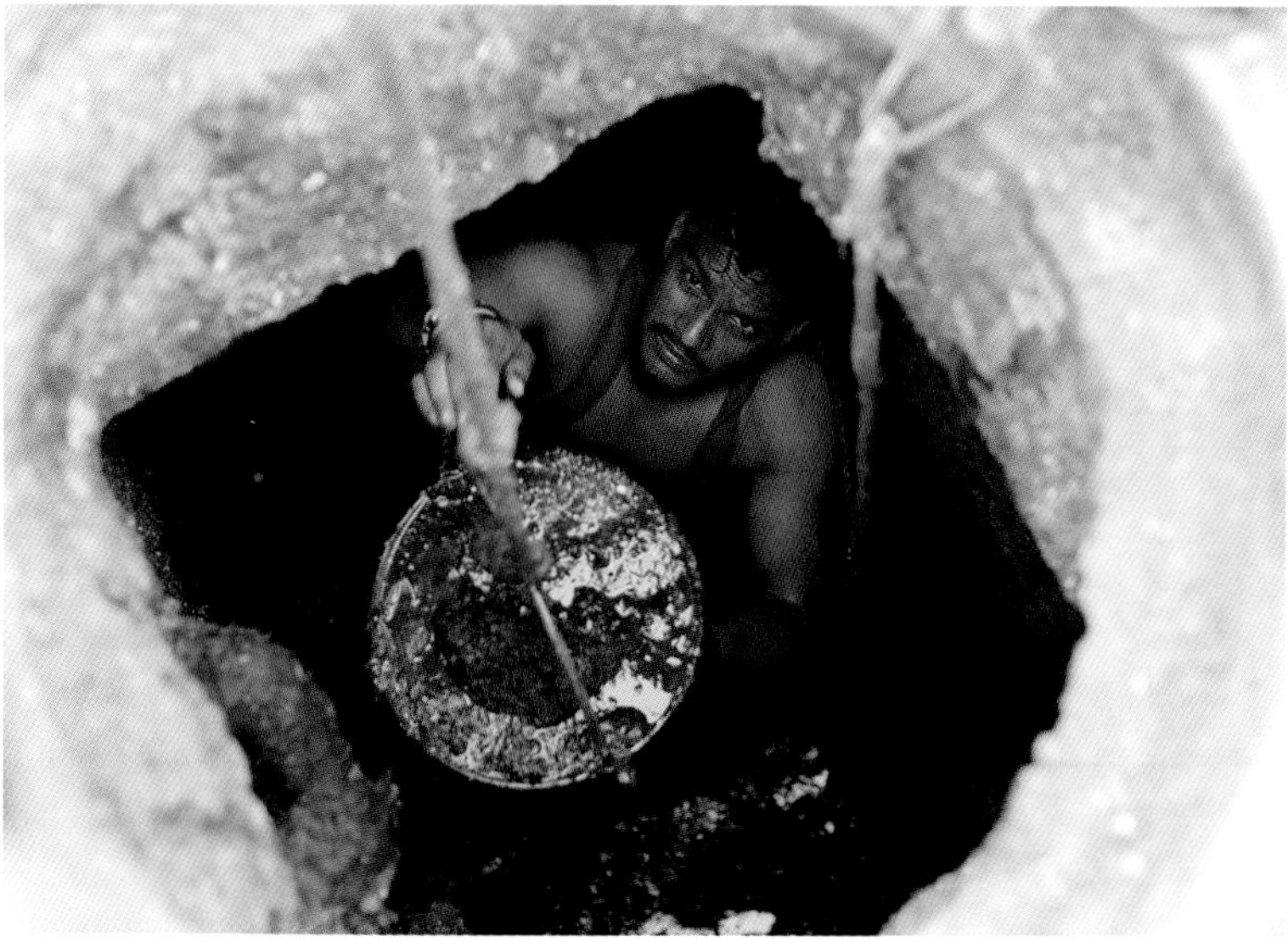

規範の檻にとらわれる　ダリットのマニュアル・スカベンジャー

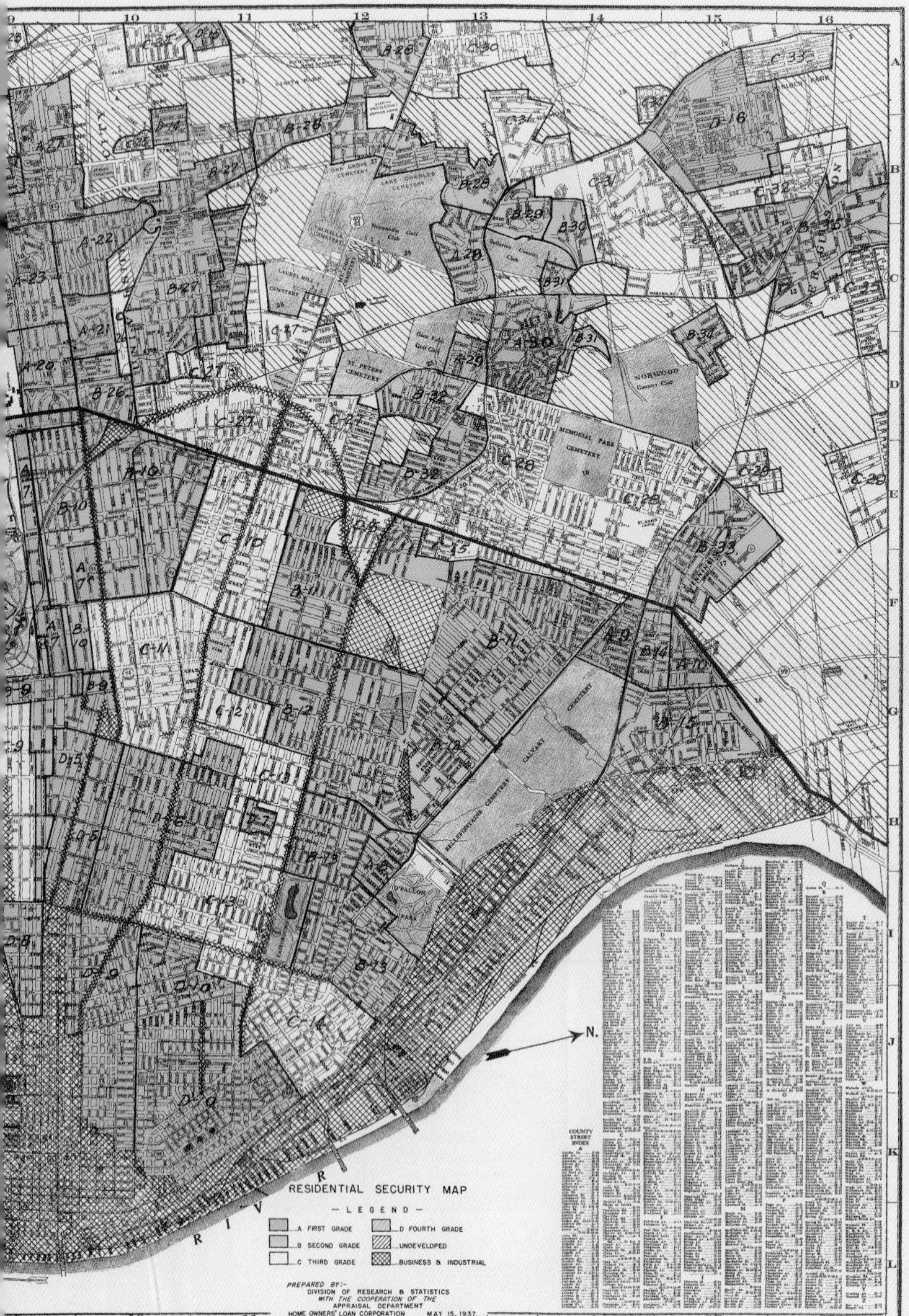

RESIDENTIAL SECURITY MAP
— LEGEND —
A FIRST GRADE
B SECOND GRADE
C THIRD GRADE
D FOURTH GRADE
UNDEVELOPED
BUSINESS & INDUSTRIAL
PREPARED BY:-
DIVISION OF RESEARCH & STATISTICS
WITH THE COOPERATION OF THE
APPRAISAL DEPARTMENT
HOME OWNERS' LOAN CORPORATION MAY 15, 1937.
N.
COUNTY STREET INDEX
NORWOOD Country Club
MEMORIAL PARK CEMETERY
CALVARY CEMETERY
BELLEFONTAINE CEMETERY
O'FALLON PARK
ST. PETERS CEMETERY

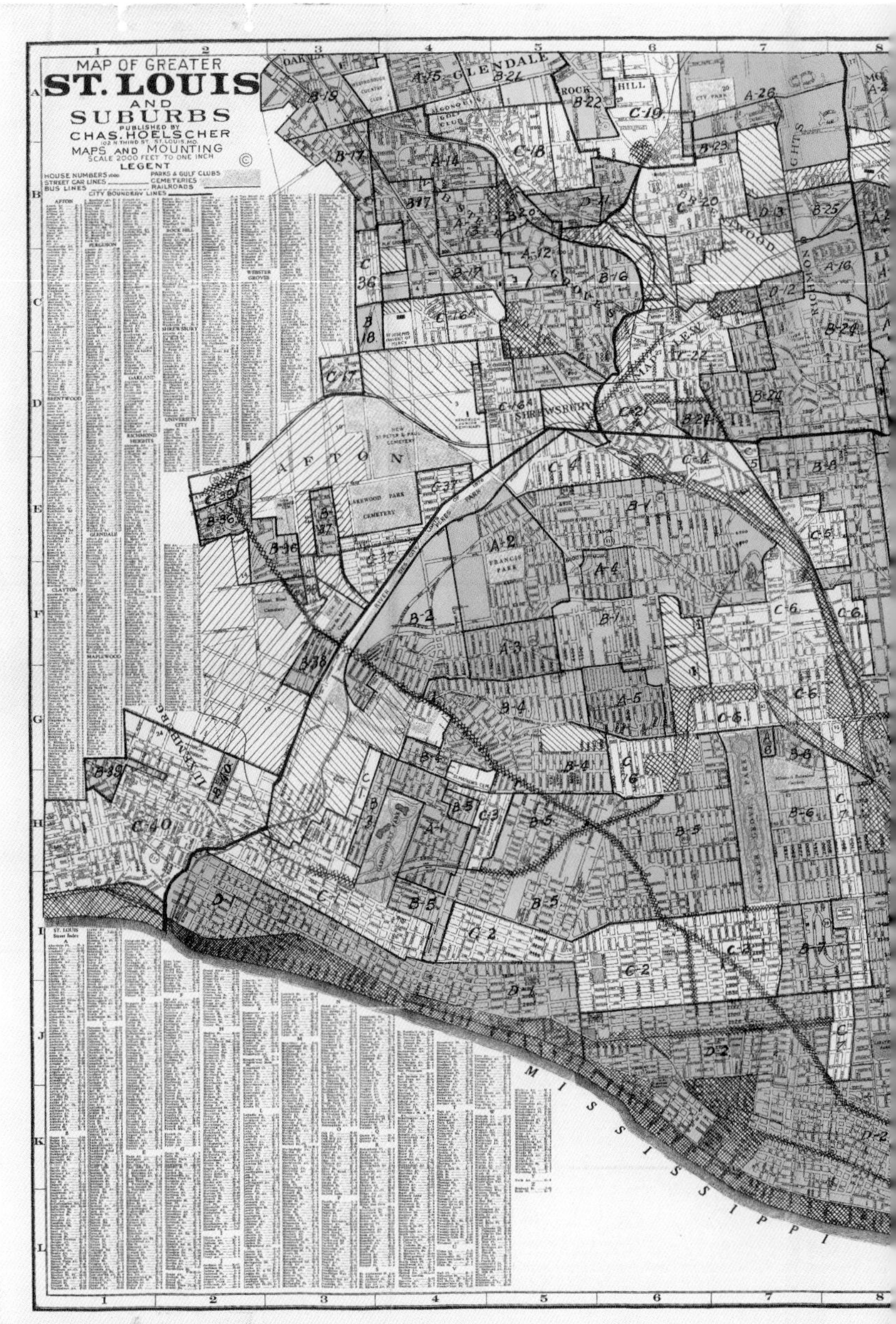

セントルイスのレッドライニング

専横のリヴァイアサンの経済学　グアテマラのコーヒー労働者

ラテンアメリカのカースト制度

ナジュドのイフワーン

サダム・フセイン、宗教に走る

ゼロサムの赤の女王　ボローニャの塔

南アフリカ式の回廊内への移行　スプリングボクスの主将ピナールにラグビーワールドカップ優勝杯を手渡すマンデラ大統領

ラゴス式の回廊内への移行　納税を！

ボゴタ式の回廊内への移行　スーパーシチズン、モックス

国際国家システム　WHO「親善大使」のロバート・ムガベ

自由の命運〔下〕

——国家、社会、そして狭い回廊

THE NARROW CORRIDOR

States, Societies, and the Fate of Liberty

by

Daron Acemoglu and James A. Robinson

Translated by
Yuko Sakurai
First published 2020 in Japan by
Hayakawa Publishing, Inc.
This book is published in Japan by
direct arrangement with
Brockman, Inc.

目次

第八章　壊れた赤の女王　15

憎悪の物語／規範の檻《おり》の中のインド／壊された民／支配する者たち／檻の中のカースト経済／古代の共和国／タミル人の地／ガナ・サンガ国からローク・サバーに至るまで／ヴァルナに仁義なし／壊れた赤の女王

第九章　悪魔は細部に宿る　59

ヨーロッパの多様性／戦争が国家をつくり、国家が戦争をつくった／戦争がつくった国家／丘の上の自由／重要な違い／レーニン造船所にて／ロシアのクマの野性化／専横から崩壊へ／だってそうするしかないから／乖離の原因／フィンカでの抑圧／歴史はどのように重要か

第一〇章　ファーガソンはどうなってしまったのか？　115

正午の殺人／アメリカ例外主義の巻き添え被害／権利章典がなんだって？／アメリカの奴隷制、アメリカの自由／紆余《うよ》曲折の合衆国の国家建設／勝利をわれらに／合衆国の回廊内の生活／ルート66で楽しむのは誰？／すべてのシグナルをずっと収集していればいいじゃないか？／逆説的なアメリカのリヴァイアサン

第一一章　張り子のリヴァイアサン　163
国家を待つ人々／鉄の檻の中のニョッキ／ダックテストを欺く／道路のための場所はない／タキシードを着たオランウータン／大海を耕す／アフリカのミシシッピ／植民地独立後の世界／張り子のリヴァイアサンの影響

第一二章　ワッハーブの子どもたち　209
戦術家の夢／ウラマーを飼い慣らす／規範の檻を強化する／サウジアラビアの不可触民／ネブカドネザルの再臨／9・11の火種

第一三章　制御不能な赤の女王　241
破壊の革命／不満分子の虹色連合／ゼロサムの赤の女王／下からの専横／赤の女王はどのようにして制御不能に陥るか／インキリノにはどれだけの土地が必要か？／誰がために鐘は鳴る／専制君主の魅力／抑制と均衡が好きな人なんてどこにいる？／回廊内に戻る？／迫り来る危険

第一四章　回廊のなかへ　293
黒人の重荷／虹の連合／回廊への入り口／鉄の檻を足場とする／黒いトルコ人、白いトルコ人／バイアグラの春／オランウータンからタキシードを引きはがす／回廊の形状／違う世界？／グローバリゼーションがつくる回廊／いまや誰もがホッブズ主義者

第一五章　リヴァイアサンとともに生きる　345

ハイエクの誤り／牛売買／リヴァイアサン vs 市場／共有されない繁栄／タガの外れたウォール街／超巨大企業／ゼロサムの赤の女王を回避する／リヴァイアサンの対テロ戦争／権利の実際
——ニーメラーの原則

謝　辞　391

解　説　自由と繁栄の安定経路を求めて　**稲葉振一郎**　395

文献の解説と出典　421

参考文献　454

索　引　484

訳注は小さめの〔　〕で示した。

上巻目次

序　章
第一章　歴史はどのようにして終わるのか？
第二章　赤の女王
第三章　力への意志
第四章　回廊の外の経済
第五章　善政の寓意
第六章　ヨーロッパのハサミ
第七章　天　命
文献の解説と出典
索　引

第八章

壊れた赤の女王

憎悪の物語

マノジとバブリは二〇〇七年にひどい間違いを犯した。恋に落ちたのだ。二人はインド北西部ハリヤナ州のカロランという小さな村の出身だった。マノジは学校を中退して、電子機器修理店の見習いの仕事に就いた。バブリは通りを挟んだ向かいにある、地元の女子校に通っていた。二人は店で出会い、ひとめぼれとまではいかなくても、すぐにお互いに夢中になった。彼女はどこも壊れていない携帯電話を修理に出し、なぜかと聞かれると、「もちろん何も問題はないわ。ただもう一度会いたくて」と答えた。

マノジとバブリは同じカースト、つまりジャーティの出身だった。二人ともインドのいわゆる「その他後進階級」の一つ、バンワーラ・ジャート族の一員だ。そのこと自体は問題ではなかった。実際、インドのカースト制度には、同じカーストのなかから結婚相手を探さなければならないとする「カースト内婚」に関する厳しい規則があるほどだ。だが同じカースト内にもさらに制約があり、マノジとバブリにとっての致命的な問題は、二人が同じゴートラ、つまり一種の血縁集団であるクランの出身だったことにある。インドの法律によれば、マノジとバブリが結婚できない法律上の理由はなかったが、インドには法律より強力な力をもつものがあるのだ。

駆け落ちして結婚しようと決めたとき、バブリとマノジはカースト制度のある規則を侵した。その規則はとても古く、紀元前三二四年ごろにカウティリヤが著した国政術に関する有名な書、『実利論（アルタシャーストラ）』にも記されている。カウティリヤはインド北部を統一したマウリヤ朝の創始者、チャンドラグプタの参謀だった人物である。カーストごとの義務と責任を記した節で、カウテイリヤはこう述べている。「家住期にある人の務めは、職業を追求して生計を立てることと、同じヴァルナに属するが、同じゴートラの出身ではない女性と結婚することである」

カウティリヤのいうヴァルナとは、ヒンドゥーを分けるブラフマン、クシャトリヤ、ヴァイシャ、シュードラの四大身分を指している。これらは四つの異なる集団で、ほとんどのインド人がどれかに分類され、そのアイデンティティは親から子へと代々受け継がれる。カウティリヤはそれぞれのヴァルナの務めも明確に記している。

ブラフマンの務めは、学習、教育、自己の犠牲祭の実行、他者の犠牲祭の執行、布施、受施である。

クシャトリヤの務めは、学習、犠牲祭の実行、武器［を専門に扱うこと］による生活、生類守護である。

ヴァイシャの務めは、学習、自己の犠牲祭の実行、農業、牧畜、商業である。

シュードラの務めは、再生族［上位三つのヴァルナ］への奉仕、（または）［農業、牧畜、商業などの］経済活動、職人（または）芸人［役者や歌手など］の仕事である。

最初の三つの身分だけが「再生族」として、特定の宗教儀式に参加することができる。この階層の底辺に位置づけられるのがシュードラで、上位ヴァルナに仕え、芸人などの卑しい仕事をすることを運命づけられている。シュードラは、もとは遠い昔にインドに移り住んだアーリア人が、インド社会に入り込むうちに征服した先住民が主体だったともいわれる。階層の最上位に位置するのがブラフマンと呼ばれる僧侶のヴァルナで、学問と宗教的儀式を司《つかさど》る。その下が主に軍人や兵士のクシャトリヤで、さらにその下に商業、製造、農業に携わるヴァイシャがくる。そしてこの制度に属さず、社会階級の最底辺に位置づけられるのが、歴史的にダリット（不可触民）と呼ばれ、現在はより正式に「指定カースト」と呼ばれる人々である。

ジャーティとは、ヴァルナを構成する集団で、最も正式な呼び方ではカーストと呼ばれる。ジャート族もジャーティの一つだ。カースト制度を構成する基本単位をジャーティと考えるとわかりやすい。ジャーティの数はインド全体で三〇〇〇ほどで、各ジャーティはいずれかのヴァルナに含まれる。たとえばマノジとバブリが属していたのはバンワーラ・ジャート族というジャーティであり、このジャーティはシュードラ、現代的な呼び方ではその他後進階級に属する。

このような歴史的な社会組織は、インドだけに特有のものではない。前に見たように、中世イングランドも「序列」社会で、歴史家によって、祈る者、戦う者、働く者の三つに区分されることが多い。これらはほぼブラフマン、クシャトリヤ、ヴァイシャ／シュードラに相当する。またインドの人々は職業名を姓にすることもあった。これから見ていくように、これがインドのカースト制度のカギとなる部分だ。もしあなたが一三世紀イングランドで鍛冶職人をしていたなら、たぶんスミスと呼ばれただろう。樽職人はクーパー、パン職人はベイカーである。スミスの息子も鍛冶職人だった可能性が高い。イギリスの歴史家リチャード・ブリットネルは、姓のデータを使って中世イングランドの経済的多様性を測る尺度を開発したほどだ。ブリットネルが入手できたのは実際の経済活動のデータではなく、納税記録から得た人々の姓のデータだけだったが、結果的にどちらのデータも同じとわかった。姓がわかればその人の職業がわかり、そこから経済全体がどのように組織化されていたかを知ることができたのだ。職業姓は長い間受け継がれてきたが、第六章で見たように、姓と職業とのつながりは経済的・社会的変化とともに失われていった。イギリスで姓と職業が分離した理由の一つは、両者の関係がインドでのように制度化されなかったことにある。とくに、この関係が宗教や、国家の成り立ちにまで刻み込まれることはなかった。

　カーストのアイデンティティと規範がインドに根強く残っていることは、カウティリヤが約二五〇〇年も前に記した規範がいまなお強制されているという事実にはっきりと表れている。強制といっても、どうやって？　バブリの家族が、娘を誘拐したとしてマノジを訴えたため、マノジとバブリはカイサルの裁判所に出廷しなくてはならなかった。二人が法的に結婚していて、誘拐が行なわれなかったことを証明するためだ。バブリが驚いたことに、兄のシュレシュと従兄弟のグルデヴまでもが裁判所に来ていた。公判のことをどうやって知ったのだろう？　ほかにも二人の従兄弟がいた。面倒なことになりそうな予感がしたので、マノジとバブリは弁護士の勧めで、裁判所に願い出て警察の保護を求めた。公判が終わると警察が二人を車に乗せ、チャンディーガルに戻るバスまで送っていった。二人は批判的な親戚を逃れて、チャンディーガルで結婚し暮らしていた。チャンディーガル行きのバスに乗るために、ペホーワーの停留所で車を降りた。親戚があとをつけてきていた。警察は問題を認識しているようだった。もめ事が起こらないように、二人の警官がマノジとバブリと一緒にバスに乗り込んだ。二人の従兄弟も乗ってきた。残りの親戚は車にいた。バスは出発したが、ピプリ村まで来ると管轄はここまでだといって、警官は帰ってしまった。マノジとバブリは取り残された。切羽詰まった二人がデリー行きのバスに飛び乗ると、従兄弟たちが追ってきた。カルナールの手前の料金所で、シルバーのマヒンドラ・スコーピオ（ＳＵＶ）がバスの前に横づけし、行く手をふさいだ。マノジとバブリは席を追い立てられ、スコーピオに連れ込まれた。二人はそこで消息を絶ち、二度と生きている姿を現すことはなかった。足を縛られ膨らんだ二人のバラバラ死体が、バルサマンドの用水路から引き上げられた。

被害者はマノジとバブリの二人だと、あなたは思うかもしれないが、地元のカースト委員会はマノジの一族の追放を決定した。村人はマノジの一族と話をすることも、何かを売ることも許されなかった。規則を破った者は二万五〇〇〇ルピー（約三五〇米ドル）の罰金を科され、村八分にされた。

規範の檻《おり》の中のインド

インドの国家と社会の歴史のなかで、規範の檻は重要な位置を占めている。アテナイとヨーロッパでは、赤の女王は国家と社会の発展を促すだけでなく、その過程で規範の檻を緩め始めたが、インドではそうならなかった。カースト制度が確立され、その硬直的な階層に国家が隷属したために、社会は内輪で分かれ争うようになったのだ。もちろん、どんな社会も決して一枚岩ではなく、社会の内部の対立とそれが生み出す不平等が、国の政治を大きく左右するのがつねだ。だが赤の女王は、国家と社会を競争させ、協力させることによって、分断した社会をつくり変える。たとえば前に見た一八世紀末のイギリスでは、国家能力の拡大に触発されて、社会のあり方や組織化の方法が変容し、社会はより一般的な要求を行なうようになった。これに対しインドでは、分裂と分断を助長するカースト制度のせいで、そうした展開のどれ一つとして起こり得なかった。社会は組織化して国家を監視することができず、社会のあり方をつくり変える赤の女王の力学は作用しなかった――インド半島（亜大陸）にはヨーロッパと同じく、遠い昔までさかのぼる民衆の政治参加の歴史があったにもかかわらずである。むしろ、政治参加がカーストを土台としており、また国家そのものがカースト制度によって支えられ、保護されているせいで、カーストに基づくアイデンティティがくり返し再確認されてきた――それが自由におぞましい影響をおよぼしているのだ。

カースト制度は、インドの自由のなさの一因というだけではない。貧困の一因でもある。人々が生まれながらの身分で決められた職業にとらわれていることが、社会的流動性とイノベーションをどうしようもなく阻害している。だがこれは、硬直的な社会階級と社会の隅々までおよぶ支配に基づく制度が生み出した、きわめて不平等な機会とインセンティブの、目に見えるほんの一部でしかない。インドは一九五〇年一月二六日以来民主主義国で、一九九〇年代には経済を「自由化」したにもかかわらず、カーストと抑圧的、分断的、階級的な種々の規範による支配はその後も続き、そのせいで最貧の市民を助ける能力も関心もほとんどもたない国家になってしまったのだ。

このすべてをよりよく理解するために、まずはカースト序列の最下層のダリットについて考えよう。

壊された民

「ダリット」とは正確にはどういう意味だろう？　これは『実利論』には登場しない、ずっと最近になってできた言葉だ。それまでダリットは不可触民と呼ばれていた。「ダリット」という言葉をつくったのは、インドの偉大な政治家で、一九四七年の独立後にインド初の憲法の起草にかかわった、B・R・アンベードカルである。ダリットは文字どおりには「壊された民」を意味する。だが「不可触性」の由来はどこにあるのだろう？

不可触性とは読んで字のごとく、触れられないという意味だ。上位カーストにとってダリットに触れることは「穢《けが》れ」を意味し、清めの儀式でしかそれを取り除くことはできない。一九九八年にグジャラート州アフマダーバード市で、国際的な人権NGOヒューマン・ライツ・ウォッチのインタビューを受けたダリットの労働者はこう述べている。

働いていると、近寄るなといわれます。茶店では私たちだけカップが別で、自分で洗って片づけさせられます。寺院のなかには入れません。上位カースト用の蛇口は使えません。水を汲《く》むのに一キロ離れた場所まで行くんです……政府に権利を要求したら、クビにするぞ、と地元の役人に脅されます。だから私たちは声を上げないのです。

身体的な接触だけの問題ではない。ダリットの影がブラフマンに触れるだけで、清めの儀式が必要になる。ダリットは「再生族」のいる前で靴を履くことを許されない。自身もダリットだったアンベードカルは、不可触民制の概念を嫌い、インド憲法によって禁止されるよう図った。第一七条「不可触民制の廃止」は、次のことを明確に定めている。

不可触民制は廃止され、そのような慣行はいかなる形式においても禁止される。不可触民制によって生じる無資格を強制することは、法律によって処罰される犯罪とする。

なのに現在インドには推定二億人ものダリットがいる。いったいなぜなのだろう？

アンベードカルの不可触民制に関する主張で最も有名なものは、一九三六年に行なうはずだった講義の原稿だ。アンベードカルがそれを読み上げることはなかった。原稿を事前に回覧したところ、あまりにも過激だという理由で、すぐに講義への招待を取り消されてしまったからだ。アンベードカルはこの原稿を『カーストの絶滅』と題して、自費で出版した。彼はこの問題を知り尽くしていた。子ども時代、「可触民」の学校に通うことを許されたが、ほかの子どもたちの歩く床を穢さないように、一人だけ離れた場所で袋の上に座らされた。一日中何も飲むことができなかった。学校のたった一つの蛇口は上位カースト専用だったからだ。アンベードカルはまず、不可触民として生活するとはどういうことなのかを説明している。

不可触民は、ヒンドゥーが向こうからやって来るとき、公道を歩くことを許されませんでした。自分の影がかかって、ヒンドゥーを穢すことになってはいけないからです。不可触民は、手首か首に黒いひもを巻きつけておかねばなりませんでした。ヒンドゥーが誤って自分に触れて、穢れてしまうのを防ぐためです。プーナでは……不可触民は自分の踏んだ土埃を後ろから掃くために、腰からほうきをぶら下げておかなければなりませんでした。同じ土埃《つちぼこり》を歩くヒンドゥーが穢れないようにするためです。プーナでは、不可触民はどこへ行くにも唾を吐くための陶器の壺《つぼ》を首から下げておかなければなりませんでした。自分の吐いた唾を、そうと知らずにヒンドゥーが踏んで穢れることのないようにです。

だがアンベードカルがめざしたのは、不可触民制の廃止だけではなかった。カースト制度がおよぼす有害な影響を理解していたため、制度そのものの撤廃を望んだ。アンベードカルはカースト制度を経済的観点から攻撃した。カーストやヴァルナやジャーティによって、就く職業が決まっていることは、彼にとって（私たちにとっても）理解しがたいことだった。カースト制度が支配を土台としていることや、不自由の強力な源泉だということを、もちろん知っていた。だがさらに重要なことに、カーストのせいで、社会が内輪で争い、分裂し、混乱するようになったことも理解していた。アンベードカルはこう述べている。

カースト制度はただの分業ではありません。労働者の分断でもあるのです。もちろん、文明社会には分業が必要です。しかし文明社会では、分業によって労働者がこのように密閉された仕切りで不自然に分断されたことはありません。カースト制度は……分断された労働者を相対的に等級づけする階層なのです……第一の面では、カースト制度は人間を別々の共同体に分けてしまいます。第二の面では、カースト制度はこれらの共同体を、社会的地位の上下の序列に並べるのです。

また別の喩《たと》えをもち出し、カースト制度をこうなぞらえたこともある。「カースト制度は階段も入り口もない数層の塔のようです。誰もが自分の生まれた階層のなかで死んでいくのです」。カースト制度がもたらす分業が、なぜ経済的に不合理かといえば、それが「人々に前もって仕事を割り当てようとするからです――つまり訓練によって身につけた独自の能力ではなく、親の社会的地位をもとに、仕事を割り当てられるのです」。「予定説の教義」を土台に近代経済を築くことはできないし、そうしようと試みるのは「糞の山の上に宮殿を建てようとするようなもの」だと主張する。

アンベードカルはカースト制度が自由と政治に与えるおぞましい影響についても、きわめて明快な言葉で言い表している。カースト社会は根本的に不自由なだけではなく、ひどく分裂した、まとまりのない、国家におもねる社会を生み出すのだと強調した。「カーストは……ヒンドゥーを完全にまとまりのない、やる気を失った社会にしてしまいました」。なぜなら「そのような意味でのヒンドゥー社会は存在しないからです。それはカーストの寄せ集めでしかありません」。ただし、外敵に対して団結するときだけは、「各カーストはほかのカーストと差異化、差別化を図ることにしのぎを削ります……ヒンドゥーの理想像とは、自分の穴に暮らし、他人との接触をいっさい拒むネズミのようなものに違いありません……したがってヒンドゥーは、たんにさまざまなカーストの寄せ集めというだけではなく、自分たちのため、自分たちの利己的な理想のために互いに争う多数の集団なのです」。人々のアイデンティティにおいてカーストが圧倒的な比重を占めるせいで、「ヒンドゥーは一つの社会を形成しているとはいえないのです」。この根本的な理由は以下である。

ヒンドゥーは……自分のカーストだけにしか責任を負いません。ヒンドゥーの忠誠心はカーストだけに捧げられています。徳はカーストに支配され、倫理観はカーストに縛られているのです……施しは行なわれますが、カーストのなかで完結します。同情心はありますが、ほかのカーストの人々に差し伸べられることはありません。

カースト社会の不自由な性質についてはどうだろう？　職業や生活様式、住居など、カーストについて回るさまざまな制約を考えれば、一目瞭然かもしれない。だがアンベードカルはさらに深く掘り下げた主張を行なった。カースト制度は支配と暴力の脅威がなければ維持することはできないというのだ。偉大なヒンドゥーの叙事詩『ラーマーヤナ』には、ラーマ王が、瞑想をしているシュードラを見つけて首をはねるシーンがある。その理由は、シュードラは再生族ではなく、瞑想をするように生まれついていないからだと、アンベードカルは指摘する。インド最古の法典であるマヌ法典は、国王がカースト制度を施行することを強く求め、自分のヴァルナをわきまえない行動に対して非常に重い制裁を定めている。たとえばシュードラが、ヒンドゥーの古代の聖典ヴェーダを暗唱したり、それを読む声にただ耳を傾けたりしただけで、舌を切り落とすか、溶かした熱い鉛を耳に流し込んで罰すべしと記されている。

最も卑しい仕事をさせられるのは、シュードラではなくダリットだ。その仕事には、マニュアル・スカベンジャー〔手作業による汚物処理人〕といって、動物の死骸や人間の排泄《はいせつ》物を処理する仕事が含まれる（この仕事をしている人の写真を口絵に含めた）。ダリットの職業には、ほかに靴職人、革細工師、街路清掃人などがある。ダリットの子どもは上位カーストに借金のカタに売られ、ダリットの少女は制度化された売春の一種、デーヴァダーシー制度の寺院に売られる。ダリットの男性、女性、子どもは農業労働者として、劣悪な労働環境でごくわずかな賃金で働かされる。ヒューマン・ライツ・ウォッチが引用する政府統計から、マニュアル・スカベンジャーとして働くダリットが、最低でも一〇〇万人、おそらくそれよりはるかに多くいることがわかる。アーンドラ・プラデーシュ州でインタビューされた汚物処理人はこう語った。

一カ所のトイレに、手で掃除しなくてはならない便器が、多いときで四〇〇もあります。これは世界で最も卑しい仕事で、カースト制度の最低階級を占める集団によって担われているのです。

ダリットが押しつけられている仕事の屈辱的な性質もまた、上位カーストによる支配の一環をなしており、規範と暴力の脅威がそれを支えている。汚物処理人の多くは、この仕事をする以外に選択肢はないと、地域社会から思い込まされている。ラシュトリヤ・ガリマ・アブヒヤン運動〔尊厳のための国民運動〕が、マディヤ・プラデーシュ州のマニュアル・スカベンジャーを対象に、仕事をやめたいと望めばやめられることを知らせるキャンペーンを開始すると、一万一〇〇〇人もの人がただちにやめたという。だが人々はその後も圧力と脅迫にさらされた。ある人はこう述べている。「雇い主の一人に脅されました。『今度俺の農場に来たら両足を切り落としてやるからな』と」。

カースト制度の性質と、それが生み出した規範の檻のせいで、インド社会は集団行動をとることができない。アンベードカルが指摘したとおり、社会は内輪で分かれ争っている。赤の女王は壊れているのだ。

支配する者たち

支配する者たちは、かつてはカースト序列の最上位のヴァルナ、ブラフマンであることが多かった。複数のカーストが住む村でも、ブラフマンが地元警察や、本章でこれから見ていく村落集会のパンチャーヤトをはじめとする政治機構を歴史的に独占していた。一九〇三年に刊行されたティライ・ゴーヴィンダンという人物の自伝に、住んでいたタミル・ナードゥ州の村で訴訟を裁くために開かれた地元のパンチャーヤトについての記述がある。ある集会では、集まった二五人のうち一八人までもがブラフマンだった。一九六〇年代初頭に同州でフィールドワークを行なった人類学者のアンドレ・ベテイユは、村の人口の四分の一を占めるにすぎないブラフマンが、伝統的にパンチャーヤトを完全に支配していたことを明らかにした。

だがベテイユが共同体の調査を開始した当時、状況は変わり始めていた。一つには、高学歴のブラフマンが収入のよい職業や政府の仕事に就きやすい都会に移ったからであり、もう一つには、民主政治を通して人口の多いカーストが力をもつようになったからである。ベテイユが調査した村の支配的なカーストは、シュードラに属するカラスというジャーティだった。カラスが最も有力な集団として浮上したのは、村で最も人口の多いジャーティだったからだけではない。ベテイユがいうように、もう一つ理由があった。

カラスには暴力の伝統があり、そのためアーディ・ドラヴィダは、カラスの権威に異を唱えることに尻込みした。

アーディ・ドラヴィダ（文字どおりには「原ドラヴィダ人」の意味）とは、とくにタミル・ナードゥ州でダリットを表すために使われる言葉で、二〇世紀初頭に不可触民の集団、パライヤルへの偏見を取り除くために使われたのが始まりだ。ちなみにパライヤルという言葉は、英語の「パーリア」の語源である。パーリアはオックスフォード英語辞典では、見放された人、ペルソナ・ノン・グラータ（好ましからざる人）、拒絶された人、のけ者と定義されている。ドラヴィダ人は、カースト制度をつくったとされるインド・アーリア人が侵入する前に、初めてインド南部に定住した歴史ある民族だ。つまり原ドラヴィダ人という表現は、パライヤルの地位を向上させることを狙っていた。

インドの社会学者M・N・シュリニヴァスが「支配カースト」と呼ぶ集団と、村のダリットの間の敵対関係は、珍しいものではなく、また暴力に染まっていることが多い。ヒューマン・ライツ・ウォッチはタミル・ナードゥ州で、ダリットと、シュードラの別のジャーティであるテーヴァルとの対立に関する調査を行なった。彼らがインタビューしたダリットの一人は、次のように語った。

テーヴァルはダリットと敵対しています。テーヴァル自身は先進的な集団ではありません。地主ですが、大地主というほどではない。大した教育を受けているわけでもないのに、ダリットを働き手として雇っていました。

つまりテーヴァルには、ダリットを支配下に置くべき経済的な理由があった。だがヒューマン・ライツ・ウォッチが明らかにしたのは、それよりずっと広範な階層と支配のシステムだった。テーヴァルの政治家は、皮肉のかけらもなく、大まじめに語った。

昔はそう、二、三〇年前のことですが、ハリジャン（ダリット）は「不可触民制」の慣習を進んで受け入れていました。昔の女性はテーヴァルの男性に押さえつけられるのを喜んでいた……ほとんどの……ダリットの女性は、テーヴァルの男性との関係を楽しんでいますよ。テーヴァル社会の男性の妾《めかけ》になるのは喜びなんです。強制なんかじゃありません。ダリットとのどんなことも、力ずくでは行なわれません。だから反抗しないんですよ。反抗できるはずがないじゃないですか。われわれに仕事と保護を頼っているんですからね……われわれだってダリットなしでは生きられない。田畑で働く労働者が必要なんです。われわれは地主ですから。ダリットがいなかったら畑を耕すことも、家畜の世話をすることもできません。でもダリットの女性とテーヴァルの関係は、経済的依存によるものではないのです。女性は彼にそれを求め、彼はそれを与える。地主が強ければ強いほど、女性は愛着を感じるんです。

こうした支配的関係は、支配された者たちの自由を消し去るだけでなく、地域の政治制度の機能まで妨げている。パンチャーヤトには一般にダリットの議席が留保されている。こうした留保議席は、支配カーストの優位を脅かした。一九九六年にタミル・ナードゥ州のメラヴァラヴュ村で、テーヴァルを含む多数派のカースト集団がダリットに対し、誰もパンチャーヤトに立候補してはならないと脅迫した。《タイムズ・オブ・インディア》紙は次のように報じている。「彼らは警告された。農場労働者の仕事を失い、支配カーストの所有する遊休地で家畜を放牧することも、そこの井戸から水を汲むこともできなくなると」。選挙は一〇月に予定されていたが、脅迫を受けてダリットの候補者が全員立候補を取り下げたため、中止となった。二月にダリットの男性ムルゲサンが、大胆にも立候補し、支配カーストが選挙をボイコットするなか当選した。だがその後ムルゲサンは警察の保護を必要とし、テーヴァルに妨害されパンチャーヤトの会場に入ることができなかった。ムルゲサンは脅迫を受け続け、一九九七年六月に殺された。目撃者は語る。

四〇人近くいました。全員がテーヴァルです。ムルゲサンの右腹を、とても長い刃物で刺したんです。バスの外から（リーダーの）ラマールが、パライヤルを皆殺しにしろと命じると、一二人のうち六人がその場で殺されました。残る六人全員がバスから引きずり下ろされ、六〇センチ以上はある鉈鎌《なたがま》で切りつけられました……テーヴァルが五人がかりでムルゲサンをバスから地面に引きずり出し、首を切り落として、五〇〇メートル離れた井戸のなかに投げ込んだのです。

この虐殺後、外部からの介入により、ダリットの女性にパンチャーヤトの五議席が留保されることになった。するとテーヴァルはダリットの労働者を解雇し、ほかの人たちにも手を回してダリットを雇わないように圧力をかけた。ダリットの子どもたちは学校に行くのを怖がるようになった。議員に選出された女性の一人は、ヒューマン・ライツ・ウォッチにこう語っている。

事務所はカースト・ヒンドゥー〔カーストに属する人々〕の地区にあります。私は事務所に入れてもらえません。だからここのTVルームを仮設事務所にして会議を行なっているんです。いまも脅迫は続いています。いつも見張られ、あとをつけられています……ダリットの女性議員がカースト・ヒンドゥーの地区に行けば、上位カーストに嫌がらせをされます。それでも事務所に行こうとすれば痛めつけられるでしょう。私には護衛警官が一人ついています。でも、銃をもっているのにカバンにしまったままなんです……ここでは何もかもがマヒしています。

タミルの別の村では、ヴェルダヴールという女性が、地域で横行しているダリットの女性への性的暴力について、ヒューマン・ライツ・ウォッチに語った。

村ではテーヴァルが勝手に家に入ってきて、ダリットの女性を犯しました。力ずくでレイプしました。私は夫を亡くしていますから、もし村にとどまれば私にも同じことが起こったでしょう……だから土地から逃げ出しました。これが、支配された者の定めなのです。

檻の中のカースト経済

たとえダリットが人々を社会的・経済的に分離するカースト制度の底辺にいたとしても、この古代の社会階級が現代でも職業を決定するほど厳格なのだろうかと、疑問に思う人がいるかもしれない。いったい誰がそれを強制しているのだろう？　インドの法律で定められていないのは明らかだ。だがすでに見てきたように、カーストの規範はきわめて強力で、現にカーストの定めを強制し、違反者を殺すよう促すことさえある。もしかするとこうした規範が、姓とカースト、職業の間の長期的な結びつきを生み出したのだろうか？

この疑問を初めて体系的に考察した人物が、イギリスの植民地行政官で、一九三一年に著書『北インドのカースト制度』を発表した、E・A・H・ブラントだ。イギリス植民地国勢調査のデータをもとに、ブラントは各ジャーティで伝統的に定められた職業に就いている人の割合を推定した。まず各ジャーティを、農業から労務、村の雑用、牧畜業、学問的職業、商工業、飲食品販売、物乞いまでの、合計一二の職業区分に大まかに分類した。そしてこれらの広い区分を、さらに細かい専門的職業に分けた。たとえば農業なら、花や野菜の栽培、ケシの栽培、ヒシの実栽培など。学問的職業には、天文学、執筆、そしてもちろん、ブラフマンに相当する司祭などがあった。商工業の区分では、三五種類の専門的職業がさまざまなジャーティにほぼ一対一で対応することを、ブラントは突き止めた。たとえばロハールというジャーティは鍛冶職人、ソナールは金細工師、パシはトディ（ヤシ酒の原料となる樹液）採取だった。農業は当然、群を抜いて大きな職業区分で、調査対象の全ジャーティの九〇％が農業を職業としていた。とはいえ、農業はヒシの実栽培を除けば、ごく一般的な職業ばかりで、それほど興味を引くような点はなかった。より驚くべきは、専門職の調査結果である。清掃人の七五％、金細工師（ソナール）の七五％、菓子職人と穀物炒《い》りの六〇％、理髪師と洗濯人の六〇％、大工と織り手、油圧搾人、陶工の五〇％もの人々が、当時もまだ、伝統に定められたとおりの職業に就いていたのだ。

だがカーストはこのように分離されてはいるが、自給自足しているわけではない。カースト間のサービスや便宜の提供関係を規定する、ジャジマーニーと呼ばれる制度によって結びついているのだ。一見すると、これは広範な等価交換のシステムのようにも思える。だが一部の人々が受け取るものは、ほかの人々が受け取るものよりずっと価値が高い。この仕組みは宣教師のウィリアム・ワイザーによって、一九三〇年代に北インドのガンジス川とヤムナー川の合流地点に近いウッタル・プラデーシュ州のカーリンパーという村で、初めて詳細に記述された。ワイザーは、のちに妻のシャーロットと共同で著したカーリンパーの民族誌のなかで、村の強烈な支配的関係について述べている。

われわれの村の指導者は、自分たちの権力に絶大な自信をもっていて、それを誇示しようとすらしない。事情を知らない人には、ほかの農民と区別がつかないだろう……それでも指導者が奉仕カーストの中に現れると、奉仕者は用心深い言動で敬意と畏怖を示す。奉仕者は学んだのだ。服従を疑われない限り、指導者の指図する手は優しく触れることを。だが独立のそぶりを、いや無関心でさえ、少しでも見せようものなら、父のような手は締めつけに変わる……指導者は生活の隅々に至るまで、村人をつなぎとめようとする。村人の献身は繁栄をもたらし、反感は失敗を招くのである。

カーリンパーには一六一戸、計七五四人の住民がいた。一六一戸のうち、四一戸をブラフマンが占めていた。ワイザーが特定した二四のジャーティのうち、二つがブラフマン、二つがクシャトリヤ、一二がシュードラ、八つが不可触民に属していた。ワイザーは、ジャーティ間の習慣的サービスの複雑な授受関係を明らかにした。ブラフマンから見てみよう。ブラフマンは原則的には司祭として、ほかのカーストに宗教的サービスを提供した。ブラフマンのなかでも最も権威の高い、司祭を務める一族は、ほかのブラフマンの一族だけにサービスを提供し、自身は外部のさらに高位の一族から宗教的サービスを受けていた。二番目に位の高いブラフマンの一族は、クシャトリヤとシュードラに宗教的サービスを提供した。ブラフマンは村の土地のほとんどを所有し、ほかのカーストからサービスを受けた。バライというジャーティに属する大工は、週に一、二度鋤《すき》の刃を清掃、研磨した。収穫期には鎌をつねにとがらせておき、必要に応じて持ち手を取り換えた。手押し車が壊れれば修理し、その他できる雑用を何でもこなした。ほかの鉄工、理髪師、水運び、陶工などのジャーティも同様に、決ったサービスをほかのジャーティに提供した。サービスと引き換えに受け取る対価は、あらかじめ決められていた。主に現物で、交換条件はカーストによって異なった。たとえば、ブラフマンは大工と鉄工に対し、鋤一本につき毎季一〇・五ポンド（約四・八キロ）の穀物を与え、ブラフマン以外のカーストは鋤一本当たり一四ポンド（約六・四キロ）の穀物を与えた。支払いが金銭で行なわれる場合でも、こうした差をつけるのが一般的だった。たとえば仕立屋は同じ衣服に対して、ブラフマンからは非ブラフマンが支払う額の半分を受け取った。ブラフマンが牛乳を買えば、その値段は非ブラフマンが支払う額の半額だった。村の土地の一定割合が高位カーストのために取り置かれていた。ブラフマンがそのほとんどを取ったが、大工と清掃人、油圧搾人、仕立屋、洗濯人にも土地が配分されていた。最も厄介なサービスはブラフマンの所有する土地で発生し、低位カーストの一族が一定の報酬と見返りに労働を提供するよう求められた。

社会階級の底辺にいたのは、もちろん不可触民だ。村には、これに属する皮革作業のチャマールというジャーティが八戸あり、動物の皮剥ぎ、皮なめし、靴やカゴ、カバンなどの修理を行なった。ワイザー夫妻はあるチャマールについてこう述べている。

村では、彼は個人としてではなく、「誰々のチャマール」で通っている。彼の時間と忠誠、そして息子たちの時間と忠誠は、家庭内の私事を除けば、パトロンの手中にすべて握られている。妻も、求めがあればいつでも畑仕事やパトロンの家の重労働を手伝えるように待機している。どんなときもパトロンの仕事と利益が優先される。少しでも時間が余れば、チャマールと息子たちはサービスの対価として与えられた土地に費やす。主人の同意がなければ、彼らは計画を立てることも、時間や金のかかることもできない。

つまりジャジマーニーとは実質的に、カースト制度に組み込まれた世襲的分業に基づく固定的な慣習的支払いを伴う、サービスの授受関係だった。これは第四章で見た、厳格な規範によって規制・制約された、ティヴの経済を彷彿《ほうふつ》とさせる。だがティヴが平等を保つ目的で規範を経済的関係に課していたのに対し、インドのカースト制度は意図的に反平等主義的だった。誰もが自分以外の全員にサービスを提供したのではなかった。たとえばブラフマンのうち三八戸が誰に対してもサービスを提供しないのに、ほかからはサービスを一方的に受けていたし、サービスの条件は高位のカーストに有利にできていた。まさにアンベードカルのいうとおり、人々はインセンティブや機会が遮断された、「密閉された仕切り」のなかにとらわれていたのだ。才能や能力はまるで不適切に配分され、浪費された。インドの規範の檻の祭壇に生贄《いけにえ》として捧げられたのは、自由だけではない。経済効率も犠牲になった。この国が貧困と低開発の蔓延《まんえん》に苦しんでいるのは少しも不思議ではない（それに、カースト制度を土台としさらに強化した、東インド会社とイギリスによる一五〇年間の植民地支配と、それ以前のムガル帝国の覇権は、どちらも状況を悪化させこそすれ、よい影響を与えなかったこともつけ加えておこう）。

だが、もしもインドがそれほど階層的で、それほど深刻な分断を抱えているというのなら、なぜ独立以来民主的な選挙を実施できていて、なぜ世界最大の民主主義国などともち上げられているのだろう？　また、なぜこの民主主義制度は赤の女王のようなものを発動できていないのか？　一つめの問いへの答えは、次に見るように、インドの民衆の政治参加の歴史と関係がある。それは第六章で見たゲルマン人の歴史と、多くの点で似ていた。二つめの問いへの答えは、やはりアンベードカルが指摘したさまざまな要因と関係がある。そうした要因のせいで、インドの民主政治はカースト制度に合わせて構築されたのだ。

古代の共和国

文字が生まれる前は、ほとんどの歴史が口頭で語られ、歴史家によって代々伝えられていた。口述歴史は、政権によって王朝の伝統を守るために利用されることも多かった。それには権力を正当化するという目的もあった。だが吟遊詩人や語り部は、正当化のためだけでなく、楽しみのためにも歴史を語った。ギリシア文学の傑作でホメロスの作とされる、トロイア戦争とその後を描いた『イーリアス』と『オデュッセイア』は、そのようにして生まれた。トロイア戦争が起こったのは紀元前一二〇〇年ごろだが、物語が書きとめられたのは少なくとも六〇〇年後で、それまでの間は口承されていた。

インドにも独自のイーリアスとオデュッセイアがあり、なかでも注目に値するのは紀元前四〇〇年から紀元四〇〇年ごろにつくられたとされる、『マハーバーラタ』と『ラーマーヤナ』だ。そしてそれよりさらに古く、私たちの目的によりかなうものが、『ヴェーダ』と呼ばれる古代インドの聖典である。ヴェーダには四種類あり、ヒンドゥー教の僧侶ブラフマンによって口承され、早くも紀元前一〇〇〇年には初めて書きとめられた。そのうちの一つ『リグ・ヴェーダ』は、一〇〇〇編を超える賛歌と詩からなる。ヴェーダは、長い時間をかけておそらく何度もの波に分けてインドに侵入した、インド・アーリア人の文学とされる。『リグ・ヴェーダ』には社会や戦争、政治に関する記述が含まれるが、解釈するにあたっては注意が必要だ。というのも、歴史なのか虚構なのかがはっきりしない場合が多いからだ。それでも、政治制度の仕組みはかなりはっきりと知ることができる。当時はラージャと呼ばれる首長がいたが、彼らは選出されるか、少なくとも選抜され、ヴィダタ、サバー、サミティと呼ばれる集会によって、権力を厳しく制限されていた。ただしこれらの制度が相互にどのように関係していたかは、正確にはわかっていない。サバーはより小規模で、おそらくエリートだけで構成され、サミティは最も大規模で、おそらくすべての自由市民の成人男性で構成された。これら集会の重要性は、別のヴェーダである『アタルヴァ・ヴェーダ』に、王の言葉として記されている。


　プラジャパティの二人の娘、サバーとサミティがともに和合して、我を守らんことを。我が会うすべての者が、我を尊敬し、援助せんことを。おお父祖たちよ、集会での我が言葉が公平ならんことを。

　なんじの名を我らは知る、おおサバーよ、議論のやりとりこそ、なんじの名である。サバーに参加するすべての者が、我に同意せんことを。

　出席者の栄光と知恵を、我はこの身に収めよう。インドラよ、これらすべての出席者のなかで我を際立たせよ。


創造神プラジャパティがこれら集会の起源とされること、また集会は検討と議論を行なうための機関であることが説明されている。この一節は、王が集会の支持を必要としていたことを明確に示している。

　実際、ラージャはタキトゥスが記述した、ゲルマン人の戦争指導者にかなりよく似ている。たとえばヴィダタは、戦利品を分ける集会だったようだ。またインドの歴史家は、この時代の社会組織を表すのに「部族」という言葉を使う。リグ・ヴェーダには三〇種類の部族に関する記述がある。社会は親族やクランを基盤としていたようだ。

後期ヴェーダ時代（前一〇〇〇年‐前五〇〇年ごろ）のおそらく紀元前六〇〇年ごろ、国家の型に違いが見られるようになる。北インドの一部では、首長が宗教によって承認された王や世襲制の君主に変わり始め、ブラフマンの取り仕切るヴァルナ制度が、世襲制君主の権力を正当化する重要な役割を果たすようになった。だがその他の地域では集会政治が存続し、むしろ強化された。この後者の形態の国家を、歴史家はガナ・サンガ国と呼んでいる。

ガナ・サンガ国のなかで最も記録が多く残っているのが、リッチャヴィ国である。首都は現在のビハール州バサール村にあたる、ガンジス川のすぐ北に位置するヴァイシャリにあった（図12）。この時代のある史料にはこう記されている。「その都市［ヴァイシャリ］には、王国を治める七七〇七人の王［ラージャ］がつねにおり、それぞれに副王、長官、財務官がいる」。別の史料には「リッチャヴィ国を治める一族は七七〇七人に達し、ヴァイシャリに居を構える。そして全員に議論の場が与えられている」ともある。歴史家はこれらの数字から、ヴァイシャリの市民団の規模を七七〇七人の四倍の三万八二八人と推定し、その四分の一を占める「王」が特別な政治権力を有し、集会を構成していたのだろうと解釈する。この集会が、人口約二、三〇万人のリッチャヴィ国の中心をなしていた。市民の数を三万人とすると、彼らが総人口に占める割合は、古代アテナイや後期ローマ共和国における市民の割合に非常に近くなる。リッチャヴィでは、集会で選ばれた九人制の評議会が日常的な行政業務の大半を担い、九人のうちの一人が、行政権限をもつ王の頭に選ばれた。この地位は終身制だった可能性がある。ブッダもリッチャヴィ人について次のように述べたと、ある史料に記されている。

「公共集会の全体会を頻繁に開催」し、一堂に会し「和合して」討議し、「和合して立ち上がった」。リッチャヴィ人は多数決原理で決定を下し、特定の職務を担う役人を選出した。その一つがサラカ・ガハパカ（投票管理人）である。この地位を遂行するために必要な五つの特質が明記されている。「不公平と……悪意……愚かさ……恐れをもたず、何について評決が行なわれたか、行なわれていないかを把握している者」。この役職の名称は、木片を意味するサラカに由来する。現代の投票用紙のように、当時は投票を記載するために木片が使われていた。リッチャヴィにはほかにも特筆すべき制度があった。たとえば司法機構は八段階に分かれ、控訴裁判所の階層があり、古代アテナイと同様、市民が活発に司法に参加していたようだ。最もくわしい情報が得られるのはリッチャヴィだが、同時代のその他の国家、たとえばブッダの出身であるシャーキャ国にも、同様の共和的、民主的な政治機構があったと考えられている。

ガナ・サンガ国がどれほど重要だったかは、カウティリヤが『実利論』のなかでそれに言及した方法にも表れている。カウティリヤはインドで最も商鞅《しょうおう》に近い存在で、商鞅と同じく、支配者のための国家編成の指南書として、国家統治の方法論と心得を著した。理想的な国家の建設を考慮するにあたり、カウティリヤは集会には関心を示さず、高度に階層的な君主制を念頭に置いていた。それでも外交政策について論じた部分では「サンガ」という用語を用いて、ガナ・サンガ国を明確に取り上げている。カウティリヤはこう述べている。

サンガは団結した国家であり、敵は彼らを［容易に］破ることはできない。

サンガの首長は、行動のみによって民に愛されなくてはならない。民が好み、民の利益になる活動を、自制心をもって勤勉に遂行しなくてはならない。

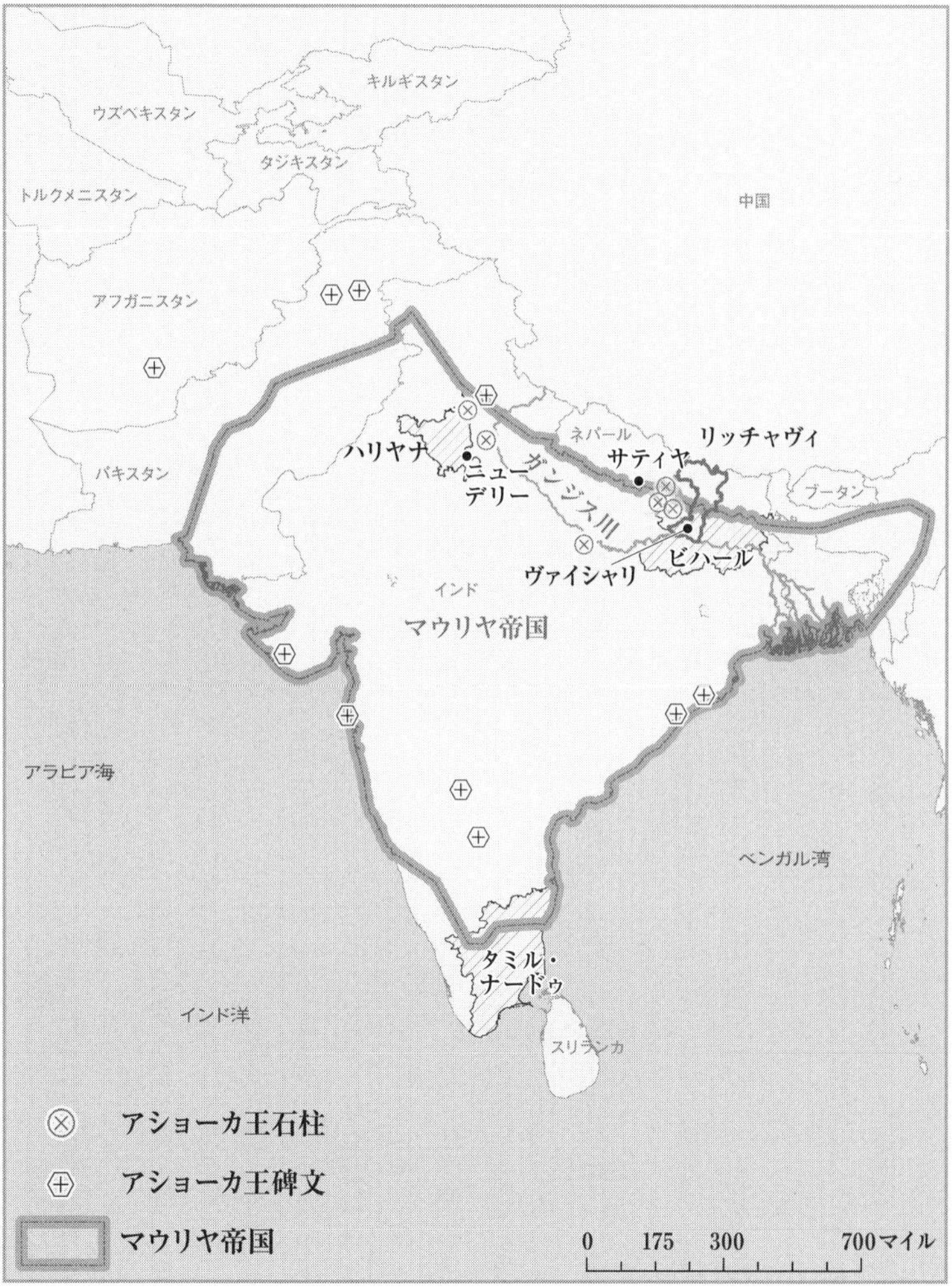

図 12　インドの帝国と参加型政治の発祥地

より特筆に値することに、ガナ・サンガ人は、政府の制度をつくることに民衆全体が合意するという考え方を生み出していた。これが最もよく表れているのが、『ディーガ・ニカーヤ（長部）』などの仏教の経典である。ブッダの生まれたシャーキャ国は、前に述べたようにガナ・サンガ国の一つで、この経典によれば、腐敗が入り込むまでは充足と幸福の時代を長きにわたって享受していたという。腐敗がやってくるとともに、肌の色や性による違いが生じ、突如として人々は食べものや飲みもの、栄養を必要とするようになった。天上の生活は地上の生活に変わってしまった。人々は家族や財産などの制度を生み出し、争いや盗みさえ起こるようになった。そこで人々は「最も慕われ、最も魅力的で、最も能力が高い」統治者を選ぶために集まった。選ばれた者は、「憤慨すべきときに憤慨し、非難されるべきことを非難し、追放されるべき者を追放する」ことに同意した。この埋め合わせとして、人々は選ばれた者に米を与えることに合意した。『ディーガ・ニカーヤ』には、統治者がこのようにして選出され、三つの肩書きマハーサンマタ、カティヤ、ラージャを与えられたことが記録されている。一つめの肩書きは「全員によって選ばれた者」、二つめは「田畑の王」、三つめは「ダルマによって人々を魅了する者」の意味だった。

『ディーガ・ニカーヤ』に出てくる、このダルマという言葉が重要だ。この言葉は紀元前六〇〇年から前三〇〇年にかけて記された文献群『ダルマシャーストラ』で使われたのが始まりである。ダルマとは、社会に暮らす人間がとるべき適切な行ないのことであり、「正しい行ない」と訳すことができる。そうした道徳的な行ないを通じて功徳《くどく》を積めば、転生《てんしょう》後によりよい人生を送ることができるとされた。ダルマはインドにとっての中国の儒教のような道徳原理で、民衆のために徳をもって支配するよう、統治者を導くはずだった。だが前章で見たように、中国のすべての皇帝が、儒教の原理を忠実に守っていると標榜《ひょうぼう》していたにもかかわらず、そうした原理は必ずしも皇帝たちの行動をうまく抑制できなかった。インドのダルマについても同じことがいえる。
続いて現れた君主国は、新しい権力構造を正当化するために、まったく異なる根拠を編み出した。そして重要なことに、その考え方はヴァルナ制度に多大な影響を受けていたのである。多くの史料に、国家権力の正当性を、ヴァルナに基づく社会秩序を維持する必要性と結びつける記述が見られる。このことは、ヴァルナ制度に対するカウティリヤの考え方にも明確に表れている。

それが侵害されれば、カーストと務めの混乱によって、世界は滅亡するだろう。したがって、王は人々を決して務めから逸脱させてはならない。なぜなら自己の務めを果たし、アーリア人の慣習につねに従い、カーストと四住期の決まりに従う者はみな、いまもこれからも確実に幸福でいられるからだ。

そんなわけで、王はヴァルナとカーストに定められた務めを人々に守らせることに専心しなくてはならなかった。同様にヴァルナ制度は、ブラフマンの儀式を通して国家を正当化した。このことが明白に表れているのが、当時の最も有名な即位儀礼、ラトナハヴィムシだ。新たに王となる者は、一人ひとりのラタニンすなわち宝玉保持者〔近臣〕の家を回り、そこで祈りを捧げた。ラタニンの数は、史料によって一一人から一五人までの幅があるが、ある一点に関しては一致している。王が最初に訪れたのが、ブラフマンの家だということだ。この儀式は、誰が権力をもっているのか、王が誰から権威を与えられているのかを知らしめるためのものだった。ヴァルナと国家のこの関係こそ、インドで赤の女王が壊れたもう一つの重要な理由である。ヴァルナ制度を壊すのではなく、むしろ支持し、尊重するのが国家の務めとなった。その見返りとして、カースト制度は階層を維持し、社会が国家に異を唱えられないようにしたのだ。

マウリヤ朝はカウティリヤの導きで、インドになかった規模の巨大帝国を生み出すことに成功した（図12）。この帝国の広がりがどれほどのものだったかを知るには、アショーカ王の碑文の分布を見るといい。アショーカ王はマウリヤ朝を建国したチャンドラグプタの孫にあたり、マウリヤ朝の歴代王のなかで最も有名な王で、紀元前二六八年から前二三二年まで統治した。アショーカ王はおそらく誰にでも読めるようにするために、国中の岩や石碑に法律や指針を刻ませた。アショーカ王の大法勅《だいほうちょく》が刻まれた場所は、西は現在のアフガニスタンのカンダハールから、南は現在のアーンドラ・プラデーシュ州のハイデラバード南部のイェラグディ、東は現在のオーディシャー（オリッサ）州ダウリ、北はパキスタンのシャーバーズ・ガリーにまでおよぶ。これを見ればアショーカの帝国がいかに広大だったかがわかり、碑文からは統治のあり方を垣間見ることができる。『実利論』には、マウリヤ朝に下は村レベルにまで浸透する緻密《ちみつ》な官僚機構があったことが示唆されているが、実際にそうだった可能性はとても低いというのが、現代の歴史家の一致した意見である。この点で、カウティリヤの書は実際に起こったことや、できたであろうことというよりは、望ましいことについて述べていた。強力な支配の欠如を補うために、アショーカ王は仏教に帰依《きえ》し、みずからの統治哲学としてのダルマを広めた。法勅には、その理想が表れている。大法勅の第六条でアショーカ王はこう述べている。

上奏官は人民に関する問題を、いつでも（また）どこにおいても、我に報告しなくてはならない。我が食事をしているときでも、後宮にいるときでも、寝所にいるときでも、牛舎にいるときでも、籠のなかにいるときでも、（また）御苑にいるときでも、庭園にいるときでも。そして我はどこにおいても、人民の問題に対処しよう。

また、我が口頭で命じる賜与や布告に関して、またはマハーマートラ（大官）に委任された緊急の問題（に関して）、（マハーマートラの）評議会で論争が生じたり、再審の必要が生じたならば、我にただちにそのことを、どこでも（また）いつでも報告しなくてはならない。

かように我は命じた。なぜなら努力と政務の執行において、我に満足はないからである。


ここでアショーカ王は、きわめて責任感の強い、人民の福利に心を砕く統治者というイメージを打ち出している。この法勅の最後の一文は興味深い。アショーカ王は皮肉にもこう述べているのだ。「しかし、これは大いなる熱意なしに達成するのは難しい」。実際、大いなる熱意はほとんどの場合欠けていた。マウリヤ朝は紀元前一八七年、アショーカ王の死後五〇年とたたずに滅んだのだった。

ガナ・サンガ国は、マウリヤ朝が台頭する間も生き延び、長期にわたって存続した。マウリヤ朝滅亡後の一〇〇〇年もの間、北インドの小国は興亡をくり返し、より専横的な国家制度がインド全土にわたって建設されたのは、おそらく一三世紀にデリー・スルターン朝が興り、続いて一五二六年にムガル帝国が成立してからのことである。それ以前は、たとえばチャウハーン朝――デリー・スルターン朝が誕生する前にラージャスターン地方を支配していたラージプート族の主要派閥の一つ――は、新しい税を課すために村の集会の承認を得る必要があったことがわかっている。また同じ文脈で、パンチャーヤトという言葉が「集会」という意味で用いられていることもわかる。前に見たように、パンチャーヤトは現代でもインドで地方のカースト集会や政治集会を表す言葉として使われている。だがこうしたより専横的な制度が発達し始めても、すべての地域社会、とくに南部にまでそれが浸透したわけではなかった。その南部をこれから見ていこう。

タミル人の地

集会と代議制は、北インドだけのものではなかった。インドのどの地域にもあり、おそらくインド半島の南部ではさらに一般的だった。南部ではムガル帝国でさえ支配を確立することはなく、イギリス植民地時代までは幅広く自治が行なわれていた。植民地時代は、東インド会社による統治（一八五七年まで）から始まり、続いて一九四七年の独立までイギリス政府による直接統治が行なわれた。

チョーラ朝を例にとってみよう。この国は南インドの活気ある集会の好例というだけでなく、自律的な政体が自発的に集まる、ボトムアップのプロセスから中央集権国家が生まれた様子を覗《のぞ》かせてもくれる。チョーラ国家は「タミル人の地」という意味をもつ現在のタミル・ナードゥ州（図12）を本拠に、南東インドの大部分を支配した。おそらく八世紀か九世紀ごろに成立し、一三世紀末まで存続した。最初の首都は現在のタミル・ナードゥ州チェンナイの南西部にあたるタンジャーヴールに置かれ、その後カーンチープラム、マドゥライなどに移された。チョーラの地方レベルの行政は村会を主体としていた。農民中心の村では村会はウールと呼ばれ、ブラフマンが権力を握る村では、サバーと呼ばれた。これは前にも見た用語だ。ウールは村の成人男性全員で構成されていたと考えられ、サバーも同様だった。ただし、サバーの成員が適格者のなかからくじで選ばれていたことを示唆する証拠もある。ブラフマンの支配するウティラメルル村の寺院に残る特筆すべき刻文には、こうした制度の機能に関する多くの情報が記されている。

三〇の区を置くべし。これらの三〇区では住民が集まり、くじで代表を選出するために、次の資格をもつ候補者を選ぶべし。
その者は四分の一〔単位〕以上の租税納入地を所有していること。自分の土地に建てた家に住んでいること。年齢は七〇歳未満三五歳より上であること。〔ヴェーダ経典〕のマントラ〔賛歌〕とブラーフマナ〔祭儀書〕を修めていること。
八分の一しか所有していない場合でも、一つのヴェーダを修め、かつ四つのバシャヤのうち一つを修めていれば、その者の名は含められるべし。

このあとに、考慮されるべきでない親族の長いリストが続いた。また、以下の者は村会に参加する資格がないとされた。「他人の財産を盗んだ者。禁じられた料理を食べた者」。そのほか、過去三年間のいずれかの時期に委員だった者と、それ以前の時期に委員だったが一度も記録を提出しなかった者も除外された。

これらの者たちをすべて除外したうえで、三〇区の札に名を記して……壺に入れるべし。くじ引きを行なうために、老若すべての成員が大集会の総会を開くべし。

それから、くじ引きでの不正を防止するためのくわしい方法が列挙されていた。くじにより、各区から一人ずつ、計三〇人が選ばれた。これらの人々は庭園委員会、槽委員会、年次委員会などの委員会を構成した。庭園委員会が具体的に何をしていたのかはわからないが、槽委員会はおそらく貯水槽のほか、飲料水や灌漑《かんがい》などの重要な公共サービスを組織していたのだろう。灌漑は刻文でも頻繁に言及されている。たとえばこんな記述がある。

ブラフマンの集会は……二人の兄弟と合意を交わす……兄弟の村の湖へ流れる用水路に水が届いていないため、集会は当村の湖の沈泥を除去し、連結用の用水路に必要な労働の半分を提供し、当村の湖からの流出水をその用水路に通して、隣村の湖まで流すものとする。

別の村の刻文は、「二つの小用水路」について記している。

地元のブラフマンの集会とナードゥの大集会との会合で、隣村まで流れる用水路の水位を下げないようにして、これらの小用水路と周囲の田畑との土地境界線を決定する。

ほかの村には、五倍委員会や金委員会もあった。

イタリアのシエナでは鐘の音が集会の開催を知らせたが、タミルのある村では、太鼓を叩く音が知らせた。ウールとサバーは税の取り立ても行ない、一部を自分たちの取り分にし、一部をチョーラ国家に納めた。これらの集会は、土地やその他の法的問題をめぐる争いも裁定した。

話が本当におもしろくなるのはここからだ。ウールとサバーは、前記の用水路に関する決定でも言及されていた、さらに大きな単位であるナードゥに招集された。各々のウールとサバーが代表を選んでナードゥに送り、そこで集団的決定を行なっていたようだ。ナードゥの主要な特徴の一つに、地理的分布が非常に不規則なため、ごく小規模なものが存在する点が挙げられる。たとえばある刻文によれば、アダヌール・ナードゥ〔ナードゥには村の集合の意味もある〕のナードゥは二つの村だけで構成され、別の刻文によれば、ヴァダ・チュリウヴァイル・ナードゥのナードゥは四村だった。だがほかのナードゥには一一村や一四村からなるものもあった。歴史家のY・スバラヤルは、主に寺院に残る数百の刻文をもとに、カーヴィリ川流域周辺の王国の中心部だったチョーラ・マンダラム内のナードゥを地図に表した。これらの地図から、ナードゥの形状や面積がまちまちだったことがわかる。人口密度がかなり均一だった河川の流域でもそうだ。なぜかといえば、何らかの中央政府が共同体に土地を与えたのではなく、チョーラ国家が以前から存在した自治的な村落の集まりだったからだ。つまりこの国家は、次章で見るスイス国家と似た方法で、ボトムアップで建設されたのである。この推論を裏づける一二世紀の別の刻文は、ラージャディラージャ二世をチョーラの玉座に据えるにはナードゥの承認が必要であることを強調している。

またこの地域がいまでは「タミル人の地」という意味の、タミル・ナードゥと呼ばれていることも意義深い。村落の集まりを指す言葉だったナードゥが、いまやタミル人のより広範な地域を表すようになったのだ。

ガナ・サンガ国からローク・サバーに至るまで

ここまで見てきたように、サバーはインドに深く根づいている言葉だ。その起源は二五〇〇年以上前に北インドのガナ・サンガ国で開かれていた集会までさかのぼる。こんにちのインド連邦議会下院は、「人民の議会」を意味するローク・サバーと呼ばれている。だが同じ言葉で呼ばれてはいるが、これらのサバーの連続性は実際にどの程度あるのだろうか？

答えは、かなりある。インドは異質な要素からなる巨大な国であり、サバーは全土に存在したが、運営方法に多くのバリエーションがあったことは間違いない。北インドの諸国家、とくにムガル帝国は外部からの侵略者によってつくられ、チョーラ国家のようなボトムアップのイノベーションでは決してなかった。それでもムガル人は、サバーや村落共和国の代わりになるような国家官僚機構を構築しようとはしなかった。土地税さえ支払われれば、むしろ地方自治を積極的に容認した。このために用いられた主要な手法が、徴税請負制である。ムガル人はザミーンダールと呼ばれる請負人に所定地域の徴税権を付与し、請負人は取り立ての報酬として土地税の一部、一般には一〇%を自分のものにすることができた。ムガル帝国には、地方の生産高や生産性の正確な情報を収集できるような税務官がいなかったのに、徴税のための官僚機構を構築しなかった。ではザミーンダールはどうやって税を徴収していたのだろう? ムガル以前の武装エリートがザミーンダールとなり、独自の強制手段を用いて徴税したケースもあったが、一般にザミーンダールは村の権力者の協力を得て税を取り立てることが多かった。またザミーンダールがいない場合では、ムガル人が村全体の徴税に責任をもつ権力者と直接交渉することもあった。

このような村の制度にも、大いに連続性があった。一八世紀、とくにイギリス東インド会社がベンガルとビハールでの徴税権をムガル帝国から獲得した一七六五年以降、同社の高官も村の制度に一目置くようになった。この状況を端的に表しているのが、一八一二年にイギリス議会に提出された、「東インド会社の諸業務に関する特別委員会第五報告書」だ。この報告書は一七六五年以降の、とくに租税収入の確保にかかわる同社の制度的イノベーションに焦点を当てていたが、インドの村の生活についても興味深い分析を記している。

> 村は……政治的観点からいえば……自治体や郡区に似ている。村の役人や職員の正式な構成は、次のようである。村の問題全般を監督するポテル、つまり住民の長《おさ》は、住民間の争いを解決し、

治安を維持し、村内の徴税……の任務を遂行する。ポテルは個人的な影響力をもち、村の事情に精通し、住民との関係を維持していることから、この任務に最も適している。

報告書は続いて「槽と水路の監督」を含むさまざまな任務を請け負う多数の村役人を列挙し、こう述べている。「この国の住民は太古の昔から、この単純な形態の地方政府の下で暮らしてきた」。一八三〇年代に、サー・チャールズ・メトカーフは次のように記した。

村落共同体は、まるで小さな共和国のようだ。必要なほぼすべてのものを村の中にもち、いかなる対外関係からもほぼ独立している……こうした一つひとつの独立的な小国家によって構成される村落共同体の連合は、インドが経験してきたあらゆる革命や変化から民を守ることにかけては、ほかの何よりも大きく貢献してきた。

第五報告書では「パンチャーヤト」の言葉は使われていないが、同時代の文献や植民地文書にまもなく登場し始める。たとえば一八七一年刊行のヘンリー・サムナー・メイン著『東西の村落共同体』には、インドに選挙で選ばれた役員からなる「村評議会」が存在すると書かれているし、一八九九年刊行のB・H・バーデン＝パウエル著『インドの村落共同体の起源と成長』には、パンチャーヤトに関するくわしい記述がある。ただしバーデン＝パウエルは、パンチャーヤトのほとんどを寡頭的と見なしていたようではある。一九一五年にジョン・マタイは、「村落共同体の最大の特徴はパンチャーヤトつまり村評議会」にあり、パンチャーヤトは「全住民の総会、または住民のなかから選ばれた特別委員会」を指す言葉である、と記している。実際、イギリス当局は早くも一八八〇年に、こうした村の制度を活用しようとしていた。その年の「インド飢饉《ききん》委員会報告書」には次の記載がある。

インドのほとんどの地域には村落組織があり、村民救済のための……迅速で自然な……仕組みを提供している。この国の将来の発展のためには、地方自治の原理を奨励し、あらゆる職務を地方の指導にますます委ねるべきである。

一八九二年の法令は、パンチャーヤトを「何らかの簡便な方法で」選出することを定め、一九一一年にマドラスで可決された法案は、パンチャーヤトの選出を認め、パンチャーヤトが担うべき仕事として、公道の照明、公道・排水溝・槽・井戸の清掃、学校・病院の設置と維持を含む、多くの仕事を挙げていた。

マハトマ・ガンディーが思い描いたインドの理想像が、自治的な村落を基盤としていたのは偶然ではない。ガンディーはこれを「ヒンドゥー・スワラージ」、すなわちインドの自治原則と呼んだ。イギリスの植民地政府は同じ伝統を利用しようとした。独立後も村落の制度は強化された。インド憲法第二四三条は、グラム・サバーの設置を定めている。グラム・サバーとは、村の全成人有権者が参加する村民総会で、この総会が、村の諸問題を取り仕切るパンチャーヤトを民主的に選出する。これらの制度は一九九二年パンチャーヤティ・ラージ法でさらに強化された。この法によりパンチャーヤトは〔県・郡・村の〕三層構造となって、インドの政治制度に正式に組み込まれたのである。

ヴァルナに仁義なし

このように、インドの民主主義は歴史に深く根を下ろしている。だが根が深かろうと深くなかろうと、それよりもさらに根深い階級制によって攪乱《かくらん》され、内輪で争っている社会では、民主政治が有効に機能するはずがない。これが如実に表れているのが北部のビハール州だ（これも図12に示した）。ここでは地域民主主義が社会の分断をいっそう深め、その過程で国家能力が阻害されているのだ。これは赤の女王効果で見られる、国家能力の拡大とは正反対の動きである。またこのケースでは、再生族が結託して下位カーストを虐げるのではなく、下位カーストが上位カーストの弱体化を図っている。これがとくに顕著だったのは、ラルー・プラサード・ヤダヴとその妻ラブリ・デーヴィが州知事を務めた、一九九〇年から二〇〇五年にかけてのことである。

ビハールはインドの最貧州に数えられる。二〇一三年当時、一億人の州民のおよそ三人に一人が貧困状態にあった。インドでも最も高い貧困率だ。タミル・ナードゥ州の貧困層は人口の一一％、ケララ州は七％を占めるにすぎない。ビハールはインドで最も成人識字率が低い州でもあり、二〇一一年の国勢調査では六四％と、ケララ州の九四％などを大きく下回っていた。ビハールで貧困と非識字が蔓延しているのは、国家能力の崩壊に原因がある。二〇〇〇年に分離されるまでビハール州の一部だった、隣のジャールカンド州では、教師欠勤率が驚くほど高く、学校にいるはずの教師の四〇％がどこにも見当たらない。ビハールでも状況は似たり寄ったりだ。

ビハールの地方国家の能力は著しく低く、中央政府からの税の交付すら受けられないほどだ。インドの州は財源の大部分を中央政府に頼っているが、これを得るためには交付金を申請して、いくつかの官僚的手続きを完了しなくてはならない。これには当然（少しばかりの）能力が必要だ。期限内に申請書を作成し、利用可能な資金を算出し、予算を策定し、歳出計画を承認しなくてはならない。だがビハール州のために取り置かれた資金の大部分が、実際に交付も支出もされずに終わっているのだ。

たとえばサルヴァ・シクシャ・アビヤンという、ビハールのような州が痛切に必要とする、初等教育改善プログラムを例に取ってみよう。二〇〇一年から二〇〇七年にかけて、ビハール州には五二〇億ルピーが割り当てられたが、実際に支出されたのはこの半分の二六〇億ルピーにすぎなかった。同様に、ラシュトリヤ・サム・ヴィカス・ヨジャナと呼ばれるプログラムでも、二〇〇二年から二〇〇六年にかけて同州には四〇〇億ルピーが割り当てられていた。これは後進地域の物理的・社会的インフラ整備に使うことのできる資金である。ビハール州政府が確保できたのは、四〇〇億ルピーのうちの一〇〇億ルピーにすぎず、実際に支出されたのはそのうちのわずか六二%だった。さらにひどいのが、農村道路整備の重点プログラム、グラム・サダック・ヨジャナの実施である。ビハール州が支出できたのは、配分された資金の二五%でしかなかった。その一方で、中央政府の総合児童開発計画の下で承認された三九四のプロジェクトのうち、半数が着手されずに終わった。つまりビハール州は、中央政府から得られるはずの資金を意図的に甚だしく過少申請し、資金を獲得できたときでさえ甚だしく過少支出しているのだ。

このすべての元凶が、ビハールの地方国家の非効率的な構造にある。実に馬鹿げた方法で集権化されているのだ。なにしろ二五〇万ルピー（二〇〇〇年代半ばには約五万五〇〇〇米ドルに相当）を超える支出を伴うすべての決定に、州内閣の承認を得る必要があった。これは業務に著しい遅延をもたらした。また、デリーからの当初支払金の六割を支出するまでは、次の支払金が交付されない決まりになっているため、当初支払金以降の資金を申請または使用する期限が過ぎてしまうこともしばしばだった。二〇〇五年の世界銀行の報告書は、次のように述べている。

現行の公務員規則が構想するのは、成果主義に基づく採用・配属・昇進・賞罰の制度である。だがこの制度は場当たり的で不透明な、およそ成果主義的とはいえない方法で運営されている。職場環境（女性従業員の直面する問題を含む）や設備、福利厚生、給料未払いに関する問題が束になって職員の士気を低下させている。……県の行政官は集権化や、上司の支援と理解の欠如、不正の報告の放置、下級レベルの無能にいら立っているように見える。

この評価は州制度が完全な機能停止状態にあると示唆しているが、問題はそれだけにとどまらない。たんに「制度は場当たり的で不透明な、およそ成果主義とはいえない方法で運営されている」だけではない。多くの場合、制度を運営する人が、現場に誰もいないのだ。一九九〇年代に州政府職員に大量の欠員が生じ、とくに技術者不足が深刻化した。主な原因は、有資格者の不足ではなかった。部内の昇進委員会が開かれず、また開かれたときでさえ、委員会の提案が承認されなかったからである。そのせいで、二つの主要技術部門である道路建設部と農村工学局の技術部長のポストが長期間空席のままだった。これらの二部門では、主任技師の一五のポストのすべてと、監督技師の九一のポストのうち八一もが欠員だった。官僚機構の下層を見てみると、上級技師と技師補佐、下級技師の六三九三のポストのうち一三〇五が欠員となっていた。担当者が選任されないという、この問題は根が深い。ビハール州政府自身が二〇〇六年に発表した文書は、欠員の問題を中央政府から資金を獲得できないことと直接結びつけた。

道路建設部と農村工学局のすべてのレベルで、技術要員が深刻に不足している。新卒レベルの大規模な採用が行なわれていないし、昇進も実施されていない。道路建設部内の品質管理課は、設備や化学薬品、人員の不足により機能していない。事前計画課も同じく機能していない。技術行政は完全に破綻している。このことは、土木業務の遂行を著しく妨げているだけでなく、中央政府その他からの資金獲得のために必要なプロジェクト企画書を作成するうえでも深刻な障害となっている。

ビハールでの欠員の放置、資金の過少申請と過少支出、また全般的な国家能力の欠如は、たんに組織の機能不全だけが原因なのではない。社会の分断と分裂に根ざした政治戦略がもたらしたものである。実際、国家能力の欠如はインドの大部分と同様、ビハールについて回る問題だが、とくにラルー・プラサード・ヤダヴが州知事になった一九九〇年以降、大幅に悪化した。ヤダヴ族は、シュードラ・ヴァルナに属するジャーティの一つで、同州で最も人口の多いジャーティである。インドのほとんどの地域と同じく、ビハールの政治は歴史的に高位カースト、とくにブラフマンが支配していた。だがラルー・ヤダヴ政権の下で、シュードラがブラフマンに代わって、地方政治を牛耳るようになった。ヤダヴは実権を握るために、下位カーストやカーストに属さないムスリムと新たな政治的連携を組んだ。彼らは有力な高位カーストの座を奪うという、あからさまな目的をもっていた。このことが、欠員の多さを理解するためのカギとなる。技師などの高スキルの仕事に就く資格をもっていたのは、主に高位カースト出身者だった。ラルー・ヤダヴは彼らの任命を拒否した。その結果生じた地方国家の無能力のせいで資金を失い、自身の支持層が痛切に必要とする公共サービスを提供できなくなったにもかかわらず、ラルー・ヤダヴは「開発」は高位カーストを利するだけだとして、その効果を軽んじたのである。

壊れた赤の女王

インドは不可解である。国家の失敗と政治の機能不全がはびこる、非常に貧しい国であると同時に、熾烈《しれつ》な政治的競争が存在する、世界最大の民主主義国でもある。この謎めいた取り合わせはどう説明できるだろう？　前に述べたように、インドの民主主義のルーツは、第六章で見たゲルマン人の集会政治に似た、民衆の政治参加の歴史にある。だがヨーロッパの経路との共通点はそこでおしまいだ。ヨーロッパでは赤の女王が始動し始め、国家能力を拡充するとともに、社会の動員を制度化・強化し、その過程でヨーロッパの規範の檻を解体したのに対し、インドではそんなことは何一つ起こらなかった。それはカースト制度の本質と遺産のせいである。カーストの区分は社会に人為的な階級と不平等を植えつけただけでなく、政治の性質をも歪めてしまった。分裂し内輪で争う社会は、国家制度を監視することができず、国家に能力拡充を促す力も著しく欠いていた。カースト最上位のブラフマンは残りのカーストを支配するのに忙しく、残りのカーストは社会階層内での立ち位置のことで頭がいっぱいだった。誰もが規範の檻に縛られすぎていた。少なくともこれまでは、国家はカースト制度の強制と再確認を自己の務めと見なし、ことあるごとに規範の檻を強化してきた。

独立後に民主主義が到来すると、政治的競争の戦線が各カーストによって引かれ、そのせいで民主的競争の活力はそがれてしまった。人類学者のベテイユはこう述べている。「村パンチャーヤトの弱さは、本質的に分裂し階級にとらわれた社会の基層のうえに、民主主義的な公的機構を押しつけたことに起因するように思われる」。州レベルと国家レベルでの民主政治についても同じことがいえる。カーストによる分断のせいで、社会は既存の社会階級を超えて組織化することも、政治家に説明責任を求めることも、国家に国民への奉仕を促すこともできず、そのため赤の女王は壊れたままだった。むしろビハールの例で見たように、カーストの権力闘争が国家能力をいっそうむしばむことが多かった。

壊れた赤の女王は、貧困に予想どおりの影響をおよぼした。だがより根本的にいえば、自由は民主政治の文脈に置かれたにもかかわらず、ダリットだけでなくすべてのインド人の前に現れず、インド人は全体としていまなお社会的階層と規範の檻にとらわれているのである。

第九章

悪魔は細部に宿る

ヨーロッパの多様性

第六章で見たように、ヨーロッパのハサミの二枚の刃が、ヨーロッパ大陸の大部分を回廊の近くまたは内部に動かしたが、その後の数世紀間はまだかなりの多様性が持続し、進展していた。イングランドは回廊のなかを進み、国家能力の深化に目を光らせる、参加性のはるかに高い政治形態に向かっていた。また、フランスとイタリア、南ドイツ、オーストリアの間に押し込められたスイス連邦も、すでに回廊のなかにいて、ハプスブルク帝国から身を守るための強力な市民軍と、政治を支配する強力な集会を生み出していた。一五一三年に書かれたニッコロ・マキャヴェッリの『君主論』にはこうある。

ローマとスパルタは数世紀にわたって武装を固め、自由を保った。スイスは十分な武装を整えているため、きわめて自由なのである。

実際、トム・スコットは歴史家の間の通説を要約して、スイスの農民についてこう述べている。「封建的隷属から解放された山岳地帯の農民は、自由の証《あか》しとして武装を備え、貴族にさえも『敬意』を要求した……その古風なクランの構造は、私たちが民主的形態として想像するものとはかけ離れていたが、それでも彼らは『自由』だった」。しかし、さらに北方では、プロイセンがまったく異なるタイプの国家を生み出していた。その専横的性質は、フランスの哲学者ヴォルテールの皮肉によく表れている。

プロイセンは軍隊をもつ国家にあらず。国家をもつ軍隊である。

一方、少し南のアルバニアやモンテネグロでは、状況はまるで違っていた。中央集権的権威はなく、何の脈絡もない暴力がたえまなく続き、二〇世紀に入っても一向にやむ気配はなかった。モンテネグロの作家で知識人のミロヴァン・ジラスは、自身の一族の歴史を通して、一九五〇年代に血讐がはびこっていたことを伝えている。

幾世代もの男性が、同じ信仰と同じ姓をもつモンテネグロ人の手で殺されてきた。私の父の祖父と、私自身の二人の祖父、父、叔父が……まるで恐ろしい呪いをかけられたかのように代々殺され、血塗られた連鎖は断たれていなかった。抗争中のクランによって受け継がれてきた恐れと憎しみは、敵であるトルコ人に対する恐れと憎しみよりも激しかった。私は目に血をたぎらせながら生まれてきたのだろう。私が初めて目にしたものは血だった。初めてしゃべった言葉は血で、産湯は血だった。

この違いはどう説明がつくだろう？　なぜこれらのヨーロッパ諸国は、似通った状況から始まったのに、これほど著しく乖離《かいり》したのだろう？

本章では、これらの問いに答えるうえで私たちの概念的枠組みがどのように役立つかを説明し、その過程でこの枠組みが、「構造的要因」とも呼ばれる、政治的・国際的・経済的・人口学的変化の影

響をより幅広く解明することを示していこう。社会科学者が構造的要因の影響について論じる際に用いる、最も一般的な論法は、そうした要因が何らかの経済的・政治的展開に対する自然な親和性を生じてきたとするものだ。たとえば、戦争と軍事動員は国家能力の増大を誘発する、サトウキビや綿花などの特定の作物が専横につながる一方で、小麦などの作物は民主政治の条件を整える、といった主張である。私たちの枠組みは、そうした帰結が必ずしも導かれるわけではないことを明らかにする。同じ構造的要因が、その時々の国家と社会の力のバランス次第で、国家の政治的軌道にまったく異なる影響をおよぼしうるのだ。

本書の中心をなす考えは、私たちの概念的枠組みをまとめた第二章の主題図1に示されている。同じ図を、本章では主題図2として再掲した。この図がはっきり示しているのは、国家と社会の力という点でおおむね似た状況にあるからといって、二つの政体がよく似た軌道を進む保証はないということだ。同じ道を歩むかどうかは、専横、足枷、不在のリヴァイアサンの領域を定める境界線の同じ側にいるかどうかによって決まる。またこの図が強調するのは、国の当初の立ち位置によって、構造的要因から受ける影響が大きく異なるということだ。たとえば国家能力の増大を考えてみよう。この図ではそれを、（社会の力が一定に保たれている間）国家の能力が増大することを示す、上向きの矢印で表した。この動きは、図中の矢印1が示すように、国家を回廊のなかに押しやるシフトになることもある。だが矢印2が示すように、回廊のなかにとどまっていた社会を回廊から遠ざけ、専横のリヴァイアサンに近づける推進力にもなりうるのだ。あるいは、大した影響をおよぼさない場合もある。なぜなら矢印3が示すように、不在のリヴァイアサンの下にある社会を少しだけ回廊に近づけるものの、長期的な目的地を変えるまでには至らないからだ。したがって、構造的要因の影響に関する限り、悪魔は細部に宿る、つまり細部が決め手となる。

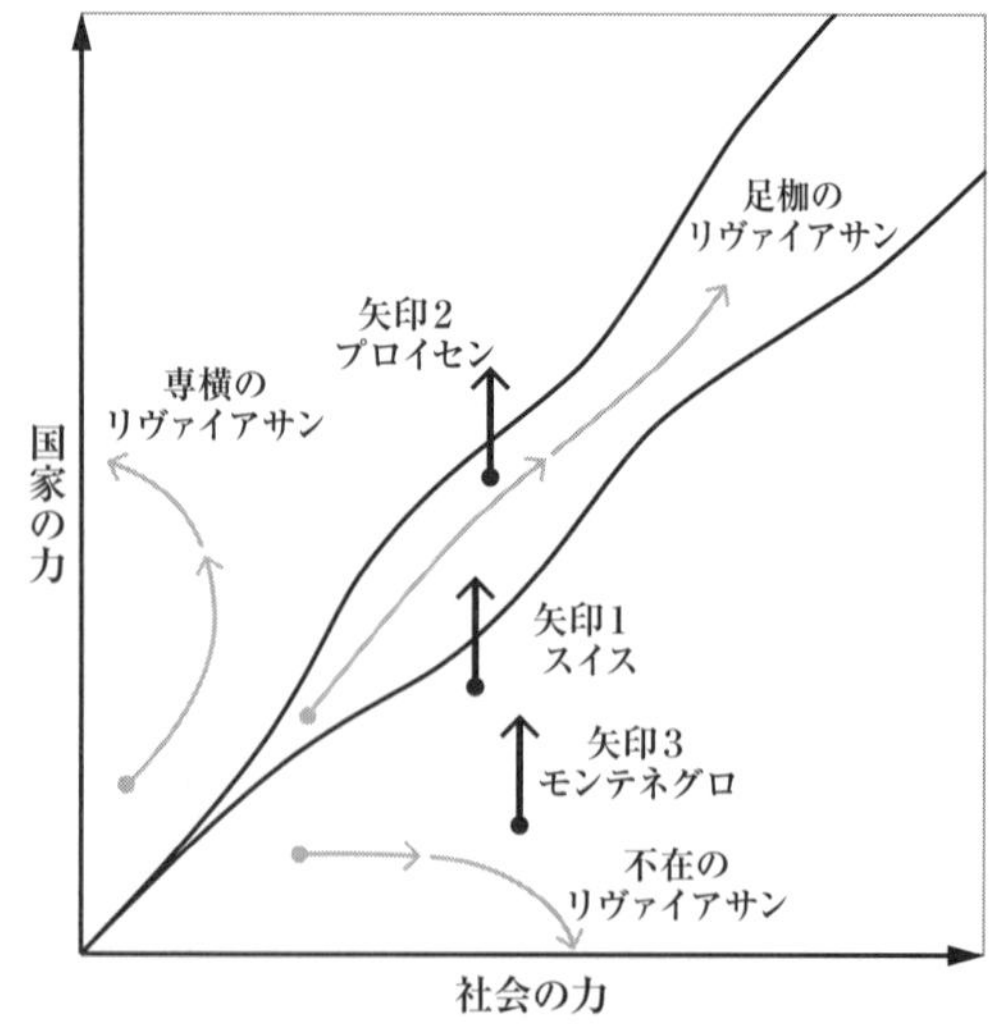

主題図2　国家の力の増大がおよぼす多様な影響

本章ではこれから、こうした考えを展開していく。まずはヨーロッパの歴史と、スイス、プロイセン、モンテネグロの著しい違い、そしてある非常に特殊な構造的要因——軍事動員と戦争によってもたらされた国家の能力と力の増大——に焦点を当てる。これらの考えとそこから導き出される洞察は、ヨーロッパの歴史だけにあてはまるものではない。たとえば近年の大きなショックが、きわめて多様な反応を引き起こしたことを理解する上でも役に立つのだ。一例として、ソヴィエト連邦の崩壊という同じ文脈が、東欧とアジア〔ただしここでは独立国家共同体（ＣＩＳ）に移行のアジア国家に限定〕で多種多様な国家の誕生に道を開いたことを見ていこう。最後に、一九世紀後半の経済グローバル化の第一波が、植民地独立後の社会に異なる影響をおよぼしたことを、とくにコスタリカとグアテマラの違いに焦点を当てながら議論しよう。

戦争が国家をつくり、国家が戦争をつくった

この見出しは、政治社会学者チャールズ・ティリーの言葉をそのまま引用したものだ。ティリーはある特定の構造的要因——国家間戦争の発生率と脅威の高まり——が国家建設において演じる役割に関する最も有名な理論の一つを生み出した。この理論を近世の西欧にあてはめ、一七世紀の「軍事革命」後の戦争の高まりの脅威が、近代国家の誕生につながったと論じた。軍事革命は、携帯性に優れた強力な銃器と、新しい軍事戦術、防御施設の改良をもたらした。常備軍の設置と国家間競争の激化がこれに続いた。ティリーは、この脅威が政治革命にもつながったと主張する。なぜなら軍事革命により、国家は大規模な軍隊の資金を賄い、それを配備し、輸送するために、はるかに効率性の高い徴税制度を導入し、必要なインフラを提供することを余儀なくされたからだ。私たちの理論でいえば、これは戦争の必要性によって誘発された国家の力の増大ということになる。主題図2の矢印1と矢印2が示すとおり、そうした変化が政治的発展の力学を根本的に変化させうるという点ではティリーは正しい。しかしそれはまったく異なる影響をおよぼすこともあるのだ。

スイスはティリーの説の好例になる。ただしこのケースでは、国家建設は軍事革命以前に始まっていた。スイスは歴史的に、カール大帝のカロリング帝国の東部の領土を継承した、神聖ローマ帝国の支配下にあった。まだ皇帝はいたものの、神聖ローマ帝国は多数の小規模で比較的独立した国家に分裂し、皇帝は一部の有力な国家から選出されていた。ドイツを中心とするこの帝国の中核から遠く離れた北イタリアが、どのようにして独立を主張するようになったかは、前に見たとおりである。そして、イタリアのようにアルプスによって分離・隔絶されていたわけではないが、スイスも帝国の周縁部にあった。この地域では神聖ローマ帝国の支配が不完全だったために、スイスの地方行政区画であ

図13　ヨーロッパの乖離：ブランデンブルク＝プロイセン、スイス、モンテネグロ

るカントン〔州〕が独自の集会制度を発達させることができた。このようにして農村部や都市部のカントンは、帝国が弱体化するにつれて再び姿を現したゲルマン人由来の集会政治という、より広範なパターンを踏襲するようになった。一二九一年、ウーリ、シュヴィーツ、ウンターヴァルデンの三つのカントンが、ルツェルン湖を見下ろす草原リュトリで誓約を交わし、ブンデスブリーフ（連邦憲章）に署名したことにより、スイス連邦が成立した（図13）。この憲章は、中央集権化の試みであり、とくに公共の秩序と無法状態を憂慮していた。第一条にはこうある。

かくしてウーリの渓谷共同体の全住民、シュヴィーツ渓谷の全住民、およびウンターヴァルデン低地地方の渓谷共同体は、こんにちの悪意に鑑み、また各人の生命と財産の保護と保全のために、あらゆる手段をもって互いに生命と財産を捧げ、援助、助言、助成を通じて助け合うことを誓約する。これらの渓谷内のどこであっても、住民全体またはそのうちの一人に暴力または不正を加えて苦しめ、彼らの生命や財産に危害を加えようとする個人や集団に対し、全力をもって助け合うものとする。

これは実質的に、三つのカントンが相互に援助し合い、紛争解決のための枠組みを提供することを誓約する協定だった。憲章は次のように定めている。「この誓約によって結ばれた人々の間で対立が起こった場合、同盟州のうちの最も賢明な者が、当事者間の紛争を解決するものとする。この判決を破ろうとする者に対し、ほかのすべての同盟州は立ち向かわなくてはならない」。ここでは「最も賢明な者」が誰なのかは特定されていないが、この条文は同盟州のうちの二州またはそれらの住民が対立した場合に、残る一州が仲裁することを定めたものと解釈されている。妥協点を見つけるスイス人のお家芸は、ここにルーツがあるのだろうか？

ウーリ、シュヴィーツ、ウンターヴァルデンは、すべて神聖ローマ帝国の支配下にあった。つまりハプスブルク家のオーストリア公に従属しているはずだった。協定に署名する権利などないはずだった。ハプスブルク家はそうした自治組織を認めていなかったし、次のような条項に賛成したはずもなかった。

われわれ渓谷の者は、金銭その他の見返りのために地位に就いた裁判官、または渓谷の住民か出身者でない裁判官を認めないことを、満場一致で誓約し、決定した。

もはやハプスブルクの裁判官を認めないということだ。一三一五年のモルガルテンの戦いで、ハプスブルクの最初の軍を撃退した。その後もほかの州と次々と協定が結ばれ、のちにスイス連邦として知られるようになるものは拡大していった。一三三二年にはルツェルンが加盟した。一三五一年のチューリッヒ同盟には、署名州がハプスブルクに脅かされた場合には、残りの州が援助におもむくことが明記された。一三五二年にグラールスが、一三五三年にベルンが加わった。オーストリア公レオポルト三世は、とうとうスイスの不従順に終止符を打つべく立ち上がったが、レオポルトの軍は一三八六年のゼンパッハの戦いで連邦軍に迎撃され、レオポルト自身を含む多くの地方貴族が命を落とす結果に終わった。スイスはこれをもってハプスブルクの支配から完全に解放されたわけではない。完全な独立は、一四九九年に最後の戦争が戦われ、連邦の事実上の自治を認めるバーゼルの和約が結ばれるまで待たねばならなかった。スイスのボトムアップの国家建設は一五世紀の間もひるむことなく続いた。このプロセスの一環として、農村住民は残存していた封建的義務から抜け出し、それとともにスイスに残っていたわずかな貴族階級も徐々に姿を消した。この頃になると、スイス人が遂げていた変容は帝国全体に知れ渡り、自治をめざす農民たちの動きを意味する、「シュヴァイツァー・ヴェルデン（スイス方式で行く）」という言葉が生まれた。一四一五年には、連邦各州の代表による集会が定期的に開かれるようになる。一四八一年にはフリブール（フライブルク）とゾロトゥルン、一五〇一年にバーゼルとシャフハウゼン、一五一三年にアッペンツェルが、同盟に迎えられた。

ティリーの理論どおり、このすべてがハプスブルクによる軍事的脅威の高まりを背景として起こった。この状況下では、団結してスイス国家の能力を高めることが、カントンにとっては得策となった。ゼンパッハの戦いでの勝利によって、重装の騎士さえも上回るスイス歩兵の威力が広く知れ渡った。

早くも一四二四年にはフィレンツェから連邦会議に傭兵《ようへい》の要請があり、スイス人はそれ以降数世紀にわたって、ヨーロッパ中の交戦国に傭兵部隊を派遣したのである。当初、募兵は分権化され、民間の起業家やカントンのさまざまな組織が別々に募兵を行なっていた。だが傭兵活動が安全と国家の権威を脅かすことが明らかになったため、連邦会議は一五〇三年、募兵には会議の過半数の賛成を必要とするという法案を可決した。これは、一五〇〇年のノヴァーラの戦いで起こったように、スイス人部隊が同士討ちとなる可能性を避けるためでもあった。この戦いではフランス軍とミラノ公国軍が交戦したが、どちらの軍もスイス傭兵を雇っていたのだ。ハプスブルクとの最終的な和平が成立したあとも、フランスやミラノ、ヴュルテンベルク公による脅威は消えず、スイス国家の軍事上の緊急事態は、国家建設のプロセスが進行する間も続いていた。

スイスの事例では戦争の脅威、とくに神聖ローマ帝国の支配下への復帰を迫るハプスブルクのたえまない脅威が重要なインセンティブとなって、独立心の強いカントンや都市が団結してより大きな連邦をつくり、権力を中央に集中させ、国家能力の拡充を図ったように思われる。中央集権化前のスイスのカントンは、おそらく回廊の外にいて、紛争解決や法執行を国家権力ではなくクランの構造に頼っていたのだろう。だがこうした歴史的経緯からは、スイスの農民が自由であり、社会の動員性がすでに高かったことも見て取れる。つまり一二九一年の同盟に始まった中央集権化は、増大する国家の力に対抗・拮抗できるほどの力をもつ社会を背景として起こった。そのような社会の存在が、回廊内への移行を可能にし、国家と社会の能力がともに少しずつ拡大していくプロセスを導いたのである。

国家と社会が回廊内を進んだことで、自由の条件が整っただけでなく、経済的繁栄に必要なインセンティブと機会が予想どおり生まれた。スイスはまず時計で、続いて工作機械産業で知られるようになり、続いて世界の製薬産業を支配した。牛と牛乳での比較優位を生かしてチョコレートの主要生産国になった。スイスは（ルクセンブルクやモナコなど少数の例外を除けば）ヨーロッパで一人当たりの国民所得が最も高い国である。

ティリーのいうように、スイスにおいて戦争は国家をつくったが、社会もつくった。スイスはその後ヨーロッパでもとくに活気ある民主主義国を構築した。それでも、主題図2がはっきり示すように、そうしたプロセスはあらかじめ運命づけられていたわけでは決してない。戦争の脅威はまったく異なる力学を解き放つこともあるのだ。

戦争がつくった国家

たとえ戦争が国家をつくるのだとしても、状況が異なれば同じ戦争がまったく異なる種類の国家をつくる。それは、ヨーロッパ中を見渡すだけでわかる。その格好の例がプロイセンだ。プロイセン公国は神聖ローマ帝国に属したことは一度もなかったが、一六一八年に神聖ローマ帝国の構成国の一つであるブランデンブルク選帝侯国と、婚姻関係を通じて合併した（図13）。これにより、ブランデンブルクの支配一族だったホーエンツォレルン家がブランデンブルク＝プロイセンの支配一族となって、選帝侯と呼ばれる支配者を輩出した。当時は困難な時代で、三十年戦争が進行しており、侵略軍が中央ヨーロッパを縦横に行き交っていた。選帝侯ゲオルク・ヴィルヘルムは必死に紛争から逃れようとしたが、スウェーデン王グスタフ二世アドルフに中立はあり得ないと諭され、とうとう参戦した。ゲオルク・ヴィルヘルムが、このときのことを次のように語ったのは有名である。「余はどうすればよいのだ？　彼らは大きな銃をあんなにもっておるというのに」。ブランデンブルクはとくに壊滅的な被害を受け、人口の半数を失った。

一六四〇年、フリードリヒ・ヴィルヘルムが新しい選帝侯に即位する。その後の四八年間にわたって支配し、ブランデンブルク＝プロイセンの新しい進路を定めたことで、大選帝侯と呼ばれた。三十年戦争でのプロイセンの手痛い経験から、フリードリヒ・ヴィルヘルムは「大きな銃」をもつ必要性を痛感し、こう述べている。

余は前に中立を経験した。どんなに有利な状況であってもひどい扱いを受ける。余の目が黒いうちは二度と決して中立の立場を取らぬと誓ったのだ。

このすべてが、国家能力拡大の必要性を示していた。大砲をもてば国家の支配力は増す。だが大砲を手に入れるには、税収を増やさなくてはならない。税収を増やすには、君主であるフリードリヒ・ヴィルヘルムが社会への支配力を強めるとやりやすい。それをヴィルヘルムは実行に移した。それまで課税には、ブランデンブルクのクーアマルク身分制議会をはじめとする、さまざまな代表機関と交渉する必要があった。ヴィルヘルムはまず議会の承認をいちいち求めずにすむように、長期的な課税権を確保することから始めた。一六五三年にいわゆるブランデンブルクの休会を結び、六年間で総額五三万ターラー（銀貨）を超える課税を行なう承認を得た。ここできわめて重要なのは、徴税する許可を得たのがクーアマルク身分制議会ではなく、ヴィルヘルムだったという点である。そしてヴィルヘルムはこれと引き換えに、身分制議会の一院を構成する貴族階級だけに免税特権を与えた。この巧妙な「分割統治」の戦略により、身分制議会の院を引き裂き、両院が統一勢力になるのを防いだ。またプロイセンの身分制議会からも同様の譲歩を引き出した。

フリードリヒ・ヴィルヘルムはその後身分制議会の権威を踏みにじり、議会の承認なしに課税するようになった。これができたのも、一六五三年の決定によって、税務機構の構築に着手することができたからだ。一六五五年には徴税と軍事を担当するクリークスコミサリアート（「軍事監察庁」）が設置された。一六五九年になると身分制議会はすでに衰退し、地域の問題を扱うのみになっていた。フリードリヒ・ヴィルヘルムは数名の貴族で構成されていた王室評議会を、専門的官僚からなる行政機構に変えた。中欧には一三四八年から一四九八年にかけて一六の大学が設立され、一六四八年までにもう一八大学が開設された。つまりここには、能力主義的官僚機構の一員として集めうる、ローマ法に精通し高い資質を有する卒業生の大きな人材プールがあったことになる。ヴィルヘルムは選帝侯の直轄地を運営する知事を任命した。一六六七年以降は貿易に間接税を課した。王領地の管理機構も再編し、領地を農民に貸与して小作料を徴収することで、税収を劇的に増やした。一六八八年にはブランデンブルク、プロイセン、クレーフェ＝マルクの三大領邦国から合計一〇〇万ターラーの税収をあげ、フリードリヒ・ヴィルヘルムの支配下にあるその他の領地からもう六〇万ターラーの税収がもたらされた。

一七〇一年、フリードリヒ・ヴィルヘルムの息子ブランデンブルク選帝侯フリードリヒ三世が、ブランデンブルク＝プロイセンをプロイセン王国と改称し、プロイセン王フリードリヒ一世として即位する。その息子フリードリヒ・ヴィルヘルム一世（同名の前世紀の大選帝侯と混同しないように）が一七一三年から一七四〇年まで、そして孫でフリードリヒ大王の名で知られるフリードリヒ二世が一七四〇年から一七八六年まで統治し、父と子は、大選帝侯が始めたプロジェクトをいっそう強化した。

一七二三年には総監理府の設置により、官僚機構が再編された。従来の軍事監察庁と王領地の管理機構が総監理府の下に統合され、すべてが軍事に捧げられた。一七三三年、フリードリヒ・ヴィルヘルム一世は徴兵基盤を抜本的に再編した。領土全体を五〇〇〇戸ずつのカントン（徴兵区）に分け、各カントンに連隊を配置して徴兵を行なわせた。一〇歳以上の子どもを含むすべての男性が徴兵の対象となった。一部の職種と人々は免除されたが、男性全体の四分の一以上が徴集された。この施策が軍隊の潜在的規模を劇的に拡大した。一七一三年当時の兵力は平時約三万だったが、フリードリヒ大王が父から王国を継承した一七四〇年には八万に達していた。父のフリードリヒ・ヴィルヘルム一世は、税収をほぼ一・五倍に増大させることにも成功した。子のフリードリヒ大王はプロイセンの税収基盤と軍事組織をさらに拡大するための新しい戦略をもち、積極的な領土拡大戦略を開始した。

戦争はプロイセンで国家をつくったかもしれないが、その国家は専横的なことで知られた。支配者たちがみずからの国を専横国家だと考えていたのは間違いない。大選帝侯自身、「神が余を生かし続ける限り、余は専制君主として支配しよう」といった。フリードリヒ大王もこう語っている。

適切な政府運営には、しっかりと確立した体制が必要である……国家の強化と権力の拡大という、同じ目的を推進するために財政、政策、軍事のすべてを統合しなくてはならない。そしてそのような体制は、一人の人間の頭脳によってのみ生み出されるのだ。

一六世紀のプロイセンは、神聖ローマ帝国の多くの領邦国家と同様、回廊内にいて、強力な身分制議会が国王を抑制していた。戦争は国家の能力を増大させることによって、主題図2の矢印2が示すように、プロイセンを回廊の外に押し出した——スイスで戦争が国家の創設を助けたのとはまるで異なる帰結である。プロイセンは後ろを振り返ることもなく、専横の経路をひた走っていった。

これは自由に予想どおりの影響をおよぼした。スイスの事例で自由が開花したのとは対照的に、自由は完全に根絶されてしまった。イギリスの外交官ヒュー・エリオットはこう述べている。

プロイセンの君主は、まるで広い牢で囚人の世話にかかりきりになっている看守のようである。

丘の上の自由

戦争がおよぼす影響は、足枷または専横のリヴァイアサンを生み出すだけにとどまらない。モンテネグロには、スイスと数多くの共通点があった。スイスよりさらに辺境とはいえ、同じローマ帝国の支配下にあり、山がちな生態系をもち、牧畜を主産業としていた。偉大な歴史家フェルナン・ブローデルは、ヨーロッパの地形が特定の種類の社会を築いたことを力説して、「山は山でしかない。つまりそれは主として障害であり、したがって避難所であり、自由な人間のための国である」と書いている。自由、そう、スイス人のように。だがモンテネグロとアルバニアでも、人々はある意味ではかなり自由だった。西欧人として初めてバルカン諸国を体系的に調査した一人であるイーディス・ダーラムは、有名な著書『アルバニアの高地』の冒頭に、アルフレッド・テニソン卿の詩の一節を掲げている。「太古の昔から　丘の上に　自由がすわっていた」。だが自由と国家の間のつながりは複雑だ。これまで見てきたように、国家を拡大しようとする試みはしばしば抵抗に遭う。なぜなら人々は自分の自由を権力から守ろうとするからだ。モンテネグロが、戦争の圧力をたえまなく受けながらもたどったのが、まさにこの道だった。

一八五二年まで、モンテネグロは事実上の神政国家だったが、ヴラディカと呼ばれる主教君主は、社会を支配するクランに対して、強制的な権限を行使することができなかった。フランスの軍人オーギュスト・マルモンは一八〇七年にモンテネグロを訪問し、こう述べている。「このヴラディカはすばらしい人物だ。齢《よわい》は五五歳ほどで、意気軒昂である。高貴と尊厳にあふれている。ヴラディカの明文化された法的権限は、この国では十分に認識されていない」

なぜそうだったのか、またなぜモンテネグロで国家が形成されなかったのかを理解するカギは、この国がスイスよりも回廊から遠く離れていたことにある。モンテネグロは血縁集団やクラン、部族に分かれた社会で、スイスがカロリング朝から受け継いだ中央集権化の要素を欠いていた。モンテネグロは、国家権力の中央集権化を断固として拒否したティヴなどの社会と似ている点が多い。ある学者は、モンテネグロの「中央集権的な統治を押しつけようというたえまない試みは、クランの帰属意識とは相容れなかった」と述べている。

それでもオスマン帝国との戦争は、クラン間に協調の機運をもたらした。一七九六年の重要なクルシの戦いの直前、モンテネグロの族長会議がツェティニェで開かれ、モンテネグロ中心地域の統一を促すための「ステガ」（締結の意）と呼ばれる施策が導入された。二年後、会議が再び開かれ、五〇人からなる「評議会」を招集することが決定された。実際、部族よりも上位に位置する、制度化された統治機構が設けられたのは、このときが初めてだった。一七九六年に主教公ペタル一世が制定したモンテネグロ初の法典には、社会の秩序が血讐の制度によって維持されていることがはっきりと表れている。法典にはこんな条文があった。

誰かが手、足、またはチブーク（柄の長い喫煙パイプ）で他人を攻撃した場合、彼は五〇ゼッキーノの罰金をその人に支払うべし。誰かが他人を一撃で殺した場合、彼を罰すべからず。盗人をその場で殺した場合も、彼を罰すべからず。

モンテネグロ人が自分を侮辱した他人を自己防衛のために殺した場合……殺人は過失と見なされるべし。

これは近代的な法制度というより、クローヴィスのサリカ法典やアルフレッド王の法典に近い。しかしこのケースでは、クローヴィスやアルフレッドのような国家建設の取り組みはほとんど行なわれなかった。中央集権化された国家権力が不在のまま、血讐は続いた。

国家権力の欠如と血讐の支配が長く続いたため、人類学者のクリストファー・ボームは一九六〇年代になってから、血讐の行為とそれが行なわれていた社会環境を詳細に再構成することができた。ボームはモンテネグロの中央当局が直面していた本質的な困難を、次の言葉でとらえている。「中央の指導者が報復行為を抑制するための強制手段を制度化したとき、部族民は初めて古来の伝統に従う権利を強く主張した。そうした介入によって政治的自治権を脅かされると考えたのだ」。ボームが言及しているのは、一八四〇年代の主教公ニェゴシュによる、モンテネグロに国家の権威を確立しようとする試みのことだ。ミロヴァン・ジラスは同じ状況を次のように評している。

それは国家とクランという、二つの原理の衝突だった。前者は秩序と国を擁護し、無秩序と反逆に対抗した。後者はクランの自由を擁護し、非人間的な中央権力——上院、近衛兵団、指揮官——の恣意的行動に対抗した。

ニェゴシュの改革は、ただちにピペリとクルムニカのクランの反乱に遭ったと、ジラスは書いている。なぜなら「政府と国家を押しつけられたことで、クランの独立性と内なる自由に終止符が打たれようとしていたからだ」。ニェゴシュの後を継いで、一八五一年に甥のダニロ一世が初の世俗的なモンテネグロ王太子として即位したが、国家のようなものの建設をめざすその取り組みも激しい抵抗を受けた。一八五三年の増税の試みはクランの反乱を招き、ピペリ、クチ、ビイェロパヴリッチのクランが独立国家を宣言した。ダニロは一八六〇年、ビイェロパヴリッチの一員によって暗殺された。

戦争はたしかにスイスとプロイセンで別々の種類の国家をつくったが、社会がひどく分裂していて、集権的権力に不信感を抱いていたモンテネグロや、さらにいうならアルバニアでは、戦争は国家をつくらなかった。モンテネグロ人はオスマン人と戦うために、強力な中央集権的権威を生み出すのではなく、部族の構造を利用した。主題図2の矢印3が示すように、国家能力を増大させようとするどんな圧力も、モンテネグロやアルバニアを回廊に近づけるには不十分だった。かくしてこれらの国は不在のリヴァイアサンの下にとどまった。

私たちの理論はまた、このような抵抗が自由にもたらす皮肉な影響をも明らかにする。モンテネグロ人は国家の統制から自由であり、平等主義的なクランの構造を維持していたにもかかわらず、社会にはびこる報復のせいで、支配と不安にさらされていたのだ。モンテネグロの人々にとっては、オスマン帝国や主教公に支配されるよりはましだったが、それは自由とはほど遠かった。社会は武装化し、暴力的だった。ここで、興味深い疑問が浮かんでくる。前に見たアフリカのアシャンティやティヴ、トンガなどのほかの国家なき社会とは違って、なぜモンテネグロとアルバニアは頻発する報復や暴力を制御するための規範を生み出さなかったのだろう？　一つ考えられる理由は、戦争が絶えなかったからだ。モンテネグロとアルバニアの社会では、どんな秩序を保つにも暴力が欠かせず、そのせいでどんなものであれ、非暴力的な社会秩序を生み出すことは困難を極めた。

重要な違い

私たちの前著『国家はなぜ衰退するのか』を読んでくれた読者は、構造的要因がもたらす多様な影響をめぐる本章の議論と、決定的岐路で小さな制度的相違が果たす役割をめぐる前著の議論に、いくつかの共通点があることに気づいたはずだ。『国家はなぜ衰退するのか』では、既存の制度次第で、同じ大きなショックがまったく異なる反応を招きうることを強調した。本書の理論はさらに踏み込んでいる。一つには、専横国家の支配下にある社会と、中央集権国家をもたない社会とを区別しているからであり、もう一つには、国家能力の力学と、国家とエリートを抑制する社会の能力とにはっきりと焦点を当てているからでもある。このより強化された枠組みを使えば、異なる行動を引き起こす原因――主題図2で国家を違う場所に移動させる多様な構造的要因――を明確にすることにより、さらにきめ細かな議論ができるようになる。この枠組みは、前著よりもずっと深く踏み込んだ方法で、そうした違いがもたらすダイナミックな影響を明らかにするのだ。たとえばプロイセンはスイスと同様、国家間戦争の脅威に際して国家能力を大幅に拡充することができたが、その結果スイスとはまったく種類の異なる国家をもつに至った。

実際、本書の理論が示すとおり、プロイセンはスイスほどの国家能力をもてずに終わった。これは一見道理に合わないようにも思える。社会統制と増税、戦争にあれだけ力を入れれば、莫大な能力を獲得できて当然ではないのか？　そうではないという事実は、第二章ですでに強調したように、私たちの理論のもつきわめて重要な意味の一つである。赤の女王効果がなければ、国家能力の発達は不完全にとどまるのだ。

国家が提供すべき最も基本的な公共サービスの一つ、紛争解決と正義の執行を考えてみよう。プロイセンは専横的国家を構築したが、その際社会の協力を得なかった。そのため、国家制度は既存の封建体制を土台として築かれることになった。新しい成果主義的な制度は、旧来の制度に統合された。ある歴史家は、旧制度を次のようにいい表している。「貴族の後援と社会的遺伝、しろうと流儀、そして多くの場合独占的な在職権によって維持されていた」。こうした在職権の存在は、ハイニッツ、フォン・レーデン、フォン・ハルデンベルク、フォン・シュタイン、デヒェン、ゲルハルトなどの一族とその親類を含む少数の貴族家系が幅を利かせていたことにはっきり表れている。貴族は最上層の官職を独占するうちに、農業労働者の八割を占めていた底辺層の農奴を激しく抑圧するようになった。抑圧は具体的には、貴族の支配する荘園裁判所を通じて、軽犯罪の少額の罰金から、鞭《むち》打ちや拘禁などの体刑までの処罰を科すことによって行なわれた。したがって正義はほとんど執行されず、それどころか封建的秩序を課すために裁判所が体系的に利用されていた。プロイセンの専横国家は見栄えこそ立派だったが、ほとんどの政策を満足に遂行できなかった。能力の欠如がおよぼした明らかな影響として、これほどまでの税収と軍事支出を実現しながらも、一八〇六年にプロイセン軍はイエナで壊滅的敗北を喫した。プロイセンには名目上の指揮官が三人いて、意見が一致しない五種類の戦闘計画を並行させたことが、フランスにつけ入る隙を与えてしまったのだ。

スイスの状況はまったく違っていた。スイス連邦は一二九一年、ハプスブルクの裁判所が提供しない、公正な紛争解決を求める声を受けて設立された。治安判事が地方レベルで選ばれ、国家は地域社会の自律性と自治を認める一連の誓約や盟約、協定によって、ボトムアップで建設された。封建的義務は廃止されるか、交渉により解消された。荘園裁判所は法の前の平等に徐々に取って代わられた。スイス人は、プロイセンの農民が堪《た》え忍んでいた（また罪せられずにすむなら協力を拒んだ）種類の地方の専横を駆逐したのである。

この大まかな枠組みを武器にして、ヨーロッパ史のいくつかの象徴的な転換点を再び訪れるとしよう。そのなかには『国家はなぜ衰退するのか』で取り上げたものも含まれるが、本書ではこうした転換点が示唆する、ヨーロッパの国家と社会にとって重要な力学に関する新たな考察を交えながら論じたい。

一四世紀と一五世紀のヨーロッパの重要な転換点の一つは、黒死病（腺ペスト）による人口の激減だった。第六章で見たとおり、封建的秩序はイングランドでは国家と社会の均衡を完全に破壊するには至らなかったものの、ヨーロッパの多くの地域で農民と社会に対してエリートを著しく有利な立場に立たせた。だが人口が減少し、深刻な人手不足によって社会が力を得るなか、封建エリートは農奴を支配し、税を取り立て、奴隷労働を課すことが難しくなった。農奴は義務の軽減を要求し、封建制の下では移動の自由が制限されていたにもかかわらず、昂然《こうぜん》と荘園を去り始めた。私たちの枠組みでいうと、この変化は社会の力の増大に相当し、その結果西欧の多くの地域は、国家とエリートが社会を専横的に支配する状況からますます遠ざかっていった。これは回廊内での意義深いステップアップだった。しかし、一四世紀にすでに地主とエリートがより支配的な立場にあった東欧では、まったく違う展開が待っていた。このケースでは、農民の流動性は著しく限られ、これらの地域を回廊に近づけるには不十分だったし、また専横のリヴァイアサンの力に長期的なダメージがおよぶこともなかった。続いてエリートと社会の対立の第二幕として「再版農奴制」が進行し、社会に対するエリートの支配を大幅に強めた。ヨーロッパ全体の人口減少と、西欧での農産物需要の拡大を背景に、東欧の強力な地主にとっては農奴からさらに多くを搾り取るインセンティブが高まり、地主は農奴への締めつけを強化することでそれを実行に移したのだ。一六世紀末になると、東欧ではそれまでよりもはるかに熾烈な搾取が行なわれていた。このように、イギリス、フランス、オランダが回廊内を進んでいったのに対し、ポーランドやハンガリーなどの東欧諸国は専横のリヴァイアサンの地にますます入り込んでいった。

　国家の政治的発展に異なる影響を与えうる要因は、軍事的脅威や人口ショックに限らない。大きな経済的機会もそうした要因の一つだ。ヨーロッパの経路を組み替えるほどの変化は、クリストファー・コロンブスによるアメリカ大陸発見と、バルトロメウ・ディアスによる喜望峰通過とともにやってきた。このときも、国家と社会の力関係の違いが、異なる反応を引き起こした。第六章で見たようにイングランドでは、海外貿易の独占に関して国王やその同盟者にできることが厳しく制限されていたため、新参の商人階級が新しい経済的機会から最大の利益を得ることができた。このことが、国王との長い闘争のなかで、社会にいっそうの力と自信を与えたのである。新世界との貿易ですでに利益を上げていた商人は、その状態が続くことを望んだため、一六四二年から一六五一年にかけてのイングランド内戦では議会の主要な支持者となり、名誉革命前の国王派と議会派の対立においてもチャールズ二世とジェイムズ二世への主要な反対勢力となった。イングランドでは新しい経済的機会が国家と社会のバランスを社会の側に有利に傾けたが、君主が海外貿易の独占状態をつくり出すことができたスペインとポルトガルではそうならなかった。この違いを生じた主な要因は、当初の力のバランスの違いである。スペインとポルトガルではエリートが優位に立っていたのだ。イベリア半島はローマ帝国の支配下にあったとき、ゲルマンの西ゴート族に征服され、その際にやはり集会政治の遺産を受け継ぎ、それがのちに制度化されてカスティーリャ、レオン、アラゴン王国のコルテス（身分制議会）になった（第六章の図8）。だが八世紀から始まったアラブの侵略により、イベリア半島は回廊の外に押し出され、集会政治の伝統は北部にしか残らなかった。イベリア半島をアラブ人の手から取り戻そうとする「レコンキスタ（再征服）」の機運は、イベリア国家の専横的本能を大いにかき立てた。専横を強めたスペインとポルトガルの君主とその同盟者は、経済をさらに巧みに支配し大西洋貿易の機会を独占することができた。その結果、力を得た社会の反対に遭うどころか、君主ら自身が財力と権力、専横性を高め、社会はますます力を失ったのである。イベリア半島には専横からの逃げ場はなかった。

次の大きな経済的機会も同様に展開した。第六章で見たように、産業革命後のイギリス社会の変容はますますペースを上げ、赤の女王効果はますます激しさを増した。このような変化があまたの新しい経済的可能性をもたらし、そうした機会をものにしたのはほとんどの場合、社会の庶民層だった。他方、すでにまったく別の進路を進んでいたヨーロッパの地域には、赤の女王効果は働かなかった。『国家はなぜ衰退するのか』で見たように、ハプスブルク帝国やロシアでは、専横のリヴァイアサンが従属的な社会を覚醒させることを恐れて、新しい工業技術や鉄道への統制を強め、導入に抵抗することさえあった。

したがって、これらすべての例に同じパターンを見ることができる。ヨーロッパの歴史の輪郭は、世界のほかの地域の歴史とまったく同様、大きなショックの強い影響を受けながら形成されてきた。だが重要なことに、それは国家と社会の力のバランスが描くカンヴァス上で形成されるのだ。

レーニン造船所にて

大きなショックが異なる影響をおよぼしうることは、一九九一年のソヴィエト連邦崩壊を含むほかの象徴的なできごとにもはっきり表れている。ソヴィエト国家は、本拠地ロシアでは専横のリヴァイアサンの典型例であると同時に、ソ連の支配下にあった東欧と中央アジアのソヴィエト共和国では専横的権力の源泉でもあった。したがって一九九一年のソ連崩壊は、国家の力の急激な低下に相当した。チェコの劇作家、反体制活動家で、まもなく大統領になろうとしていたヴァーツラフ・ハヴェルは、政治評論集『力なき者たちの力』のなかで、この状況を次のように言い表している。

すべての国に、同じ原理のもとで、同じ方法で構成された独裁主義体制があるだけでなく……すべての国に、超大国の中枢が駆使する操作手段の網が完全に入り込み、その利益に従属させられている。

だがいまや、ソ連の「操作手段」と国家の社会統制能力が崩壊しただけではなかった。旧ソ連から新しく独立した諸国は、税制度を含む多くの近代的行政制度をもたない状態で残されたのだ。

もちろん、このすべてが一度に起こったわけではない。ミハイル・ゴルバチョフが一九八五年に権力を掌握したときめざしていたのはソ連の破壊ではなく、再活性化だった。ゴルバチョフはグラスノスチ（「公開」）とペレストロイカ（「再構築」）を二本柱とする政策を主導した。ゴルバチョフの主な関心はペレストロイカを通じて、停滞するロシア経済の制度とインセンティブを刷新することにあった。だが共産党強硬派が改革を受け入れない恐れがあった。そこでゴルバチョフはこれらの政策を補うために、政治的自由化を通じて強硬派の弱体化を図ろうとしたのだ。ゴルバチョフ自身がリスクを認識していたかどうかはわからないが、この戦略は結局のところ、モスクワの中央集権的支配に憤《いきどお》りを感じていた諸地域の不満を大いに呼び覚ますことになったのである。最も不満が大きかったのが、第二次世界大戦末期にソ連に占領された東欧とバルト諸国だった。それまでも反ソ運動は一九五六年にハンガリーで、またハヴェルの政治指導者としての初舞台となった一九六八年のプラハの春で勃発《ぼつぱつ》していた。一九九〇年一月にはポーランド共産党が解散を決議し、翌年一二月にミハイル・ゴルバチョフはソヴィエト連邦消滅を宣言せざるを得なかった。まもなくロシアには、新しい政府が市場原理に基づく自由民主主義に移行する手助けをしようと、西側の経済学者や経済専門家が殺到した。ポーランドも同様だったが、これら二国は驚くほど異なる経路をたどったのである。

ソ連崩壊による国家の力の低下は、国が回廊に対してどこに位置していたかによって、まったく異なる影響をおよぼした。二国には共通点も多かったが、ロシアは専横のリヴァイアサンの領域にずっと深く入り込んでいた。他方ポーランドは、ゴルバチョフの就任当時ヴォイチェフ・ヤルゼルスキ将軍の圧政下にあったとはいえ、まだ回廊に近かった。ソ連の力の威を借りたポーランド国家は社会に対する支配力に乏しく、ポーランドの市民社会はロシア社会ほど骨抜きにされていなかった。実際、ヤルゼルスキの実権掌握は、一九八〇年から一九八一年にかけての、ポーランド社会の再覚醒に対する反応だった。ソ連崩壊はヤルゼルスキを政権から追放し、ポーランドを回廊のなかに押し入れた。

そのほか、さらに根深い違いもあった。たとえば、スターリンがロシアとウクライナで実施したような農業の大規模な集団化は、ポーランドでは一度も行なわれなかった。大半の人が土地を所有し続け、ソ連の影におびえながらも、市民社会が成長できるだけの小休止や息抜きの場があったのだ。皮肉なことに、ポーランド社会が本当の意味で組織化したのは、ポーランド北部にあるグダニスクのレーニン造船所でのことだった。一九八〇年九月にレフ・ワレサ率いる独立系労働組合「連帯」がこの地で結成された。連帯の組織はポーランド社会全体に広がり、一年後にはおそらく全労働者の三分の二にあたる一〇〇〇万人が加入していた。政府はこれに対してヤルゼルスキを首相に任命し、戒厳令を施行したが、すでに連帯は容易に鎮圧できないほどの規模に成長しており、膠着《こうちゃく》状況がその後長く続いた。一九八九年一月、ヤルゼルスキはとうとう権力分担の取り決めを受け入れる。同年四月、連帯は政府との円卓会議で、同年六月に選挙を実施することで合意した。だがこの選挙は、議席を事前配分されていた共産党が勝利して、ヤルゼルスキが大統領に選出されるように、すべてが仕組まれていた。そうした投票結果を見れば連帯も納得するだろうと、ヤルゼルスキは考えていた。まさに、ドイツの劇作家ベルトルト・ブレヒトが描いた、一九五〇年代の東ドイツ国家の選挙への姿勢と同じだ。

それならばいっそ近道ではないだろうか
政府にとっては
人々を解散して
別の人々を選出した方が？

だがヤルゼルスキは読みを誤った。共産党は自由競争が行なわれたすべての選挙区で議席を失い、合意そのものの正当性をみずから台なしにしたのである。連帯は要求を強め、八月には政権を掌握して、タデウシュ・マゾヴィエツキを首相に指名した。

マゾヴィエツキはいまや社会主義体制の転換を主導するという、多難な任務を求められた。まず経済再編に着手し、レシェク・バルツェロヴィチを財務相に起用して計画を策定させた。この計画が、市場経済への劇的な「大転換」を推進した、いわゆる「ショック療法」と呼ばれる有名な事例となった。バルツェロヴィチは価格統制を撤廃し、国有企業の破綻を許し、また国有企業の賃金に課税して新しい民間部門に対する競争力を故意に失わせた。たしかに破綻が起こった！　国民所得は激減し、破綻を許された国営諸産業が大規模なレイオフを断行した。

社会はこれに反応して抗議した。民主主義が労働運動を鎮めるどころか、むしろ所得の急減と失業の急増を背景に各地でストライキが相次いだ。一九九〇年に二五〇件だったストライキの件数は、一九九一年に三〇五件、一九九二年には六〇〇〇件になり、一九九三年に七〇〇〇件を超えた。抗議活動とデモ、ストライキは、政策目標について社会の合意を得るよう政府に圧力をかける重要な手段となった。ワレサが大統領に選出されると、バルツェロヴィチは譲歩し、賃金政策や、とくに物議を醸した国有企業の賃金への課税に関する協議に労働組合を参加させた。バルツェロヴィチは一九九一年末までに解任されたが、このときすでに社会は転換に反対して立ち上がっていた。一九九二年時点でポーランド議会セイムに二八の政党が議席をもっていた。当然、今後の方針について意見は大きく割れた。だがセイムは不一致を乗り越え、「小憲法」を無事可決した。一九九七年に新憲法がようやく制定されるまでの間、この暫定憲法の下で、議会制と大統領制の混合体制が施行された。一方で、ワレサはセイムの弱体化と大統領権限の強化を図るも、失敗に終わった。そしてその結果もたらされた政治的妥協によって、経済転換に調整が図られた。政府は国有部門への資源配分を増やし始め、ショック療法の苦痛を和らげようとした。包括的な新しい個人所得税を導入した。一九九三年二月には労働相ヤツェク・クーロンが、政労使の代表が経済政策を議論する三者委員会の設置を提案した。市場経済への移行を阻害するとして西側からは批判も招いたが、この委員会が改革に正当性を与え、社会全体の合意を促したのである。この合意がなければ、これから見ていくロシアのケースのように、回廊内への移行は望むべくもなかった。

回廊に入ったことで、ポーランドには自由の条件が整った。ポーランドは大規模な市民社会の動員を背景に、活力ある民主主義を速やかに築いた。民主政治と市民的権利を推進してきた実績が評価されて、欧州連合（ＥＵ）への加盟を果たした。だが回廊のなかに入ったからといって、ただちに自由が生まれるわけではない。自由が現れるのは、赤の女王が始動してからのことだ。二〇一五年に法と正義党が政権に就くと、最高裁の独立性を脅かしているとして、ポーランドはＥＵに制裁を突きつけられた。自由とは決して終わることのないプロジェクトだ。とくに、数十年もの間専横的支配に苦しめられた国となれば、なおさらである。

ロシアのクマの野性化

ヤルゼルスキ将軍が連帯との交渉を開始した一九八九年春、ゴルバチョフも独自の周到なソ連民主化計画を打ち出した。このプロセスの一環として一九九〇年五月、ロシア共和国最高ソヴィエトで自由選挙が行なわれ、ボリス・エリツィンが議長に選出された。エリツィンがこの年の八月には地方の指導者たちに「飲み込めるだけの主権を取っておくように」とたきつけていたのは有名な話だ。続いて一九九一年八月、ソ連の強硬派が、避けられない運命を何とか回避しようとしてクーデターを起こし、ゴルバチョフを軟禁した。エリツィンは勇敢にも戦車の砲塔の上に飛び乗って、クーデター阻止を呼びかけた。エリツィンは生き延び、クーデターは失敗に終わった。クリスマスの頃にソ連は崩壊した。一九九一年の夏、エリツィンは新設されたロシア大統領の地位に選出された。エリツィンがこの選挙で、四人の共産党候補と一人の筋金入りの国家主義者の候補を破る原動力となった政策綱領には、ポーランドで実施されたものと非常によく似た急進的な市場改革計画が含まれていた。民主主義、そして経済改革――ロシアの専横国家は飼い慣らされつつあるように思えた。

エリツィンは経済改革計画をエゴール・ガイダルに一任し、ガイダルはアナトリー・チュバイスを国有企業民営化の担当に指名した。ガイダルとチュバイスは、ソ連の主要資産を民間に払い下げるための戦略を考案した。一九九二年春に、政府は小売店や飲食店などの小企業の売却を開始した。人々は居住するアパートの所有権を無償かそれに近いかたちで入手できた。一九九二年末、チュバイスは大企業の民営化に着手した。大・中規模企業に対し、株式の二九％を「バウチャー・オークション」に売却するよう要請し、同年一〇月にはロシアの全成人に、一人当たり額面一万ルーブルのバウチャーを交付した。バウチャーは最寄りのロシア貯蓄銀行で、たった二五ルーブルで入手することができ、一九九三年一月にはロシアの成人の九八％近くが取得していた。バウチャーは売却することも、民営化された旧国有企業の株式購入に使うこともできた。

第一弾のオークションは一九九二年一二月に実施され、約一万四〇〇〇社の株式が売りに出された。だがこうした企業の資産のほとんどを獲得したのは、その企業の労働者と経営者だった。法律により、労働者と経営者が議決権のある普通株の五一％を、自己資金で優先的にごく安価に取得することが認められていた。実際、民営化企業の資産の大半が、企業の内部関係者に二束三文で払い下げられた。いったんは広く分配された株式も、再び集中化した。一九九四年にロシアの平均的企業の従業員持株比率は五〇％だったが、一九九九年には三六％に低下した。二〇〇五年には大・中規模産業と通信産業の企業の七一％に、半数の株式を保有する単一株主がいた。

民営化の最も物議を醸した段階は、一九九五年の「株式担保融資」取引である。エネルギー・資源部門の最も価値ある国家資産が、エリツィンの再選運動への資金提供を約束する、政界にパイプを持つ集団に与えられた。仕組みはこうだ。政府はエネルギー部門のきわめて収益性の高い企業一二社の政府保有株式を担保に、銀行から融資を受けた。政府が期限までに融資を返済しなければ、銀行は担保に取った株式をオークションにかける権利を得る。だが政府には、はなから融資を返済する意図などなかった。一九九六年一一月から一九九七年二月にかけて、エネルギー巨大企業のユコス、シダンコ、スルグトネフチェガスの株式のオークションが実施されたが、部外者の入札は無視されるか不適格とされ、その都度銀行自身が応札した。エリツィンはまんまと再選を果たすと、この取引に最も深くかかわったウラジーミル・ポターニンとボリス・ベレゾフスキーの二人のオリガルヒ（新興財閥）を政権に迎え入れた。ベレゾフスキーと、同じくオリガルヒであるウラジーミル・グシンスキーは、国営放送二社を支配下に置き、メディアを独占していた。

その間、エリツィンは大統領に強大な権限を付与する新憲法の制定を推進し、成立に導いた。エリツィンに対抗できる者は誰一人いなかったし、またポーランドとは違って、ロシアの転換は大規模な社会的動員を伴わなかった。「株式担保融資」取引に反対して一斉蜂起を呼びかける人は誰もおらず、国民は新たな支援者の金にものをいわせたエリツィンを再選した。だがロシアの新興エリートはもてる力を総動員して、国家からあらゆる譲歩を引き出した。一九九六年に経済省はビールを非アルコール飲料と認定したが、それはロシアの大手ビール会社に増税を回避させるためだった。とはいえ新興エリートが身を置いていたのは、専横的になりうる権力が最上層に集中するシステムであり、エリツィン退場後はウラジーミル・プーチンの餌食にされたのである。一九九〇年代に生まれるだろうと西側が期待していた「自由民主主義」国家の代わりに、二〇〇〇年以降は新種の専横国家が登場し、ソヴィエト国家の昔ながらの戦術を駆使して体制固めにせっせと励んでいた。

これを内部からつぶさに観察したのが、ロシアＦＳＢ（連邦保安庁）の工作員だった、アレクサンドル・リトヴィネンコである。ＦＳＢは旧ソ連の諜報機関ＫＧＢ（国家保安委員会）の後継組織で、庁舎までルビャンカ広場の同じ建物を使用している。リトヴィネンコなどＦＳＢは、一九九四年に勃発したチェチェンの分離主義者との紛争に深く関与していた。リトヴィネンコによれば、チェチェン紛争で「秘密警察は作戦行動上の大きな自由を与えられていた。法に縛られずに拘禁、尋問、殺害できた」――昔とまったく同じように、しかもロシアの「市場経済への転換」の真っ最中にである。政府はＵＲＰＯ〔犯罪組織対策・活動阻止局〕の略語で呼ばれる、新しい最高機密部門を設置した。ＵＲＰＯはまもなくあらゆる種類の「活動」に手を染めるようになり、リトヴィネンコはこの組織に配属されたのだった。リトヴィネンコはこう説明する。

私の部門は、実業家出身の政治家でエリツィン大統領の側近、ボリス・ベレゾフスキーの暗殺計画を指示された。理由は告げられなかったが、聞く必要もなかった。オリガルヒのなかで誰よりものさばっていたのが、ベレゾフスキーだった。

リトヴィネンコが携わった計画は、西側の経済学者が構想したようなショック療法ではなかったが、保安組織の新しい活動をよく表している。ＵＲＰＯは大統領の取り巻きの殺害を計画しただけではなく、莫大な私財も蓄積した。このために麻薬王と手を組んで、悪質な恐喝行為をくり返した。リトヴィネンコは語る。

地元のある店に警官を名乗る男が訪れ、店主にみかじめ料を要求した。月五〇〇〇ドルだった要求は、九〇〇〇ドル、一万五〇〇〇ドルとエスカレートしていった。次に店主は自宅に訪問を受けた――店主は袋だたきに遭い、恐喝された。

リトヴィネンコはこうしたできごとをおびえながら観察し、メモに残した。だがいったい誰が信用できるだろう？　一九九八年七月、リトヴィネンコはチャンスが来たと思った。エリツィンが比較的外部者に近い人物であるKGBの元中佐、ウラジーミル・プーチンをFSB長官に任命したのだ。リトヴィネンコはプーチンに会いに行き、洗いざらい証拠を並べて、記録したすべての犯罪や恐喝を説明した。リトヴィネンコは回想する。「プーチンに会う前、一晩かけて名前や場所、すべてのつながりを一覧できる図にまとめた」。プーチンは考え込むようにして話に聞き入り、その日のうちにリトヴィネンコの「ファイル」を作成した。リトヴィネンコはFSBを解雇された。友人にこういわれたという。「ヤバいことになったな、アレクサンドル。共通の金が絡んでいるのさ」。また二人の共通の知人はいった。「プーチンは君をつぶすだろう……そして君を助けられる者は誰もいない」。二〇〇〇年一〇月、リトヴィネンコは家族を連れて国外に逃亡し、政治亡命者としてイギリスに受け入れられた。それからロシア国家の腐敗と暴力を暴露する著書を二冊執筆した。だがFSBの手はどこまでも伸びていく。二〇〇六年一一月一日、リトヴィネンコはロンドンで二人の元KGB工作員と会ったあと、体調が急変した。ティーカップに毒を入れられたのだ。三週間後、ポロニウム二一〇による急性放射線症候群で死亡した。

プーチンが政権を引き継いだ時点で、オリガルヒの命運は尽きた。オリガルヒは追放されるか刑務所送りにされ、資産を没収された――ただしプーチンの忠実な同盟者は別だ。次に標的にされたのは、一九八九年以降に生まれていた、わずかばかりの自由だった。こんにちロシアでは独立系メディアが弾圧され、ジャーナリストが殺されている。プーチンに敢然と刃向かう政治家、最近ではアレクセイ・ナワリヌイなどは、投獄されるか、政界を追放される。専横は野性をむき出しにして戻ってきたのだ。

ロシアの「転換」は、なぜこうまでも華々しく失敗したのだろう？　最も根本的な理由は、ロシアが回廊から遠く離れすぎていたからだ。ソ連崩壊後に国家制度は再構築されたが、治安組織を刷新する試みはほとんどなされなかった。それどころか政治家は、チェチェンで行なってきたように自分たちの利益のために治安組織を利用できると考えていた。問題の根幹にあったのは、ロシアには国家の抑制なき権力行使を阻止し、エリツィンが導入したような高官レベルの裁量権を抑制することができる社会的動員はおろか、独立的な民間勢力さえなかったことだ。民営化と経済改革だけでは、足枷のリヴァイアサンを経済的に下支えする、幅広く公正な資産分配をもたらすことはできなかった。だからこそプーチンは、一九九〇年代の前進を押し戻し、新たな専横を確立することができたのだ。実際、民営化、とくに「株式担保融資」取引がもたらした不平等は、ロシアの主要資産の所有を再集中化させただけでなく、改革プロセスの正当性を完全に失わせてしまった。そのため、プーチンの指揮下で再活性化したＫＧＢは、経済と社会をたやすく掌握することができた。

ロシアは回廊から遠すぎた。専横的なソヴィエト国家の崩壊は、ロシアを正しい方向に向かわせたが、それだけではロシア国家を飼い慣らすには不十分だった。ロシアはソ連が中断したところから歩みを再開し、専横的な社会支配を再構築したのである。

専横から崩壊へ

国家と共産党エリートの力の低下は、たとえロシアを専横のリヴァイアサンの軌道から離脱させるには不十分だったとしても、社会への支配がより不安定な国家の軌跡を完全に変えてしまうには十二分だった。たとえば旧ソ連の構成共和国で、アフガニスタンと中国と国境を接するタジキスタンがその一例だ。ソ連崩壊後、タジキスタンは国の行く末を決める必要に迫られた。タジキスタン共産党第一書記のカハル・マフカモフは、一九九一年八月にゴルバチョフを短期間軟禁したクーデター指導者を支持していた。クーデターが失敗に終わると、首都ドゥシャンベで起こった大規模なデモにより、マフカモフは辞任に追い込まれた。タジキスタンは翌月独立を果たし、まもなくラフモン・ナビエフが大統領に選出された。

タジキスタンで次に起こったことを理解するには、アヴロドとは何かを理解しておく必要がある。タジク人の社会学者サオダット・オリモヴァの言葉を借りれば、「アヴロドとは、共通の祖先と共通の利益をもち、多くの場合財産と生産手段を共有し、家計を統合・連携する血族からなる、家父長制社会である」。これは前に見た国家なき社会の規範の檻のように聞こえるが、一つ違うのは、この制度がロシアとその後のソ連国家による専横的支配の下でも生き延びたことだ。タジキスタンは一九世紀後半にロシアに征服され、一九九一年までソ連の支配下にあったが、社会の基盤をなすクランの構造はほぼ変わらずに存続した。一九九六年の全国調査では、六八％のタジク人がアヴロドに属していると答えた。アヴロドからなる地縁集団がクランだと考えるとわかりやすい。政治学者のセルゲイ・グレツキーは、一九四〇年代にタジキスタン北西部のホジェンドのクランが、ソ連の地方行政の大部分を担うようになったいきさつについて書いている。

ホジェンドの人々はタジキスタンの政党と政府の要職に上り詰めると……政策の柱に地方主義を掲げて地域間の競争をあおりながらも、自分たちは仲裁役に徹した……タジキスタンでは、「レニナバードが治め、ガルムが商い、クリャープが守り、パミールが踊り、クルガン＝チュベが耕す」といわれる。

レニナバードとは、ホジェンドのソ連時代の旧称である。ソヴィエト国家の支配は専横的ではあったが、実際には地方のクランを通じてタジキスタンを間接的に統治した。仲裁の大半が、正式な国家制度の外で、クランの関係や同盟を通じて行なわれていた。

大統領に選出されたナビエフは、ホジェンドの伝統的な支配一族の出身だった。ナビエフの選出はただちに他地方からの反対に遭った。とくにガルムとパミールでは抗議運動が組織されるほどだった。ナビエフは反対を鎮圧するためにマシンガン二〇〇〇丁を配備し、不正規軍を編成した。敵対勢力に首都を占領され、ホジェンド勢はいったん撤退してゲリラ戦を仕掛け、やがて国土を掌握した。だがその過程で国家は完全に崩壊し、タジキスタンはクランを基盤とする地方勢力間の五年にもおよぶ壮絶な内戦に突入した。死者数は不明だが、一万人から一〇万人におよぶと推定される。人口の六分の一以上が家を追われ、国民所得は半減した。

タジキスタンと、ポーランドやロシアとの違いは明らかだ。タジキスタンは地方のクランや同盟を通じてソヴィエトに支配されていたため、国家が弱く、社会が制度化された政治参加手段を何一つもたない状態で、転換のプロセスを開始した。一九九一年にソヴィエト支配の専横的権力がひとたび崩壊すると、タジキスタンはクラン間の争いを容易に仲裁する方法を失った。国家資産とソヴィエト国家の残滓《ざんし》の支配をめぐって、クラン間の対立は激化した。クランは武装化し、国家が解体するまで戦い続けたのである。

このように、ソ連崩壊後の乖離をきめ細かく、複層的にとらえることができる。国家の力の低下は、ロシアを専横から退けるには不十分だったが、ポーランドを回廊に迎え入れるには十分であり、タジキスタンを内戦とクラン間の紛争の継続によって国家の完全な崩壊状況に投げ込むには十二分だった。

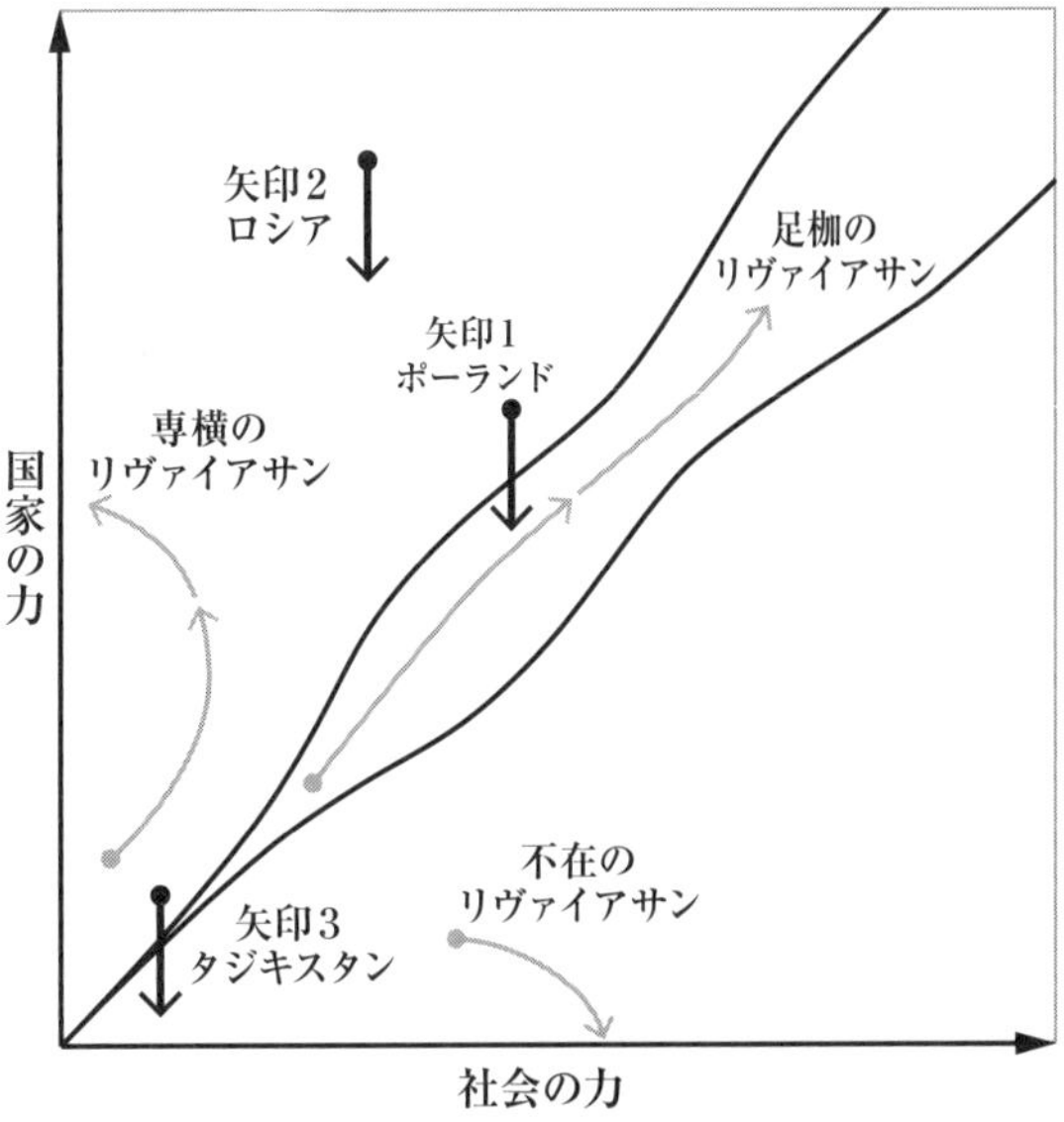

主題図３　ソ連崩壊後の乖離

私たちの枠組みではこれらの異なる反応が、ソ連崩壊がもたらした国家の力の低下という、同じきっかけから生じていることを、主題図３に示した。矢印１はポーランドのように、国家の力の低下が国を回廊のなかに押し入れるという、希望のもてるシナリオである。矢印２はロシアのように、起点が回廊から遠すぎるせいで、国家の力が低下したあとも、専横のリヴァイアサンが圧倒的支配を維持するケースだ。最後に矢印３は、国家と社会が十分弱い状態で開始した場合、同じ変化が国家の支配を完全に失わせ、その結果社会を不在のリヴァイアサンへと押しやる可能性を示している。

このようにきめ細かく描き出される結果から浮き彫りになるのは、国家が社会を犠牲にして力を握ってから数十年たったあとでも、十分に大きなショック——この場合ではソ連崩壊——が、その後の国家と社会の軌跡を完全に組み替えうるということだ。

リヴァイアサンの発展は、つねに無数の影響や混乱の影響にさらされているのだ。

だってそうするしかないから

新しい技術がもたらす経済的機会は、ヨーロッパ諸国の発展経路だけに影響を与えてきたのではない。植民地独立後の諸地域間の乖離のパターンをも形成してきた。一九世紀のコスタリカとグアテマラがたどった対照的な軌跡が、何よりの証拠となる。

中米の近隣国であるコスタリカとグアテマラは、当初似通った制度をもっていた。どちらの国も一八二一年までスペインの植民地国家による専横的支配を受けていた。だがその後の一〇〇年間で、二国は本章で見たどの例にも劣らぬほど大きな乖離を経験する。コスタリカは社会が徐々に強くなり、一九世紀後半に回廊に入った。一八八二年以降は平和的な選挙が定期的に行なわれるようになり、軍の影響力と全般的な抑圧が弱まり始めた。これらの変化の結果、コスタリカでは治安が大幅に改善し、暴力が減少しただけでなく、社会的・経済的にそれまでとまったく異質な世界が現れた。たとえば一九〇〇年に成人識字率は三六％だったが、一九三〇年には全成人の三人に二人が読み書きができた。

グアテマラの様子はこれとはかけ離れていた。どれほど違うのか、なぜ違うのかは、ノーベル平和賞受賞者リゴベルタ・メンチュウの人生からうかがい知ることができる。メンチュウはグアテマラの先住民族、キチェ族の出身だ。グアテマラは「二二の先住民の集団……メスティーソ、つまりラディーノを含めれば二三の集団」からなる国である。ラディーノとは、スペイン人の子孫か、少なくともスペイン人と先住民族の混血の子孫を指す。メンチュウは自分の祖母について、次のように語っている。

（祖母は）町のただ一人のお金持ちのところで、召し使いとして働くようになりました。祖母の息子たちは薪《まき》運びや水汲み、家畜の世話など、家回りの仕事をしていました。でも息子たちが大きくなってくると、そんな大きな子どもたちにこのまま食わせるわけにはいかない、お前にはそれだけの働きがないだろうと、主人にいわれたのです。祖母は長男である私の父が生きていけるように、別の人のところにやらなくてはなりませんでした。その頃になると父は薪割りや畑仕事など、大変な仕事もできるようになっていましたが、口減らしに出されたのでお金はもらえませんでした。父はラディーノたちと九年間も暮らしたのに、家に入れてもらえなかったので、スペイン語を覚えることはありませんでした……着るものがなく、とても汚れていた父は、鼻つまみ者でした。

その後メンチュウの父はこの家を出て、グアテマラの太平洋岸沿いのフィンカと呼ばれるコーヒー農園に職を見つけた。父は自分の母を一緒に連れて行った。「父はあの家からすぐに祖母を引き取りました。主人には妻がいたのに、母を妾同然にしていたのです。でもいいなりになるしかありませんでした。ほかに行き場がなかったのですから」。それからは、フィンカを中心に暮らしが回るようになった。メンチュウは一九五九年に生まれた。「私はほんの小さな赤ん坊だった頃から、ショールにくるまれ母におぶわれて、フィンカに連れて行かれました」。高地から来たトラックが、みんなを乗せていった。メンチュウはこう語っている。「あの頃はトラックが何かさえ知りませんでしたが、道中のことはよく覚えています……四〇人ほどが乗ることができました。でもアルティプラノの人たちがフィンカに連れて行く、イヌやネコ、ニワトリなども一緒でした」。旅は二晩ともう一日かかり、その間人々はトラックのなかで排泄し、嘔吐《おうと》した。「旅が終わる頃にはにおい——人々や動物の汚物の臭気——は耐えがたいものになっていました……私たちはまるで鍋から出てきたニワトリのように……よろよろでした」

八歳になると、リゴベルタはコーヒー農園で働き始め、次に綿花農園で働いた。学校には一度も行かなかった（口絵に現代のコーヒー・フィンカで働くグアテマラの女性と子どもたちの写真を載せた）。フィンカで働くとトルティーヤと豆の食事をあてがわれたが、カンティーナ（売店）にはほかのものも売っていた。とくに酒である。「グアテマラのフィンカには地主の所有するカンティーナが必ずあり、みんなそこで飲んだくれて……借金を積み上げました。稼ぎのほとんどが消えてしまうこともしばしばでした。しあわせな気持ちになり、つらいことを忘れるために飲むのです」。だがリゴベルタはとても気をつけるよう教えられた。「母にいつもいわれました。『むやみにものに触ってはいけないよ。お金を払わされる羽目になるからね』。……私は母に聞いたものでした。『どうしてみんなフィンカに行くの?』。母の答えはいつも同じでした。『だってそうするしかないからよ』」

リゴベルタは初めて地主を見たときのことを覚えている。「あの人はとても太っていて、身なりがよく、時計まではめていました。あの頃私たちはまだ時計というものを知りませんでした」。リゴベルタは時計どころか、靴さえもっていなかった。地主がやってきたときのことを、リゴベルタはこう述べている。

地主は一五人ほどの兵を引き連れてやってきました……監督がいいました。『地主様のために誰かに踊ってもらおう』……地主がしゃべると、監督がその言葉を通訳しました。みんなそこへ行って、紙切れに印をつけなさいというのです……紙に印をつけるために、みんなで連れ立ってそこに行きました……紙には枠がいくつかあって、そのなかに三つか四つ絵が描かれていました……紙に印をつけない者には、仕事［も］給金もやらないと脅されました。

地主は行ってしまいましたが、その後……何度もくり返し夢に見ました……きっとあの表情が、恐怖をかき立てたのでしょう……その場にいた子どもたちはみんな逃げていきました……あのラディーノを見てみんな泣き、兵と武器を見るともっと激しく泣き出しました。親が殺されると思ったのです。私も同じです。みんなを殺しに来たのだと思いました。


こうしてグアテマラ式の「選挙」が実施された。「フィンカに来た人たちが教えてくれました。私たちの大統領が、つまり私たちが投票した人が当選したと。投票をしたという自覚もなかったのに。『私たちの大統領』と聞いて、両親は苦笑しました。だって私たちにしてみれば、その人はラディーノの大統領であって、私たちの大統領ではまったくなかったのです」

グアテマラの国家は、よそよそしく異質だった。人口の大多数のための国家でさえなく、ラディーノのための国家だった。リゴベルタは初めて父に連れられて首都のグアテマラシティに行ったとき、気をつけるようにいわれた。父はＩＮＴＡ（国立農地改革局）に呼ばれていた。「貧しい人を入れる監獄があって、事務所に行かない者はそこに入れられると、父に教えられました……礼儀正しくしていないと事務所には入れてもらえないのだと。『そこではじっとして、何もしゃべるんじゃないよ』と父はいいました」

農村では、キチェ族は役人の階層を相手にしなくてはならなかった。軍の担当官がいて、市長がいて、その上に知事がいた。全員がラディーノだった。役人は住民に公共サービスを提供するどころか、賄賂を搾り取った。「軍の担当官に会うためには、グアテマラ語でモルディーダと呼ばれる賄賂を渡さなくてはなりませんでした」。モルディーダは文字どおりには「分け前」という意味の言葉だ。リゴベルタは悲しそうに述べた。「グアテマラでは、政府にかかわることであれば、私たちはただいいなりになるしかないのです」。彼らは抵抗した。リゴベルタの父と弟は地元の村を組織しようとした。一九七九年九月九日、弟は軍に殺された。

弟は石や倒木が転がる荒れ地に引っ立てられていきました。殴る蹴るの暴行を受けながら、二キロほど歩かされました……見るも無残な顔になっていました。殴られ、石や木の幹の上で転び、ボロボロでした……体を縛られ、睾丸《こうがん》を縛られ……水と泥が少し入った穴に入れられ、そこに裸のまま一晩中放っておかれました。穴は死体だらけでした……拷問は一六日以上続きました。生爪を剝がされ、指を切り落とされ、皮膚を剝ぎ取られ、皮膚の一部を焼かれました。最初にできた傷の多くが膨れ上がり、膿《う》んでいきました。それでも弟は生き続けました。兵士たちは弟の頭を丸刈りにし、それから頭皮を剝いで頭の両側に垂らし、顔の肉をそぎ落としました。体中に拷問を受けたのです。

兵士たちはこの蛮行に飽き足らず、見せしめに捕虜たちを村に戻した。「隊長は自分たちのもてる力、もてる能力のすべてを、一つひとつ並べ立てていきました。私たち民衆には、対抗できる力がないことを見せつけようとしました」。リゴベルタの弟を含む捕虜たちは、ガソリンをかけられ、火あぶりにされた。社会に対する残虐で暴力的な支配である。近隣のコスタリカとはかけ離れた世界だ。

コスタリカがすでに暴力を制御し、組織立った社会に支えられた民主主義を構築し、自由の前提条件を整えていた間、なぜグアテマラでこんな残忍な行為がまかり通っていたのだろう？　その答えは、コーヒーと関係がある。

乖離の原因

一九世紀の西欧と北米の急成長は、ただこれらの地域経済をつくり変えただけではなかった。砂糖や、タバコ、綿、コーヒーなどの熱帯作物に対する莫大な需要と、それらを世界各地に輸送する技術的機会を生み出すことによって、成長は植民地独立後の社会までをもつくり変えたのだ。一九世紀初頭に蒸気船が就航し、一八三八年にイギリスの起業家イザムバード・キングダム・ブルネルの設計した蒸気船グレート・ウェスタン号が、ブリストル・ニューヨーク間の定期航路に就航した。グレート・ウェスタン号は木造で、船体の両舷に蒸気駆動の外輪が取りつけられていた。一八四五年にブルネルはグレート・ブリテン号を進水させた。この船は鉄の船体をもち、蒸気駆動のスクリュープロペラで航行した。鉄の船体は安価で大型化が可能で、プロペラの駆動力は帆や外輪をはるかに上回った。

こうした技術進歩のおかげで、コーヒーなどの作物を世界各地に大量に輸出して利益を上げることが可能になった。中米はこの貿易の中心地だったが、その理由は気候がコーヒー栽培に適していたからだけでなく、急拡大中の合衆国市場に近いからでもあった。一八三〇年から一八四〇年にかけて合衆国のコーヒー輸入量は倍増し、一八五〇年までにさらに一・五倍に増えた。その結果コーヒー価格は一九世紀末まで上昇の一途をたどった。

需要増加に応えるために、基本的な公共サービスが必要になった。作物を輸出するための道路など十分なインフラを建設し、（コーヒーの木は実をつけるまで通常三、四年かかるため）コーヒー栽培に必要な投資を人々に促すために土地所有権を再編する必要があった。このすべてが国家能力の拡大を必要とした。その後のコスタリカとグアテマラの発展を下支えしたのは、国家の力と能力に対する社会の要請だった。

コスタリカは植民地時代はグアテマラ王国〔総督領〕の一部で、一八二一年に独立を宣言したあと、短期間メキシコに併合され、その後再び独立を宣言して、中央アメリカ連邦共和国の結成に加わった。一八三八年に共和国を脱退し、ようやく独立国家となった。コスタリカは植民地時代を通じて辺境だったため、植民地国家に対する支配強化と税収増大をめざす〔スペイン本国の〕ブルボン改革を逃れた。一六世紀に国外から持ち込まれた疫病のせいで、先住民がほぼ絶滅し、採掘する価値のある貴金属や鉱物資源もなかった。独立当時の人口は六万人から七万人で、ほとんどが中央高地に住んでいた。一七世紀にカリブ海沿岸部が短期間カカオブームに沸いたことを除けば、植民地時代の経済はおおむね発展から大きく取り残されていた。植民地の独占事業を取り仕切っていたグアテマラは、コスタリカのタバコ栽培の発展を妨害した。したがって独立当時のコスタリカには、強力なエリートも、支配的な都市や町もなかった。四つの主な人口密集地である、（植民地時代の首都で保守派の牙城だった）カルタゴと、サンホセ、アラフエラ、エレディアは激しく競い合い、それぞれが独自の外交政策を推進し、コロンビアなどの隣国の強力な派閥と手を組もうとした。アルゼンチンの政治家で知識人のドミンゴ・サルミエントもいっている。「南米の共和国のほぼすべてが、小さな分派に分裂する傾向を経たのちに、無謀で性急な野望に取りつかれ、破滅的な暗黒の独立へと向かった……中米はすべての村から主権国家を生み出した」

一八二三年と一八三五年には「分裂する傾向」が内戦に発展し、その後サンホセが首都の地位を確立した。しかし都市は競い合う一方で、協力することもあった。一八二一年、ラテンアメリカ諸国の独立に触発されて、植民地時代の首都カルタゴの評議会（アユンタミエントまたはカビルド）が、ほかの三都市の評議会を招き、どのようなかたちで独立を宣言すべきかを話し合った。同年一〇月、これら四大都市はウハラス、バルバ、バガセスの都市と共同で、「アユンタミエントの法」を発布し、スペインからの独立を宣言した。一二月までに七都市は友好協定に署名して、七人の公選の委員で構成される評議会（フンタ）を設置した。評議会は四大都市のもち回りで開催された。四大都市は、住民公聴会の一種であるカビルド・アビエルトを大いに活用して、民衆の幅広い政治参加を促した。

コスタリカはこうしてスペイン帝国の軛《くびき》を少しずつ解いていったが、依然貧しく後進的だった。国の唯一の資産は、多くの未耕地だった。一八二一年の独立後第一世代の政治家はこのことをよく理解していた。合衆国は早くも一七八七年に連邦の拡大を推進するために北西部条例を制定したが、コスタリカも同じことをした。一八二一年にサンホセは、土地を柵で囲い、作物を栽培・輸出する人々に土地を無償で与え始めた。一八二八年と一八三二年、一八四〇年に中央政府が、コーヒーの小自作農に土地所有権と補助金を与える法律を制定した。一八五六年までに、すべての国有地が払い下げられた。これらの法律が、国が所有していた中央高地の土地を開放したのだ。各都市は労働者と移住者を呼び込むために、土地を安価で払い下げ、コーヒー生産を奨励した。一八二八年の政策は、人口過少地域の最大一一〇エーカー（約〇・四五平方キロメートル）までの土地を無償で付与することにより、四大都市以外の地域への移住と農業開発を促した。こうして、コスタリカは中米で初めてコーヒー輸出を開始した国となり、一八四〇年代に輸出量は独立時の五倍の三八〇〇トンに達した。この時点でコーヒーはコスタリカの輸出全体の八〇%を占めていた。一八四〇年代に中央高地と太平洋岸のプンタレナス港を結ぶ最初の道路が建設され、コーヒーをラバの背に載せて運ぶ代わりに、牛車で輸送できるようになった。

コスタリカに大地主の階級が存在しないのは、初期の土地分配の力学のなせるわざである。コスタリカの経済エリートは、といってもそれほど強力ではなかったが、コーヒー作物の資金提供と購入、輸出に力を注いだ。そのためグアテマラであれほどはびこっていた強制労働を推進する連合勢力はコスタリカには存在しなかった。コーヒー事業に進出した裕福な一族は、多くの場合多角化していた。もちろん、コスタリカのエリートも、小自作農からコーヒーを安く買い叩こうと試みることはあったし、高利での融資によって暴利をむさぼり、利権を何としても守ろうとしたエリートはいた。最も有名な例は、小自作農に直接融資する銀行の設立を提案して、金融業者の市場支配力を弱めようとしたファン＝ラファエル・モーラ大統領が、一八五九年にモンテアレグレ家によって追放されたことだろう。とはいえこうした動きのどれ一つとして、小自作農主体のコーヒー経済の発展を妨げることはなかった。歴史家のシロ・カルドーソは、コスタリカ経済の状態を次の言葉で要約した。「小規模農園が、数においても専有面積においても、絶対的優位にあった」

コーヒー事業は、制度面での支援を必要とした。何より、土地調査が実施され、土地所有権が定義・強化される必要があった。独立後、ブラウリオ・カリージョ大統領は、こうした任務を遂行できる国家の建設を開始した。民法と刑法を制定し、初めての国家官僚機構を構築した。また国軍を再編し、国家警察を創設した。カリージョは終身独裁を宣言したが、大規模な軍隊を構築することはなく、兵数はわずか五〇〇だった。

カリージョがこれらの方針をとったことの最もありそうな説明は、中央集権的政府がなければ、新しい国が新たな経済的機会を活用し、四大都市が敵対するなかで秩序を維持するために必要な、基本的な公共サービスを提供することが難しくなることを、合衆国の連邦主義者と同様、カリージョも理解していたというものだ。だがカリージョはおそらく連邦主義者と同様、ギルガメシュ問題――きわめて強力な国家をどうやって制御するかという問題――も警戒していたために、大規模な軍隊の構築を避けたのだろう。カリージョは一八四二年に追放され、それ以降はコーヒー・エリートの力の増大が顕在化した。多くの一族や派閥がそれぞれ異なる大統領候補を支援し、選挙は軍の介入により混乱した。モーラなど数人の大統領が反乱によって追放され、一八七〇年のヘスス・ヒメネスのようにクーデターで排除された大統領もいた。ヒメネスはモンテアレグレ家の要求により、一九世紀コスタリカ初の軍人大統領、トマス・グアルディアに交代させられた。グアルディアは一二年間在任し、その間プロイセンの顧問の助言により軍隊の専門化を進めるとともに規模を縮小し、一八八〇年に職業軍人の数は三五八人にまで減っていた（緊急時に召集できる民兵組織はあった）。こうした改革の結果、軍が政治に関与することはなくなった。グアルディアの一八八二年の没後、コスタリカでは選挙が定期的に行なわれるようになった。ただし選挙違反の取り締まりが実施されるようになったのは一八四八年だった。グアルディアはカリージョと同様、国家能力を拡大し、公務員の人数を四〇％近く増やした。中央高地と海岸を結ぶ最初の鉄道の建設を指揮した。コスタリカは軍事の代わりに教育に投資した。一八八八年の大規模な教育改革により、識字率が向上し始めた。

この時点でコスタリカはすでに回廊内にいて、その中を進んでいた。一九四八年、民主主義への緩やかな転換は、とうとう確かなものになる。この年に実施された大統領選挙で不正が疑われたことをきっかけに内戦が勃発し、野党のホセ・フィゲーレスの指揮する反乱者が勝利を収めた。フィゲーレスは一八カ月後に一九四八年選挙の正当な勝者に道を譲るまでの間、暫定政権を指揮し、軍隊の廃止をはじめとする劇的な変革を主導したのである。コスタリカは軍隊をもたない世界最大の国だ（ほかにはアンドラやリヒテンシュタインといったヨーロッパ山岳地帯の小公国、モーリシャスやグレナダといった小さな島国などがある）。暫定政権は憲法制定会議を設置し、能力主義的官僚機構の構築、義務教育の導入、女性や非識字者の政治参加を推進するための一連の法案を通過させた。以来、コスタリカは民主的で平和な国であり続けている。中米ではほかのすべての国が一九五〇年代以降一度以上、往々にして長期にわたって独裁政権下にあったことを考えれば、かなり画期的な成果といえよう。

フィンカでの抑圧

コスタリカで小自作農中心のコーヒー経済とともに、一種の足枷のリヴァイアサンが発達する間、グアテマラでもコーヒー生産は拡大したが、まったく異なる、抑圧的な方向に向かった。リゴベルタ・メンチュウがあれほどの残虐行為を目撃するに至った原因は、グアテマラのコーヒー栽培を取り巻く強制労働の体制にまでさかのぼることができる。この機構を脅かすものは何であれ、激しい力によって撲滅されなくてはならなかった。

グアテマラは中米の植民地支配の中枢であり、またコスタリカとは違って、保守的な商人ギルドと強力な大地主がいた。経済もコスタリカよりはるかに発展していた。早くも一七九四年にはインディゴ（藍）生産者協会が設立された。グアテマラは先住民の人口比率も高かった。独立後は独裁者のラファエル・カレラが、一八三八年から一八六五年に死ぬまでのほとんどの間、事実上のまたは正式な支配者として政権に居座った。カレラの伝記作家ラルフ・リー・ウッドワードはこう書いている。

カレラの独裁的権力の基盤として軍隊が重要だったものの、カレラの政権に特徴を与え、グアテマラを「保守主義の砦」にした政策の確立における重要な推進力になったのは、首都の保守エリートの団結だった……カレラはいつでも最終決定権を保持したが……数人の学識ある支配階級からなる顧問団に、政策の立案と実行を任せるのがつねだった。一八五〇年から一八七一年までの時期を明白に際立たせているのは、グアテマラの保守エリートの団結と、彼らによる首都の社会・経済・政治機構の支配なのだ。

この時期、グアテマラは各種の独占事業を含む、植民地時代の政策を継続した。コスタリカとの際立った違いとして、農産物輸出拡大の試みはほとんどなされなかった。それでも市場自体の成長に助けられ、コーヒー生産は徐々に伸びていった。一八六〇年にごくわずかだった輸出は、その後の一〇年間で大幅に増加し、一八七一年にはコーヒーがグアテマラの輸出全体の半分を占めていた。この年、カレラの保守派の後継者の一人、ビセンテ・セルナ・イ・セルナが革命により追放され、「自由主義派」が政権を握った。まずはミゲル・ガルシア・グラナドスが、その後まもなく軍事独裁者のフスト・ルフィノ・バリオスが一八八五年まで支配した。

新体制は、農産物輸出型経済の開発を明確な目標に掲げた。このために土地私有化を進め、なかでも先住民の共有地を強制収用した。一八七一年から一八八三年にかけて約一〇〇万エーカー（約四〇四七平方キロメートル）の土地が私有化された。経済開発の大きなネックの一つが、先住民の多くが高地に居住していたのに対し、コーヒーの主要な栽培地が太平洋岸にあったことだ。バリオスは大地主に労働力を提供するために、国家の強制力を利用した。グアテマラには植民地時代初期にさかのぼる強制労働の長い歴史があり、先住民はエンコミエンダ制度を通じて、王室からの下賜としてコンキスタドール（スペイン人の征服者）に与えられていた。大規模なコーヒー生産の開始を受けて、国家はマンダミエントなどの植民地時代の制度を再導入・再編することにより、またリゴベルタの説明するフィンカのカンティーナにも表れている債務奴隷を通じてこの制度をつくり変え、いっそう過酷なものにした。マンダミエント（文字どおりには「戒律」や「命令」を意味する）とは、雇用主が最大で一五日間、六〇人の先住民労働者を政府に要求し、利用できる制度である。先住民の労働者は、そのような労役を最近問題なく遂行したことを労働記録帳によって証明できない限り、強制的に徴集された。グアテマラの土地政策の目的は、たんに政府にコネのある人々に土地を分配するだけでなく、高地の先住民の自給自足経済を破壊して、彼らを強制労働に就かざるを得ない状況に追い込むことにもあった。自給自足が成り立たなくなれば、先住民を賃金経済に組み入れ、低賃金で、また必要とあれば強制的に働かせやすくなる。このために先住民の伝統的な共有地を廃止し、自給自足生活の可能性を奪ったのだ。先住民は、生きていくためには高地から下りてフィンカに行くしかなかった。

　リゴベルタが語った時代になっても、状況はほとんど変わっていなかった。この戦略は各種の法令によって補完された。たとえば「浮浪者禁止」法は、人々を強制労働に取り立てるもう一つの口実となった。グアテマラ政府は「土地私有化」とその関連政策に力を入れる反面、公共サービスはほとんど提供しなかった。リゴベルタが学校に行かなかったことには理由があった。その回想録が示すように、一九六〇年代には児童労働が横行していた。手先の器用な子どもたちは、コーヒーの実の摘み手として重宝されていたのだ。政府がどんな公共サービスを提供することにも無関心だったことは、グアテマラの教育と識字率のデータに如実に表れている。一九〇〇年時点で読み書きができる大人の割合はわずか一二％で、一九五〇年になってもまだ二九％だったが、コスタリカではすでにほとんどの大人が読み書きができた。

　グアテマラ国家は一九世紀に土地を収用しただけでは飽き足らず、リゴベルタが幼少期を過ごした一九六〇年代と一九七〇年代にも強制収用を実施した。一九六七年頃のある日、高地のリゴベルタの村の耕作地を役人が訪れ、測量を始めた。リゴベルタは回想する。「土地は国のものだと政府はいうのです。国が土地を所有し、私たちが耕せるように与えているのだと……私たちは土地にとどまって小作農として働き続けるか、さもなければ土地を出ていくしかありませんでした」
誰のために働くのか？　政府にコネのある人々だ。リゴベルタは、マルティネス、ガルシア、ブロルスの一族の名前を挙げている。政府に土地を分配してもらうために「大きな分け前」を差し出してきた人々だ。リゴベルタの父たちは陳情したが、失敗に終わった。

政府当局のところに行くのも、地主のところに行くのも同じことだとは知りませんでした……私たちは家を追い出され、村からも追われました。ガルシアの子分たちが猛然と仕事に取りかかりました……勝手に家の中に入ってきたかと思うと、中にいた全員を引きずり出しました。それから家のものを一切合切外に放り出しました。母は祖母の大事な形見の銀の首飾りをもっていたのですが、あのあと見当たらなくなってしまいました。ごっそり盗まれてしまったのです。料理道具も、陶器の鍋もみな投げ出され……地面に落ちて粉々になりました。

リゴベルタ一家は土地から逃げ出した。

コスタリカとグアテマラで過去一五〇年間に起こった驚くべき乖離は、あらかじめ運命づけられていたわけではない。どちらの国も似通った歴史をもち、似通った地理と文化的遺産を受け継ぎ、一九世紀に同じ経済的機会に直面した。だがこのことも、私たちの概念的枠組みが示唆することと一致する。国際的な経済情勢の変化に誘発された、同じ国家能力拡大への動きが、なぜまったく異なる影響をおよぼしたかといえば、国家と社会のバランスが異なる状況で起こったからだ。コスタリカに比べ、グアテマラは軍主導の強制労働の歴史に満ち、人口に占める先住民の割合がずっと高く、グアテマラ

王国の専横的な国家制度を受け継いでいた。一九世紀末のコーヒーブームがもたらした国家建設のインセンティブは、したがってこの国に強力な専横のリヴァイアサンを生み出した。コスタリカでは、スペイン帝国崩壊によって強力な中央集権的国家制度が消滅し、四大都市が支配をめぐって争った。コーヒーが国家の崩壊をくい止め、コスタリカを回廊のなかに押し入れた。赤の女王効果の影響は、公共サービスと土地所有権の強化に下支えされて、小自作農のコーヒー経済が生まれたことに、最も明白に表れている。このプロセスが数十年のうちに、民主主義を有効に機能させるための社会基盤を築いたのである。

歴史はどのように重要か

ここまで、強力な国家構築に向かう同じ推進力が、また場合によっては国家の専横的支配を弱めようとする同じ力が、その後の国家と社会の経路にまったく異なる影響をおよぼした事例をいくつか見てきた。これが本章の最も重要な教訓である。社会科学の大半で昨今強調されていることとは裏腹に、構造的要因は、ある決まった経済的・政治的・社会的枠組みへと向かう強力な傾向を生み出しはしない。むしろ、そうした要因が引き起こすのは「条件つき効果」である――それらがどのような影響をおよぼすかは、国家と社会の既存の力のバランスに大きく依存するということだ。

このことは一般にあてはまることで、ヨーロッパに限らず、世界の歴史における重要な転換点を理解するのにも役立つほか、本章の範疇《はんちゅう》を超えた、きわめて斬新な示唆を与えてくれる。重要なことに、そうした構造的要因、とくに経済的関係の本質や国際関係によって生み出された傾向にかかわるような構造的要因は、主題図2・3上の国の位置をシフトさせるだけでなく、図上の領域の形状を大きく変化させうる。最も肝心なことに、専横・足枷・不在のリヴァイアサンの境界を定める線は、こうした要因が変化するうちに変わっていく。このことは、第一四章と一五章で見ていくように、広い回廊をもつために足枷のリヴァイアサンを構築・維持できる可能性が最も高い社会の種類について、多くのことを教えてくれる。

また本章の議論は、なぜ私たちの枠組みでは歴史的経緯が重要なのかを明らかにしている。いったん回廊に入った社会は、専横のリヴァイアサンの軌道上にあるときや不在のリヴァイアサンの下にあるときとはまったく異なるふるまいをするため、歴史的な違いが根強く残りがちだ。国家と社会の力のバランスが持続することが多いのは、この理由による。だがもちろん、このバランスは特定の経済的・社会的・政治的関係に依存しており、その意味で国の経済や政治の構造は、回廊の幅を左右するだけでなく、将来の経路にも影響を与える。たとえばグアテマラの歴史をめぐる議論が示すとおり、強制労働の歴史は、衰弱した社会に比して国家とエリートの力をより高めるため、結果として強制労働がそのまま持続し、さらに強化される可能性が高い。また、ロシアの現代史をめぐる議論が明らかにしたように、過去の農業集団化は社会を衰弱させているので、専横が持続する可能性が高い。実際、こうした持続性は、すべての国がやがて同じ種類の国家、社会、制度に向かって収斂《しゅうれん》する「歴史の終わり」が来るという、いかなる単純な傾向も誤りであることを示している。歴史はたしかに持続し、容易に取り消したり削除したりできない乖離をたしかに生み出すのである。より興味深いことに、本章で見たような構造的要因の変化や大きなショックに直面した際に、国家と社会の関係の歴史的変遷（これまでどのような関係をたどってきたか）が、重大な意味をもつ場合がある。その理由は、一つにはいま述べたとおり、強制労働の歴史や工業化、根深い社会階級などの要因が回廊の形状に影響を与えるからだが、もう一つとして、異なる過去をもつ国は国家と社会の力のバランスが異なり、そのことが、同じ構造的要因が異なる影響をもたらす下地をつくるからでもある。

またこの議論が明らかにし、これからの章が強調するのは、歴史は運命ではないということだ。国は回廊を出たり入ったりすることによって、歴史的軌跡を変化させていく——たとえそうした変化が起こる確率や方法が、それ自体歴史（主題図における国の位置）や、回廊の形状を決定する経済的・政治的・社会的条件に大きく影響されるとしても。このアプローチはしたがって、社会学者が「エージェンシー」と呼ぶものについて考える一つの方法を与えてくれる。エージェンシーとは、主要な主体が——たとえば新しい持続的な連合を築いたり、新しいタイプの要求や抗議、主張を行なったり、（第三章で見たように）技術や組織、思想のイノベーションを考案したりするなどの方法によって——社会の歩みに影響をおよぼす能力をいう。私たちの枠組みでエージェンシーが重要な理由は、エージェンシーが国家の軌跡を、あたかも白紙の上に線を引くように自由につくり変えることができるからではない。むしろ、エージェンシーや、またまったく重要でないように思えることもある偶発的事象が既存の国家と社会の力のバランスを変化させ、国が構造的要因に反応する方法を変えることによって、持続的な影響をおよぼす場合があるのだ。第二章では合衆国の連邦主義者の例を通して、新しいビジョンを表明し、新しい連合を形成する能力をもつ指導者が、国家建設で担いうる役割について考えた。同じことがコスタリカについてもいえる。コスタリカとグアテマラの間には特筆すべき構造的な違いがあったとはいえ、コスタリカのたどった道は、一八三〇年代と一八四〇年代のブラウリオ・カリージョのような個人にも、大きな影響を受けた。コスタリカを中央アメリカ連邦共和国から離脱させるというカリージョの決定のおかげで、この国は中米地峡に位置するほかの諸国とは異なる経路をたどることができた。より有効な国家制度を建設するという決定のおかげで、小自作農主体のコーヒー経済が発展することができた。おそらく最も興味深いのは、軍隊を小規模にとどめるという決定が、コスタリカの政治に対する軍隊の影響力を相対的に弱め、一九四八年の最終的な軍隊廃止への道を開いたことである。もしもカリージョが違う決定を下していたなら、こんにちのコスタリカは、おそらくグアテマラにずっとよく似た国になっていたはずだ。また、コスタリカが軍隊を最終的に廃止し、近代国家と有効に機能する民主主義の憲法上の根拠を生み出すうえで、ホセ・フィゲーレスという、もう一人の個人の存在が欠かせなかった。カリージョの選択と同様、フィゲーレスの行動にはあらかじめ決まっていたことは何一つなかったし、実際フィゲーレスはニカラグアで当時生まれたばかりのソモサ一族の独裁政権と紙一重のところにいた。これらのすべてにおいて、エージェンシーは主題図2と3の示す力の働き方に影響をおよぼしたが、既存の力のバランスから何の影響も受けずに自由に行動したわけではなかった。実際、もしもコスタリカにグアテマラと同じ、労働者を抑圧する農業体制があったなら、カリージョやフィゲーレスをもってしても、足枷のリヴァイアサンを構築することはできなかったはずだ。

第一〇章

ファーガソンはどうなってしまったのか?

正午の殺人

二〇一四年八月九日の正午を回った頃、一八歳のアフリカ系アメリカ人マイケル・ブラウンが、ミズーリ州セントルイス郡ファーガソン市で警察官のダレン・ウィルソンに射殺された。ブラウンは店でシガリロ〔細巻きの葉巻〕を万引きして、友人と車道を歩いていたところを、無線で窃盗を知ったウィルソンに呼び止められた。ウィルソンはまだパトカーに乗った状態でブラウンともみ合いになり、銃を二発発砲した。ブラウンは逃げ、追いかけてきたウィルソンによって最終的に六発の銃弾を浴びせられた。ブラウンがウィルソンに遭遇してから死ぬまで、たった九〇秒しかたっていなかった。

この悲劇的な殺人が起こった背景には、アフリカ系アメリカ人が圧倒的多数を占めるファーガソンの社会と、ほぼ白人からなる地元警察の間の緊迫した関係がある。ブラウンの射殺後に起こった暴動は長期化し、ファーガソン市には世界中の注目が集まった。大陪審がウィルソン警察官を不起訴とする決定を下すと、暴動は再燃した。のちに司法省が発表したファーガソン市警に関する報告書により、ファーガソンの市民、とくにアフリカ系市民の憲法上の権利が甚だしく侵害されている実態が明らかになった。報告書によれば、ファーガソン市警は日常的にアフリカ系アメリカ人に嫌がらせをしていた。たとえばこんな例がある。

二〇一二年夏、三二歳のアフリカ系アメリカ人の男性がファーガソンの公共公園でバスケットボールをしたあと、自分の車に戻って涼んでいた。警官が男性の車の後ろにパトカーを止めて進路をふさぎ、男性に社会保障番号と身分証明書の提示を求めた。警官は公園に子どもたちがいることを指摘して、何の理由もなく男性を小児愛者と決めつけ、武器をもっていると信じるべき理由がないにもかかわらず、車を降りて身体検査を受けるよう命じた。警官は車内の捜索も要求した。男性が憲法上の権利を主張して拒否すると、報道によれば警官は男性に銃を突きつけ、八件のファーガソン市条例違反を犯した容疑で逮捕した。容疑のうちの一つ、虚偽申告は、男性が最初に短縮形の名前（「マイケル」ではなく「マイク」）を名乗ったことと、正しいが運転免許証に記載されたものとは異なる住所を伝えたことだった。また男性が駐車中の車内にいたにもかかわらず、シートベルト不着用の容疑も挙げられた。

報告書は、ファーガソン警察の合理的根拠のない取り締まりと正当な理由のない逮捕、過剰な実力行使のパターンが、すべて合衆国憲法修正第四条に違反すること、またファーガソン警察の表現の自由の侵害、および憲法上保護された表現に対する報復が、修正第一条に違反することを指摘した。さらにひどいことに、ファーガソンでは「過剰な実力行使」が日常的に行なわれていた。

二〇一三年一月、パトロール中の巡査が、アフリカ系アメリカ人の男性がトラックに乗った人に話しかけてから立ち去るのを見て、男性を呼び止めた。巡査は犯罪行為が行なわれているという合理的な疑いを説明せずに、男性を引き止めた。男性が職務質問と身体検査を拒否すると——巡査は武器をもっていると信じるべき根拠を何も挙げずに実施しようとした——巡査は男性のベルトをつかみ、ＥＣＷ［電子制御兵器、いわゆるテーザー銃］を抜いて、男性に従うよう命じた。男性は腕を組み、何も悪いことはしていないと反論した。ＥＣＷの内蔵カメラがとらえた映像は、男性が警官に攻撃的なそぶりを見せなかったことを示している。だが巡査はＥＣＷを使用し、男性に五秒間の電撃を加えると、男性は地面に倒れた。巡査はほとんど間をおかずに再びＥＣＷを押し当てた。巡査はこの行動について、のちに自身の報告のなかで、男性が立ち上がろうとしたからだと正当化している。だが映像からは、男性が一度も立ち上がろうとしなかったことは明らかである――ただ痛みにのたうち回っていただけだった。また映像は、巡査が報告したよりも長い間、二〇秒近くＥＣＷを放ち続けていたことも示している。

ファーガソンで起こったことは、単発的なできごとではない。アフリカ系アメリカ人に対する同様の基本的権利の侵害と過剰な実力行使は、全米の多くの都市や町で横行している。こうした人権侵害や、アメリカの多くのインナーシティ〔都市内の貧困層の多い地域〕に蔓延する暴力の影響は、有効な法執行の欠如が最も脆弱《ぜいじゃく》な人々に与えている苦しみに、はっきりと表れている。殺人と暴行の多さを別としても、最近の調査によれば、ジョージア州アトランタのあるインナーシティでは、住民の実に四六％が心的外傷後ストレス障害（ＰＴＳＤ）に苦しんでいた。この種のトラウマは、アフガニスタンやイラクでの戦闘中に過酷な暴力と危険を経験した、帰還兵のような人たちが経験するものではなかったのか？　たしかにそうだが、多くのインナーシティの貧困地区に暮らす人々も、それとさほど変わらない脅威に日々さらされている。実際、四六％というＰＴＳＤの平均的な発症率は、戦争帰還兵の発症率約一一％から二〇％をはるかに超えているのだ。

これはとても自由には見えない。こうした地域には恐怖と暴力が蔓延している。支配もだ。ファーガソンでは何が起こっているのだろう？　そしてアメリカでは？

アメリカ例外主義の巻き添え被害

アメリカ史に関する最も標準的な言説は、合衆国憲法の優れた設計をはじめ、耐久性のある共和主義的制度を構築できたのはアメリカだけだったという、例外主義を強調するものだ。だが現実はもっと複雑だ。たしかにアメリカのリヴァイアサンの発展には称賛すべき点が多いが、その過程でこのリヴァイアサンが、ファーガソンで起こったような巻き添え被害を与えてきたこともまた事実なのだ。

第二章で見たように、アメリカのリヴァイアサンは、ある意味では連邦主義者によって生み出された。連邦主義者の国家建設プロジェクトは懸念に満ちていた。強大な大統領が制御不能になって権力を乱用したり、一部の集団や「派閥」によって占有されたりすることを、連邦主義者は危惧《きぐ》した。そのため憲法にさまざまな抑制と均衡（チェック・アンド・バランス）の仕組みを盛り込み、行政と司法の権力分立を図った。また、民衆の政治参加が度を越すことも懸念したため、州議会が上院議員を選び、選挙人団が大統領を選ぶ間接選挙制を採用した。連邦主義者は、「州権」と構成州の自律性が守られるかどうかを案じる人々にも譲歩しなくてはならなかった。そのために連邦の権限を制限し、憲法に明記されていない事項はすべて州の管轄となるという理解を徹底した。またこうしたすべてが専横を招くことを案じる、血気盛んで反抗的で懐疑的な一般市民にも譲歩しなくてはならなかった。そのために権利章典を起草した。

本章の物語が明らかにするのは、このような憲法の成り立ちは、合衆国を回廊のなかに入れる働きがあったものの、いわゆるファウスト的〔力と引き換えに魂を売り渡す〕契約だったということである。憲法によって南部の奴隷所有者が奴隷を搾取し続けることが可能になり、そのことが国家の手を縛るだけでなく、汚しもした。この汚れた手枷をはめられたせいで、連邦国家はいくつかの重要な分野で能力を欠いた状態にとどめられたのだ。まず何よりも、連邦国家は奴隷とその後のアフリカ系アメリカ市民を暴力や差別、貧困、支配から明らかに保護しなかった。そして今回の事件で人権侵害や罰金、懲役、ときには殺害の対象となったのが、ファーガソンの貧しい黒人市民だったということも、このパターンの特徴である。

もう一点として、州に対する妥協とさまざまな制約のせいで、連邦国家はアフリカ系アメリカ人だけでなく、すべての市民を暴力と経済的苦難から十分に保護することができなくなった。

また憲法の成り立ち、とくに連邦政府の課税権に制限が課されたことがおよぼしたもう一つの影響として、国家が幅広い公共サービスを提供するのが困難になった。このことを如実に物語るのが、最も基本的な公共サービス――戦争の遂行から医療保険、警察活動に至るまで――の提供においてさえ、国家が官民パートナーシップに頻繁に依存していることである。官民パートナーシップでは、国家が支援や誘因、ときには資金を提供するが、政策の実行は民間部門や社会のさまざまな階層に任せ、ときにはそうした主体が政策の方向性に影響をおよぼすことさえある。この戦略は、民間の活力と創造性を活用する方法として、もてはやされることが多い。そのような効果が実際に達成されたケースはあるし、またより重要なこととして、国家が根深い対立や数々の新たな課題に立ち向かう間も、官民パートナーシップは合衆国が回廊のなかにとどまる助けになってきた。そして合衆国国家は赤の女王に助けられて能力を拡大してきたが、それでもまだ弱く、喫緊の問題に対処する能力に欠けており、その結果として多くの取り組みが途中で頓挫している。公共サービスのなかには、医療やインフラ、それにもちろん、課税を通じた所得の再分配など、官民パートナーシップでは効果的に提供するのが非常に難しいものがある――なぜなら、政府の支援をもってしても、市場が適正な水準のサービスや補償を提供できない場合が多いからだ。官民パートナーシップ・モデルの問題がさらに顕在化しているのが、法の執行と紛争解決の分野である。ここまでくり返し見てきたように、「社会」は一枚岩の主体ではなく、社会のなかでもより動員性が高く、政治参加に積極的な、強力な階層が、社会的関係や規範を有利に利用することができる。第二章で見た国家なき社会の長老や男性たち、第八章で見たインドのブラフマンなどが、そのような階層の典型例だ。同じことが合衆国全般、とくに官民パートナーシップについていえる。官民パートナーシップに参加し、紛争解決や法の執行、公共サービスに自分たちの希望を反映させてきたのは、そうした強力な階層なのだ。合衆国社会のアフリカ系アメリカ人や、貧しくまとまりのない集団は、往々にして取り残され、そのせいで自由をひどく脅かされてきたのである。

足枷のリヴァイアサンの例に漏れず、合衆国国家は経済的機会とインセンティブの提供という面ではかなりの成功を収め、広大な領土に分散する市場を統合し、憲法制定後に州の政策の連携を図ることによって、経済が成長できる環境を整えた。アメリカ人はこれを思う存分活用した。合衆国経済は一九世紀に急速な工業化を遂げ、二〇世紀には世界の技術リーダーになった。だがこの繁栄にも、アメリカ例外主義の烙印が押されている——中央国家に対する各種の制約、エリートと国家のゆるぎない力、そして官民パートナーシップ・モデルの特異性のせいで、合衆国の経済成長には多くの不平等が伴い、南北戦争以前の奴隷だけでなく、人口の特定の階層が、経済成長の恩恵から完全に取り残されてきたのだ。

この観点から見れば、アメリカの殺人件数が西欧諸国の平均の約五倍に上るのは、驚くにあたらない。アメリカの多くの地域で貧困率が高く、アフリカ系アメリカ人が機会や公共サービスからしばしば除外されてきたことも、驚きではない。官民パートナーシップ・モデルが、合衆国の貧困層に社会的セーフティーネットを提供することに成功していないことも、驚くに値しない。社会がますます結集し、自信を高めるのに歩調を合わせて、ときにはアメリカのリヴァイアサンがこうした隙間を埋めるために、ジョンソン大統領の「貧困との闘い」のようなプログラムをもって介入したこともあったが、そうした取り組みは不完全なことが多かった。

逆説的かもしれないが、これから見ていくように、合衆国のリヴァイアサンのこのような歩みは、もう一つの重大な、意図せざる帰結をもたらした。それは、いくつかの重要な分野で、国家の活動に対する有効な監視体制が欠けていることだ。連邦主義者の妥協と官民パートナーシップ・モデルという拘束衣のせいで、アメリカ国家は冷戦や、最近の国際テロリズムの台頭などによって突きつけられた、複雑化する安全保障上の問題に合法的な手段では対処できなかった。また、世界最強の国家、事実上の世界の警察官の役割を有効に果たせなかった。そのため、合衆国はこうした能力を、社会による監視をほとんど受けずに、密かに発達させてきたのだ。依然多くの制約の下にあり、根本的な弱さが刻み込まれているとはいえ、リヴァイアサンが足枷をはめられない安全保障サービスと軍の指揮を執る舞台が、こうして整った。その結果現れた合衆国のリヴァイアサンの恐ろしい顔が衆目にさらされたのは、アメリカ市民を標的とした大規模な監視・データ収集活動の実態を、エドワード・スノーデンが暴露したときである。国家安全保障局（ＮＳＡ）は社会や政府の他部門の監視さえ受けずにこうした活動を行なってきたのだ。

権利章典がなんだって？

ではなぜファーガソン市警は、黒人市民にあれほど嫌がらせをしていたのだろう？　ひと言でいえば、お金と、もちろん人種差別の入り混じった理由からだ。ファーガソン市は警察を利用して財政を補っていた。警官は市の財源を増やすために、できるだけたくさん違反切符を切るよう指示されていた。つまり、罰金を科すためならどんな口実を使ってもいいということだ。それもちょっとやそっとの罰金ではない。司法省の報告書は、一度の「歩き方」違反に三〇二ドル、治安妨害に四二七ドル、芝生と雑草の高さ違反に五三一ドル、逮捕への抵抗に七七七ドル、不服従に七九二ドル、不遵守に五二七ドルの罰金が科された事例を示し、警官は最後の二つを区別せずに用いているようだと指摘している。違反切符を切られて裁判所に出頭せずにいると、さらに切符を切られた。報告書には象徴的な例が記されている。

二〇〇七年に犯した、たった一度の違法駐車に端を発する係属中の事案を抱えるアフリカ系アメリカ人女性の事例がある。女性は二枚の違反切符を切られ、一五一ドルの罰金と手数料を科された。女性は数年前から経済的に困窮しており、何度かホームレス状態に陥ったこともあり、裁判所に出頭できず駐車違反切符の罰金を払えなかったために、二〇〇七年から二〇一〇年までに七件の出頭拒否の罪で起訴された。二〇〇七年から二〇一四年までに二度逮捕され、六日間収監され、この一度の駐車違反に端を発したできごとのために、裁判所に合計五五〇ドルを支払った。裁判所記録には、女性が二五ドルと五〇ドルの分納を試みたことが記されているが、裁判所は全納以外の支払いを受け付けず、支払いを全額返金した……当初の罰金が一五一ドルで、すでに五五〇ドルを支払っているにもかかわらず、七年以上たった二〇一四年一二月時点で未納額は五四一ドルにも上った。

こうした嫌がらせが、すべてアフリカ系アメリカ人を対象としていたため、彼らの社会は国家制度に対する信頼と協力を大きく損ねた。ファーガソン市警は正義を執行していたのではない。ただ違反切符を切っていただけだ。法執行の基本機能は破綻し、警察は疑いと恐れの目で見られるようになった。

だが、いったいなぜファーガソン市警は、ファーガソンの住民の憲法上の権利を、何の咎《とが》めもなく侵害できたのだろう？　権利章典は市民を保護するためにあるのではないのか？　いや、実は保護といっても限度がある。権利章典を生み出した妥協は、州ではなく連邦政府だけに適用された。州は「ポリスパワー（規制権限）」と呼ばれる広範な裁量権をもつに至った。これは権利章典の実際の文言に明記されてはいないが、当時理解されていた。この件については一八三三年、「権利章典は連邦政府の行為に対してのみ適用される」とする、最高裁判所の裁定によって最終的に決着がつけられた。ちなみに憲法修正第一条は以下のように定めている。

議会は、国教の樹立を支援する法律を立てることも、宗教の自由行使を禁じることもできない。表現の自由、あるいは報道の自由を制限することや、人々の平和的集会の権利、政府に苦情救済のために請願する権利を制限することもできない。

修正第四条は以下である。

不合理な捜索および押収に対し、身体、家屋、書類および所有物の安全を保障されるという人民の権利は、これを侵してはならない。令状は、宣誓または確約によって裏づけられた相当な理由に基づいてのみ発行され、かつ捜索すべき場所、および逮捕すべき人、または押収すべき物件を特定して示したものでなければならない。

にもかかわらず一八三三年の判決は、表現の自由を制限する法律や、不合理な捜索や押収を行なうことを認める法律を、州が制定できるとの立場を明らかにした。なぜならそれらは権利章典の適用を受けないからだ。そのような法律の制定を禁じられたのは、国の立法府だけである。南部諸州では、権利章典のこの解釈の主な目的は、奴隷には「自由市民」のもつどんな権利も認められないことを確認することにあった。

南部諸州が連邦からの離脱を試み、一八六五年に南北戦争に敗北したことで、権利章典に関するこの見解に終止符が打たれてもおかしくはなかった。実際、一八六八年に成立した修正第一四条には、次の文言が含まれている。

いかなる州もアメリカ合衆国の市民の特権あるいは免除権を制限する法を制定したり、あるいは強制してはならない。また、いかなる州も法の適正な手続きなしに個人の生命、自由あるいは財産を奪ってはならない。さらに、その司法権の範囲で個人に対する法の平等保護を否定してはならない。

それなのに最高裁は、この条項が州のポリスパワーに優越しない、という決定をくり返し下した。たとえば一八八五年、連邦最高裁判事スティーヴン・フィールドはこう述べた。「修正第一四条も——広範で包括的ではあるが——その他のいかなる修正条項も、ポリスパワーとも呼ばれる州の権限に干渉することを意図してつくられたのではない」

こうしたすべては、南部での一八七七年以降の「贖罪《しょくざい》（リデンプション）期」という背景に照らして理解する必要がある。修正第一四条は、南部の「再建（レコンストラクション）」を目的とする、三つの憲法修正条項のうちの一つだった。再建とは、奴隷制を終わらせ、アフリカ系アメリカ人に経済的機会と政治的権利を保障するための制度改革のことである。だが一八七七年にラザフォード・ヘイズ大統領は、もとのファウスト的契約をさらに強化し、北軍の撤退と再建の終了を南部の政治家に約束することによって、選挙人票の過半数を獲得したのだ。北軍が去ってしまうと、南部は「贖罪された」――つまり、再建の推進力は反転させられ、古い抑圧的な制度の多くが装い新たに仕立て直された。とくに悪名高いものが、人種隔離を強化した一連の「ジム・クロウ」法（黒人差別法）である。一八九〇年代になると南部諸州は州憲法を書き換え、人頭税や識字テストの導入によって黒人を選挙から排除するようになった。ポリスパワーは、この動きの中心にあった。北部は南部に干渉せず、ジム・クロウ法を容認することに同意した。権利章典が州の立法府に適用されないという「解釈」は、この取り決めになくてはならないものだった。

たしかに州憲法の「権利章典」修正条項を起草したのは、州自身である。たとえば現行のミズーリ州憲法の第一条から第三五条までは、そうした権利条項となっている。だがこれらの条項は、市民を州の力から保護することに関しては、連邦の権利章典と同等の効力をもつことを意図したものではなかったし、実際に効力をもつこともなかった。くだんの司法省の報告書は、ファーガソン市条例がミズーリ州権利章典に違反することを明らかにした。報告書によれば、市条例第二九章第一六条（一）項は、「警察官の公務執行における合法的な命令または要請に応じず、それによって警察官の公務執行を干渉、妨害、阻止する」ことを違法と定めている。この条項の下で提起された多くの訴訟事件が、個人が何らかの犯罪行為に携わっていることを示す客観的な兆候がないにもかかわらず、警察官に停止を命じられたことに端を発していると、報告書は指摘する。そうした状況での停止命令は、警察官が犯罪行為が起こっているという合理的な疑いを欠いているため、「合法的な命令」にはあたらない。それでも、市民は停止しなければ逮捕された。

贖罪が生み出した南部の体制は、一九六〇年代になってもまだ続いていた。これを大きく破壊したのが、折りしも公民権運動が勢いを増していた一九五三年に最高裁判所長官に就任した、アール・ウォーレンである。ウォーレンは、情勢の変化に合わせて憲法もまた変わる必要があると考え、最高裁判事の大多数も意を同じくしていた。南部諸州で公民権活動家を抑圧し攻撃するために用いられていた警察活動の多くが、ポリスパワーのあるなしに関係なく違憲であると、ウォーレンらは判断した。

最高裁がこの考えを初めて明らかにする機会がやってきたのは、一九五七年五月二三日、オハイオ州クリーヴランドのドルリー・マップ宅に警官隊が突入したときのことだ。マップは違法賭博の「ナンバーズ」を生業《なりわい》とする女性で、警察はマップの自宅にヴァージル・オグルトゥリーという男性が潜伏しているというタレコミを受けていた。オグルトゥリーは、ライバルでナンバーズの大物の（のちにボクサーのモハメド・アリのマネジャーになった）ドン・キングの家を爆破した疑いをもたれていた。警察はオグルトゥリーを発見したが、彼は無実であることが判明した。警察はマップ宅で賭博用紙とポルノ雑誌も発見した。マップは前の賃貸人が残していったものだと主張したにもかかわらず、ポルノ写真の所持で告発され、七年の禁固刑を宣告された。マップは、自分がポルノ写真を所持していると疑われるに足る合理的根拠がなかったことと、警察が捜査令状をもっていなかったことを理由に、最高裁に上告した。そして最高裁は「マップ対オハイオ州」事件の判決で、修正第四条は州が不当な捜索を行なうことを禁じていると述べ、「連邦憲法に違反する捜索や押収によって得られたすべての証拠物は、州裁判所における刑事裁判では認められない」との判断を下したのだ。ここで注目すべきは、「州裁判所」という表現である。最高裁はその後も、各州の権利条項とポリスパワーとは矛盾しないかもしれないが、憲法には反する州の行動を次々と特定していった。「ギデオン対ウェインライト」事件（一九六三年）では、重罪で起訴されるすべての被告人に、弁護人の選任を受ける権利を認めた。「マロイ対ホーガン」事件（一九六四年）では、修正第五条（フィフス・アメンドメント）に含まれる自己負罪拒否特権（黙秘権を行使するという意味の「テイク・ザ・フィフス」の表現は、ここから生まれた）が州裁判所に適用されると判断した。一九六五年の有名な「ミランダ対アリゾナ州」事件では、諸権利を告知されないまま得られた自白は、州裁判所で証拠として認められないとの判断を下した。そして「パーカー対グラッデン」事件（一九六六年）および「ダンカン対ルイジアナ州」事件（一九六八年）では、修正第六条により、州裁判所で公平な陪審による裁判を受ける権利が認められることを確立した。こうした判決が積み重なるうちに、州の刑事司法制度は、連邦権利章典に従うようになっていった。だがファーガソンの証拠は、このプロセスがまだまだ道半ばであることを物語っている。

アフリカ系アメリカ人に対するこうした差別のパターンには深い根があり、また矛盾するようだが、それはアメリカの――一部の人々にとっての――自由の創造そのものと絡み合っていたのだ。

アメリカの奴隷制、アメリカの自由

奴隷制は、連邦政府の権限範囲をめぐる議論の中心議題だった。奴隷はアメリカ合衆国のもとになった一三植民地の富裕層がもつ「資産」の大半を占めていたからだけでなく、奴隷の地位は新しい連邦国家の政治権力の分配を左右する重要な要素でもあったからだ。歴史家のエドマンド・モーガンは著書『アメリカの奴隷制、アメリカの自由』のなかで、憲法の主要な起草者の多く——ジョージ・ワシントン、ジェイムズ・マディソン、トーマス・ジェファーソン——が、ヴァージニア州出身の奴隷所有者だったのはなぜだろうと問いかけた。ジェファーソンは、次の文言を美しくうたい上げた独立宣言の主な執筆者である。

われわれは、以下の事実を自明のことと信じる。すなわち、すべての人間《メン》は生まれながらにして平等であり、その創造主によって、生命、自由、および幸福の追求を含む不可侵の権利を与えられているということを。こうした権利を確保するために、人々《メン》の間に政府が樹立され、政府は統治される者の合意に基づいて正当な権力を得るということを。

この主張には注目すべき点がいろいろある。たとえばピープルではなく、メンという表現が使われていることなど。だがさらに厚かましいことに、六〇〇人ほどの奴隷を所有していたジェファーソンが構想した政府が、奴隷の「合意」をもって、または奴隷の「幸福の追求」のために設置されるものでないことは明らかだった。それどころかその政府は、奴隷がもう八七年の間、決して権利を与えられることがないよう確保したのだ。

モーガンがこの問いを提起した目的は、たんに偽善を咎めることではなく、奴隷制と自由との関係を理解することにあった。奴隷制と自由がどうやって共存できたのだろう？　また白人の自由は、黒人の大いなる不自由によって、何らかのかたちで支えられていたのだろうか？

一六〇七年のヴァージニア会社によるジェームズタウン建設に始まった、ヴァージニア植民に話を戻すと、当時は奴隷を輸入する計画はなかった。当初の計画の第一にして最も重要な柱は、先住民の搾取だった。だがヴァージニアには先住民が少なかった。次の柱は、ねぐらと食料、アメリカ大陸への無料の航海と引き換えに、七年間の労働を提供する契約を結んだ、イングランドの年季契約奉公人を利用することだった。この選択肢は試されたが、年季奉公人はいったん現地に到着すると、とくに辺境の開拓地に逃げ込むことができたため、意のままに働かせるのは至難のわざとわかった。締めつけを強化することは、人集めが難しくなることを考えれば、魅力的な選択肢ではなかった。一六一八年、ヴァージニア会社は先住民と年季奉公人を利用する戦略をあきらめ、入植者にインセンティブを与える戦略に鞍替《くら》えする。入植者を労働契約から解放し、土地を与え、さらには一般議会を新設して白人男性に政治的権利を認めることによって、この転換そのものの信頼性を高めた。

　だが植民地は経済的に自立できていなかった。入植者は初期に地場産のタバコの栽培を試していたが、質がよくなかった。現地の酋長の娘ポカホンタスと結婚したことで知られるジョン・ロルフは、西インド諸島の品種を取り入れて品種改良を行ない、ずっと質のよいタバコをつくることに成功した。一六一四年にはジェームズタウンから初めてタバコが出荷された。一六一九年秋のこと、ヴァージニアに立ち寄ったオランダの商船が、補給物資と引き換えに二〇人の奴隷を置いていった。トウモロコシ栽培を推奨するヴァージニア会社は、タバコ栽培に強硬に反対していたが、最終的にこの作物が植民地に繁栄をもたらすことになる。一六二四年にヴァージニア会社がイングランド国王によって解散させられると、人々を止めるものは何もなくなった。タバコ栽培に年季奉公人を当たらせることもできたが、奴隷を購入した方が安上がりなことがわかった。植民地は地理的に拡大し、多くの入植者が地主となって、タバコのプランテーションを開いた。空間が埋まり始めると、人々は議会のあり方を見直し、一六七〇年に選挙権を制限することを決定した。

〔多くの人々が〕国にほとんど関心をもたず、選挙時に騒いでは、国王陛下の平安を乱すほどの事態を招いている。したがって、彼らの投票権に制限を設けることが、平安の維持をもたらす。

その一方で地主は、より責任ある行動をとると信頼できた。その一年前、議会は「奴隷の偶発的殺人に関する法」を可決した。「もしも奴隷が主人に抵抗し……厳しい罰によって期せずして死んだ場合、奴隷の死は重罪と見なされず、主人は……懲戒を免れる。なぜなら何人《なんぴと》も殺意（殺人が重罪になるのは殺意があった場合のみである）に駆られて、自身の財産を破壊するとは考えられないからだ」。いったい誰が自分の財産に殺意をもつだろう？

奴隷経済の繁栄とともに、一部の人々が非常に豊かになり、多くの奴隷のいる大規模なプランテーションをつくるようになった。だが利益を得たのは大プランテーションの所有者だけではなかった。それほど豊かでない人々も、わずかだが土地と奴隷をもつようになったのだ。タバコ栽培と奴隷制の複合体が生み出した富は、白人の間でより平等に分かち合われるようになっていった。たとえば一七〇四年から一七五〇年にかけて、タイドウォーター地区――航行可能な水路沿いの、タバコ栽培に適した土地――の農家一世帯当たりの平均所有面積は、四一七エーカー（約一・六九平方キロメートル）から三三六エーカー（約一・三六平方キロメートル）に縮小し、その一方で土地所有者数は六六％増加した。チェサピーク湾地区全体でも、一八世紀中に富がより公平に分配されるようになったことを、遺言状から得られる証拠は示している。一七二〇年には全死亡者の七〇％が、評価額一〇〇ポンド以下の土地を残した。一七六〇年代になると、この比率は四〇％強に減少し、その一方で資産が一〇〇ポンドを超える人々の割合が増加した。かつて土地をもたない人々から投票権を奪ったヴァージニア議会は、同じ人々を優遇する方針をとるようになった。人頭税は軽減され、白人の年季奉公人の待遇改善が法制化された。いずれにせよ、大多数の白人が土地所有者になりつつあった。その結果、奴隷経済は白人の間に一種の結束を生み出した。実際、ヴァージニアではすべての奴隷は貧しく、つまり貧しい人とはすべて奴隷のことだった。イギリスの外交官サー・オーガスタス・ジョン・フォスターは一九世紀初頭に述べている。「ヴァージニアの人々が自由と民主主義への無限の愛を公言できるのは、他国にいれば暴徒になっていたかもしれない大勢の人々が、そこ（ヴァージニア）では自身が黒人奴隷の所有者でいられるからである」

この結束は、合衆国憲法のもう一つの大きな狙いである、国民の統制と政治参加の抑制にも役立った。強力な国家は、秩序を保ち、市場を統合し、国防を提供するのに役に立つが、一般市民が政治に過度に関心をもち、過度に関与するようになった場合に、市民に占有される恐れがない国家でなくてはならない。つまり、三権分立と間接選挙による権力の分散は、たんにギルガメシュ問題と、連邦国家の専横的行動への恐れを解消するための方策というだけではなかった。それは国家制度が一般市民に占有されないようにするための方法でもあったのだ。当時は連邦主義者も、奴隷とプランテーション経済に富の大半をつぎ込んでいた南部のエリートも、民衆の政治参加がもたらす危険に恐れおののいていた。かくして、一石二鳥の機会が訪れた。一般市民が政治力を行使する能力を制限することにより、連邦主義者は二つの目標のうちの一つを達成するとともに、国家建設プロジェクトに抵抗していた南部のエリートにとって、プロジェクトそのものを受け入れやすいものにすることができたのだ。それに、ジェファーソンなどの当時のエリートの多くは、非エリートの白人も自分たちと同じ展望をもっているから、彼らに「不可侵の権利」と「自由」を授けても、そうした権利を奴隷たちと分かち合うはずがないと確信していられた。このように、合衆国の国家建設の過程で芽生えた自由の概念は、（白人にとっては）輝かしいものであるとともに（黒人にとっては）抑圧的なものであり、それは予想どおりの結果を招いたのである。

紆余《うよ》曲折の合衆国の国家建設

合衆国憲法は、連邦主義者が抱えていた主要な問題を一挙に解決することができた。すなわち、国家を建設し、一部の派閥や一般市民による権力の占有を防ぎ、それによって合衆国のエリートの死活問題だった財産権を確実なものにした。州の自律性を保全した。また、やむを得ず不本意ながらも、しかし貧しい白人がエリートと同じ利害――いま見たように奴隷経済での利害など――の多くを共有しているという認識のもとに、人々を国家による権利侵害の可能性から保護するために、本質的な権利を保障した。

だが異なる機関や集団の間で権力を分散させることには、政治的膠着状態を生み出すリスクがあった。このリスクがとくに顕在化したのは、組織化された政党が誕生してからのことだ。連邦議会ではある政党が多数派になり、異なるルールの下で選挙を実施する上院では別の政党が多数派になる、ねじれ現象が生じる可能性があった。大統領はまた別の方法で選出されるため、どちらの院でも過半数の支持を得られない恐れがあった。とはいえ膠着の可能性は、連邦政府をコントロールしやすくし、したがって州にとって憲法をより受け入れやすいものにするという利点もあった。しかし、明らかな欠点もあった。憲法の最大の目的は、より大きな能力をもつ強力な中央集権国家の創出にあったのに、この体制はかなりの無能力をもたらしたのだ。無能力の弊害がとくに大きかったのは、社会政策と所得の再分配の分野である。なぜなら誰かがつねに政策に反対し、阻止することができたからだ。連邦主義者がすべての目的をかなえるために受け入れざるを得なかった、この国家の強さと弱さの組み合わせ、そしてそれが処理されてきた方法こそが、国家建設におけるアメリカ例外主義の帰結なのである。

合衆国の国家建設は、一部の分野ではかなりうまく進んだ。連邦国家は弱いからこそ、専横のリヴァイアサンになることができず、そして社会もそのことを知っていた。州にポリスパワーなどの権限を保証することは、州のエリートに憲法を批准させ、国家の拡大を阻止させないようにするために欠かせない要素だった。続いて強力な赤の女王効果が作用し、国家制度は強化された。だがその一方で、当初の国家の弱さは持続し、そのせいで国家は、一九世紀と二〇世紀の急激な経済的・社会的変化にさらされた社会の要求の高まりに十分応えることができなかったのだ。

この弱さがもたらした最初の悪影響の一つは、財政収入の不足だ。前に見たように、新しい連邦税制が導入されたおかげで、政府はウィスキー税反乱を鎮圧するために、ジョージ・ワシントンの軍に資金を提供し、ペンシルヴェニア州西部に進軍させることができた。しかし憲法には、「人頭税その他の直接税は、この憲法に規定した国勢調査または算定に基づく割合によらなければ、これを賦課してはならない」と規定されている。そのせいで連邦政府は「直接税」、とくに所得税を徴収することができなかったのだ。憲法は、いわば片方の手で与えたものを、もう一方の手で取り上げたも同然だった。連邦国家が財政収入なしで、いったいどうやって目的を果たせるというのか？

何とか間に合わせでやるしかなかった。この間に合わせの策が、のちに官民パートナーシップ戦略になった。政府自身は土地やインセンティブ、多少の補助金の提供に徹し、民間部門に多くの重要な機能の実行と方向性の決定を任せるという手法である。たとえば政府は東海岸と西海岸を鉄道で結ぼうとしたが、自力では建設できなかった。一つには、南北戦争以前は北部の好むルートを南部の政治家が妨害していたからであり、もう一つには、鉄道の建設資金が政府になかったからである。そこで民間部門にインセンティブを与え、建設を行なわせることにした。一八六二年にエイブラハム・リンカーン大統領はパシフィック鉄道法に署名した。鉄道会社に政府保証融資を与え、鉄道沿線の広大な土地を無償で払い下げることを定めた法律である。鉄道法第二章は、鉄道会社に線路の片側二〇〇フィート（約六一メートル）ずつの土地に対する敷設《ふせつ》権を与え、鉄道建設に必要なあらゆる資材を自由に得ることを認めた。第三章は、一マイルの線路を敷設するごとに、線路の片側五平方マイル（約一二・九平方キロメートル）ずつの土地を鉄道会社に無償供与することを定めていた（鉄道会社の取り分は一八六四年に倍増された）。鉄道会社にとって、これが敷設を完了する大きなインセンティブとなった。鉄道を完成させれば土地の価値が上がり、それを売却して莫大な利益を上げられるからだ。ユニオン・パシフィック鉄道が、ワイオミング州に線路を敷設するやいなや、シャイアンの街を建設し、土地を売却し始めたのは、第一章で見たとおりだ。これらの施策に新たな支出は必要なかったため、政府は税金を上げずにすんだ。

大陸横断鉄道建設の官民パートナーシップ戦略は、政府支出を最小限に抑えることが唯一の狙いではなかった。芽生え始めた合衆国のリヴァイアサンに足枷をはめる目的もあったのだ。世界のほかの地域でなら政府が担ったであろう機能を、インセンティブを与えて民間部門に担わせ、国家が巨大またはは強力になりすぎないようにした。また民間部門の関与を確保することで、リヴァイアサンをしっかり監視していくこともできた。

政府が基本的な公共サービスの提供に民間部門の協力を得たのは、一八六二年が初めてではない。一九世紀の合衆国を最も象徴する機関の一つ、合衆国郵政庁も、このモデルをベースにつくられた。早くも一七九二年の第一回連邦議会で郵便局法が制定され、これをもとに連邦の郵便サービスが構築され、全米各地を結ぶ巨大な郵便網がまたたく間にできた。郵便局はすぐに連邦政府最大の雇用主となり、一八一六年時点で軍関係者を除く連邦公務員の六九％を郵便局長が占めていた。一八四一年にはこの割合は七九％に上昇し、全米に九〇〇〇人を超える郵便局長がいた。《ニューヨーク・タイムズ》の一八五二年の記事は、郵便局長を「市民政府の頼もしい腕」と呼んでいる。だが郵便局は官民パートナーシップでもあった。郵便物は連邦政府の補助を受けた民間の駅馬車で輸送された。一八二八年の時点で七〇〇を超える民間の郵便委託業者があった。このパートナーシップを通じて、連邦国家は広大な国土の隅々にまでおよぶ、圧倒的な存在感を確立することができたのだ。当時の合衆国は人口当たりの郵便局数がイギリスの約二倍、フランスの五倍にも上った。トクヴィルも、あの有名な一八三一年のアメリカ旅行中に、郵便サービスの普及に目を見張り、こう書いている。

あの荒涼とした森の中にも、郵便物や新聞が驚くほど行き渡っている……フランスの最も開かれた地区でも、この荒れ地に見られるほど活発でスケールの大きな知性のやりとりは行なわれていないだろう。

またトクヴィルは郵便サービスが「精神と精神の間のすばらしいつながり」をもたらし、「荒れ地の中心」にまで「入り込んで」いるとも指摘している。郵便局はただ国家の存在感や機能性を誇示するだけの存在ではなかった。情報の流れを促進し、アイデアを広め、新しいアイデアを触発したのだ。郵便のおかげで、特許取得や知的所有権の確保といった、経済を支える不可欠な活動が楽にできるようになった。経済史家のゾリーナ・カーンは次のように述べている。「合衆国の地方の発明家も、それほど支障なく特許を申請することができた。特許申請には郵送料がかからなかったからだ。合衆国特許商標庁が全国に窓口を設けており、発明家はそこから郵政庁の負担で模型を送付することができた。アメリカの工業化初期に見られた特許出願件数の急増が、主に地方からの出願によるものだったのもうなずける」。また郵便局は一八三〇年代にすでに近代的な官僚機構となり、かなりの自律性をもって機能し、活動していた。

連邦司法制度にも、一種の官民パートナーシップが見られる。合衆国司法制度では、違法行為の調査と訴訟の提起の業務の一部が一般市民の手に委ねられた。たとえば、一九六四年公民権法第七編で、民間部門における人種、性別、出身国、宗教を理由とする雇用差別が禁じられたとき、その執行は政府機関ではなく、公民権法第七編の下で提起された民事訴訟に委ねられた。この決定が、過去五〇年間の民事訴訟の爆発的増加に大きく寄与している。年間約二万件にもおよぶ雇用差別訴訟は、こんにちの連邦裁判所で扱われる事案のなかで、被告人の保釈申請に次いで最も多いカテゴリーである。私的民事訴訟が増えている原因の一つは、敗訴した場合の経済的損害と勝訴側にかかった弁護士費用の負担が多額に上る恐れがあることだ。同様に、合衆国の企業による違反行為を取り締まるのも、官僚機構や合衆国司法制度の訴追権限ではなく、一般に私的集団訴訟である。法的問題に官民パートナーシップを活用した極端な例として、合衆国司法制度は政府に対する詐欺行為への対処についても、私的訴訟に頼るようになっている。合衆国法は、本国イギリスでは使われなくなって久しい、イギリスのコモン・ローの「クイ・タム」と呼ばれる規定をもとに、私人が原告となって、政府に詐欺行為を行なう者に対して訴訟を提起することを認めている。訴訟に勝訴すれば、原告は報酬として、連邦政府が取り戻した金額の一部（一五％から二五％）を得ることができるのだ。

司法制度の発展におけるこの特異なプロセスのおかげで、（独立的な司法府が、政府による行き過ぎに対する障壁となって）連邦政府の力が抑制され、（少なくとも一部の）市民の要求や懸念に配慮した司法制度が発達し、また有力な社会階級にとって国家の能力拡大が許容できるものとなった。郵政庁と同様、司法府は合衆国全体を共通のルールで結び合わせる重要な役割を果たし、このことも西への領土拡大を可能にした。各準州の人口がまだ五〇〇〇人にも満たないとき、早くも連合会議によって知事と二人の判事が任命された。

官民パートナーシップは、別の政治的妥協によって補完された。連邦・州間パートナーシップである。合衆国の連邦主義は、連邦・州・地方政府の間で権力を分散するというだけでなく、法執行やその他多くの公共サービスを地方の関係当局に委ねるという意味ももつようになった。たとえば合衆国には初等・中等教育を公的供給に依存する教育制度があるが、供給はすべて地方レベルで行なわれている。つまり学校区、郡、州が実行し、資金を提供しているのだ。この制度の原点は、教育を提供・管理する州の権限を留保した、合衆国憲法修正第一〇条にまでさかのぼる。連邦政府の課税能力は制限されていたが、州・地方政府についてはその限りではなかった。そんなわけで多くの州が初期共和国の時代（一七八〇年から一八三〇年）に、教育財源を確保するための課税を学校区に認める法律を制定した。一九世紀にはこうした税収によって、都市部や郡区の学校だけでなく、地方による資金提供と管理を特徴とする、農村部の「コモンスクール」までもが賄われていた。コモンスクールは基礎教科を教える学校で、地域社会の優先事項や価値観に即した方法で教育を行なった。官民パートナーシップと同様、連邦国家はここでもインセンティブと補助金の提供に徹した。トーマス・ジェファーソンが起草した一七八五年公有地条例は、北西部領土を三六平方マイル（約九三・二四平方キロメートル）の郡区に分割し、各郡区を三六の街区に分け、そのうちの一街区の税収を公教育資金として取り置くことを定めた。のちに北西部領土から分離した州は、したがって学校教育のための資金をもっていた。この仕組みはその後、学校教育の財源としてさらに多くの街区を取り置くかたちで、カリフォルニア州と南西部にも受け継がれた。

一九世紀と二〇世紀初めに児童の栄養失調の問題が初めて顕在化したとき、貧困家庭の児童に給食を無償で提供し始めたのは、市だった。連邦政府がこの種のプログラムに補助金を提供し、拡大したのはあとになってから、とくに一九四六年学校給食法以降のことである。障害をもつ生徒が受けている差別と教育の質の低さに世間の注目が集まると、連邦議会は一九七五年に全障害児教育法を可決したが、特殊教育への資金提供については学区と州に一任され、現在も費用の九割方を負担しているのだ。

こうしたすべての事例には、強力な足枷をはめられた合衆国のリヴァイアサンが、新たな難題や、ときには喫緊の課題を突きつけられ、能力を拡大するための新しく創造的な手法を生み出そうとして苦闘する姿が表れている。めざましいことに、合衆国版の赤の女王効果では、中央国家の弱さこそが、その強さの源泉でもあったのだ。国家は弱いからこそ、困難な問題に直面したとき、社会や地方政府と協力するための新しいモデルを生み出すしかなかった。また社会や地方政府は、連邦国家が足枷をはめられたままでいることに安堵《あんど》しながら、連邦国家に権限を委譲することができた。こうして中央国家は権限と能力を拡大しながらも、もとの弱さを保ち、回廊のなかにとどまり続けた――たえず進化し続ける足枷のリヴァイアサンを生み出す、実に斬新な方法である。だがすでに見てきたとおり、この成功には重大な欠陥があったのだ。

勝利をわれらに

アメリカ史に関する標準的な言説は、種々の妥協と憲法の設計がおよぼした有害な影響に目をつむるだけでなく、社会的動員と赤の女王が折りあるごとに果たしてきた重要な役割を見逃してもいる。

これまで見てきたように、合衆国憲法と権利章典は、善意あるエリートによって授けられた恵みなどではなく、エリートと民衆の激しいせめぎ合いの産物だった。この持続的なせめぎ合いなくしては、憲法も権利章典も有効に機能することはできなかったはずだ。エンキドゥが生み出されても、ウルクに自由がもたらされなかったように。

このことが最もよく表れているのが、公民権運動の展開と成功だ。この運動のおそらく最もよく知られた二つの果実は、一九六四年公民権法と一九六五年投票権法である。公民権運動は一九五〇年代に組織され支持者を集めるうちに、連邦の権利章典が適用されないのをよいことに南部諸州で実施されてきた差別的政策に対抗するための、一連の戦略を編み出した。当初連邦政府は中立を決め込み、治安がよほど悪化して絶対的に避けられなくなった場合にのみ介入するという姿勢を取っていた。そこで公民権運動は、連邦政府の措置を引き出すために活動を激化させるようになった。戦略の一つが、南部の人種隔離法を破って州間長距離バスに乗り込む多人種の集団、「フリーダムライダー」の活動だ。一九六一年五月、アラバマ州の各地でフリーダムライダーが暴徒に襲撃され、大混乱が起こったため、司法省は同州モントゴメリーの連邦地方裁判所に介入を要請した。当時の司法長官で大統領の弟ロバート・ケネディは、フリーダムライダーを保護するために、モントゴメリーに六〇〇人の連邦保安官を派遣した。それでも、ケネディ政権の当初の姿勢は極力介入を避けることだったし、政権は公民権活動家の結束を崩しにかかろうともした。その一例が有権者教育計画であり、より破壊性が低いとケネディが判断した運動に、活動家を誘導することを狙っていたようだ。公民権運動の参加者はこの意図を察知した。一九六三年、彼らはアラバマ州バーミングハムで、連邦政府が組織的に介入せざるを得なくなるほどの強い反応を引き起こすことをめざして、人種隔離法を妨害する計画を開始したのだ。活動家のラルフ・アバナシーは呼びかけた。

今夜、世界の目がバーミングハムに注がれている。ボビー〔ロバート〕・ケネディがここバーミングハムを見つめ、合衆国議会の目がバーミングハムに釘づけだ。司法省がバーミングハムを注視している。君たち、用意はいいか、挑戦する用意はできているか?……私は刑務所に入る覚悟があるが、君たちはどうだ?

最も物議を醸したのが、八歳の子どもを含む六〇〇人もの少年少女の逮捕につながった、五月二日の「子どもたちの行進」である。ジョン・F・ケネディ大統領はこう認めざるを得なかった。「バーミングハムなどでのできごとにより、平等を求める声が高まり、どんな市、州、立法機関も、これを無視できなくなっています」。翌月、大統領は一九六四年公民権法の原案を議会に提案する。これが、アフリカ系アメリカ人の政治的権利の回復のみならず、南部でとくに顕著だが南部だけに限らない、アフリカ系アメリカ人を経済的・社会的に差別する規範の撲滅に向けた第一歩になったのだ。

公民権運動はそこで止まらなかった。次の舞台となったのが、アラバマ州セルマである。一九六五年一月、公民権活動家は黒人の基本的権利、とくに投票権の侵害に焦点を絞った、継続的な運動を開始する。三月七日、約六〇〇人の活動家がセルマからモントゴメリーへ向けて行進を始めた。地元警官の襲撃を受け、行進参加者の一七人が重傷を負って病院に搬送され、もう五〇人が負傷して手当を受けた。この頃にはジョン・F・ケネディは暗殺され、リンドン・B・ジョンソンが大統領になっていた。ジョンソンは南部への連邦政府の介入を強化し、連邦地方判事フランク・ジョンソンは次の判断を示した。「政府に苦情救済のために請願する権利が、大規模な集団によって行使され得ることを、法律は明白に示しており……そうした権利は、公道に沿って行進を行なうことによっても行使され得る」

バーミングハムのデモが公民権法への道筋をつけたのと同様、セルマの行進が一九六五年投票権法への道を開き、アフリカ系アメリカ人から権利を剝奪するために用いられていた多くの策略——とくに識字テストと人頭税——が廃止された。セルマの行進の一週間後、ジョンソン大統領があの有名な「勝利をわれらに」の演説を行なった。大統領ははじめにこう語りかけた。

今夜は人間の尊厳と民主主義の運命についてお話しします……ときに歴史と運命は一つの場所で一度に出会い、人間による自由の果てしない追求における転換点を生み出すことがあります。レキシントンとコンコードで……そして先週アラバマ州セルマで、それが起こったのです。

ジョンソンは公民権運動を、マサチューセッツの「愛国派」による合衆国独立戦争になぞらえた。彼のいうとおりだ。どちらも専横に対する社会の反応だったのだから。合衆国のリヴァイアサンの足枷をはめられた本質が、憲法の巧妙な設計だけによってもたらされたのではなく、社会が立ち上がり、積極性を増したからこそ成り立っていることを、ジョンソンの演説は思い出させてくれる。

合衆国の回廊内の生活

国家に要求される課題の性質が変化するなか、合衆国のリヴァイアサンはますます多くの責任を引き受けるようになり、ときには当初の弱さという縛りを一時的に抜け出すことさえあった。公民権運動の場合と同様、こうした動きの多くが、社会の要求に対する応答だった。

赤の女王効果の力学を象徴する転換点が訪れたのは、進歩主義時代のことである。この時期、連邦国家が新たな要求に進んで対処するのと同時に、社会と制度の変化に駆り立てられて、社会も国家への監視を強めるようになった。一九世紀、とくに南北戦争後に連邦政府が生み出した経済的機会と全国的な統一市場によって、爆発的な工業化と経済成長が解き放たれた。これはほんの一握りの企業、とくに制度を操作する術を知る者たちによってしばしば独占された、不平等なプロセスだった。その結果、マーク・トウェインが「金メッキ時代」と呼んだ一八七〇年代から二〇世紀初頭にかけての時期に巨大企業が出現し、産業や経済全体を支配するようになった。鉄道王のコーネリアス・ヴァンダービルト、ジェイ・グールドなど、実業家のジョン・D・ロックフェラー、アンドリュー・カーネギーなど、銀行家のジョン・ピアポント・モルガンなどのいわゆる「泥棒男爵」たちは、ただ巨額の投資をして、経済拡大を牽引《けんいん》しただけでなく、自身がとてつもない財をなし、経済・政治権力を欲しいままにした。これも成長にはちがいなかったが、不平等きわまりない成長だった。さらに厄介なことに、一九世紀合衆国の制度は、これらの強力で悪徳な人々と、当時の言葉でいえばその「企業合同《トラスト》」を抑制するには不十分だった。

合衆国のリヴァイアサンは、独占企業を規制する能力を拡大することによって、経済・政治情勢の変化に対応した。国家による産業規制の第一歩となった一八八七年州際通商法に始まり、一八九〇年シャーマン反トラスト法、一九〇六年ヘップバーン法、一九一四年クレイトン反トラスト法を、矢継ぎ早に制定した。セオドア・ローズヴェルト、ウィリアム・H・タフト、ウッドロー・ウィルソンの、三代連続の行動派大統領は、これらの法律を利用して独占企業の解体に取り組んだ。タフトはトラストを訴追しただけでなく、一九一三年に連邦所得税の導入を認める憲法修正第一六条を提案することによって、アメリカ経済の展望を一変させたのだ。

だがこのプロセスでは、国家が一方的に力を増したのではない。これらの法や行動派大統領の選出をもたらしたのは、進歩主義運動における民衆動員の高まりだった。運動では不満を募らせた農民と都市部の中流階級が立ち上がり、当時の政治を大きく動かした。「マックレイカー」と呼ばれるジャーナリストやメディアが、泥棒男爵の不行状《ふぎょうじょう》や、彼らが私利私欲のために政治を操るさまを暴き出し、公共政策を動かすさらに積極的な役割を担い始めた。国家と政治エリートに対する社会の力を強める、重要な制度改革が実施された。一九一三年の憲法修正第一七条の批准により、それまで州議会によって選出されていた上院議員が、有権者によって直接選ばれるようになった。一九〇六年に《コスモポリタン》誌に発表されたデイヴィッド・グレアム・フィリップスの一連の記事、「上院の大罪」によって見事に風刺された、大物実業家の議会への過大な影響力も、こうして弱まり始めた。

中央国家の能力と経済における役割は、フランクリン・デラノ・ローズヴェルト（ＦＤＲ）大統領の在任中に加速度的に拡大した。これもまた、新しい経済状況がもたらした緊急事態――この場合は近代以降最も深刻な経済不況――への反応だった。ＦＤＲが実施したニューディール政策には、銀行規制の強化――一九三三年緊急銀行法と一九三三年証券法の制定、そしてとくに取りつけ騒ぎを防ぐために少額預金に保険を提供する、連邦預金保険公社（ＦＤＩＣ）の設立――公共工事局とテネシー川流域開発公社（ＴＶＡ）の設立を通じた公共事業支出の大幅な拡大、新設の農業調整局（ＡＡＡ）による農産物価格と農家所得の回復を図るための新しいプログラム、そして現在も合衆国の福祉政策を支え続ける、一九三五年社会保障法と一九三九年食料配給券《フードスタンプ》計画が含まれる。さらにＦＤＲは一九三五年全国労働関係法に署名し、この法を施行するために設置した精巧な官僚機構によって、企業の順守状況を調査し、違反企業を提訴した（ただし前に見たように、その後制定された公民権法第七編などの法律はこのアプローチを退け、官民パートナーシップ・モデルに回帰した）。

経済における連邦政府の役割を同じくらい大きく拡大したのが、ジョンソン大統領の「偉大な社会」プログラムである。ジョンソンは一九六四年の一般教書演説で、プログラムの中心課題である「貧困との闘い」を発表した。「当政権は本日ここで断固たる決意をもって、合衆国の貧困との闘いを宣言します」

貧困との闘いも社会の変化への反応だった。この変化は、アメリカ各地に昔から見られる高い貧困率と、白人と多くのインナーシティ地区の大多数を占めるようになった黒人との格差拡大という二つの要因によって引き起こされた。このような経済情勢が、犯罪率上昇の主要因と見なされるようになっていた。一九六四年と一九六五年にニューヨーク、ロチェスター、シカゴ、フィラデルフィア、そしてとくにロサンジェルスで大規模な暴動が起こったことで、早急な対応が求められた。「偉大な社会」プログラムは、社会保障や食料配給券などのニューディールのプログラムを拡充・恒久化したほか、障害保険の給付と補償を拡大し、野心的な一九六四年経済的機会法の下で恵まれない青少年のための職業訓練プログラムを開始し、貧困層の支援を目的とする地域活動局を設置した。現在も合衆国の医療保険制度の柱をなしている高齢者向け「メディケア」と福祉受給者向け「メディケイド」は、ともに一九六五年社会保障法によって創設された。おそらく最も革新的な試みは、教育プログラムだろう。貧困家庭の児童に就学前教育を提供するヘッドスタートや、英語を母語としない家庭の児童を支援するための学区援助制度である一九六八年バイリンガル教育法、貧困学生の大学進学を支援するための連邦政府補助金の大幅な拡大などが導入された。

社会的動員は連邦国家のめざましい能力拡大を促したが、憲法の設計はその後も一部のプログラムの運営方法や効果を制約し続けた（ロナルド・レーガンは貧困との闘いについて、「連邦政府は貧困との闘いを宣言し、貧困が勝利した」と揶揄《やゆ》した）。たとえばＦＤＲの目玉政策、社会保障法を考えてみよう。合衆国はニューディールまでは、幅広い社会保障政策を構築することができずにいたが、イギリスは一九〇六年、ドイツはさらに早い一八八〇年代に、すでにこの方向に歩を進めていた。合衆国にも私的年金制度はあったが、加入率は労働人口の一〇％にも満たなかった。ほとんどの人が家族やなけなしの蓄えに老後を頼らなくてはならなかった。政府は退役軍人とその遺族に年金を支給しており、一九二八年当時彼らが全年金受給者の八五％を占めていた。ＦＤＲの社会保障法の目玉は、強制加入制の老齢年金だった。社会保障法第一章にはこうある。

各州が、州の実状に照らして実行可能な範囲で、老齢の困窮者に財政支援を提供できるようにするために、一九三六年六月三〇日までの会計年度に対しては四九七五万ドルを、それ以降の各会計年度に対しては本章の目的遂行のために十分な金額を充当することをここに認める。

つまり、中心的な主体は州だった。この法には、退職前の賃金総額に応じた退職時受給額が定められていたが、どんな場合にも月額八五ドルを超えることはなかった。これは当時の平均賃金の約半分という控えめな金額ではあったが、それでも普遍的な福祉制度を推進するという政府の強い決意が表れていた。皮肉なことに、社会保障が導入されたことで、企業にとっては私的年金の魅力がかえって増した。なぜなら私的年金は、公的年金では十分対応できない、高賃金・高スキルの従業員に的を絞ることができたからだ。実際、社会保障法が施行される以前は、民間企業にとって、全従業員を対象に何らかの年金制度を導入せずに、高賃金従業員だけに年金を支給することは難しかった。そうかといって、全従業員に年金を提供するのはコストがかかりすぎた。だが同法が成立すると、低賃金従業員に公的年金が支給されるようになったため、高賃金従業員だけに私的年金を適用することへのうしろめたさが薄れた。全国酪農生産者会社の広報担当者もこう述べている。「私たちがまず気づいたのは、当社の全従業員のうち、年収が三〇〇〇ドルを超えていたのはわずか一二〇〇人だったということです。この一二〇〇人の一人ひとりが、会社の業績や競合との差別化に大きく貢献していました。……そこで私たちは決定しました……年収三〇〇〇ドル未満の従業員については、雇用者も被雇用者も私的年金に拠出せずに、社会保障税プログラムに面倒を見てもらおうと」

企業は実質的に新しい政策にタダ乗りした。また雇用者の年金の拠出金は、給与などのように経費に計上することで税控除されるため、節税効果を期待できた。従業員にとっても、拠出金は一定額まで所得控除が認められ、また年金は受け取り時に所得として課税されるため、課税繰り延べ効果があった。政府は普遍的な公的年金を導入していたつもりが、同時に私的年金に補助金を与えていたも同然だった。そのうえ高賃金労働者は所得が高すぎて、社会保障の恩恵をほとんど受けられなかった。つまり導入されたのは、万人を対象とする普遍的な公的年金制度ではなく、二重制度の基盤だったのだ。案の定、社会保障制度の導入後に私的年金の加入率は急上昇し、労働人口の一〇%未満から一九七〇年代には四〇%に上昇した。実のところ、公的年金制度の適用範囲は、そもそも普遍的とはかけ離れていた。なぜなら南部諸州の政治家がアフリカ系アメリカ人に年金を与えることを嫌い、大統領に農業労働者と家内労働者を対象から除外させたからだ。

合衆国の年金事情がほかの先進国と異なるというのなら、医療に対する姿勢は、ジョンソン大統領の「偉大な社会」プログラムがあったにもかかわらず、さらにあからさまに異なる。合衆国の医療には社会保障制度のようなものは何もない。実際、唯一普遍的といえる政策は、高齢者向けのメディケアと貧困層向けのメディケイドだけだ。それを除けば、ほとんどのアメリカ人は、政府の手厚い補助金を受けている民間医療保険を通じて医療を提供されている。したがって官民の共益関係は、さらに民間側の利益に傾いているといえる。

国家が力をつけていく間にも、官民パートナーシップと国家に対する種々の制約が、国家の行動のほかの側面にも影響をおよぼし続けている。これらの要因を考えれば、合衆国が第二次世界大戦中に国民を動員した方法や、冷戦を戦う上で組織化した方法を理解することができる。また、たとえばイラク戦争でハリバートンやブラックウォーターのような民間請負業者が、ひどく物議を醸す役割を担った理由も理解できる。エドワード・スノーデンが、国家安全保障局（ＮＳＡ）の秘密のデータ収集プログラムの存在を暴露した当時、ＣＩＡ（中央情報庁）の民間請負業者だったことを思い起こすといい。

ルート66で楽しむのは誰？

公共主体と民間主体による供給を臨機応変に組み合わせるという手法は、合衆国国家にとって国家能力を高めていくのに都合のよい方法だったが、そのせいで国家はいくつかの重大な問題への対応に苦慮することになった。こんにちこの国が直面している差し迫った問題の多く、たとえば高い貧困率、医療への（他の富裕国の標準からいって）不十分なアクセス、（他国に比べて深刻な）犯罪、（ミズーリ州ファーガソンやオハイオ州ハイドパーク、または私たち著者の一人が住むシカゴなどで顕著な）市民保護の欠如の問題などは、このがんじがらめの国家建設に根源がある。

マイケル・ブラウンの射殺事件は、ファーガソンの市民と警察の関係の危機的状態に照らして考える必要がある。この状態は、さまざまなものごとが複雑に絡み合った結果もたらされたのだが、多くの貧しい、マイノリティ中心の都市地域に共通の問題でもある。こうした都市地域は、どこも同じ問題を抱えている。人種的マイノリティが不釣り合いなほど多く、国のほかの地域に比べて雇用と経済的機会が少なく、貧困率が標準よりずっと高く、公共サービスの提供が著しく不足し、とくに銃犯罪と殺人の犯罪率がきわめて高い。この最後の特徴が、警察と地域社会の緊張関係の一因である。合衆国には人口一人当たり約一丁、合計三億丁以上の銃がある。人口一人当たりの銃保有数が二番目に多い国はイエメンだが、それでも一人〇・五丁でしかない。その他の国は銃が著しく少なく、たとえばイギリスと中国は約二〇人に一丁の計算だ。アメリカには膨大な数の銃があり、多くの社会的問題を抱えるゲットーを含むあらゆる社会の隅々にまで銃が入り込んでいる。銃が広く普及していることの影響の一つは、警察がおびえていて、「まず発砲し、それから質問する」方針をとりがちなことだ。おびえるのも無理はない。二〇一五年のアメリカの殺人首都はセントルイスで、ボルティモアとデトロイトが僅差《きんさ》で二位と三位に続いた。セントルイスのこの年の殺人率は、人口一〇万人当たり五九人、殺人件数は一八八件にも上った。アメリカ全体の平均殺人率は人口一〇万人当たり五人だが、これでさえ西欧の平均の五倍を超えているのだ。

アメリカの殺人の約三分の二が銃による。この国の膨大な数の銃と、銃が殺人で担う役割は、憲法と修正第二条が「武器を保持し携行する人民の権利」を保証していることと直接関連している。武器、こんにちでいう「銃器」を携行する権利は、どれだけ多くの罪なき人々の命を奪おうとも、最高裁によって何度となく認められてきた。最近では、二〇〇八年の「コロンビア特別区対ヘラー」事件判決で、個人の銃所持を規制する目的で、合法的に所持されている銃器を自宅ではつねに抜弾しておくことを義務づけたワシントンD・Cの法律を、最高裁は違憲と判断した。この判決によって、武器の所持が「民兵団」の活動とは何の関係もなく、自衛のためだとする見解が初めて示された。連邦国家を弱いままにとどめようとした修正第二条の原文は、いまに至るまで数々の暴力と死を招いてきたのだ。

驚くべきことに、修正第二条の適用対象は時とともにさらに拡大してきた。この拡大は、（中央国家による保護よりも）個人での自衛を重視する国民感情を映し出しているとともに、民間の利益団体や組織、この場合では国内のあらゆる銃規制を効果的に阻止してきた全米ライフル協会の果たしてきた役割をも反映している。

だが合衆国の国家建設の特異な経緯がファーガソンにもたらしてきた巻き添え被害は、銃暴力にとどまらない。ファーガソンは昔から人種間対立が多発する地域だったわけではない。以前は中流階級が住む郊外地区で、アフリカ系アメリカ人などのマイノリティだけでなく、一戸建てに住む比較的裕福な白人も多く住んでいた。一九七〇年にファーガソンの人口に占める黒人の割合は一％に満たなかった。実際、ファーガソンは一九六〇年代まではいわゆる「サンダウン・タウン」――アメリカの不自由の象徴の一つである、アフリカ系アメリカ人の日没後の外出を禁じた町――だったのだ。第二章で見たように、個人の自由のアイコンとして有名なルート66が通る、シカゴ・ロサンジェルス間の郡の半数にサンダウン・タウンがあった。ナット・キング・コールやチャック・ベリーが歌って有名になった「ルート66」に最初に出てくるセントルイスにも、多くのサンダウン・タウンがあった。ファーガソンは隣接する黒人地域のキンロックに通じる幹線道路を、チェーンや建設資材で遮断した。もう一本の道路は、（黒人の）家政婦や家事労働者がファーガソンの勤め口に来られるように、日中だけ開いた。だが一九七〇年以降ファーガソンの黒人人口は急増し、一九八〇年に一四％、二〇〇〇年に二五％、二〇一〇年には五二％になり、現在では六七％を占めるまでになっている。この急激な変化は、合衆国の都市地域に非常によく見られる力学によって引き起こされた。この力学が、マイケル・ブラウン射殺事件当時のファーガソンで誰がどのようにして黒人をいじめて楽しんでいたかを理解するカギになる。

まずはファーガソンが一九三〇年代に黒人地域になった経緯から始めるとしよう。ここまで、ニューディールの時代を、普遍的な社会福祉制度の構築をめざして、社会保障法などの進歩主義的な国家政策がとられた時代として説明してきた（たとえ南部諸州の抵抗に遭って、政策が不成功に終わったとしても）。だが政策が機能しなかったのは、州の反対を受けたせいだけではなかった。連邦国家は、進歩主義的な政策を推進しなかっただけではない。退行的な政策をも実施してきたのだ。ファーガソンに最も関連のある政策の一例が、一九三四年全国住宅法によって設立された、連邦住宅局（FHA）である。FHAには立派な目標があった。その一つが、銀行による住宅資金の貸し出しを促進するために、モーゲージ保険を提供することだ。銀行からモーゲージ〔不動産担保融資〕を受けた人が返済できなくなると、FHAが現れて代わりに残高を支払ってくれるという仕組みだ。当然ながら借り手によって信用リスクは異なり、リスクを考慮に入れるためにFHAは一九三六年版の引受ハンドブックに「住宅安全性マップ」なるものを掲載した。これは住宅所有者貸付公社（HOLC）が作成したもので、都市部をA、B、C、Dの四つのゾーンに区分けしていた。Aが最もリスクの低い地域、Dが最もリスクの高い地域である。マップでゾーンDが赤線で囲まれていたことから、「レッドライニング（赤線引き）」と呼ばれる慣行が始まった（FHAが作成したセントルイスの赤線引きされたマップを口絵に載せた）。レッドライニングはそれ以来、人種差別を広く指す言葉となった。ゾーンDが何を指していたかは明らかだ。引受ハンドブックには「悪影響からの保護」という、いわくありげな節がある。ハンドブックの第二二八節は、そのような悪影響を防ぐために「土地利用制限約款」の使用を推奨している。次の節には、「悪影響から……地域を保護するには、天然のまたは人工的な障壁が有効」で、とくに「調和を乱す人種集団」による「侵入」を防止するのに効果的だと書かれている。さらに、地域を評価するにあたって、当然ながら「そのような集団が侵入する見込み」を評価する必要があることから「評価者は地域の周辺を調査し……不適合な人種……集団がいないかどうかを判断すべき」だとある。さらに、これだけでは説明不足というかのように、ハンドブックには続けてこう記されている。「地域が安定を保つためには、住宅が同じ……人種階級によって居住され続ける必要がある」

いうまでもなく、実際にはDゾーンは黒人が多数を占める地区を指しており、その地区の住人は住宅にFHAの保険をかけることができなかった。そのせいで、アフリカ系アメリカ人は住宅ローンを借りることもできなくなった。また白人が多数を占める郊外住宅街であるゾーンAの不動産を、アフリカ系アメリカ人が購入できないようにするための補完的な措置もとられた。たとえば居住者が黒人に物件を売ることを禁じる、あからさまな「譲渡制限」などだ。

こうした措置には全体として、かなりの棲《す》み分けを確立する効果があった。FHAは一九四七年版のマニュアルでは人種に関する表現を抑えなくてはならず、一九四八年に最高裁は、人種制限的な約款が違憲であるとの判断を下した。だが黒人に対するほかの差別的慣行は続いた。たとえば最近の連邦捜査局（FBI）の報告書は、ドナルド・J・トランプ所有の不動産会社が、賃貸用物件の黒人入居希望者を差別しているという申し立てを裏づける証拠を提供した。報告書には、「［不動産会社のブルックリン支店の］二六五〇オーシャン・パークウェイに来店した黒人から、賃貸用アパートに関する問い合わせを受けた場合、その場に彼、つまり［削除ずみ］氏がいなければ、黒人がアパートを借りられないようにするために実際の二倍の家賃を伝える」よう監督者に指示されていたという、元ドアマンの証言が引用されている。

マイノリティを対象とするレッドライニングやその他の差別的慣行が、大きな影響をおよぼしてきたことは間違いない。こんにちでさえ、一九三〇年代に引かれたマップの境界地区には、人種構成に大きな不連続性が存在するのだ。一九七四年、連邦第八巡回区控訴裁判所の三人の判事団は、次のように判定した。

セントルイス大都市圏の住居隔離は、大体において……不動産業界による、また連邦、州、地方政府の当局による、住宅市場での意図的な人種差別の所産だった。

ゾーンDの人口が増加し、利用可能な住宅の数を上回るようになると、かつて白人限定だった地域やサンダウン・タウンに家を購入する、少数の幸運なアフリカ系アメリカ人が現れるようになる。これが起こると、「ブロックバスティング」と呼ばれるプロセスへの扉が開かれた。不動産業者が、白人居住地域に黒人が転入してきたから不動産価格が暴落すると吹聴《ふいちょう》して恐怖をあおり、白人居住者の家を安く買い叩こうとする手口である。こうした慣行によって、白人中心の都市が黒人中心に一気に「ひっくり返る」ことがあった。ファーガソンが一九七〇年代以降たどったのが、この道だった。続いて公共サービスの提供が激減し、町はゲットー化していった。白人の多いセントルイスの郊外地区カークウッドに初めて家を買った黒人の一人、アデル・アレンは、引っ越してきた当時のことをこう語った。

あの頃は毎日決まった時間に見回りがありましたよ。通りは毎月きれいに清掃されました。ゴミは定期的に丁寧に収集されたし、街路の照明はいつもちゃんとしていました。どのサービスもそうでした――雪が降り積もれば除雪されましたしね。

だが地区の人口構成が変化するうちに、サービスは消滅した。

今ではここは市内で一番照明が不足しています。……今じゃ市内のほかの地区から、ここに車を捨てに来るんです。……そうやってここをゲットーにしていくわけですよ。白人のものだったときより建物の維持管理はよくなりましたが、市のサービスはずっと減りました。ほかの地区では歩道を歩くようにいわれるでしょう。ここじゃ歩道の設置を求めているというのに。

ファーガソンで起こったのは、大体こんな感じのことだった。マイケル・ブラウンが射殺されるわずか八日前に卒業した高校のある、ノーマンディ学区もそうだ。この学区は教育の質があまりにも低かったため、二〇一三年に市に学区の認定を取り消された。

連邦政府の政策の自由度が制限されているせいで、政府は不適切な場合にも官民パートナーシップを導入したり、地方の行政当局に依存したりせざるを得ず、そのことがほかの悪影響も招いている。医療を考えてみよう。合衆国は国民所得に占める医療費の割合が、「金持ちクラブ」とも呼ばれる経済協力開発機構（ＯＥＣＤ）の加盟国平均の約一・五倍に上る。それでいて、医療へのアクセスをもたない人が人口に占める割合が加盟国で最も高いのだ。ＯＥＣＤの計算によると、二〇一一年にアメリカ人の約八五％が「医療保険で基本的な医療サービスをカバー」していた。このうち三二％が公的保険、五三％が民間保険の加入者だった。メキシコでさえ、保険の加入率では合衆国を上回っていた。医療支出が多いのに加入率が低いという謎を解くには、合衆国はその他のＯＥＣＤ諸国に比べて医療支出の分布がきわめて不均等で、医療のコスト管理がはるかに弱いことに注目するといい。どちらの特徴も、合衆国の官民パートナーシップに基づく特異なモデルの当然の帰結である。オバマケア改革前の一九九八年には、所得下位二〇%層の労働者の医療保険加入率は二四%にすぎなかった。年金制度も同じ問題を抱え、高所得労働者ほど大きな恩恵を受けている。一九九八年時点で所得下位二〇%層の労働者の私的年金加入率はわずか一六%だったのに対し、所得上位二〇%層は七二%だった。オバマケアは、国民に安価な保険の選択肢を提供する、パブリック・オプションの導入を試みたが、民間部門への依存が高すぎるとして否決された。つまり合衆国は国民皆保険の方向に向かおうとしたときでさえ、官民パートナーシップ・モデルを大きく逸脱することはできなかったのだ。

この官民の協力関係は、政府補助の恩恵を最富裕層だけに振り向ける結果になっている。合衆国財務省の二〇〇〇年の計算によると、年金・医療制度に組み込まれた税制上の助成の合計は年間一〇〇〇億ドルだった（つまり政府がこれらを廃止すれば、税収が一〇〇〇億ドル増える計算になる）。この助成の三分の二が上位二〇%の富裕層に流れ、下位六〇%層に向けられたのはたった一二%だった。官民パートナーシップは普遍的プログラムに比べ、根本的に公平性に欠けるが、合衆国国家はその成り立ち上、普遍的プログラムを実施することができないのだ。

すべてのシグナルをずっと収集していればいいじゃないか？

建国時から課されてきた足枷と妥協のせいで、合衆国のリヴァイアサンが弱いままにとどめられ、そのために斬新で、ときには異例な解決策によって新たな難題に対処し、能力を拡大せざるを得なかったのは、あとから考えればおそらく無理もないことだったのだろう。それより意外なのは、この同じ設計のせいで、国家がほかの側面では強力になりすぎ、制御するのがずっと難しくなったことだ。この一見矛盾する帰結はなぜ生じたのか。新しい安全保障上の課題が生じ、かつ国際社会での役割が拡大するなか、合衆国国家がより大きな責任を担う必要が生じたとき、憲法によって生み出された拘束衣を着たままでは対処しづらかった。そのため国家は、国民の監視や制度による制約を受けずに、必要な能力を構築する方法を――リヴァイアサンの足枷を外す方法を――臨機応変に考え出す必要があったのだ。

ＦＢＩとＪ・エドガー・フーヴァー長官の物語に、この一見矛盾する展開がよく表れている。司法省は一八七〇年、法律を擁護し、犯罪――合衆国に対する犯罪を含む――と戦うことを目的として設立された。だが司法省は自由に動かせる警察部隊をもたなかった。セオドア・ローズヴェルト以前の大統領と司法省は、官民パートナーシップ・モデルの下で、民間会社のピンカートン探偵社に警察活動や、ときにはスパイ活動を依存せざるを得なかった。ローズヴェルトは、より幅広い国家能力構築の一環として、連邦警察部隊を創設することを望んだ。司法長官チャールズ・Ｊ・ボナパルトは一九〇八年に、警察部隊を設置するための許可と資金を議会に求めた。下院は要請をにべもなく却下した。共和党のニューヨーク州選出下院議員ジョージ・Ｅ・ウォルドの「帝政ロシアにあるような巨大な中央秘密活動局がわが国に出現すれば、自由と自由な制度への大きな打撃になりましょう」というひと言に、多くの議員の恐れが表れている。

それまで連邦政府は、ほかの問題で制約に対処する必要が生じるたび、政府の強大化を恐れる人々の懸念を和らげる仕組みを取り入れる方法で対応してきた。だがこのときは違った。ボナパルトは議会の拒否も意に介さず、議会休会中に司法省の経費予算を使って捜査局を新設したのだ。議会には事後的に報告し、新しい機関が秘密活動機関になることは決してないと請け合った。だがパンドラの箱は開けられた。いったんフーヴァーが仕事を開始すると、箱から飛び出したものは二度と中に戻ることはなかったのだ。

フーヴァーは一九一九年に、「国家の敵」を監視する任を受けて、司法省の過激派捜査部長に就任した。この時点で過激派捜査局は一〇〇人超の捜査員と情報提供者を擁し、破壊活動の容疑で人々を逮捕することができた。フーヴァーは司法長官A・ミッチェル・パーマーと組んで、まず共産党員や無政府主義者、社会主義者、破壊分子と見なした外国人市民などのリストアップを始めた。フーヴァーが組織したパーマー・レイドと呼ばれる左翼狩りによって、政治的見解を理由に数百人が国外追放された。フーヴァーは一九二四年に捜査局長官に昇格し、一九七二年に死ぬまでその職にあった。フーヴァーの下で局は人員と権限を大幅に拡大し、一九三五年に連邦捜査局（ＦＢＩ）に改称した。フーヴァーはＦＢＩを、議会、裁判所、大統領にさえ説明責任を負わない、国民監視機関につくり変えた。ＦＢＩはフーヴァーの指揮の下で、マーティン・ルーサー・キングやジョン・レノン、マルコム・Ｘを含む数万人のアメリカ市民の電話を、政治的理由により盗聴していた。ソ連と中国の指導者に直接スパイ行為を働き（ＦＢＩの設立趣意書によって明確に禁じられている行為である）、数人の合衆国大統領の権力と権威を弱めようとさえした。ＦＢＩの秘密工作が最高潮に達したのは、一九五六年から一九七一年にかけて実施された防諜プログラム、コインテルプロでのことだ。このプログラムは、国内の多様な政治集団や組織を、監視、潜入、信用失墜、その他の方法を通じて無力化することを目的としていた。標的とされたのはヴェトナム反戦運動の組織者、公民権運動の活動家や指導者、黒人組織、その他のさまざまな左翼集団などで、その大半が非暴力的だった。マーティン・ルーサー・キングが盗聴され、信用を傷つけられ、匿名の手紙で自殺を促されたのも、このプログラムの下でのことだった。

ＦＢＩなどの機関の違法行為を調査するために、一九七五年に上院議員フランク・チャーチを委員長として発足したチャーチ委員会は、次の結論に達した。

諜報コミュニティが国内で実施した活動は、ときに特定の法令上の禁止事項に違反し、アメリカ市民の憲法上の権利を侵害することがあった。諜報プログラムに伴う法的問題は検討されないことが多かった。そのうえ同プログラムでは、「国家安全保障」の利益になるから法律はあてはまらないとして、法的問題が意図的に無視されることもあった……。用いられた手法の多くは、たとえ対象者全員が暴力的な活動に従事していたとしても、民主主義社会にあるまじきものだったが、コインテルプロはそれをはるかに超えることを行なった……ＦＢＩは憲法修正第一条で保証された、表現および結社の自由の行使を妨げることを直接狙う、高度な自警活動を行なっていたのである。

治安当局の説明責任を負わない権力が密かに高まっていたのは、ＦＢＩだけのことではない。一九四七年には戦略諜報局（ＯＳＳ）と戦略諜報部隊（ＳＳＵ）を母体として、ＣＩＡが正式に設立された。ＯＳＳとＳＳＵは、第二次世界大戦中に偵察や情報収集、分析、スパイ防止活動などの秘密工作を行なっていた組織である。ＣＩＡの任務と監視体制は、当初から明確に定義されていなかった。ＣＩＡは外国政府に対するクーデターにも関与したが、たいていの場合、政府の他部門の与《あず》り知《か》らぬところで、何の統制も受けずに行動した。これらには、外国政府の民主的に選ばれた指導者を追放したクーデターも含まれる。たとえば一九五三年のイランのモハマド・モサデク首相、一九五四年のグアテマラのハコボ・アルベンス大統領、一九六一年のコンゴのパトリス・ルムンバ首相、一九七三年のチリのサルバドル・アジェンデ大統領など。そのほかシリア、インドネシア、ドミニカ共和国、キューバ、対米戦争前のヴェトナムでのクーデター未遂にも関与した。ＣＩＡは本来アメリカ市民に敵対する行動を行なう機関ではないのに、国内での盗聴活動を行ない、テロへの関与が疑われる囚人を拷問される可能性の高い秘密の拘留場所や他国に移送する、「囚人特例引き渡し」を実施してきたのだ。

米軍は、いまなお合衆国市民に最も信頼される機関の一つだが、アメリカが外交問題への関与を深め、冷戦や、のちにはテロとの戦いに深入りする間に、役割と力を拡大してきた。このすべてが、社会と議会の監視をほぼまったく受けずに行なわれている。ドワイト・D・アイゼンハワー大統領は、彼自身CIAに外国政府の転覆工作を命じたことがあるが、それでも一九六一年一月の退任演説で、とくに武器・装備を供給する企業と手を組んだ場合の米軍の野放しの力に警鐘を鳴らした。アイゼンハワーはこんな事態を予言した。

私たちはこの軍産複合体が、意図的にであろうとなかろうと、不当な影響力をもつことがないよう警戒しなければなりません。権力が誤った手に落ち、恐ろしいかたちで高まっていく可能性は現に存在し、これからも存在し続けるでしょう。この軍産複合体の影響力が、私たちの自由や民主主義的なプロセスを危険にさらすようなことを許してはなりません。何事も当たり前だと思っていてはいけません。警戒を怠らない、見識ある市民のみが、巨大な軍産機構を平和的な手段と目的にかなうように変え、安全と自由をともに繁栄させることができるでしょう。

まさにそのとおりだ。だがFBIやCIA、軍が何を画策しているかを国民が知らされない場合、どうしたらそれをできるだろう?

したがって、NSAの盗聴プログラムについて発覚した諸事実は、軍と治安当局が政府の他部門や社会全体による監督・監視を受けずに力を拡大してきた傾向の延長線上にあるものと考えるべきだ。

NSAが、インターネットサーバーや衛星、海底光ケーブル、通話記録までのありとあらゆる媒体を利用して、ドイツやブラジルなどアメリカの同盟国の指導者を含む外国人や、数百万人のアメリカ人に関する情報を収集していたことが、エドワード・スノーデンが暴露した情報からわかっている。NSAのデータ収集活動の拡大は、主にキース・アレグザンダーの下で実行に移されたと見られる。アレグザンダーは二〇〇五年から二〇一四年までNSA長官を務めた人物で、そのなりふり構わぬ姿勢は、「すべてのシグナルをずっと収集していればいいじゃないか？」というひと言に集約されている。

NSAをめぐる騒動が皮肉なのは、同局が境界線とされるものを明白かつ大幅に踏み越え、アメリカ市民に敵対する情報を違憲な方法で収集したように思えるにもかかわらず、そのすべてが歪んだ官民パートナーシップを通して行なわれたことだ。NSAは民間の請負業者に頼り、民間のAT&T、ベライゾンなどの電話会社や、グーグル、マイクロソフト、フェイスブック、ヤフーなどのインターネットサービス提供会社に強制的に（または自発的な協力を得て）顧客データを提供させたのだ。

逆説的なアメリカのリヴァイアサン

アメリカのリヴァイアサンの台頭は、成功物語と見なすことができるし、そう見なしたくもなる――自由を求める社会と、権利と保護をうたう憲法、そして生まれながらに足枷をはめられ、その重みのせいで回廊内にとどまりながら発展を続ける国家。赤の女王のおかげで、国家は社会と建国の憲法によって課された制約を抜け出すことなく、影響力と能力を徐々に高めてきた。それどころかアメリカの物語は、国家と社会の力を均衡させる方法について、他国に多くの教訓さえ与えられるかもしれない。しかしここまで見てきたように、アメリカ史のこの楽観的な解釈からは、二つの重要な要素が抜け落ちている。第一に、アメリカのリヴァイアサンが生み出した自由は、憲法の巧妙な設計のたまものであるのと同じくらい、社会的動員のたまものでもあるということだ。結集した、積極的で、不遜《ふそん》な社会がなければ、憲法による保護など空約束でしかなくなる。第二の点として、憲法の設計はきわめて重要な役割を果たしてきたが、それには影の側面もある。憲法がもたらした妥協のせいで、連邦国家は地方の専横から国民を保護し、万人に平等に法を執行し、ほかの富裕国の国民が当たり前のように享受する公共サービスを提供する能力も意欲も失ってしまった。このような連邦国家の休眠状態にも特筆すべき例外はあったが、そうしたプロジェクトを主導したのは社会全体や、差別された恵まれない階層の動員だった。しかし逆説的だが、憲法によって生み出された国家の弱さと無能力の裏側で、国家のほかの側面が社会や政府の他部門の監視を受けずに発達し、足枷を外しつつあるのだ。たしかにアメリカの物語は並外れた成功だが、それは大きな問題をはらむ成功でもある。

そう考えるといま問うべき問題は、はたしてアメリカ国家が、建国時に課された厳しい制約とその結果として生まれた官民パートナーシップによって束縛されたままで、今後ますます複雑さを増す課題に対処していけるかどうかだ。国家は市民の保護能力を高め、市民全体のために機会を生み出せるだろうか？　社会と制度によって足枷をはめられたまま、能力を拡張するための新しい方法を考案し、社会と経済の新たな問題に対処する柔軟性を得るにはどうしたらよいだろう？　アメリカ社会は、こうした課題への対処を国家に促しつつ、警戒を強めていけるだろうか？　これらの問いには、最終章で立ち戻るとしよう。

第一一章

張り子のリヴァイアサン

国家を待つ人々

二〇〇八年九月のある春の日、アルゼンチンの首都ブエノスアイレスでのことだ。もうじき夏だというのに、この日は肌寒かった。パウラは、貧しいアルゼンチン人に支給される生活保護の支払いを受けるために、ヌエストラス・ファミリアス（私たちの家族）と呼ばれる福祉制度に登録しようとしていた。「こんなに待たされたのは初めて」と、パウラは社会学者のハビエル・アウジェロに話した。「三月からこの状態なんです。もう何度も来させられている。いつも何か（書類や用紙）がそろわなくて」。だがこうもいった。「落ち着いて、辛抱しなくては。我慢が肝心です。お国がくれる援助なんだから、辛抱するしかないでしょう」

アルゼンチンで公共サービスを利用する人にとって、辛抱は重要な美徳だ。ヌエストラス・ファミリアスの別の申請者レティシアは「一人で待合室の後方に立っていた」。ここ二週間で役所に来たのは三度目だ。「待つのは慣れっこです。どこでも待たされるんだから。でも本当にひどいのは、あちこちに行かされること……ここには二週間前に来ました。そしたら三日後にもう一度来いといわれて。次に来たら役所は閉まってました。翌日出直すと、今度はプログラムの資金がないって」。彼女は結論づける。「待つしかないんです、だってそれがここのやり方だから。何度も来なくちゃならないんです、来ないと何ももらえませんから」

アウジェロが集めた別の証言が、アルゼンチンの国家と市民の間のやりとりの性質をよく表している。

マリア　なかなか応対してくれないんです。話を聞いてくれない。そこにいるのに聞いていないんです。

インタビュアー　相手にしてくれない？

マリア　朝ご飯かなにか知らないけれど、一〇時まではご飯を食べて、マテ茶を飲んで、それからクッキーを食べ、仲間うちでひたすらしゃべってる。

インタビュアー　どうやって注意を引くんですか？

マリア　いえ、応対してくれるまで待つんです。

インタビュアー　気がついてくれるまでひたすら待つと？

マリア　ただ待たなくてはならないんです。

インタビュアー　これまで行った先で、騒ぎが起こったことはありませんでしたか？

マリア　ええ一度ありました……パシエントが大声を上げてけんかしていました。

インタビュアー　パシエントというのは、病気の患者のことですか？

マリア　いいえ、ここのパシエント〔パシエントには患者、辛抱する人などの意味がある〕です。待っていた女性のこと。

アルゼンチン人は権利を有する市民ではなく、応対してもらえるかどうかもわからずにひたすら国家を待つ人々なのだ。別の「待つ人《パシエント》」のミラグロスは、「無駄足」を踏まされたときのことをこう話した。「ここに来ると落ち込みます。だって［福祉職員に］何日に来るようにいわれ……月曜に来い、水曜に来い、それから金曜に来いと……しかも全部平日なんです」。この前役所に来たときは「手ぶらで帰され」「無力感」を味わったが、「でも私は何もいいませんでした」と彼女は強調する。

国家は恣意的で、不確実性といら立ちをもたらし、人々を操り、ただ待ち懇願するだけの存在におとしめる。この国には決まった手順というものがなく、例外だらけだ。役所はいつ開くのか？　どんな手続きなのか？　必要な書類は何か？　誰も本当のところはわからない。「国はわれわれをボールのように蹴り回す」という声が多く聞かれる。

アウジェロはフィールドノートにこう記している。

九月一一日　パラグアイから来た女性が、出生証明書にアポスティル（正式な公文書だという証明）を得ていないのに、予約を入れることができた。今日はビッキーに会う。彼女がここに来るのは二度目だ。一度目は出生証明書にアポスティルがないために、予約を入れてもらえなかった。

アウジェロは調査のために、ヌエストラス・ファミリアスの待合室のほか、国民識別カードＤＮＩ（ドクメント・ナシオナル・デ・イデンティダッド）の申請所にも足を運んだ。役所は原則として午前六時に開き、午前一〇時まで予約を受け付けて一度閉まり、午後六時から午後一〇時まで再開する。人々は前夜から並び始める。だが規則と始業時間はコロコロ変わる。「一〇月二六日。朝の様子からして、外に大行列ができているはずだと思いながら……戻ってきた。午後二時五〇分なのに人っ子一人いない！　外で待っている人が誰もいないのだ。人々も、物売りさえ、一人もいない！　警官が教えてくれた。『役所から出てきた人たちが、今日はもうおしまいだといっていたよ』と」。扉が開かれ、誰でも入れるときもある。そうでないときもある。「一〇月二四日。外の行列はなくなった……人々は建物内の大きな待合室で待っている。一一月七日。外に行列ができている。外に並ぶのは禁止で、午後六時になったら出直してこいと、役人はいう。役人は行列を解散させようとしたが、できなかった。一一月九日。今日は外で行列してもいい——外廊下に列をつくってもいい」。アウジェロはこう続ける。

二〇〇八年一〇月二日　月曜〔一三日〕は休みだろうかと、女性に聞かれた。月曜に出直すようにといわれたのだそうだ（一〇月一二日の日曜はアルゼンチンの祝日）。もし月曜に出直せといわれたのなら、月曜が休みではないからだろうと、私は答えた。役所が開かない日の予約を受け入れるはずがない。ところが女性は反論して、前は日曜に予約を入れられたといってきた。

結局、月曜は休みだった。

——

ここまで不在、専横、足枷の三種類のリヴァイアサンを見てきた。アルゼンチン国家は、このどれにもあてはまらないように思える。アルゼンチンのリヴァイアサンは不在ではなく、存在する。精緻な法律をもち、大規模な軍隊をもち、（たとえ官僚は任務を果たすことに無関心に見えたとしても）官僚機構をもち、（地方ではずっと機能が劣るにせよ）とくに首都のブエノスアイレスではある程度機能しているようだ。また専横のリヴァイアサンでないのも間違いない。たしかにいま見た役人たちは説明責任がなく、社会への応答性に欠けるように見え（これらは専横のリヴァイアサンの特徴である）、人々を残虐に扱うこともある。三万人もの人々が（軍事政権によって密かに殺害され）「行方不明」になった、一九七四年から一九八三年にかけての「汚い戦争」中にアルゼンチンの人々が目《ま》の当たりにしたように、軍役人や警官は残忍な暴力に訴えることがある。だがアルゼンチン国家の専横は、まとまりと一貫性に欠ける。中国国家が国民を支配するために用いるような権限とはかけ離れている。いま見た例でも、外にできた行列を解散させようとした役人は無視された。経済を規制し、法律を全国に執行することすらできない場合が多い。そして、足枷のリヴァイアサンでないのも明らかだ。足枷のリヴァイアサンがもつような国家能力に欠けているし、国家に影響をおよぼし、制御することのできる社会もない。ではアルゼンチン国家はどんな国家なのだろう?

本章では、この種の国家がラテンアメリカやアフリカなどの地域に一般的であることを見ていこう。実際、それは社会の弱さとまとまりのなさを土台と支えにしているという点で、インド国家によく似ている。また、社会に説明責任を負わず、社会の抑制を受けないという専横のリヴァイアサンの決定的特徴と、不在のリヴァイアサンの弱さを併せもっている。紛争解決も、法の執行も、公共サービスの提供もできない。抑圧的だが強力ではない。それ自体弱く、また社会を弱くさせるのである。

鉄の檻の中のニョッキ

アウジェロが行なっていたのは、官僚制に関する調査研究だ。官僚制は国家能力のカギを握る。第一章で述べたとおり、官僚制の大家といえばドイツの社会学者マックス・ヴェーバーである。ヴェーバーの理論では、近代世界を過去と区別するのは「合理化」である。合理化を体現するものとされたのが、費用、収入、利益、損失を計上する、近代的企業だ。また政策決定を合理化し、非人格的な行政機構が導入される政府にも、合理化が見られた。ヴェーバーはこれを「合理的・合法的支配」と呼び、官僚制をその典型と見なした。ヴェーバーはこう書いている。

最も純粋な型の合法的支配は……任命され、次の基準に従って職務を遂行する個々の職員からなる、官僚制的行政機構によって運営される。（一）官僚は人格的に自由であり、非人格的な職務義務についてのみ権威に服従する。（二）官僚は明確に定義された職位の階層に位置づけられる。（三）各職位に明確に定義された職務権限がある。……（五）候補者は専門的資格に基づいて選考される……官僚は選出されるのではなく、任命される……（七）職位は既存職員の唯一の、または少なくとも主要な職業として扱われる……（九）職員は行政手段の所有から完全に分離され、職位の専有がない。（一〇）職位の遂行において厳格で体系的な規律と統制に従う。

官僚機構は非人格的な方針に沿って運営された。官僚は専門家であり、職務上の義務以外の何者にも支配されなかった。能力に基づいて選抜され、昇格させられた。規則に反すれば罰せられた。ヴェーバーの見るところ、官僚機構の力に抵抗することはできない。「官僚的組織の技術的優位」と題した節で、彼はこう書いている。

官僚的組織が進出する決定的な理由は、それがいつの時代も、ほかのどの型の組織に比べても、純粋に技術的に見て卓越しているという点にある。完全に発達した官僚的機構とその他の型の組織との違いは、機械と機械に頼らない生産手段の違いに似ている。正確性、迅速性、明確性、文書に関する精通、連続性……摩擦の軽減、物的・人的費用の節約――厳格に官僚的な行政において、これらは理想的に高められる。

ヴェーバーにとって、合理的・合法的支配の勝利は必然だった。だがヴェーバーはそれが人間を疎外する恐れがあることも認識していた。昔の人は自分の選択で労働に従事したかもしれないが、こんにちの私たちは「労働を避け得ない」と論じた。なぜなら近代世界には、「こんにちこの機序のなかに生まれついたすべての人々、それも経済的獲得に直接従事する人々に限らない、あらゆる人々の生活を決定する機械生産の技術的・経済的条件に、抵抗しがたい力で結びつけられた」秩序が存在するからだという。この力の狡猾さを表すために、ヴェーバーは「鉄の檻」というメタファーを考案した。合理的・合法的支配が優勢になるうちに、私たちはこの鉄の檻の中にとらわれるのだ。

正確性、迅速性、明確性、文書に関する精通……これらはアウジェロがブエノスアイレスで見たものとはかけ離れているように思える。アウジェロが官僚制に見たものは、緩慢性、不明瞭性、不確実性、文書に関する甚だしい無知だった。アルゼンチンの鉄の檻はどこにあるのだろう？

アウジェロの証拠は、アルゼンチン国家が甚だしく個人化されていたことを示している。個人的に関与しない限り、サービスを受けられる見込みはなかった。それが「待つ人」になることの目的だった――何かを得るためには、官僚と個人的関係を築かなくてはならないのだ。アウジェロの証拠は、ヴェーバーが描いた理想的概念のその他の側面を直接裏づけてはいない。ひょっとするとマリアやレティシアがやりとりをした役人は、ヴェーバーが予見したように能力主義で採用されたのだろうか？　それはありそうにない。なぜならアルゼンチンの官僚に採用された人々は「ニョッキ」だらけなのだから。

ニョッキはイタリア料理の定番食材のおいしい団子状のパスタで、イタリア移民によってアルゼンチンにもち込まれた。アルゼンチンでは毎月給料日の二九日にニョッキを食べる習慣がある。だがアルゼンチンでいう「ニョッキ」には、二重の意味がある。仕事もしないのに給与小切手をもらうときだけ現れる、政府の「幽霊公務員」という意味もあるのだ。アルゼンチンには膨大な数のニョッキがいる。マウリシオ・マクリは、二〇一五年にアルゼンチンの新しい大統領に就任したとき、（創設者ファン・ドミンゴ・ペロンの名をとってつけられた）ペロン党のクリスティナ・フェルナンデス・デ・キルチネル前政権によって任命された二万人のニョッキを解雇した。二万人のニョッキは、どんな経緯で採用されたのであれ、「専門的資格に基づいて選考」されなかったのは明らかだ。それに、ニョッキにとって公務員の仕事が、「既存職員の唯一の、または少なくとも主要な職業」でなかったことも間違いない。「職位の遂行において厳格で体系的な規律と統制に従」っていたかどうかも疑わしい。ニョッキは多くの場合ペロン党の党員や後援者で、政治的なコネを通じて「仕事」を得ていた。そのおかげで何であれ仕事をやらないことに対する抑止力になったはずの懲罰をいっさい受けなかった。ニョッキの存在はおそらく、アウジェロが観察した実態をもたらした大きな原因だった。こんな人々が官僚機構に二万人もいれば、彼らがまるで使いものにならないという事実を差し引いても、国家能力に深刻な支障をおよぼしかねない。悪影響はクリスティナ・フェルナンデス・デ・キルチネルの大統領在任中に、誰の目にも明らかになった。

第二章で見たように、政府の中心的な機能の一つが、社会の必要を理解し、社会を統制するために、市民に関する情報を収集することである。ホッブズのリヴァイアサンは、市民の情報収集にかなり力を入れるはずだと思う人がいるかもしれない。だが前に見たように、レバノンではそうなっていないし、アルゼンチンでも違う。二〇一一年、アルゼンチンは、物価水準と国民所得に関する正確なデータを提供していないとして、IMF（国際通貨基金）から加盟国として初めて非難決議を受けた。《エコノミスト》誌は、アルゼンチンの発表するデータをまったく信頼できないとして、掲載するのをやめてしまった。

それでも謎は残る。これは鉄の檻をニョッキだらけにすることの弊害の一つだ。

ヴェーバーは、鉄の檻を避けることはできず、社会の合理化は止めることができないと考えていた。彼はこう述べている。「大規模行政の必要性から、こんにちそれは絶対的に不可欠である。行政の分野における選択は、官僚主義か、道楽主義《ディレッタンティズム》のどちらかしかない」。アルゼンチンをどう説明すればいいのだろう？　アルゼンチンは道楽主義なのだろうか？

ダックテストを欺く

二〇〇〇年代のアルゼンチンには、一見すると近代的な国家があった。アルゼンチン国家は官僚機構と司法制度、閣僚をもち、経済的・社会的プログラムを運営し、国連などのあらゆる国際機関に代表を送り、他国の元首から丁重なもてなしを受ける大統領、アウジェロの調査当時はクリスティナ・フェルナンデス・デ・キルチネルがいた。アルゼンチン国家は近代国家の証しをすべて兼ね備えていて、リヴァイアサンのように見えた。いわゆる「ダックテスト」を私たち風にアレンジすると、「国家のように見え、国家のように泳ぎ、国家のように鳴くならば、それはたぶん国家である」となる。でも本当にそうだろうか？

いや、アルゼンチンはここまで私たちが説明してきたような意味での国家ではない。専横のリヴァイアサンと足枷のリヴァイアサンは、どちらもきわめて高い任務遂行能力をもっている。アルゼンチン国家はそうではない。中国の独裁者、毛沢東《もうたくとう》は、かつて合衆国を「張り子の虎」と呼び、その力をこけおどしだと見下した。本書では、アルゼンチンやコロンビア、その他ラテンアメリカとアフリカの数カ国のダックテストを欺く国家、つまり見かけは立派だがごく基本的な能力しかもたない国家を、張り子のリヴァイアサンと呼ぼう。張り子のリヴァイアサンは、国家のような外観をもち、一部の限られた分野や一部の主要都市では、ある程度の力を行使できる。だがその力は張りぼてだ。ほとんどの分野で一貫性とまとまりを欠き、支配がおよんでいるはずの辺境地ではほぼ完全に不在である。

なぜ張り子のリヴァイアサンはもっと力を蓄えないのだろう？　だいいち、国家を支配する政治エリートや国家官僚自身が、任務を遂行するためにもっと能力を欲しいと思わないのだろうか？　社会を支配するために？　私腹を肥やし、できることならさらに略奪するために？　これらの問いに答えることで、世界中の数々の国家の本質について多くのことがわかる。張り子のリヴァイアサンをもつに至った社会には、力への意志がないわけではない。こうした社会の政治指導者やエリートにとっては、力への意志を追求することの危険があまりにも大きいのだ。それには二つの根本的な理由がある。

第一の理由は逆説的だが、回廊内の国家と社会の同時的な発展を促す力である、赤の女王効果と関係がある。赤の女王効果を生み出すのは、能力を高めた国家と自信を深めた政治エリートをよりよく制御し、わが身をよりよく守りたいという、社会の欲求だ。同じ欲求は、回廊の外にも存在する――国家が専横的になりすぎたら、身を守る方法を探さなくてはならない。だが、社会の望ましくない反応を鎮圧し、政敵を排して権力の座にとどまることができるという自信を、国家建設者がもっていない場合、社会の欲求は問題を招くことにもなる。国家建設で予想されるこうした危険――政治指導者が能力を構築しようとして、図らずも対抗勢力を動員してしまう危険――を「動員効果」と呼ぼう。これは政治的階級が生まれることによって始動する、危険な坂道と無関係ではない。政治的権力の遍在を厳しく抑制する力をもつ社会でさえ、危険な坂道を恐れることがあるように、見るからに社会の制約を受けていない政治エリートも、国家能力を高めることによって引き起こされる反応や競争を懸念する場合があるのだ。動員効果は現に、ムハンマドが先導したイスラム国家の建国や、中国での国家建設のような、国家建設の象徴的な例にも見られる。だがこれらの事例では、国家建設者が（第三章で見たように）「強み」をもっていたなどの理由から、動員効果をそれほど気にせずにすむほど強力だったか、あるいは外部の脅威や競争のせいで動員効果を気にしている余裕がなかった（第七章で見たように、戦国時代の秦《しん》国家と商鞅は存亡にかかわる問題をほかに抱えていた）かのいずれかだった。だがこれから見ていくように、それ以外の状況では、動員効果は国家能力の構築をマヒさせる力になりうるのだ。

張り子のリヴァイアサンがよく見られ、休眠から目覚めようとしない第二の理由は、悪徳な指導者にとって、国家能力の欠如が強力な手段になる場合があるからだ。そもそも政治的支配を行使するには、ただあからさまに人々を抑圧するより、説得して命令に従わせる方がずっと重要である。これをするのにとても役立つのが、服従に見返りを与える手段だ。友人や支援者、支援者になってほしい人に官職を与えることは、とくに有効なツールになる。これに対して、国家能力を高めるために、マックス・ヴェーバーが構想したように、官僚の能力主義的な採用・登用を制度化したらどうなるだろう。ニョッキはもはやいなくなり、服従の見返りに官職を提供する機会もなくなってしまう（その場合、ペロン党はどうやって生き延びるのか？）。これが、能力主義と国家能力の構築を放棄すべき、強力な政治的根拠になる。

もちろんこれはハイレベルな政治にかかわることだけではない。司法機構や官僚機構を意のままに利用できることには、日常的な利益もある。マクリ大統領はニョッキを解雇してまもなく、閣僚が政府の要職に親族を登用するのを禁じなくてはならなかった。労働相の妻と二人の姉妹、内務相の父母も職を追われた。

これはごく一般的に見られるパターンだ。国家能力の拡大に伴って、司法機構や官僚機構に非個人的な規則が導入されると、支配者や政治家は元ブラジル大統領ジェトゥリオ・ヴァルガスがいったとされる方法――「友には便宜を、敵には法律を与えよう」――で法律を利用するのが難しくなってしまう。このような法的裁量は、ヨーロッパの回廊内で発達した法律とはまるで異質であり、それを利用して政治エリートは貧弱な国家制度を利用して政敵を抑えつける一方で、人々から土地を奪い、友人に独占権を与え、国家を直接略奪して、私腹を肥やすことができるのだ。法律を意のままに利用して利益を得る能力は、動員効果と同様、アルゼンチンをはじめ多くの張り子のリヴァイアサンで、国家の無能力と混乱に拍車をかけている。

張り子のリヴァイアサンが国家能力を構築できないことは、市民にとって諸刃《もろは》の剣になる。能力の低い国家は、市民を抑圧する能力にも欠ける。これが多少なりとも自由の基盤になるだろうか？ 悲しいかな、普通はそうならない。むしろ張り子のリヴァイアサンの下では、市民は二つの世界の最悪の面にさらされる。国家はかなり専横的だ――市民の意見をほとんど聞かず、市民に応答しないままで、おまけに市民を抑圧し殺害することに罪の意識がない。それでいて、市民のための紛争の解決者、法の執行者、公共サービス提供者の役目を国家が果たすこともない。張り子のリヴァイアサンは自由を生み出そうともしないし、自由を脅かす規範を緩めようともしない。実際、これから見ていくように、張り子のリヴァイアサンは規範の檻を緩めるどころか、逆に締めつけることが多いのだ。

道路のための場所はない

実際に動員効果の引き金になるのは何だろう？ 歴史家のユージン・ウェーバーは、フランスの国家と社会の形成に関する研究をまとめた著書『農民からフランス人へ』のなかで、「変化をもたらすエージェンシー」――現代フランスの社会形成に重要な影響を与えたとウェーバーが考える要因――

をいくつか挙げている。「道路、道路、そしてさらに多くの道路」と題した章に、この考えが展開されている。ウェーバーによると、基礎的なインフラが、全国的なコミュニティを生み出すことによって社会を動員し、市民の要求を変容させ、政治目標を一変させうるという。ひと言でいえば、インフラが私たちのいう動員効果を生み出すのだ。

張り子のリヴァイアサンのもう一つの典型例であるコロンビア国家は、道路建設に関心をもったことなどない。いまも多くの県都が、空路または河川でしかほかの地域と結ばれていない。メイン州オーガスタが、合衆国のほかの地域と道路でつながっていない状態を想像できるだろうか？

コロンビア南部プトゥマヨ県の県都モコア（図14）に、興味深い例がある。一五八二年にフライ・ヘロニモ・デ・エスコバルはこう述べている。

この町は山々に隣接し、道路から遠く離れているため、入るのに一苦労だ。アグレダ［モコア］の町は発展していない……人々は怖がって近寄ろうともしない。住民［と］連絡を取る方法はなく……誰もがみじめな暮らしを送っている。

一八五〇年になっても、事情は大して改善していなかった。プトゥマヨ県のすぐ北に位置する、当時テリトリオ・デ・カケタと呼ばれた地方の知事はこう述べている。「パスト［隣のナリーニョ県の県都］からこの町［モコア］までの道のりは過酷で、恐ろしい場所に迷い込んでしまうこともしょっちゅうだ。痩《や》せた人々は、インディオの背中に藁縄で豚のようにくくりつけられるという、ぶざまで、むちゃな、つらい格好で道中を往復する」

首都ボゴタから来た人々にとって、プトゥマヨは恐ろしい場所だった。のちに大統領になったラファエル・レイエスは、この地域を探査していたときのことを自伝に書いている。

あの未知の原生林、あの膨大な空間に魅了された私は、引き寄せられるようにしてそこを探査し、横断し、そして……わが国の前進と繁栄のために、道を切り拓こうとした。あの森林は山地《コルディエラ》の人々にとっては絶対的に未知の場所で、そこを踏破すると考えただけでもゾッとした。野獣や魔物がいるといういい伝えがあったし、何より多くのヒト喰《く》い人種がいたのだ。

レイエスには、孤立状態を解決するための策があった。一八七五年にレイエスは、モコアと隣県ナリーニョの県都パスト（これも図14に示した）とを結ぶ道路の建設を提案する。一九〇六年、大統領になっていたレイエスは、候補路線の調査を命じた。技師のミゲル・トリアナが期待をかけられ、道路建設の任を請け負った。彼は調査を実施したが、道路建設はついぞ始まらなかった。別の契約がビクトル・トリアナに与えられたが、一九〇八年までに資金不足でプロジェクトは中止された。一九〇九年、中央政府はシブンドイ渓谷のカプチン派修道会に建設を委託し、ナリーニョ県知事が資金提供を担当した。先住民の強制労働を利用して、カプチン会の修道士はパストからモコアまでの一二〇キロの道路を一九一二年にとうとう完成させたが、それはカケタ川沿岸のラ・ペドレラにあるコロンビア軍駐屯地がペルー兵に襲撃されたことを受けて、中央政府が三万六〇〇〇ペソの建設資金を提供してからようやくのことだった。だがその年の暮れには、道路はひどい状態になっていた。地元の行政官が大臣に報告している。「パストから当地［モコア］までの道路の状態について申し上げます……湿地の斜面と土台が崩壊し、崖が崩れたせいで、道路の大部分が激しく損傷し、車の往来はおろか、

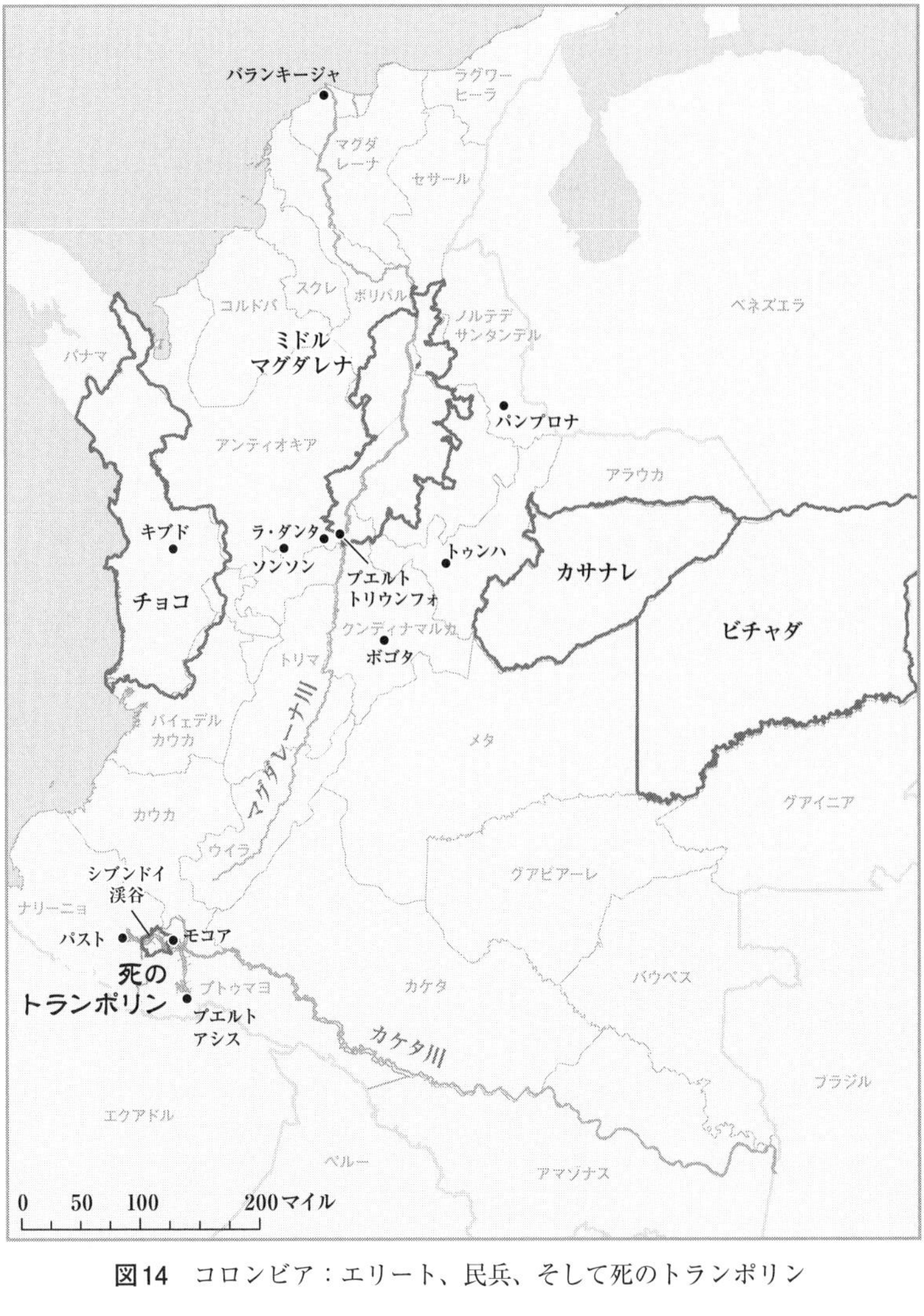

図14　コロンビア：エリート、民兵、そして死のトランポリン

歩行者の通行さえ困難な状況です」。ある技師の報告によれば、道路の設計と建設に重大な問題があった。橋は「つくりが悪く」、道路の幅は「通行に不十分」だった。

アイルランドの偉大な作家サミュエル・ベケットは、「また挑戦しよう、また失敗しよう、前よりうまく失敗しよう」をモットーにしていた。まさに張り子のリヴァイアサンのために書かれたような言葉だ。一九一五年、中央政府は道路を補修し、プトゥマヨ川沿岸のプエルトアシスまでの区間を完成させる工事の公開入札を行なった。一九一七年一二月、請負業者が契約上の義務を履行していないとして、政府は契約を解除した。政府は再びカプチン会の手に道路を委ねた。一九一九年六月、モコアから公共事業省に電報が届いた。「国道は完全に通行不能。当地とサンフランシスコ間の三〇カ所で地滑りあり。当地とウンブリア間のすべての橋が崩落す」。一九二四年、「不適切な施工」を理由に、道路は再びカプチン会の手から取り上げられ、パストの技師に契約が付与された。一九二五年、パストからの最初の二五キロ区間を自動車道に改修する法律が発令された。しかし一九二八年、五キロ分の改修が完了した時点で、政府は資金を引き上げた。一九三一年、第八八法によりこの道路は国道網の一部となり、そのためにプエルトアシスまでの区間を自動車道にする必要が生じた。

第九章でチャールズ・ティリーの名言、「戦争が国家をつくり、国家が戦争をつくった」を考察した。もし本当にそうなら、一九三二年にコロンビア人はツキが回ってきたと思ったかもしれない。この年、ペルーとの国境紛争が始まり、コロンビア政府はこの道路を「国防道路」と称し、保守管理と拡張に一二万ペソを配分した。ある技師が実施した評価で、道路は「邪魔でしかない」と結論づけられた。一九五七年一一月、ようやく砂利道がプエルトアシスに達したが、それはペルーが戦争に勝利し、コロンビアの広大な領土を併合してから二五年もたったあとのことだった。コロンビアの場合、戦争があろうとなかろうと、道路はつくられず、国家もほとんどつくられなかった。

とりあえずの道路がプエルトアシスまで開通すると、すぐに辛辣《しんらつ》だがぴったりのあだ名がついた。死のトランポリンだ。一九九一年にコロンビアの全国紙《エル・ティエンポ》が、次のように報じた。「プトゥマヨまでの全行程が恐怖に満ちている。毎日通行するドライバーは、この道路を死の道と呼び……［また］旅行者はたえずゲリラに脅かされている」。二〇〇五年、アルバロ・ウリベ大統領は南米地域インフラ統合計画を開始した。二〇一六年、約一五キロの道路が建設されたところで、資金不足のため工事は中断された。

道路のないコロンビアに生まれるのは、どんな社会だろう？　孤立地域に分散した社会だ。一九四六年に、のちの一九五八年にコロンビア大統領になったアルベルト・ジェラス・カマルゴが、農業専門家協会での演説でこう述べた。

農民《カンペシーノ》を守るための農村医療、信用、教育キャンペーンと銘打ってはいますが、プログラムのほとんどが村《アルデア》とコロンビア社会の上層［だけ］にしか届いていないことはご存じでしょう?……［農村に住む］わが同胞市民の七一％と残りの社会の間には、直接の会話もやりとりもなく、道路も、直接交流する手段もありません。ボゴタから一五分も離れると、そこには別の時代に属し、別の社会階級と文化に属し、私たちから数世紀も離れた農民が暮らしているのです。

だが、これこそが張り子のリヴァイアサンの好むありようなのだ。視野の狭い問題にとらわれた、きわめて断片化した社会である。第六章で見たイギリスの事例では、社会は国家建設に反応して動員性を強めるうちに、次第に視野の狭い問題を取り上げなくなっていった。コロンビアではそうなっていない。二〇一三年、コロンビアではストライキや抗議運動が相次いだ。同年七月に、鉱山労働者がチョコ県の県都キブドを占拠した(これも図14に示した)。鉱山労働者が要求したのは、非正規労働者の待遇改善と、「鉱山労働者を対象とする補助金と優遇貸付、技術支援」の提供だった。加えて「多国籍鉱業会社への土地売却をやめ」、そして「鉱業用燃料に助成金を出す」ことも政府に求めた。掲げていたのは、鉱山労働者にとっての喫緊の問題だけだった。ちなみに、キブドをほかの地域と結ぶ道路は一本もない。国内各地で起こったほかの多くのストライキも同様だった。コロンビアのコーヒー産地の生産者団体ディグニダッド・カフェテラ(文字どおりには「コーヒーの尊厳」の意)は、コーヒーの価格補塡措置と、全国コーヒー生産者連合会の民主化、コーヒー産地での採鉱の規制強化を要求した。ディグニダッド・パペラ・レチェラ・イ・セボレラ(「ジャガイモ、牛乳、タマネギの尊厳」)は、ジャガイモ、牛乳、タマネギの生産者代表を名乗る団体である。彼らも価格補塡を求めたが、対象は自分たちの作物だった。そのほか粉乳に水を加えた還元乳の禁止や、粉乳と冷凍・調理済みジャガイモの輸入補償が要求事項に挙がっていた。粗糖生産者の団体ディグニダッド・パネレラ(「粗糖の尊厳」)は砂糖代用品の輸入関税引き上げと、三五〇〇トンの粗糖(彼らが生産した精製前のサトウキビ糖)の買い上げを政府に要求した。この社会は、結集する可能性がほとんどない、コロンビアのエリートにとって実に都合がよく、コロンビア政府にとって実に御しやすい社会である。こっちに補助金を少々出し、そっちで粗糖を少々買い上げるだけで、魔神はすぐに壺の中に戻っていく。

タキシードを着たオランウータン

原因はインフラ不足だけではない。コロンビアではアルゼンチンと同様、官僚機構が回っていない。その理由もアルゼンチンと同じである。二〇一三年の時点で、一部の省庁では職員の六〇%が「臨時職員」であり、能力主義原則の枠外で、おそらく縁故を通じて採用されていた。コロンビア人はアルゼンチン人ほどニョッキ好きではないが、公務員にかなりの数のニョッキを抱えているようだ。

　規則と官僚的手続きの欠如がどのような結果を招くかは、二〇〇八年に首都ボゴタの市長に選ばれたサムエル・モレノの仕事ぶりにははっきり表れている。権力に就くやいなや、モレノはボゴタの「影の政府」をつくり、兄のイバンにそれを委ねた。イバンは、コロンビアでいまでは「契約カルーセル」と呼ばれている仕組みをつくり、市のすべての請負契約の配分を一手に握った。モレノ兄弟はこの仕組みを通じて賄賂を搾り取った。賄賂は契約金額の五〇%に上ることもザラだった。違法行為を隠蔽《いんぺい》するために、兄弟は自家用機でマイアミまで行って落ち合うことが多かった。兄弟はいろいろな隠語をつくっていた。契約金額に占める二人の取り分を「モルディーダ《分け前》」と呼んだが、これは第九章のグアテマラで使われていたのと同じ言葉だ。最も実入りがよかったのは、一日当たりの乗客数が数百万人を数える市の統合公共交通システムの運営契約で、モレノ兄弟の取り分は乗客一人につき八ペソだった。兄弟の悪行はそこで終わらない。兄弟はありとあらゆるものを略奪した。既存の病院はうまみが大きかったが、新しく建設される病院はさらにピンハネに好都合で、建設費用の二五%から三〇%がモレノ兄弟に流れた。救急車の契約を誰に与えるかを決め、配分された予算の半分を兄弟とその取り巻きが懐に入れた。「分け前」を払わない人は契約を得られず、兄弟に「しみったれ」呼ばわりされた。ボゴタの一部地域の交通渋滞緩和のために、カレラ〔南北に走る大通り〕九号線とカジェ〔東西に走る大通り〕九四号線を結ぶ橋の建設に四五〇億ペソ（約一五〇〇万米ドル）が確保されたが、建設工事はいつまでたっても始まらず、資金は消えてしまった。兄弟がいくら懐《ふところ》に入れたのか、本当のところは誰にもわからず、一説には五億米ドルともいわれる。

　サムエル・モレノはコロンビア政界にとってよそ者ではない。祖父のグスタボ・ロハス・ピニージャは一九五〇年代にコロンビアの軍事独裁政権を率いたのち、一九六〇年代に民主主義に転向を図った人物だ。コロンビアの政治エリートたちもモレノと同様、日常的に国家予算を着服している。機会があれば土地さえ巻き上げる。

コロンビア農村部の広大な土地が、法的にバルディオ（未開墾地）に分類され、国によって所有されている。コロンビア政府は一九世紀以降、この土地の分配と所有権の譲渡に関する多くの法律を発布してきた。一九九四年に可決された法律第一六〇号では、バルディオを五年以上占有した人は、INCORA（コロンビア農地改革庁）に対し、占有する土地所有権の取得を申請することができた。この優遇措置は、申請者がほかに土地を所有していないことが条件となっていた。建前上は貧しい人々や避難民が優先され、申請できる土地面積は「ウニダッド・アグリコラ・ファミリア」（家族農業単位）に限定されていた。これは家族が「尊厳をもって暮らす」のに十分とINCORAが判断した広さをいう。だが有力なコネのあるエリートなら、とくに法律を曲げる方法に長《た》けたボゴタの高級法律事務所の助けを借りれば、制度を容易に悪用できた。悪名高い例が、カウカ渓谷に本拠を置く製糖会社、リオパイラ・カスティーリャが関与した事件だ。この会社は法律事務所ブリガード・ウルティアの助けを借り、二〇一〇年に二七の匿名単純協会を設立することによって制度を悪用した。〔これらのペーパーカンパニーを通じて〕コロンビア東部のビチャダ県（図14）に、四二区画、三万五〇〇〇ヘクタールにも相当するバルディオを購入したのだ。こうして貧しい避難民のために取って置かれた土地が、リオパイラ社のものになった。同様の策略により、コロンビアきっての大富豪ルイス・カルロス・サルミエントも一万六〇〇〇ヘクタールのバルディオをものにしている。れっきとした法律事務所が、なぜこれほどあからさまな法律違反に手を貸したのかとジャーナリストに問われ、ブリガード・ウルティアの弁護士はこう答えている。

法律は解釈されるためにあるんです。この国では何事も単純に白か黒かでは分けられませんよ。

張り子のリヴァイアサンの断片化した無能な本質は、自由に、とくに暴力の制御に深刻な影響をおよぼす。マックス・ヴェーバーは、国家を「ある一定の領域の内部で、正当な物理的暴力行使の独占を要求（し、それに成功）する人間共同体」と定義した。張り子のリヴァイアサンは、その力の使い方からして、正当であろうとなかろうと物理的暴力をそこまで独占することができない。またコロンビアを見れば、国家が暴力を独占できないことがどれほど壊滅的な影響をもたらすかは、一目瞭然である。

私たち著者の一人、ジェイムズ・ロビンソンは、共同研究者のマリア・アンヘリカ・バウティスタ、フアン・ディエゴ・レストレポ、フアン・セバスチャン・ガランとともにコロンビアで行なった研究のなかで、元軍人・農民のラモン・イササが一九七七年にショットガンナーズという集団を設立した経緯をくわしく説明している。イササはアンティオキア県東部のプエルトトリウンフォ市（図14）に農場をもっていた。一九七〇年代半ば、マルクス主義を掲げるゲリラ組織ＦＡＲＣ（コロンビア革命軍）が、この地域に新しい組織を築き、地元の農民から「徴税」し家畜を強奪する政策を開始した様子が、裁判所文書に記されている。一九七七年にイササは一〇丁の散弾銃を購入し、ここから集団の名前がついた。イササらはＦＡＲＣに奇襲をかけ、戦闘員を殺して銃を盗んだ。二〇〇〇年までにショットガンナーズはミドルマグダレナ小作農自衛軍に改称し、地主らの支援を得て、拠点を六つに増やしていた。拠点の一つを指揮していたのがイササの義理の息子、ルイス・エドゥアルド・スルアガ（アメリカのテレビドラマの主人公にちなんで、「マクガイバー」のあだ名で呼ばれていた）だ。マクガイバーはゲリラに殺された兄の名を冠した集団「ホセ・ルイス・スルアガ前線（FJLZ）」を率いていた。FJLZは広大な縄張りを支配し、その行動中心域は約五〇〇〇平方キロメートルにもおよんだ。この組織は三二枚つづりの文書に明文化されたエスタトゥートス（定款）と呼ばれる法制度をもち、公平に執行するために、成員だけでなく市民にまで適用した。FJLZは官僚機構をもち、約二五〇名の制服戦闘員を擁する軍部と、「徴税員」からなる市民部、そしてマルクス主義ゲリラとの闘いという政治的プロジェクトに集中する「社会チーム」に編成されていた。通商と社会生活を規制し、使命記述書やイデオロギー、賛美歌、祈りの言葉、それにインテグレーション・イン・ステレオというラジオ局までもっていた。勲章も授与した。フランシスコ・デ・パウラ・サンタンデル勲章や、第一等金勲章などがあった。FJLZは官僚や兵士に支払う給金をどうやって賄っていたのだろうか？　支配地域の地主や実業家に課税し、生産物、とくに牛乳とジャガイモへの課税も試みた。組織は数十キロの道路を敷設し、配電網を拡張し、学校を設立した。本拠地ラ・ダンタでは診療所を開設し、老人ホームを再建し、住宅を建設して貧困層に抽選で割り当て、職人工房を開き、闘牛場をつくった。ただしマクガイバー自身は、「闘牛には賛成できない、動物がかわいそうだ」と述べている。

地域を治めていたのはコロンビア国家ではなく、イササとマクガイバーだった。二〇〇六年のFJLZの動員解除後に行なった判事に対する陳述で、ラモン・イササは選挙で果たした役割をこう説明している。

われわれが活動していたのはラ・ダンタのような地区や、サン・ミゲルやココルナなどの、警察をもたず、幹線道路から遠く、軍や警察部隊のいない小さな町だ。そうした地区を保護したが、特定の候補者に投票するよう指図したことはない。むしろわれわれが配慮したのは——いったい何に配慮したのか？——選挙が妨害されたり、いざこざや口論が起こったりしないようにすることだ。これらの地区や町とその周辺部で行なったのはそれだ。選挙のために安全を提供したのだ。

コロンビア人は、国家が張り子のリヴァイアサンになっていることのいいわけとして、高い山脈やジャングルの広がる国土を挙げることが多い。しかし、イササの組織は二大都市のボゴタとメデジンをつなぐ幹線道路沿いに点在していた。コロンビア国家のすぐ鼻先の、すべてが筒抜けの場所だ。コロンビアの別の強力な民兵組織の指導者エルネスト・バエスは、別の判事に皮肉を込めて述べた。「わが国のような法治国家内で、いったいどうして小さな独立国家が活動できるというのか？」。答えは、張り子のリヴァイアサンでなら、かなり簡単にできる。

コロンビア国家は、ただ市民をおろそかにし、無視しているだけでなく、積極的に餌食にしている。これをよく表す例が、いわゆる擬陽性スキャンダルだ。アルバロ・ウリベは大統領に選ばれた二〇〇二年、左翼ゲリラとの闘いを強化することを使命に掲げ、軍にいくつかの強力なインセンティブを導入した。その一つが、ゲリラを殺しその死体を提示した者に、報奨金や休日を与えるというものだ。その結果、軍の兵士は三〇〇〇人もの一般市民を殺してから、ゲリラに仕立て上げたのである。コロンビアのある検察官は、軍のペドロ・ネル・オスピナ大隊というユニットを「戦闘で殺したと偽って犠牲者を量産するだけの暗殺集団」と呼んだほどだ。たとえゲリラや民兵組織から逃げ仰せても、軍につかまったら終わりだ。

コロンビアの張り子のリヴァイアサンがおよぼすもう一つの影響は、スペインの植民地支配に対する革命を指揮したラテンアメリカの「解放者」こと、シモン・ボリバルによって、二〇〇年近くも前に指摘されている。

これらお歴々は、ボゴタやトゥンハ、パンプロナでたき火を囲む人々を見て、コロンビアには素朴な民しかいないと思い込んでいる。オリノコのカリブ族やアプレの平原族、マラカイボの漁民、マグダレーナの船漕ぎ、パティアの山賊、荒々しいパストゥーソ、カサナレのグアヒボ族、それにコロンビアの荒野をシカのように徘徊《はいかい》するその他の野蛮なアフリカ人やアメリカ人の集団を見たこともないのだ。

ボリバルが主張しているのは、コロンビアのエリートは、自分たちが支配していると称する（が実際には略奪している）国のことをよく知りもせず、理解もしていないということだ。実際、一九世紀の著名なコロンビア大統領で、一八八六年に制定され一九九一年まで施行されていた憲法の起草者でもあるミゲル・アントニオ・カロは、生涯ただの一度もボゴタから外に出たことがなかった（ついでにいえば、のちの大統領のホセ・マヌエル・マロキンもそうだった）。カロはいったい誰のための憲法を書いていたのか？　もちろん、「ボゴタ、トゥンハ、パンプロナ」のお歴々のためだ。国の周縁部は遠く離れたボゴタから統治され、資金も公共サービスもほとんど届かなかった。一九四五年に敷設ずみの一万八五〇〇キロの道路のうち、国土の四分の三を占める周縁部を通っていたのはわずか六一三キロ（しかもすべて無舗装）だった。ボゴタの政治エリートは、周縁部を周縁部のままにとどめておこうとした。だがボゴタでは、少なくともサムエル・モレノが市長だった時以外は何の問題もなかったという人は、今度ボゴタに来たとき手紙を投函してどうなるか見てみるといい。トクヴィルならこの状況を何と評しただろう？

コロンビアの政治家ダリオ・エチャンディアは、自国の民主主義を「タキシードを着たオランウータン」のようだと揶揄《やゆ》した。張り子のリヴァイアサンの本質をとらえたひと言だ。タキシードは、有能な官僚機構をもつ秩序正しい国家という、外面を指している。ただしその外面は、ときに国を略奪するために利用され、実態は往々にして混乱している。オランウータンは、張り子のリヴァイアサンが管理できず、管理しようともしない、すべてのものを指している。

大海を耕す

この状況は一夜にして生まれたわけではない。コロンビア国家がどのように発展してきたかを理解するために、ボリバルに話を戻そう。このときボリバルは港町バランキージャにて、結核で伏せっていた。一八三〇年一一月九日に、ボリバルは旧友のファン・ホセ・フローレス将軍に手紙を書いた。一八三〇年当時、南米大陸はすでにスペインの植民地主義を脱しており、スペインの手に残ったのはキューバの島々とイスパニョーラ島の一部、プエルトリコだけだった。それなのにボリバルは失望していた。こうつづっている。

私は二〇年にわたって統治したが、その間に得た確実な結論はこれだけだ。（一）アメリカはわれわれには統治不能である。（二）革命の種をまく者は、大海を耕す羽目になる。（三）アメリカにおいてできることといえば、他国へ移住することだけだ。（四）この国はいつか必ず節操のない群衆の手に落ち、その後はさまざまな肌の色や人種の、存在にも気づかないような取るに足りない暴君たちの手に落ちるだろう。（五）いったんわれわれがあらゆる犯罪の餌食になり、残忍さによって滅ぼされれば、ヨーロッパ人はわれわれを征服しようとも思わなくなるだろう。（六）原始の混沌に戻ってもおかしくない地域が世界のどこかにあるとすれば、それは滅亡前のアメリカだ。

なぜボリバルはここまで悲観的だったのだろう？　なぜラテンアメリカを意味する「アメリカ」の統治を、「大海を耕す」ような不可能な仕事と考えたのか？　理由はいくつかある。おそらく最も重要な理由は、ラテンアメリカの社会が、政治的階級と不平等ありきで形成されたことにある。植民地社会は、白人のスペイン人を頂点とし、先住民や、多くの地域では黒人奴隷を底辺とする、制度化された階層社会だった。やがてスペイン人のエリートはラテンアメリカに住み着いてクレオールと呼ばれるようになり（ボリバルもその一人だった）、混血が生じるうちに、お互いの上下関係を判断するための複雑なカースト制度（スペイン語ではカスタという）が生み出された。カスタを描いた、植民地時代のメキシコの有名な一連の絵画のうちの一枚を口絵に載せた。カーストは重要だった。法律や税金は社会的身分によって異なる方法で適用されたし、十分な権力をもっている人に法律はいっさい適用されなかったからだ。法の前の平等がなかったため、ほとんどのラテンアメリカ人には、法律そのものが怪しいものに思われ、植民地時代のよく知られた処世訓、「命令を聞きはするが従わない」を実践するようになった。つまり、法律や命令を発するあなたの権利は認めるが、私はそれを無視する権利を維持する、というものだ。さらに重要なことに、先住民と黒人奴隷が組織的に搾取されることになったため、カーストは大いなる階層、支配、不平等を意味した。階層、支配、不平等は、こんにちもまだ顕著である。

階層、支配、不平等の起源を知るために、パストからシブンドイ渓谷を通ってモコアに至る道路に戻ろう。ラテンアメリカの征服後、渓谷の先住民は、文字どおりには「委託」という意味のエンコミエンダの制度を通じて、スペイン人に与えられた。エンコミエンダを委託されたスペイン人は、エンコメンデロと呼ばれた。スペイン人が旧世界から持ち込んだ感染症によって、多くの先住民が命を落としたが、渓谷にはまだ収奪すべき一三七一人の先住民が残っていた。エンコミエンダ制では、先住民は修道院や「カシケ」（カリブ海諸島からラテンアメリカに伝わった言葉で、先住民の首長や支配者を指した）に対し、多くの動物や鳥、インディオの生産物を貢納することを義務づけられていた。またこの制度では、「鉱山で八カ月間働く一四五人のインディオ」と、エンコメンデロの土地で働く一〇人のインディオ、「カシケの家内労働のための八人のインディオ」が指定されていた。

この不平等きわまりない社会を一つにつなぎとめていたのは、突き詰めれば力だった。そしてそのような社会が、合衆国で生まれたような民主主義体制の下では決して永らえないことを、ラテンアメリカの人々は知っていた。エンコミエンダ制は一九世紀までに消滅したが、それに代わって新しい収奪的な制度が敷かれ、インディオによる「貢納」が引き続き国家の財政基盤となった。不平等はむしろ以前よりさらに拡大した。この制度を続けていくには、どの合衆国大統領が獲得するよりもずっと強力な専制的権力が必要になるはずだと、ボリバルらは結論づけた。だが権力さえあれば、そうした社会を維持するのが簡単になるわけではなかった。ここで重要になるのが、ラテンアメリカを統治不可能にしていた、二つめの大きな要因である。

ほかの多くの植民地と同様、スペイン領アメリカには入植者によって押しつけられたいくらかの国家制度（とくに先住民を抑圧するのに十分な兵力）があったが、この植民地はスペインによって「間接的に」統治されていた。シブンドイ渓谷のエンコミエンダ制では、カシケに生産物やニワトリ、豚などが与えられたが、それはカシケがスペインの間接的な代理人だったからだ。スペイン人はエンコミエンダ制を施行するための官僚機構や国家組織を何もつくらず、先住民の政治的階層を利用して施行した。対スペイン独立戦争当時、コロンビア全体でスペイン国家のために働いていた人は、軍隊を除けばわずか八〇〇人しかいなかった。

これら二つの要因は、社会に甚だしい不平等と階級を残したが、有効な国家は残さなかった。つまり「オリノコのカリブ族やアプレの平原族、マラカイボの漁民、マグダレーナの船漕ぎ、パティアの山賊、荒々しいパストゥーソ、カサナレのグアヒボ族」を支配するための国家制度も法的機構も、そこにはなかった。クレオールのエリートは、自分たちがよく知るやり方にこだわった。できる限り専制的で中央集権的な社会の建設をめざしたが、念のためスペイン人が植民地帝国の統治に用いた多くの戦略によって補強した。ヴェーバー風の官僚制国家が入り込む余地などなかった。むしろ政府とは権力をコントロールするための道具であり、法律は不平等な現状を固定するための手段だった。

ラテンアメリカと合衆国の大統領権限の制限に対する考え方の違いをおそらく最もよく表しているのは、ボリバルがスペインから解放された新しい国、ボリビアのためにみずから憲法を起草したあと、一八二六年にペルーのリマで行なった演説だろう。「ボリビア」という国名がボリバル自身の名にちなんでいることは、特筆に値する〔現在ではベネズエラも国名にボリバルの名を付け加えている〕。自分の名前が国名になった人がどれだけいるだろう? 一人はクリストファー・コロンブスで、その名はコロンビアの国名に残っている。サウード家はサウジアラビアにその名を冠し、神聖ローマ皇帝を輩出していたルクセンブルク家にも、その名を冠した国家がある。イギリス植民地時代の偉大な起業家セシル・ローズにも自分の名にちなんだ国〔ローデシア〕があったが、一九八〇年にジンバブエに国名が変わった。つまりこれは少数の特権的なクラブであって、民主的に国を運営する人がメンバーになることは普通ない。みずから起草した憲法をボリビアに導入するにあたって、ボリバルは大統領の役割に重点を置いた。

われわれの憲法の下では、共和国の大統領は太陽のごとく、宇宙の中心に不動の位置を占め、生命を放射する。この最高権威は永久的なものであり……この定点を中心として、裁判官や市民、民衆、できごとが回っていく……われに定点を与えよ、と古代人はいった、されば地球を動かしてみせよう、と。ボリビアにとって、この定点は終身大統領である。

ボリビア憲法は終身制大統領を明記し、彼を「太陽」とした。その人物は、最初は「立法者」によって選出され、その後の大統領は現職の終身大統領によって選ばれることになっていた。大統領が自分の後任を選ぶという考えは、ラテンアメリカにその後長く存続した。つい一九八八年まで、メキシコ大統領は「デダソ」で選ばれていた。グーグル翻訳はこの言葉を何と英語に翻訳すべきか決めあぐねているが、その語源はスペイン語で「指」を意味するデドだ。デダソとは、誰かの背中を指の腹でトントンと叩き、「次は君の番だ」と知らせる仕草をいう。訳すのは難しいが、ボリバルはその意味を心得ていた。それは大統領職を安全なエリートの手中に確実にとどめるための方法だった。どのみち、ボリバルが初代大統領に選ばれるのは間違いないように思われ、実際そうなった。ボリビア憲法は、文面ではある程度の権力分立と抑制と均衡をうたいながらも、終身大統領がすべての軍高官を任命し、軍を指揮することを許していた。これに「命令を聞きはするが従わない」が少々加味された結果どうなったかは、俗にいうように、歴史を見れば明らかだ。

合衆国の対イギリス独立戦争と同様、ラテンアメリカの独立戦争があらゆる種類の過激なエネルギーや運動を解き放ったのは事実だ。だがラテンアメリカのエリートは、こうしたエネルギーを抑制する政治制度を構築することにどうにか成功した——たとえボリバル自身は、自分の構想を本格的に実行するには至らなかったにしても。ラテンアメリカの憲法が、合衆国憲法にうたわれているような抑制と均衡、それに市民の権利さえをも保障したときでさえ、それらは大統領の強力な正式の権限によって、あるいは法律を無視することによって、つねに押しつぶされてきた。ペルーの専制的大統領ラモン・カスティーリャは、この考え方を一八四九年にはっきりと説明している。

憲法に示された私の第一の任務は、国内の秩序の維持だが、同じ憲法によって市民の権利を尊重することをも義務づけられている。……これらの務めを同時に果たすことは不可能だ。前者は……秩序を乱す敵を、法で規定されているよりも厳しく抑制する何らかの手段がなければ……果たすことはできない。それとも、少人数の憲法上の権利のために、国内の平和を犠牲にすべきだったとでもいうのかね?

憲法上の権利が障害になるのなら、問題があるのは憲法上の権利の方だというわけだ。チリ国家の指導者ディエゴ・ポルタレスは、この見解をさらに強く主張した。

法律家とわかり合うことなどできない。確実に存在する悪を正す方法を提供できないというのなら、憲法はいったい［罵《のの》り言葉］何のために……あるというのか……チリでは法律は何の役にも立たない。ただ無秩序と制裁の欠如、やりたい放題、際限のない訴訟を生み出すだけだ……権力者が適切なタイミングで自由に行動できなくなるというのなら、そんな法律はクソ喰らえだ。

「権力者」が「適切なタイミングで自由に行動」できて当然だという考えは、回廊内で国家に期待されるふるまいとはかけ離れている。

権力に対するこの考え方も、やはりラテンアメリカの歴史に根ざしている。アレクシ・ド・トクヴィルはその起源を、一八三五年の著書『アメリカのデモクラシー』で明らかにした。トクヴィルは、南米ではスペイン人が「すでに……農耕による土地利用を行なっていた人々の住む」地域を発見したと書いている。「新しい国家を築くためには、多くの住人を滅ぼすか、奴隷にしなくてはならなかった」。続けてこういう。「だが北米には、土地の自然な豊かさを活用することを考えない、遊牧民族しか住んでいなかった。北米はまだ、正確にいえば、定住者を待つ空白の大陸であり、手つかずの地だった」。北米が「空白の大陸」だったというトクヴィルの見解は正しくないものの、北米を土着民の搾取に頼って発展させることはできないという、議論の主旨は的を射ている。つまり、南米に現れたような、きわめて不平等で階層的な社会は、（初期のイングランドの入植者は試みはしたものの）北米では再現し得なかったということだ。合衆国南部の奴隷社会は、低水準の公共サービスやエリートの繁栄、そしてもちろん大多数の人々の自由のなさという点で、一見ラテンアメリカによく似ていた。だが合衆国南部は、北部のまったく異質な国家と社会の力学の力を借りて生み出された制度的環境に埋め込まれており、この力学から逃れるために南北戦争を戦い、そして敗北した。前章で見たように、南北戦争の終結は、合衆国南部の専横的で収奪的な体制を終わらせはしなかったが、合衆国全体をラテンアメリカとは異なる軌道に乗せたのはたしかだった。

ラテンアメリカの社会はその後も衰弱したままで、政治に影響をおよぼすことも、国家とエリートを制御することもできず、逆に張り子のリヴァイアサンへの道筋をつけ、そして自由に予想どおりの影響をおよぼしたのである。

アフリカのミシシッピ

張り子のリヴァイアサンは、ラテンアメリカだけのものではもちろんない。サハラ以南のアフリカの国家に特徴的な形態でもある。実際、弱い国家と無秩序を下支えする二つの仕組みが、アフリカでは猛烈に作用しているのだ。一つずつ見ていこう。まずは社会的動員への恐れだ。

この恐れが最もくわしく記録されている例の一つが、西アフリカのリベリアにある。一九六一年のこと、新設されたばかりの合衆国国際開発庁（USAID）が、リベリアの開発状況を調査するために研究者のチームを現地に派遣した。チームは貧しい国を貧しくしている原因に関する通説をもとに、調査を始めた。だがリベリアではまったく事情が違うことがすぐに明らかになった。研究者の一人で社会人類学者のジョージ・ダルトンは、のちにこう述べている。

リベリアの経済的後進性は、資源の乏しさや外国の金融・政治的権益の支配によるものではない。むしろその根底にある困難は、部族民に対する政治的支配を失うことを恐れる伝統的なアメリコ＝ライベリアンの支配者が、国民社会・経済の発展に必要な変化が生じるのを許してこなかったことにある。

この「アメリコ＝ライベリアンの支配者」とは、どういう人たちだろう？　これを理解するためには、リベリアという国の起源が、合衆国で解放され送還されたアフリカ人奴隷の居住地として、一八二二年にアメリカ植民地協会（ACS）によって設立された植民地にあったことを思い出す必要がある。アメリコ＝ライベリアンとは、送還された奴隷の子孫なのだ。一八四七年にリベリアはACSからの独立を宣言し、一八七七年になると真正ホイッグ党（TWP）が台頭し、一九八〇年にサミュエル・ドウの指揮する軍事クーデターで転覆されるまで政治支配を続けた。TWPを主導したのは、一九六〇年代当時人口の五％にも満たなかったアメリコ＝ライベリアンだった。ダルトンはこう述べている。「アンゴラのポルトガル人や南アフリカのアフリカーナーと同様、リベリアを支配するのは植民地時代の入植者という異質なマイノリティの子孫である、アメリコ＝ライベリアンの一族だ」

リベリアは二階級社会になった。アメリコ＝ライベリアンと「部族民」には、異なる法律と異なる公共サービスが適用され、教育へのアクセスに格差があった。一九四四年になるまで、この辺境地には政治的代表権の片鱗もなかった。ダルトンはこう述べている。「皮肉なことに、彼らの方針を最もよく特徴づけているのは、ミシシッピの倫理だ。すなわち、伝統的な方法で権力を保持し、先住民をいまの身分にとどめるという方針である」。これで、なぜアメリコ＝ライベリアンが社会的動員を恐れていたかが、ようやく見えてくる。有能な国家を築けば、人口の残りの九五％を占めていたリベリア先住民の動員を促す恐れがあったのだ。

張り子のリヴァイアサンを支えるもう一つの仕組み――非能力主義的で無秩序な官僚・司法機構における裁量権の有用性――も、リベリアやほかのアフリカ諸国にはっきり見られる。リベリア国家は政権の支持者に見返りを与えるために、体系的に利用されていた。たとえばダルトンは一九六〇年代に、「リベリアの政治を理解するには、リベリア憲法を知るより、血縁的関係を知る方が役に立つ」と述べている。ダルトンは政治エリートが近親者で要職を固めていた実態に関する克明なデータを示した（たとえば図15は、タブマン大統領政権下の一九六〇年のリベリアにおける政治エリートの甚だしい縁故関係を示している）。

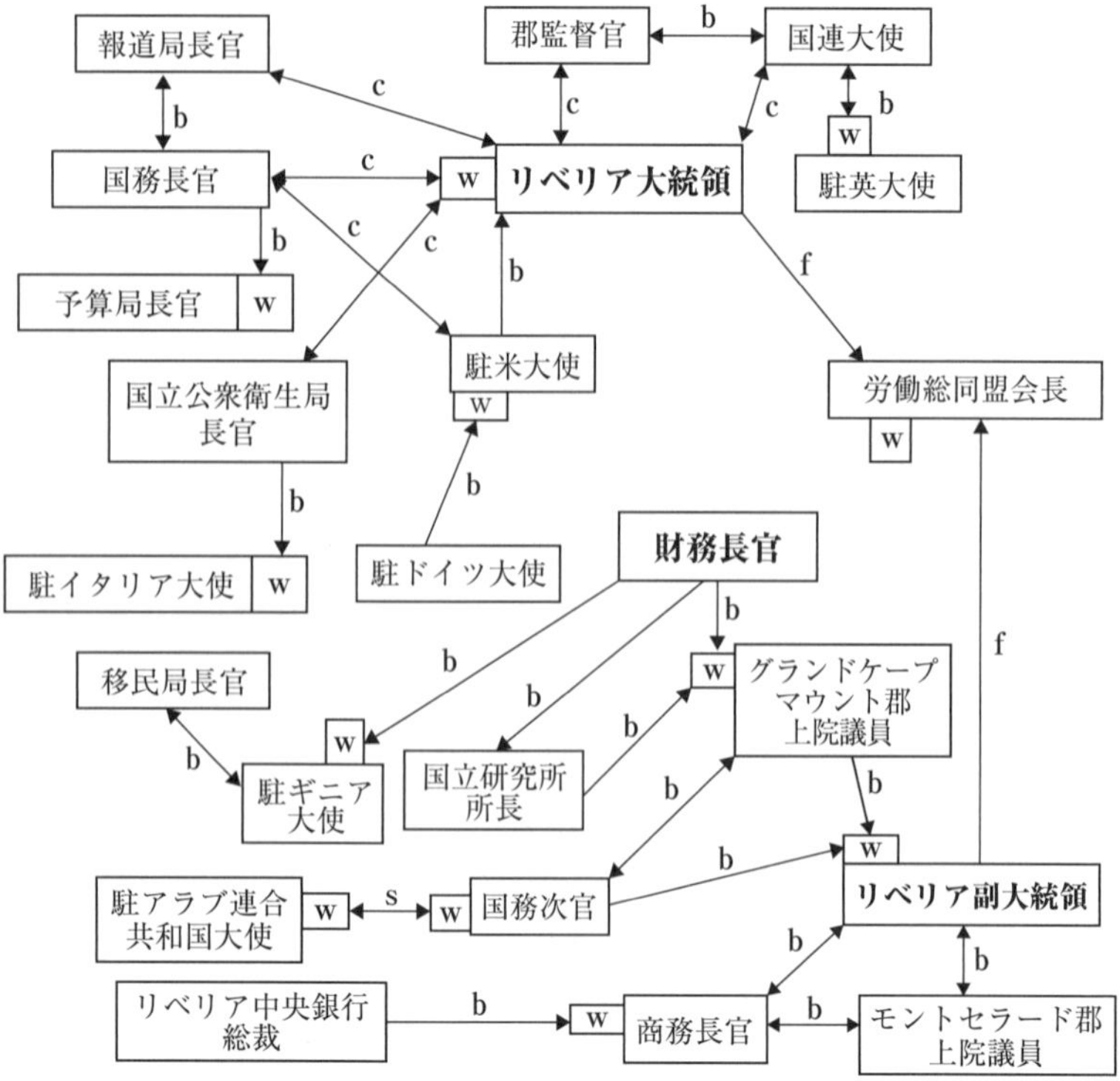

b＝兄弟、c＝いとこ、f=父親、s＝姉妹、w＝夫人

図 15　リベリアにおける血縁的関係：タブマン大統領が 1960 年に任命した政府高官

アフリカ国家の非能力主義的な性質は、トニー・キリックの画期的な著書、『開発経済学の実際』でも強調されている。キリックは一九六〇年代初頭にガーナのクワメ・エンクルマ政権で顧問を務め、同政権の悲惨な経済的失敗を目の当たりにした。キリックは何が失敗を引き起こしたのかを解明しようとした。ある地域に建設が計画されていた、果物の缶詰工場の建設について記している。「マンゴーの缶詰を製造する工場だったが、当地にマンゴー製品の需要はないことがわかっており、「そのうえ」工場では製品の全世界の取引量の数倍を生産する計画だった」。工場に関して政府自身がまとめた報告書は引用に値する。

プロジェクト　ブロング・アハフォ州ウェンチの工場建設計画。年間生産量はマンゴー缶七〇〇〇トン、トマト缶五三〇〇トンを予定。当地のマンゴーの年間平均収穫量を一エーカー当たり五トン、トマトも同様に五トンとすると、工場への供給には一四〇〇エーカーのマンゴー畑と一〇六〇エーカーのトマト畑が必要となる。

問題　現在当地では低木地帯に点在する木からマンゴーを収穫しており、トマトは商業規模で栽培されていないため、これらの作物の生産はゼロからのスタートとなる。マンゴーは栽培から収穫までに五年から七年を要する。いかにして十分な作付け用の資材を確保し、原材料の生産体制を整えるかが、本プロジェクトの主要な問題であることが、すぐに明らかになった。

キリックはこう評している。「プロジェクトプランニングの効率性に関して、これ以上に痛烈な指摘があるだろうか」。いったい何が起こっていたのだろう？　工場の目的は、経済開発を進めることではなかった。エンクルマ大統領が政治的支援を必要としていた地域に、支援者のための莫大な雇用機会を生み出すことを狙っていたのだ。この地域に工場を建設することは経済的に意味をなさなかったし、このようなプロジェクトは公共サービスの一貫性と「プロジェクトプランニングの効率性」を損なった。だが政治的には大いに意味があった。エンクルマは、政権の経済顧問でノーベル賞受賞者のサー・アーサー・ルイスにこう述べている。「ご忠告はもっともですが、それはあくまで経済学的見地に立った助言です。何度も申し上げているように、私は政治家であり、未来に賭けをしなくてはならない身として、ご助言に添えないときがあるのです」

キリックはさらに、エンクルマ政権が社会的動員を始動させてしまうことをつねに恐れていた様子を記している。当時の標準的な開発経済学の考え方では、発展途上国が工業経済への転換を遂げるには、転換を先導できる実業家の「起業家層」を育成することがきわめて重要とされた。だがキリックはこう述べている。

たとえ「先住民の起業家層を育成できる」見込みがあったとしても、エンクルマがイデオロギーや政治権力にかかわる理由から、起業家層を生み出すことを望んだかどうかは疑わしい。エンクルマはこういってはばからなかった。「ガーナ国内で民間資本主義の成長を促進すれば、社会主義への前進を阻害することになりかねない」。ガーナの裕福な実業家層によって政治権力を脅かされることを恐れていたのは明らかである。

実際、主要な経済顧問の一人だったE・アイエ＝クミは次のように述べている。「［エンクルマは］こういいました。もしもアフリカの実業界の成長を許せば、自分と政党の威光を脅かす対抗勢力になってしまうだろう、だからあらゆる手を尽くしてそれを阻止するつもりだと。そして実際にそれを行なったのです」。エンクルマがとった方法は、ガーナ企業の規模を制限することだった。キリックは記している。「ガーナの民間企業を小規模にとどめたいというエンクルマの意向を考えれば、『国内には必要な投資を行なえるブルジョア階級がいないため、資本投資は海外に求めるべきだ』という主張には裏があった」。続けてこう述べている。「〔エンクルマは〕外国資本を嫌っていたが、地元の企業家を成長させるくらいなら、外資を奨励した方がいいと判断したのだ」。社会的動員より海外投資家の方がまし、というわけだ。

アフリカの経済と政治に関する別の画期的な本、ロバート・ベイツの『熱帯アフリカの市場と国家』は、法律の恣意的な運用が強力な政治戦略だったことを明らかにしている。ベイツは独立後のアフリカ諸国の惨憺《さんたん》たる経済実績と、とくに成長エンジンとなるはずの農業部門の生産性の低さを解明しようとした。ベイツが導き出した単純な答えは、ガーナのエンクルマ政権などの都市に基盤を置く政権が、農業部門に不当に高い税率を課していたから、というものだ。あまりの税率の高さに、農民の投資・生産意欲がそがれていたのだ。政府はどう対応すればよかったのか？　まず考えつく方法は、農産物価格を引き上げ、税を軽減して、インセンティブを戻すことだろう。だがベイツはこう述べている。「アフリカ諸国の政府にとっては、すべての農業生産者のために価格を引き上げても、得られる政治的利益は限られている。そのような措置は、支持者と反対者を等しく利することになってしまうからだ」。政府は代わりに、価格は低く抑えたまま、対象を意のままに選別できるほかの政治的手段を用いた。

これに対し、国営農場の土木工事などのかたちで恩恵を与えることには、恩恵を選択的に配分できるという、政治的メリットがあった。

同様に、支援者には肥料が助成価格で提供され、反対者には提供されなかった。ベイツは一九七八年に、困窮するカカオ農家に、なぜ政府の政策に対して抵抗を組織しないのかと尋ねた。男性は金庫まで行って、書類の束を取り出した。車両免許、予備部品の輸入許可証、土地と土地利用の権利書、所得税の大半が免除されることを証明する定款。これらを見せながらこういった。「農産物価格政策への抵抗を組織しようものなら、国家の敵と見なされ、これらをすべて失うことになってしまいますから」

ガーナ版の「友には便宜を、敵には法律を」である。

ガーナ独立後の歴代政権は、社会と何の関わりももたずにいたわけではない。第一章ではロバート・ラトレーのガーナでの調査をもとに、規範の檻の概念を紹介した。その調査からわずか三〇年後に独立を果たしたときも、ラトレーが指摘した要因はまだガーナに強力に作用していた。哲学者のクワメ・アンソニー・アッピアは、一九六〇年代に〔ガーナの〕クマシで過ごした幼年時代、父親にいつも「誰かに人前で出自を尋ねてはいけないよ」といわれていたという。アッピアの「おばさん」は、家族奴隷の娘だった。アシャンティには「出自をさらしすぎると町がだめになる」ということわざもある。規範と相互義務、そしてそれらを支える制度の残骸が織りなす緊密な網の目が、なおも生き続けていた。この規範の檻が、独立後の政治の成り立ちや、エンクルマの国家の運営方法に大きな影響を与えたのである。互酬性と親族関係、民族関係の網の目が、ヴェーバー型の官僚制国家とはかけ離れた国家をつくり上げたのだ。ウェンチのマンゴー缶工場の例が示すように、権力者は影響力を利用して縁故者に便宜を図る義務を負った。同様に縁故者は、選挙などで権力者を助け、支えなくてはならなかった。規範の檻は、社会の集団行動の能力を妨げるとともに、国家の能力を阻害することによって、張り子のリヴァイアサンが永らえる社会環境を生み出した。張り子のリヴァイアサンは、相互依存と民族的紐帯《ちゅうたい》の網の目を自在に操るうちに、多くのアフリカ社会で生まれた規範の檻をますます強化していったのである。

植民地独立後の世界

張り子のリヴァイアサンは、ラテンアメリカとアフリカだけのものではなく、世界各地に存在する。そのうちのいくつかには、本章で見てきたものと同様、共通点が一つある――どれもヨーロッパ諸国による植民地化の産物なのだ。また植民地ではなく、ヨーロッパの植民地だった合衆国から遅れて解放された奴隷の居住地だったリベリアにも、それはあてはまる。なぜなら、ヨーロッパ列強がその植民地の多くの制度を運営・操作した方法が、張り子のリヴァイアサンが生まれる条件を整えたからだ。

植民地化の残骸の、いったい何がそうした国家を生み出したのだろう？　ここまでラテンアメリカの文脈で見てきたように、とくに重要な二つの軸があった。第一に、列強は国家制度を植民地に導入したものの、制度を制御する方法をいっさい社会に与えなかった（とくに、植民地開拓者たちは植民地国家とその官僚機構がアフリカ人によって支配されるのをよしとしなかったため）。第二に、このすべてを安上がりに行なうために、アフリカ人首長などの現地人に権限を委譲する「間接統治」が導入されたせいで、能力主義的な官僚・司法機構が生まれなかった。第二章で見たように、ルガードはナイジェリアを間接的に統治することを望んだ。これを実現するためには、自分にとって管理しやすい政治機構、実際には国家に似た組織を構築する必要があった。だがこの国家の官僚や徴税人、裁判官、国会議員には誰がなるのか？　イギリス人ではない。一九二〇年当時、イギリス人の官僚はナイジェリア全体にたった二六五人しかいなかった。現地の伝統的な首長以外に任せられる人材はなく、したがって独立して仕事に当たる国の行政機構はつくられなかった。

国家の能力不足と公共サービスの欠如は、植民地時代にも常態だった。だが一九六〇年の独立後、状況はさらに悪化した。イギリスはナイジェリア人に自治を任せて去ってしまった。だがどんな国家で統治しろというのか？　残された国家はリヴァイアサンのはしくれではあったが、紛争解決と徴税、公共サービスの提供、基本的秩序の維持といった能力では、張りぼてもいいところだった。続いて、これまでアルゼンチンやコロンビア、リベリア、ガーナの例で見てきた政治的な動機が、ナイジェリアにも作用し始めた。

場当たり的に押しつけられた国家制度と間接統治の遺産のうえに、国家と社会をさらに弱体化させる三つめの要因が加わった——植民地独立後の政権の恣意的性格である。エンクルマにとって、なぜ国家を政治的手段として利用することがあれほど魅力的だったかといえば、ガーナに国家としての一体性がなかったからでもある。ガーナには自国語もなく、共通の歴史も、共通の宗教もアイデンティティもなく、正当な社会契約もなかった。むしろガーナは中央集権化の度合いがまちまちの、まったく異なる政治的伝統を持つ多様な政体が、一九世紀末にイギリス人によってまとめられてできた国だった。実際、ひと口にガーナといっても、植民地時代以前のアフリカで最も中央集権的な国家だった南部のアシャンティから、完全なる国家なき社会だった北部のタレンシ族まで、さまざまだった。国が一体性を欠いていたせいで社会的動員はほとんど見られず、そのためエンクルマなどの指導者にとって、権力を維持するために国家と法律を恣意的に運用することの妙味が大いに増したのだ。ひと言でいえば、植民地帝国の残していった風土が、弱い国家と弱い社会、そして両者が互いを永らえさせる状況を生み出し、そこで張り子のリヴァイアサンがかたちづくられたのである。

そして最後の要因が、張り子のリヴァイアサンの土台を完成させた——その要因とは、国際国家システムだ。戦後世界は、国際法を順守する独立国家が国際機関で協力し合い、互いの国境を尊重することで建前上成り立っていた。そしてそれはうまく行った（その理由の一つは、このシステムが西側諸国によって課されたからでもある）。自然の国境も国民の結束もない多種多様な社会と多数の政体の寄せ集めでできたアフリカの諸国家が、過去六〇年間実質的に戦を交えずにきたのはめざましいことだ（ただし内戦はアフリカ大陸全体で頻発し、なかにはコンゴ民主共和国東部でのアフリカ大戦のように、国境を越えて拡大した特筆すべき例もあった）。このシステムが、ダックテストを完全に欺く国にも国際的な正当性を与えることによって、張り子のリヴァイアサンを確立したのだ。国際社会で丁重に遇され、国内で思うまま略奪できるなら、権力が張りぼてだということは大して問題でなくなる。

第二章で導入した主題図を使って、これらの糸をすべてより合わせることができる。同じ図をここでは主題図4として再掲する。張り子のリヴァイアサンが、左下に近い領域の、回廊に対して専横のリヴァイアサンと同じ側に存在することを、私たちの議論は示している——社会の力が弱く、国家の力が弱いが、やはり専横的なリヴァイアサンだ。この図から、動員効果への恐れについてわかることがいくつかある。この状態から力を増した社会は、張り子のリヴァイアサンを不在のリヴァイアサンの軌跡に乗せるか、あるいは最終的に回廊のなかに押し込み、エリートの政治支配能力に壊滅的な影響を与えることがあるのだ。これについては、張り子のリヴァイアサンをインド国家と比較すること

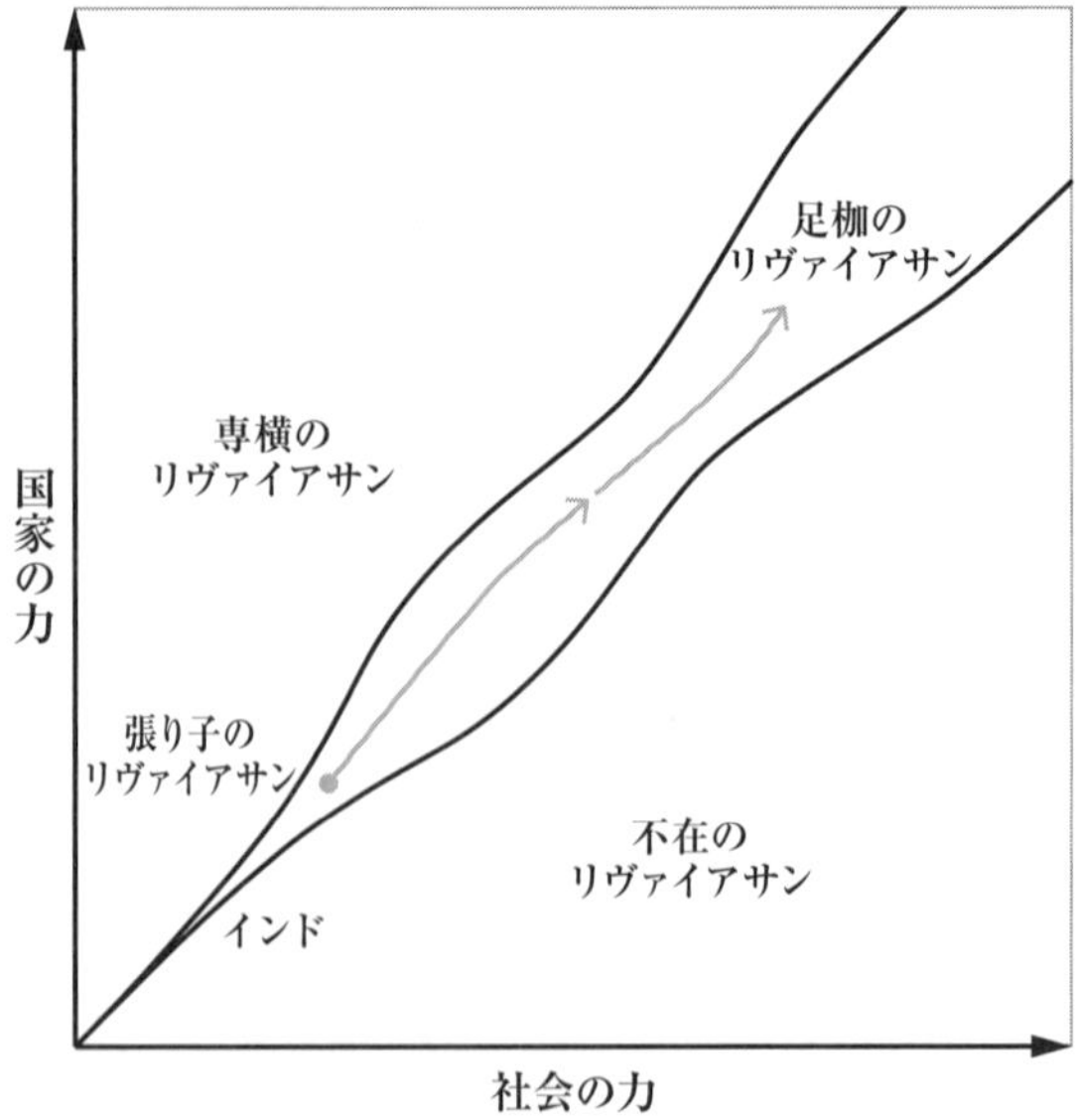

主題図4　張り子のリヴァイアサン

も参考になる。第八章で見たように、インド国家も張り子のリヴァイアサンと同様、無秩序で弱く、またその状態は分裂した社会によって支えられている。だが重要な違いもいくつかある。インドの場合、この状況をもたらしたのは植民地支配の歴史ではなく、カースト関係の歴史とそれが生み出した規範の檻だった。そのことから、インド国家を弱いままに保ってきたのは、社会の特異な成り立ちだということもわかる。したがってインドは専横国家というよりは、社会によって傷つけられ抑えつけられた、弱い国家に近い。それゆえ、私たちの図でいうと、インドは不在のリヴァイアサンと専横のリヴァイアサンを分ける境界線の不在のリヴァイアサン側に位置する。インド国家を弱く無能なままに保っているのは動員効果への恐れではなく、カースト制の耐えがたき重みなのだ。

張り子のリヴァイアサンの影響

本章で議論してきたタイプの国家や、植民地独立後の国家の多くは、これまで見てきた専横のリヴァイアサン、不在のリヴァイアサン、足枷のリヴァイアサンとは大きく異なる。張り子のリヴァイアサンは、不在のリヴァイアサンと専横のリヴァイアサンの最悪の特徴のいくつかを兼ね備えている。張り子のリヴァイアサンは、多少なりとも力をもっているという点で、専横的、抑圧的、恣意的である。基本的に社会による監視を受けず、社会をつねに弱く、無秩序で、混乱した状態にとどめておこうとする。市民を闘争からほとんど守らず、規範の檻から解放しようとしない（どころか、みずからの目的のために規範の檻を利用することさえある）。このすべては、張り子のリヴァイアサンが市民の幸福と、もちろん自由にも無関心なせいだ。だがそれは、張り子のリヴァイアサンが、支配者である政治エリートを富ませる以外の能力をほとんどもたないせいでもある。張り子のリヴァイアサンのルーツは、政治エリートの社会的動員への恐れにあると、本章では論じた。社会が立ち上がってしまえば、エリートが国家の支配から利益を得、社会の資源を略奪することが難しくなるという恐れだ。また、張り子のリヴァイアサンの条件を整えた要因として、著しい不平等、説明責任を欠く国家構造、植民地時代の遺物である間接統治の歴史、植民地支配から独立への唐突で場当たり的な移行、そして国際国家システムを挙げた。

張り子のリヴァイアサンがむしばんだのは、自由だけではない。経済的繁栄にも壊滅的な影響をおよぼした。これまで見てきたように、経済的機会とインセンティブには、法律と安全保障、有効で公平な公共サービスという土台が欠かせず、だからこそ不在のリヴァイアサンの下では経済成長がまったく見られない。専横のリヴァイアサンは法を執行し、（たとえ政治的権力者に有利な方法であっても）紛争を解決し、略奪を抑制することができるし、望めば公共サービスも提供できる。これらを土台として、専横的成長を解き放つことができる。最近では中国のめざましい台頭がこの好例だ。しかし張り子のリヴァイアサンの場合は、そうはいかない。こうしたことの多くを行なう能力がないし、そもそも略奪の抑制など望まない。つまり、ラテンアメリカとアフリカの張り子のリヴァイアサンがもたらす犠牲は、恐怖と暴力、大半の市民に対する支配だけではなく、腐敗がはびこり非効率的で成長がほぼ見られない経済でもあるのだ。自由と繁栄が訪れるのはまだ先のことだ。

張り子のリヴァイアサンの無能力が、抑制されない紛争と内戦の温床にもなることを、リベリアの例は示している。一九八九年から二〇〇三年にかけての二度の内戦によって、リベリア国家は崩壊し、国土は荒廃した。これら内戦の犠牲者総数は、五〇万人ともそれ以上ともいわれる。以来、いくらかの再建と安定が図られてきたものの、リベリア国家の張りぼて的な性質はこんにちも変わらず、国際社会の受けは以前よりずいぶんよくなったとはいえ、いまも公共サービスを提供する能力も意欲ももたない。二〇一三年のリベリア大学の入試では、二万五〇〇〇人の受験生全員が不合格となった。ただの一人も、大学進学に必要な学力を身につけていなかったようだ。このことはリベリアの高校の教育水準の信じがたい低さを物語っている。二〇一八年には、中央銀行に納入されるはずだった、国民所得の約五％に当たる一億四〇〇〇万米ドル相当の新札が、首都モンロヴィアの港のコンテナから忽然《こつぜん》と消えた。この国の生活水準は一九七〇年代とほとんど変わっていないのである。

第一二章

ワッハーブの子どもたち

戦術家の夢

欧米では中東、とくにサウジアラビアが、慣習と宗教、専横によって個人の自由が制限された不自由の象徴と見なされるようになっている。抑制されない専横と息苦しい規範の檻という、最悪の組み合わせはどう説明がつくのだろう？　サウジアラビアの一地域で始まり、大成功を収めたムハンマドの国家建設の取り組みと、その後の数世紀でイスラム帝国が築いためざましい文明を考えれば、この帰結は不思議に思える。いったい何が起こったのだろう？　ほかの多くの国家建設の取り組みは檻の制約を強化するよりは緩めてきたのに、なぜ中東では規範の檻がここまで強化され、息苦しいものになったのか？

第三章で見たように、ムハンマドの国家はまたたく間に中東と北アフリカの大部分に拡大した。だがすべての地域ではなかった。アラビア半島は（第三章の図４に示されているように）いくつかの地方にはっきりと分かれている。メディナとメッカがあるのは、アラビア半島西側の紅海を縁取るサラワト山脈のふもとの、ヒジャーズ地方だ。半島を東へ進むと山脈は終わり、アラビア半島内陸部の広大な砂漠地帯、ナジュド地方が始まる。第二次世界大戦でドイツ・アフリカ軍団を率いたエルヴィン・ロンメル将軍は、この砂漠を「戦術家の夢であり、兵站《へいたん》将校の悪夢である」と称した。ナジュドとはそのようなものだった。

ムハンマド以降のイスラム諸帝国は、兵站上の悪夢に立ち向かうことはあきらめ、北方のダマスカスとバグダードに向かって散開し、そこから西方のエジプトと北アフリカへ向かい、すでに中央集権化されていた国々の征服に取りかかった。初期の多様なカリフ制国家が崩壊し、イスラムの権力の座がコンスタンティノープルとオスマン帝国に移ってからも、ナジュドが帝国に統合されることはなかった。オスマン帝国はヒジャーズとイスラムの二聖都と、ティグリス川とユーフラテス川に挟まれたメソポタミアも支配したが、アラビア半島の内陸部にはほとんど手をつけなかった。

ナジュドのベドウィンはイスラムに改宗したものの、政治の中央集権化は避けた。世界の大宗教はどれも柔軟で、さまざまな解釈と運用が可能である（そうでなければこれほど広く普及しただろうか？）。ムハンマドは強力な国家の建設に余念がなく、メディナ憲章でも中央集権的権威の性質をはっきりと説明したが、コーランにはこのことについてはそれほど明確に示されていない。実際、コーランには体制にかかわる問題を直接扱うスーラ（章）は二つしかない。一つは権威への服従を強調するもの、もう一つは砂漠のベドウィンの規範である協議を呼びかけるものだ。そのため、中央集権的権威に対するアラブ人の懐疑心をなだめられるだけの解釈の余地があった。おそらく最も重要なことに、イスラムにはキリスト教会の僧、司教、教皇のような精巧な階層構造がない。一人ひとりのムスリムが何の仲介もなく、直接アッラーに呼びかけることができる（プロテスタントの多くの宗派に似ている）。そのせいで中央集権的権威が地方の共同体に要求を押しつけることが難しく、この新しい宗教はベドウィンの諸部族にとって受け入れやすいものになった。ナジュドなどの地方の部族の仕組みがそのまま保たれ、イスラムの教えと融合することが多かった。

そんなわけで、ナジュドは一八世紀に入ってもまだシャイフ（首長）やアミール（太守）によって統治された、対立する自律的な部族に分かれていた。ときには対立が高じて暴力に発展することもあった。現在のサウジアラビアの首都リヤドにほど近いアル＝ディルイーヤのオアシスでは、一連の暗殺事件ののち、一七二六年または一七二七年にムハンマド・イブン・サウードが新しいアミールとして権力を掌握した。当時はまだ想像だにできなかったサウジアラビア王国に、一九三二年にその名を与えたのは、サウードの子孫である。サウードに関する現存最古の史料は一九世紀初頭のものだが、サウードと王国の運命にとって、あるできごとが大きな意味をもっていたという点では、どの史料も一致する――すなわち、ムハンマド・イブン・アブド・アル＝ワッハーブとの出会いである。

アル＝ワッハーブは、アル＝ディルイーヤから北に約二〇マイル（約三二キロ）離れたオアシスの町、ウヤイナに生まれた。一家はイスラムの教えに傾倒していた。父はカーディーと呼ばれる裁判官だった。カーディーは地方のアミールによって任命され、シャリーア（イスラム法）に従って問題を解決することを職務とした。シャリーアは、ムハンマドと初期のイスラム帝国の発展とともに生まれた法で、その最も基本的な要素は、聖典であるコーランと、ムハンマドの言行を信者たちがまとめたハディースである。中世初期に、何をもってシャリーアとするかをめぐって、学派の間で論争が起こった。多くの学派があったが、なかでも有力なものがハナフィー派、マーリク派、シャフィイー派、ハンバル派、ジャアファル派だった。コーランとハディースの重要性に関してはすべての学派が一致したが、裁判官が先例をどの程度つくれるのか、類推に従った判決を下せるのかという点で意見が割れた。ハンバル派が最も保守的で、法の発展をいっさい許さなかった。ナジュドを支配していたのは、ハンバル派のシャリーアの解釈だった。

アル＝ワッハーブは一〇歳までにコーランを暗唱し、それからイラク、シリア、イランを旅し、一七三〇年代初めにナジュドに戻ると布教を始めた。イスラムには聖職者の階級がなく、コーランとハディースに精通していれば、誰でもウラマーとして認められることは可能だ。ウラマーとは宗教的指導者で、時事の問題や論争など特定の事項に対し、イスラムの経典に照らして法解釈を示した回答であるファトワーを発行することができる。アル＝ワッハーブは旅をする間に、イスラムの独特の解釈を生み出し、アラブ世界におけるイスラムの失敗についての自説をもつようになった。アル＝ワッハーブはハンバル派の立場を取り、人々が偶像崇拝によって真の教えから逸脱してしまったと考えた。前に見たように、ムハンマドがメッカで啓示を得るまでは、カアバは地元の神々を祀る神殿だった。多神教信仰はまだ続いており、人々は聖人を崇め、メディナのムハンマドの霊廟《れいびょう》に参詣していた。アル＝ワッハーブはこれらすべてを偶像崇拝と見なし、そうした行為に従事する者たちへのジハード、すなわち聖戦を訴えたのである。機に敏い戦術家のサウードは、これらの解釈に大きな利用価値を見出した。

だがアル＝ワッハーブはまず教義を確立して、支持基盤を固める必要があった。その思想には、支配者の立場から見てとくに魅力的なものが二つあった。権威に従うべし、そしてコーランに定められた義務的な宗教税ザカートを支払うべし、である。ザカートはナジュドのベドウィンに不評で、この時期にはほとんど支払われていなかったようだ。ザカートは本来慈善や宗教活動に使われるべきものだが、おそらくシャイフやアミールもいくらか分け前を得ていたと考えられる。だがのちにワッハーブ派と呼ばれるようになったこの宗派は、ザカートの支払いを拒否する者はすべて背教者であるという考えを重要な柱としていた。

アル＝ワッハーブは、新しい教義を故郷のウヤイナで実行に移し始めた。神聖視されていた木を自分の手で切り倒した。樹木崇拝は許されなかった。人々の巡礼地となっていた、預言者の教友ザイド・イブヌル・ハッターブの霊廟を打ち壊した。霊廟崇拝と、ハッジ（毎年のメッカへの巡礼）以外の巡礼をすべて禁止した。密通の罪を犯したウヤイナの女性にシャリーアを厳格に適用し、石打ち刑による処刑を命じた。この処刑は行き過ぎとして、アル＝ワッハーブの過激で斬新な教義をよく思わない地元のウラマーたちの反発を招いた。アル＝ワッハーブはウヤイナを追放され、アル＝ディルイーヤに向かった。そしてこの地でサウードの知己を得たのである。二人の運命の出会いを直接伝える史料はないが、アル＝ワッハーブは新しい教義を広めるためのジハードを計画しており、そのための軍事支援を必要としていた。他方サウードは、ワッハーブ派を軍事的勢力の拡大と社会統制の強力な手段として利用できると考えた。サウードはアル＝ワッハーブに対し、このままアル＝ディルイーヤにとどまり、自身が計画したナジュドへの軍事作戦を支援してほしいと要請した。また地元の収穫物への課税を認めるよう求めた。アル＝ワッハーブは一つめの願いは受け入れたが、二つめは拒否した。代わりに、租税をはるかに上回る収入をもたらすはずだといって、ジハードの戦利品の五分の一をサウードに与えることを約束した。かくして協定が結ばれた。サウードはワッハーブ派を頼り、ワッハーブ派はサウードを頼った。この縁組みは、とほうもない成功をもたらすことになる。サウード家は小さなオアシスから出て、まずナジュドを征服し、一八〇三年にはメッカとヒジャーズ地方をオスマン帝国から奪ったのだ。サウードがナジュド東方のアル＝ハサーを占拠したときの様子を、ある報告が伝えている。

朝になり、サウードは祈りのあとで軍を進めた。彼ら［ワッハーブ派］がラクダとウマを立ち上がらせ、銃を一斉に発射すると、空はにわかにかき曇り、大地がゆれ、煙が立ち昇り、身重の女たちは流産した。アル＝ハサーの民はサウードのもとに集まり、慈悲を求めた。

サウードはすべての民に姿を見せるよう命じ、民は従った。サウードは数カ月の間アル＝ハサーにとどまり、意のままに人々を殺し、追放し、投獄し、財産を没収し、家々を破壊し、砦を築いた。一〇万ディルハムの金を要求し、その金額を手に入れた。兵士は……市場を回り、放縦な暮らしをする人々をとらえた……オアシスで殺された人もいれば、野営地に連れて行かれ、サウードのテントの前で首を切り落とされた人もおり、ついには全員が抹殺された。

アラビア半島のほぼ全域が、史上初めて一つの国家のもとに統一された。ただし南部の現在のイエメンとオマーンに当たる地域は独立を保った。イブン・ハルドゥーンがこの展開を知ったとしても、驚かなかっただろう。アサビーヤ（連帯意識）をもつ砂漠民が、イスラムの御旗のもとに都市部を征服しつつあったのだ。

一七四〇年代以降にナジュドで発達し、やがてサウジアラビアで確立した政治制度は、既存の制度とはまるで違っていた。この頃の部族のシャイフは、有力者で構成される評議会であるマジュリスに、意見を諮《はか》らなくてはならなかった。イギリスの作家、探検家のチャールズ・ドハティは、一八六〇年代と一八七〇年代になってもまだ事情は変わっていなかったと指摘している。「ここでは発言したい者に発言させよ、最も卑小な者の意見も聞こう。部族の民なのだから」が原則だった。

実際、シャイフは人々のなかから選ばれ、ベドウィンは誰でもこの地位に就く可能性があった。ただし一般には有力な一族が独占していた。スイスの旅行家ヨハン・ルートヴィヒ・ブルクハルトは、一九世紀初めにこう書いている。

シャイフは部族の人々に対し、実質的に何の権威ももたない。

ありふれた不在のリヴァイアサンである。ムハンマド・イブン・サウードが一七六五年に世を去り、息子のアブド・アル＝アジーズ・ムハンマド・イブン・サウードが国王の座を継いだときも、アル＝ディルイーヤの人々に選出されることにより、正統性を得なくてはならなかった。だが国家と社会の均衡は、まもなく崩れることになる。アブド・アル＝アジーズは父の征服を続行し、征服した人々をワッハーブ派に改宗させることを口実に、軍事的拡大と領土併合を進めた。征服しようとする人々に対して読み上げられる書面にはこう書かれていた。

アブド・アル＝アジーズより、何々部族のアラブ人へ。さいわいあれ！　お前たちの務めは、私が送る書物を信じることである。神との間に仲介人を置く、偶像崇拝のトルコ人のようになってはならない。お前たちが真の信者ならば救われるだろう。さもなくば、私は死が訪れるまでお前たちと戦うだろう。

オアシスが征服されるたび、ワッハーブ派のウラマーが派遣されて布教を行なった。サウードは征服地のアミールとシャイフを、みずから選んだ者たちにすげ替えた。ワッハーブ派のカーディーを任命し、シャリーアを厳格に適用させた。ムフタスィブと呼ばれる役人も任命した。ムフタスィブは行政上のさまざまな役割を担い、通商と度量衡を監督したほか、祈禱《きとう》などのイスラムの重要な慣行の順守を徹底した。イブン・サウードはザカート（宗教税）を徴収するための精巧な官僚機構を築き、七人の徴税人からなる七〇の徴税人団を毎年各地に派遣したといわれる。イブン・サウードは部族間紛争の調停も手がけるようになった。一七八八年にアル＝ワッハーブは、サウード家が世襲アミールであり、すべてのワッハーブ派が支配者であるサウードに忠誠を誓わなくてはならない、というファトワーを発行した。サウードの専横は、ワッハーブの規範の檻と融合しつつあった。

サウードとワッハーブ派はオスマン帝国との緒戦で勝利を収めたが、それも束の間のことだった。オスマンのスルタンは、属州であるエジプトの事実上の独立した支配者となっていたアルバニア系の将軍ムハンマド・アリーに、ワッハーブ派の脅威に立ち向かう任を与えた。ムハンマド・アリーと、のちに息子のイブラヒム・パシャは、ヒジャーズを侵略し、一八一八年に野心的なサウード国家を滅ぼすことに成功する。だがナジュドの支配は困難を極めた。一八二四年には第二次サウード王国が建設されるが、オスマンがヒジャーズへの支配を強めていたために、第一次王国ほどの権威と勢力範囲をもつには至らなかった。一八九一年、サウード国家はナジュドの有力な一族によって滅亡させられ、サウード家はクウェートに逃れた。だがそれも長い間ではなかった。

ウラマーを飼い慣らす

一九〇二年、サウード家はムハンマド・イブン・サウードの来孫《らいそん》（ひ孫の孫）にあたる、アブド・アル＝アジーズ・ビン・サウードに率いられて戻ってきた。アブド・アル＝アジーズはクウェートから砂漠を越えてリヤドを急襲、奪還し、ここにサウード王国を復興する。王国の最初の都アル＝ディルイーヤは、一八一八年にイブラヒム・パシャによって破壊されたあと、廃墟と化していた。サウードは祖先のものと似た、新しい宗教的秘密兵器をもっていた――イフワーンと呼ばれる民兵組織である。イフワーンは文字どおりには「同胞」を意味し、アル＝ワッハーブの子孫のアル＝シャイフという一族に属する、リヤドのカーディーによって始められた。イフワーンはイスラムの厳格な実践を追求する集落を形成し、異国人を疎《うと》んじ、厳しい行動規律を採用し、協力と相互扶助の強力な規範を生み出した。また規則を順守しない者たちにジハードを宣言する、ワッハーブ派の慣行も受け継いでいた。かつてムハンマド・イブン・サウードは、国家建設の手段としての利用価値をワッハーブ派に見出し、敵を攻撃するために利用したが、アブド・アル＝アジーズもイフワーンを利用して同じことを行なった。

イフワーンの最初の集落は一九一三年、リヤドの北西アルタウィーヤにつくられた。まもなくアブド・アル＝アジーズはイフワーンに資金を与え、モスクや学校の建設を助けた。援助に続いて、銃と弾薬を与えた。ただしイフワーンは剣などの伝統的な武器を好んだようだ。アブド・アル＝アジーズは集落の建設を奨励、実行し、定住生活と農業を促すファトワーを、リヤドのウラマーに発行させた。集落のカーディーを任命する権利を、多くの場合アル＝シャイフ家から獲得することにより、サウードとワッハーブ間の同盟を強化した。次にイフワーンに徴兵制を敷き、アブド・アル＝アジーズの突撃部隊を担わせた（この頃のイフワーンの写真を口絵に載せた）。イフワーンはジハードを戦い、アブド・アル＝アジーズは王国のために戦った。不安定な均衡ではあったが、専横と規範の檻の軸の周りに、二つの目的が一時的に融合した。だがアブド・アル＝アジーズは早くも一九一四年には、イフワーンの手綱を締めるために、忍耐を呼びかける別のファトワーをウラマーに出させなくてはならなかった。

事態が山場を迎えたのは、まだヒジャーズと二聖都を支配していたオスマン帝国が、ドイツの同盟国として第一次世界大戦に参戦したときである。アラビアのロレンスをはじめイギリスは、メッカのアミールのフサイン・イブン・アリーに対し、オスマン帝国が敗れた暁にアラブ人国家の樹立を支援することを約束して、かの有名な一九一六年のアラブ反乱を起こさせた。新しいアラブ人国家の範囲は、「メッカのシャリーフ〔預言者の直系子孫〕が提案した境界線の内側」にあるすべての地域だが、「シリアのうち、ダマスカス、ホムス、ハマー、アレッポの各地区より西の部分」は除くと定められた。一九一八年にオスマン軍が敗北すると、イギリスは協定の曖昧さを逆手に取って、フサインの支配地域をヒジャーズに限定する。イギリスとフランスが、トルコの一部分を除くオスマン帝国領の残りを分割した。この裏切りに激怒したフサインは、一九一九年のヴェルサイユ条約への署名を拒否した。その間に、アブド・アル＝アジーズとイフワーンはナジュドの支配を確立した。当初、アブド・アル＝アジーズらはオスマン軍に立ち向かうつもりはなかったし、イギリスの後ろ楯のもとでヒジャーズを支配していたフサインと戦うつもりもなかった。しかしフサインがイギリスの戦後の計画、とくにパレスチナにかかわる計画に敵対するようになったことから、イギリスは一九二四年、アブド・アル＝アジーズ支持に転じる。これに勢いを得たアブド・アル＝アジーズは、ヒジャーズを侵攻し、その年の一〇月にメッカを陥落させ、翌一九二五年一二月にはメディナを掌握したのである。

アブド・アル＝アジーズはイフワーンの力を借りて、ナジュドとヒジャーズの王になった。アブド・アル＝アジーズは望むものを手に入れたが、イフワーンはそうではなかった。イフワーンはアラビア半島にとどまらずあらゆる背教者に対するジハードを推進していた。イギリスの保護領トランスヨルダンへの襲撃を開始したが、イギリス空軍に撃退された。アブド・アル＝アジーズは、イフワーンは役目を終え、いまや戦力どころか重荷になっていると判断した。アブド・アル＝アジーズはイフワーンを急襲し、サビラの戦いで破り、指導者をとらえて殺した。一九三二年にはヒジャーズとナジュドを統一し、サウジアラビア王国を建国した。

イフワーンの敗北は、サウード・ワッハーブの連合ではサウード家に主導権がある、という強烈なメッセージとなった。だがサウジの国王たちがこのメッセージを現在のような形に制度化するまでには時間がかかった。重要な転機が訪れたのは、一九五三年のアブド・アル＝アジーズの死後である。息子のサウードが後を継いだが、王位を狙う弟たち、とくに異母弟のファイサルとの間で熾烈な競争が続いた。政治手腕にかけては、サウードはファイサルの敵ではなかった。サウードが健康問題に悩まされている隙に、ファイサルは多くの政策で主導権を握るようになり、王家内での支持固めを図った。そしてとうとう自分の力を確信するとウラマーを招集し、サウードを国政から排除するための協議を行なった。ウラマーは一九六四年三月二九日、次の二点を強調するファトワーを忠実に発行した。第一に、「サウードはわが国の元主権者として、すべての国民によって尊敬され、崇拝されなくてはならない」。そして第二に、「ファイサル王子は首相として、国王に諮ることなく自由に王国の内政、外交問題に当たることができる」。これは宗教的権威のお墨付きを得た、事実上のクーデターだった。とはいえ、この決定の先例はコーランやほかの重要な経典に示されていたわけではなく、ウラマーはただ権力の所在を確認したにすぎなかった。ファイサルと支持者たちはまだ満足しなかった。サウードを完全に排除する必要があった。一九六四年一〇月、ファイサルは再度ウラマーを招集した。今度はサウード国王の廃位を正当化する方法を見つけるためである。協議の参加者がこう語っている。

（ファイサルの取り巻きは）シャイフ・ムハンマド・イブン・イブラヒムに何度か接触して……サウード国王を退位させるためのファトワーを出すよう説得しました……共同体とイスラム国家のまとまりを保つために、何らかの手を打つ必要があったのです。王家が決定を下すには、ウラマーの支持を得なくてはなりません。シャイフ・ムハンマドは自宅にウラマーを集めることにしました……わが国の状況について簡単な議論を行ない、王家の決定を承認する必要があるという結論に達しました。

シャイフ・ムハンマドは国の最高位のウラマーにあたる、大ムフティーだった。ここでの言葉遣いには驚かされる。アル＝ワッハーブとその子孫は、かつてサウードからかなりの自主独立性を得ていたが、一九六四年にはすっかりウラマーがサウードの最も有力な派閥のいいなりになっていたことと、ウラマーが「簡単な議論」を行なうだけで国王の退位を承認したことがはっきり見て取れる。サウードを退位させるファトワーは一一月一日に発行された。

ファイサルは国王になった。彼の治世までは、王家とウラマーの関係は非公式なものだった。ファイサルはこれを変え、ウラマーをより直接的に支配するための制度的構造をつくり上げた。そのために一連の改革を発表した。「主要な法学者、学者から選出される二二名の諮問委員会」の設置も、その一つだ。委員会は「ムスリム共同体の成員の関心事項について裁決を下し、助言を行なう」任を与えられた。

この大ウラマー委員会が実際に設置されたのは、一九七一年になってようやくのことだった。おそらく、大ムフティーのシャイフ・ムハンマドの反対があったためだ。シャイフ・ムハンマドが一九六九年に亡くなると、ファイサルは大ムフティーの地位を廃止してしまった（のちに再び設置された）。大ウラマー委員会には各種の下位委員会があり、それぞれが異なる問題を検討し、イスラム法の異なる分野にかかわるファトワーを発行した。しかし、委員会が検討できる問題は王国の内閣が承認したものに限られ、委員会の議題は内閣が意のままに変更できた。かくして委員会はウラマーを飼い慣らすための道具になったのだ。

このことがおそらく最も顕著に表れているのが、一九九〇年のできごとだ。サダム・フセインの軍がクウェートを制圧すると、次の標的になるのを恐れたサウジは、米軍の駐留を要請した。ファイサルの弟で一九八二年に即位したファハド国王は、異教徒である米軍を国内に迎え入れることが、メッカとメディナの二聖都の守護者をみずから任じるサウジの役割に反すると見なされることを懸念した。だが大ウラマーはサウジの国民を安心させるため、速やかにファトワーを出した。

可能な限りのあらゆる手段によって（国を守るために）……ウラマー最高評議会は君主の行動を

支持する。神よ、君主の成功をかなえたまえ。君主は、わが国への攻撃をもくろむ者に脅威と恐怖を与えうる装備をもつ軍隊をもたらした。この務めは、かかる状況下で必要に迫られて行なわれたものであり、過酷な現実によってやむを得ずもたらされたものである。また、ムスリムの問題を司る君主が、意図された目的を果たす能力を備えた者の支援を求めねばならないことを、この務めの法的根拠と証拠は示している。コーランと預言者のスンナ（言行）には、手遅れになる前に予防措置を講じる必要が記されている。

スンナとは、コーランとハディースから導かれた、イスラム社会の慣習や規範、信念をいう。ウサマ・ビン・ラディンがのちに「十字軍」と呼んだ米軍がサウジの地に駐留していることが、スンナにまったく矛盾しないと知って、サウジ国民は胸をなで下ろしたにちがいない。やれやれ！

規範の檻を強化する

サウジアラビアの物語は、規範の檻とその強化を表す好例である。中央集権的権威をもたない社会の規範は、多くの場合、対立を抑え現状が不安定化するのを防ぐために、人々の行動を数々の方法で制約する。このような規範は、人々の慣習や信念、慣行に定着し、宗教や宗教的慣行に根づいていった。ムハンマドがメディナやそれ以外の地域に中央集権的権威を築くことに強い意欲をもっていたにもかかわらず、規範はイスラムにも根づいた。ハンバル派とワッハーブ派が規範の徹底に尽力し、伝統を重視してイノベーションに反対したために、規範は強力に自己増殖をくり返した。そこにやってきたのが、イブン・サウードとの取引である。イブン・サウードと後継者たちは、ワッハーブ派の軍事的拡大の野望を巧みに利用し、その見返りとしてワッハーブの規範と制約を一般に浸透させた。王国にとっては大した代償ではなかった。

しかしイブン・サウードとアブド・アル゠アジーズの手にかかると、ワッハーブ派の思想と制約はアル゠ディルイーヤのオアシスにとどまらず大きなインパクトをおよぼし始めた。専横を強めようとするほかの中東諸国も、ワッハーブ派の思想や戦略を利用し始め、専横的権力を支えるために、同様に規範の檻を強化した。中東地域でこの戦略が好まれる理由を、次の相互に関連する三つの要因が説明する。第一の要因は、イスラムの制度的構造に由来する。前に述べたように、イスラム、とくにスンニ派イスラムには、教会の階層もなく、個人と神の間に介在する司祭もいない。イスラムに精通したウラマーは、経典の解釈について人々を指導し、ファトワーを出すことができる。一方では、コーランとハディースについて十分な知識をもつ者は誰でもウラマーの役割を担い、イスラムとその教義に解釈を与えることができる（この力学の影響については少しあとで取り上げる）。他方では、この組織構造のおかげで、サウジ国家はウラマーとファトワーの発行を牛耳り、政権を強化することができた。サウジの策略に反対する勢力になりうる、カトリック教会の階級のようなものは何もなかった。中東のその他の専横的政権も同じことをしてきた。

第二の要因は、先に述べたように、コーランが憲法的な文書でないために、統治者に帰属する権限の度合いをいかようにも解釈できる、という事実と関係がある。たとえば統治者に助言を行なう評議会を誰が構成するかについて、コーランにもメディナ憲章にも明記されていないため、サウジはかなりの裁量の余地をもって、ベドウィンの既存の評議会であるマジュリスを骨抜きにして、その役割を地域の問題の評議に限定し、上位の評議会であるマジュリス・アッシューラー（シューラー評議会）の構成を自由に決定することができた。

第三の要因は、専横的なイスラム諸帝国の統治下で発達し、根づいた、国家と社会の関係についてのホッブズ的な考え方である。たとえば一二世紀の有名な哲学者アル＝ガザーリーはこう述べている。

　スルタンによる一〇〇年間の暴政は、民による民に対する一年間の暴政より害が少ない……神または神の預言者の命令に明らかに背く支配者に対してのみ、反乱は正当化された。

つまり、闘争は専横よりずっと始末が悪いから、シャリーアに忠実である限り、暴君は容認されるという考え方だ。

イスラムのこのような解釈が、潜在的な専横的支配者にとっては魅力的な指針となった（またこれから見ていくように、中東は歴史的にこの種の支配者には事欠かなかった）。この解釈は容易に操作できそうに思われたし、民主主義やその他の政治的説明責任に対する強い志向性もなく、シャリーアが守られる限り国家に服従せよと民に説いた。だがいうまでもなく、イスラムとはそれだけのものではなく、神の法に従って生きる方法を示す信仰体系全体である。こうした指針の多くは、六二〇年代にアラビアで書き記されたもので、地域や時代の規範を反映していた。ハンバル派やワッハーブ派などの集団は、シャリーアの厳格な伝統主義的解釈を説き、現代とは相容れないきわめて抑圧的な規範の檻をつくり上げた。

規範の檻は、サウード家の手中にある強力なツールというだけではなかった。それはサウード家がワッハーブ派との連合に対して支払わざるを得なかった代償でもあったのだ。一例として、アブド・アル＝アジーズが一九二六年に設立した商事裁判所は、七名の裁判官のうち聖職者は一名のみだった。アブド・アル＝アジーズは経済関係をわずかながらも近代化しようとしていた。一九五五年、ウラマーはサウード国王を説得して、商事裁判所を完全に廃止させた。一九六七年にファイサルはこれを復活させ、リヤドのほか、主要な港湾都市のジッダとダマンにも一カ所ずつ、計三カ所に商事裁判所を設置した。だがいまや裁判官の半数にウラマーを任命しなくてはならなかった。一九六九年には三分の二がウラマーになった。近代的な商法を導入しようとするいかなる試みも、シャリーアによって握りつぶされた。

こう思った人がいるかもしれない。イフワーンを倒し、ウラマーを飼い慣らして主導権を握ったサウジ王家は、自分たちの政治的・経済的利益にそぐわない規範の檻の部分を緩め始めたのではないか、と。だが前に見たファハド国王が出させた米軍駐留に関するファトワーが示すとおり、社会との協議をいっさい行なわない、むき出しの専横の体制は、政権の政策や行動を宗教的権威によって支持してもらう必要がたびたび生じるのだ。この力学は、一九七八年と七九年の二つのできごとのあと、いっそう強化された。一つめがイラン・イスラム革命で、中東におけるイスラムの旗手を標榜《ひょうぼう》するサウジの立場が脅かされた。二つめの、サウード家にとってより深刻なできごととして、ジュハイマーン・アル＝ウタイビー率いる数百人（正確な人数は不明）の反乱者が、メッカの大モスクを占拠した。アル＝ウタイビーは、アブド・アル＝アジーズ国王がイフワーンを住まわせるために設けた集落の出身で、父や親族の多くがイフワーンの活発なメンバーであり、国王との抗争にかかわっていた。反乱者の不満は、ワッハーブ派にまでさかのぼる。反乱者は、サウード家が西欧化してムハンマドの教えを逸脱したと主張し、イスラムの伝統主義的解釈に立ち返るよう要求した。ウラマーがサウード家のいいなりになり、正当性を失ったと（正しく）指摘した。サウジの支配一族が、パキスタンとフランスの特殊部隊の応援を得て長時間におよぶ占拠を鎮圧し、アル＝ウタイビーととらえられた仲間を斬首刑に処したあとでとった対応は、ワッハーブ主義を強化することだった。イスラムの解釈と教義は、とくに学校でサウジの若者に思想を吹き込むことを通じて、ますます厳格になっていった。規範の檻はむしろ強化されたのである。

サウジアラビアの不可触民

一九五五年にサウード国王は女子の公教育を提供すると発表した。だがその四年後、ウラマーの反対によりサウジの政策は変更され、女子教育はウラマーの監督下に置かれた。大ムフティーとウラマーは二〇〇二年まで管理を続けた。女子教育だけではない。サウジでは女性の待遇のすべての側面が、サウード・ワッハーブ協定によってかたちづくられた規範の檻の制約を受けているのだ。

サウジアラビアの規範の檻の主な執行人は勧善懲悪委員会で、そのメンバーはムタワと呼ばれ、英語では一般に宗教警察と訳される。ムタワの任務は、シャリーアとイスラムの規範に人々を従わせることだ。その一例が、女性の服装に関する厳しいルールである。ムタワは服装をきわめて重視する。重視するあまり、二〇〇二年三月にメッカの女子校で火事が起こった際、不適切な服装をした――ヒジャブ（頭に巻くスカーフ）とアバヤ（王国の伝統的解釈によって定められた黒いローブ）を身につけていない――女子生徒を、人目に触れてはいけないと、燃えさかる校舎に閉じ込めたのだ。一五人の少女が死亡した。救助隊員は語る。

女子生徒が正門から出てくるたび、あの人たちは別の門からなかへ戻したんです。救助活動に手を貸すどころか、その手で私たちの邪魔をしていました。

勧善懲悪委員会は大昔のイスラムの制度だと思う人がいるかもしれないが、そうではない。前に見たように、サウジ国家は拡大するうちに、オアシスを支配するためにムフタスィブ（市場監督官）を任命し、宗教の規範と法律を徹底させた。たしかにそうした役職のルーツは、中世初期のアッバース朝にまでさかのぼる。だがこの「委員会」は新しい制度で、その前身である勧善懲悪「部隊」は一九二六年、ヒジャーズの征服が完了してから、アブド・アル＝アジーズによって設置された。部隊が委員会になったのは一九二八年のことだ。サウジ国家が権力基盤を強化するうちに、規範の檻はますます強固になっていった。なぜならワッハーブ派のウラマーに譲歩したからでもあり、専横をテコ入れするのに好都合だったからでもある。経済や生活が近代化する間も人々を支配し続けるのに、檻は役立った。委員会の設置には、このような背景があった。

サウジアラビアの規範の檻の圧力にまともにさらされているのは、女性である。二〇一四年にはリヤドのサウード国王大学で、男性の救急隊員が女性の手当てをするために入構することを許されなかったせいで、女子学生が死亡した。女性は近親者以外の男性に触れられてはならない。挨拶で握手することはおろか、救命治療を施すことさえできない。サウジアラビアでは女性は不可触民なのだ。

服装に関する規則、触れてはいけないという規定、そして女性を男性の支配下に置く規制の網は、すべてコーランの特定の解釈に由来する。コーランの第四章三四節にはこうある。「男性は女性の保護者であり、擁護者である。それはアッラーが一方の者に、他方の者よりも多く［の力］をお与えになったからであり、生活に必要な費用を男性が賄うからでもある」。これはサウジアラビアでは、女性が子どもと同様、男性の支配下にあることを意味すると解釈され、またこの解釈は、六二二年に成立したムハンマドのメディナ憲章のうち、女性について言及しているたった一つの条項である第四一条、「女性は家族の同意をもってのみ保護を与えられる」と一致すると考えられている。

そんなわけで、女性は家族（「男性」と読み替える）の支配下にある。サウジアラビアでは男性による女性の支配は、後見人制度を通じて制度化されている。すべての女性は男性の後見人をもたなくてはならず、旅行を含むさまざまな行動に後見人の許可が必要である。後見人は、女性の父親や夫、はたまた息子がなることもある。女性が後見人なしで旅行するときは、後見人がこれまでに許可した旅行の回数と日数を記した黄色いカードを携行しなくてはならない。銀行口座の開設やアパートの賃貸契約、事業の開業、パスポートの申請にも許可が必要だ。政府の電子窓口は、女性のパスポート申請用紙は男性が記入しなくてはならないと定めている。女性が刑期を終えて刑務所を出所するのにさえ、男性の許可が必要なのだ！

最近まで、仕事に就くにも男性の許可が必要だった。その決まりは廃止されたが、サウジの法律では職場での男女分離が義務づけられており、このことが女性の雇用を著しく阻害している。女性の海外留学にも男性親族のつき添いが必要だ。女性は「家族用」に仕切られた空間と、女性専用の入り口がないレストランで食事することを許されない。大評議会が出したファトワーは、「女性は夫の許可がなければ家を出てはならない」と定めている。

当然だが、法の前の平等はない。裁判では女性の証言には男性の半分の効力しかない。同様にシャリーアにより、女性は遺産相続で男性親族の半分しかもらえない。女性が法定後見人に介入されずに訴訟を起こしたり聴聞を受けたりするのは、容易なことではない。男性裁判官が運営する法廷では、一般に刑事事件で女性の証言は証拠として採用されない。ヒューマン・ライツ・ウォッチの調査員に二人の女性が語ったところによると、裁判官は彼女らの声が「恥ずべき」だという理由で、法廷での陳述を禁じたという。彼女らの代理として後見人が陳述することは許された。だが女性が後見人や夫から虐待を受けている場合はどうなるのだろう？

世界経済フォーラムの男女平等ランキングでは、サウジアラビアは一四九カ国中一四一位である（アラブ首長国連邦は、序章で見た男女同権賞まで設けているのに、サウジアラビアより少し上の一二一位でしかない）。このランキングはいろいろな要因を加味したもので、そのうちの一つである女性の労働参加率は、合衆国の五六％に対し、サウジアラビアは二二％にすぎない。

後見人制度と体系的な女性差別は、宗教的権威によって一貫して擁護されてきた。一九九〇年代に大ウラマーは、女性が大学教育を終えるために結婚を遅らせることの是非について裁定を下すよう求められ、次のファトワーを出した。

われわれにとって何ら必要性のない女性の大学進学は、検討を要する問題である。私が「正しいと」考えるのは、女性が小学校を終え、読み書きができ、聖典とその注釈書、預言者のハディースを読んで学びを得られるようになれば、女性にはそれで十分だということだ。

女性の雇用については、こう裁定した。

全能のアッラーは……女性が家庭にとどまることを推奨された。女性が公共の場にいることが、フィトナ「もめ事」の主な原因である。たしかにシャリーアは、女性がヒジャブを着用し、一切の不審な状況を避けるという条件で、必要な場合にのみ外出することを許している。だが原則として、女性は家にいなくてはならない。

そして女性に触れることは絶対にならない。女性が人を導くこともだ。同委員会が出した別のファトワーでは、女性は「論理的思考と理性に欠け、思考より情熱が優先する」ため、男性を指導する職務には就けないとされた。サウジアラビアの政府関係者がこうした規則を擁護するときにたびたびもち出す根拠は、サウジアラビアは保守的な社会であり、規則は人々の考え方を反映している、というものだ。

しかしこの主張を裏づける証拠は見当たらない。レナード・バースティン、アレッサンドラ・ゴンザレス、デイヴィッド・ヤナギサワ＝ドロットが最近リヤドで行なった研究で、男性に「私の意見では、女性は外で働くことを許されるべきだ」という単純な意見に賛成か反対かを尋ねた。八七％が賛成した。だが規範の檻の影響を裏づけるかのように、それでも多くの男性が人目を気にして、自分の妻が家庭の外で働くことには懸念をもっていた。とくに女性が外で働くことに対して周囲の目を気にしており、同じ意見に近所の男性が賛成すると考えた人は、わずか六三％だった。このように規範の檻のなかでは、女性の最も基本的な地位向上手段について、誰もが人目を恐れているのだ。かくして女性の労働は恥ずべきことになり、規範の檻はさらに強化される。

男性による女性の支配が正当である根拠として、学者はコーランやハディースを引用するかもしれないが、すべては政治的必要性によって決定される。最近では一九九六年にも、女性の自動車運転はシャリーア法に反すると断定するファトワーが、大ウラマーによって出された。

そのようなこと［自動車運転］が許されないことに疑いの余地はない。女性の運転は多くの災いと悪影響を招く。その一つが、女性が無警戒な状態で男性と交じることである。それは邪悪な罪にもつながるため、かかる理由からそのような行為は禁じられる。

ムハンマドが生きていた時代には、もちろん自動車などなかった。このようなファトワーは、もしも六二〇年代に車があったとしたら、イスラムの基本原理は女性の運転をどのようにとらえただろうと、想像たくましく解釈したものにすぎない。だがサウジアラビアでの女性の運転禁止は、海外メディアに盛んに取り上げられ、政権にとってますます不面目な側面になっていった。二〇一七年には、ムハンマド・ビン・サルマーン皇太子の改革目標の一つとして、女性の運転が解禁されると発表された。だがちょっと待った、たしか大評議会は一九九六年に、女性に運転を認めるのはシャリーアに完全に反すると断定したはずではなかったのか。いやいや問題ない、サウード家はやはり女性の運転は完全にイスラムの教義に即していると宣言する新たなファトワーを出させたのだから。

ネブカドネザルの再臨

サウジアラビアは規範の檻を強化した典型例かもしれないが、中東のほかの専横的政権も、同様の手法を用いてきた。たとえばイラクのサダム・フセイン政権を見てみよう。イラクは、オスマン帝国を倒した真の報酬をアラブ人からだまし取ったとしてメッカのアミール、フサインを激怒させた、あの密約によって、イギリスの委任統治領として分割された。イギリスはフサインへのせめてもの慰めとして、息子のファイサルをイラクの国王に迎えた。イラクは植民地主義の産物であり、オスマン帝国のモスル、バグダード、バスラの三州を合わせてできた国である。ファイサルを傀儡王に据えたのは、植民地政治の奇妙なたくらみの一つだった。ファイサルの即位式では、イギリス国歌「国王陛下万歳」が演奏された。イラクにはまだ自前の国王がいなかったからだ。王政は長く続かなかった。イラクは一九三二年に独立し、初めてのクーデターが一九三六年に起こり、その後の二〇年にわたって政局は混乱をきわめ、とうとう一九五八年にアブドゥルカリーム・カーシム将校率いる自由将校団が王政を転覆させた。クーデターが始まって数時間のうちに、カーシムの部下たちは国王とその家族をその場で処刑した。

カーシムはウラマーを国家の管理の下に置き、国家の世俗化を図ろうとした。だがその試みも長くは続かなかった。カーシム自身が一九六三年にバアス党に共鳴する軍人に殺されたからだ。バアス党は一九四七年にシリアで結成された、汎アラブ主義と反植民地主義、社会主義に根ざしたイデオロギーをもつ政党だった。バアス党員は聖職者ではなかったが、社会を従属させるためにイスラムを臆面もなく利用し、規範の檻を強化した。このプロセスは、バアス党が別のクーデターによって支配を確立した一九六八年に始まり、サダム・フセインが実権を掌握した一九七九年以降エスカレートした。サダムは軍人ではなかったが、残虐な方法で党のトップに上り詰めた。サダムはチャンスを決して逃さなかった。権力を確実なものにするために、革命指導評議会メンバーの三分の一の家族を人質に取った。それからサダムは本気を出した。革命指導評議会の書記長（サダムは副議長だった）ムヒー・アブドゥル＝フセインに、ありもしない陰謀を無理矢理告発させ、その様子を撮影して全国の党員に見せた。ある歴史家が録画した映像は、以下のようだった。

悲痛な面持ちのサダムは、頬を伝う涙も拭かずに会議を始めた。サダムは「アブドゥル＝フセインの」証言を補い、同僚だった者たちを芝居がかった仕草で一人ずつ指さしていった。衛兵が彼らを会議室から引きずり出して連行すると、サダムは国の主要閣僚や政党の党首に、彼らを処刑する銃殺隊になれと命じた。

一九七九年八月一日までに五〇〇余名のバアス党幹部が粛清されたと見られる。

サダムはいまや全権を握っていた。サダムはウラマーを、大統領に従属する国家公務員に変えた。自身の支配を正当化するためのイデオロギーを入念に練り上げ、紀元前五世紀の偉大なバビロニア王ネブカドネザル二世の生まれ変わりを名乗った。ネブカドネザルはもちろんムスリムではなかったが、サダムは自己の支配が不安定になり、正当性が失われるなかで、盛んにイスラムの信仰をアピールし、そのほか思いつく限りの方法で権力の強化を図ろうとした。権力を握った翌年にイランに侵攻し、破滅的なイラン・イラク戦争を仕掛けた。一九七九年のイラン革命でシャー体制が倒れ政権が混乱した隙を突いて、イランの油田地帯の占領を狙ったのだ。しかしそのもくろみは外れ、代わりに血みどろの膠着状態が八年も続いた。

一九八二年までにサダムは世俗的なルーツをかなぐり捨てていた。ジハードについて語り、「神のご加護とお導きにより勝利を得られんことを」のような宗教的なフレーズで演説を締めくくった。一九八四年の預言者聖誕祭で、サダムは「永遠のイスラムの託宣に導かれ、イラクの民の未来のために戦い、一神教のイスラム教を高みに押し上げてきた、わが国の歴史的な輝かしいジハードの指導者たち」と並び称えられた。六年後のクウェート侵攻時、サダムは「われわれ［私と読み替える］に道をお示しになったのは神である……神がご加護を与えて下さった」と主張した。口絵の写真が示すように、サダムがひざまずいて祈りを捧げる画が、公共の場に飾られ始めた。一九九一年一月に合衆国の砂漠の嵐作戦に完敗を喫してから、サダムはさらなるイスラム化を推進する。イスラム教育の大規模なプログラムを発表し、学校でのコーランとハディースの履修時間を二倍、続いて三倍に増やした。閣僚を含む全成人にコーランの講習の受講を義務づけ、コーラン勉強会のためのサダム・センターや、サダム・イスラム研究大学を設立した。教師はコーランの知識を試され、受刑者は経典の重要な聖句を暗唱すれば減刑された。一九九二年にサダムはアッラーフ・アクバル（神は偉大なり）の言葉をイラクの国旗に加えることを提案し、国民にこう発表した。

（わが国の国旗は）不信心者に対する……ジハードと信仰の旗印となったのである。

サダムはいまや「信者団長」を名乗り、規範の檻を強化して、自身の宗教的正当性に磨きをかけようとしていた。一九九四年の法令第五九条を皮切りに、シャリーアに基づく一連の法律が公布され、それらがイラクの法典を一変させた。強盗と自動車窃盗に対する罰は、手首の切断になった。再犯すると左足首を切断された。まもなく無認可の両替商や「不当な利益を得る銀行家」にも同じ罰が適用された。これらの法律に先立ち、一九九〇年に「部族的慣習」を刑法に取り入れる法律が制定された。たとえば姦淫《かんいん》した女性を親族が殺すことを合法化する法律などがあった。

サダムはその後も規範の檻の強化に努め、サウジアラビアの男性後見人制度に似た措置を発令した。女性は男性親族の同伴がなければ海外旅行ができなくなった。女性は仕事をやめて家庭に入ることが望ましいとサダムは宣言したが、不評を買うことを恐れ、法令を執行することはなかった。女性の雇用が反イスラム的だという理由で、イラクの女性裁判官全員を解雇するかどうかは、二〇〇三年に合衆国によって任命された新政府の判断に委ねられた。

抑制されない専横と、熾烈な（そしてますます強化される）規範の檻とを融合させるというサウジの戦略は、サダムだけでなく、中東のほかの多くの政権を魅了した。この祝福されない融合が中東で盛んに結ばれた理由はいくつかある。一つめの理由は、専横的支配の歴史だ。イスラムの諸帝国は、

イブン・ハルドゥーンが指摘したとおりの理由から、専横に突き進んでいった。この専横的発展はオスマン帝国の統治下でも持続し、むしろ拍車がかかった。社会が政治的意思決定に対する発言権を獲得し、支配者に説明責任を求めるためにとれる手段は、反乱を除けばほとんどなかった。第一次世界大戦後は、オスマン帝国に代わってヨーロッパ列強が支配した。それまでの数十年間に芽生えていた自治と独立への希求は踏みにじられ、まもなく人工的な従属国家が次々と建設された。新しい国家は、専横的傾向を除けば、既存の政治的構造や境界線とほとんど共通点がなかった。そして石油が発見され、中東地域最大の輸出品になった。ただし分布は国によって大きな差があった。政治権力の支配者に大きな見返りをもたらす天然資源は、専横に拍車をかける傾向があり、中東の近代史も例外ではない。そこへ起こったのがイスラエル国家の創設と、続くアラブとイスラエルのたえまない紛争である。かくして宗教と規範の檻が地域全体で専横を創出・再創出するための舞台が整った。

9・11の火種

これまで見てきたように、中東の専横国家と厳しい規範の檻とが結びついているのは偶然ではない。サウジアラビアが最も極端なケースなのは間違いない。たとえば、あれほど徹底的に職場での男女分離を徹底しているイスラムの国はほかにない。だが中東のすべての専横国が、イスラムの分権的な成り立ちを利用して政権の政治的権力を高めるという、同じ戦略をとってきた。エジプトでは一九六二年に、スンニ派イスラムの最高機関であるアル＝アズハル大学によって、イスラエルとの和平は反イスラム的であるとするファトワーが出された。しかし、一九七九年にアンワル・サダト大統領とイスラエルのメナヒム・ベギン首相がキャンプ・デイヴィッド合意に署名すると、アル＝アズハル大学のシャイフは、コーランとムハンマドが結んだいくつかの条約を引用したファトワーを発行し、イスラエルとの和平が実はイスラムの原理に矛盾しないことを示した。エジプト軍がイスラエルとの和平を望んだときも、ウラマーがすかさず救いの手を差し伸べた。

経済学者のジャン＝フィリップ・プラトーは、ウラマーの少なくとも一部と、中東の専横国家の共生関係がおよぼす、もう一つの影響を指摘する。前に述べたように、アル＝ワッハーブがウラマーになったのは、誰に任命されたからでもない。アル＝ワッハーブはただ教えを授け始め、やがて人々によって宗教的権威と学識者として認められるようになった。裁定を下し、人々は耳を傾け始めた。つまりサウジ国家は、大ウラマー委員会を設置してファトワーの内容を指示することはできても、それ以外の誰かがウラマーを名乗り、それと矛盾するファトワーを出すのを完全に阻止することはできない。これこそまさにウサマ・ビン・ラディンが行なったことだ。ビン・ラディンは一九九六年に中東、とくにサウジアラビアの嘆かわしい状態を糾弾するファトワーを発した。

（人々は）この状況が、現体制の抑圧的で非合法な行為や措置に異議を唱えなかったがために、アッラーによって与えられた呪いだと信じている。現体制は聖なるシャリーア法を無視し、人々から正当な権利を奪い、二聖地を擁する土地をアメリカ人に占拠させ、誠実な学者を不当に投獄した。この国の高潔なウラマーや学者、また商人や経済学者、有力者はみな、この目も当てられない状況に危機感を抱いている。

ビン・ラディンのファトワーの大半はアメリカに対する非難だが、同時にそれはサウジアラビアの真の問題が「現体制」にあるという見解を示し、体制に対するジハードを呼びかけるものでもあったのだ。
　中東諸国の政治戦略は、規範の檻を強化して人々の自由を奪うだけではない。暴力と不安定、テロリズムの種をもまく。どんな社会の檻も、人々の行動と言説――何を話すか、どのように話すか――の両方を制約することによって、自由を制限する。中東の規範の檻の下では、専横者を批判する言説を展開することがとても難しくなる。なぜなら専横者がイスラムの代表を自任しているからだ。専横者を批判することは、すなわちイスラムを批判することになる。そのため批判者は、専横者が宗教的資質に欠け、専横者よりも自分の方が信仰に献身しているという主張を、おのずと展開するようになる。プラトーはこう指摘する。

　きわめて競争の激しい環境で、専横者がみずからを正当化するために宗教を利用すれば、宗教的反動というかたちの反対行動を招きかねない。支配者と反対者は、宗教への忠誠度を競い合うようになる。

　まさにこれがビン・ラディンの実行したことだ。ビン・ラディンのファトワーは続いてこう指摘する。「イスラムのシャリーア法を停止して成文法で差し替え、献身的な学者と善良高潔な若者と血みどろの対決を行なおうとしている」。サウード家はほとんどのウラマーを味方につけたかもしれないが、ビン・ラディンのような「献身的な学者」がまだ残っていた。実際、サウード家はビン・ラディンをどうしてもとらえることができなかった。ビン・ラディンは西側諸国と合衆国に対する嫌悪だけでなく、サウード家と「現体制の抑圧的で非合法な行為や措置」に対する嫌悪を軸として、社会運動と過激で暴力的な目標を形成したのだ。

専横のリヴァイアサンの目的達成のためにウラマーを操作するという戦略を最も集中的に実行し、最も成功させている国が、サウジアラビアだということを考えれば、ウサマ・ビン・ラディンがなぜ、どのようにしてサウジアラビアのるつぼで生まれたのか、二〇〇一年九月一一日に合衆国のビルに航空機を衝突させた一九人のハイジャック犯のうち、なぜ一五人もがサウジ市民だったかを説明できる。専横のリヴァイアサンとイスラムの制度的構造の相乗効果は、規範の檻を強化するだけでなく、テロリズム、暴力、不安定をもたらすのである。

第一三章

制御不能な赤の女王

破壊の革命

　一九三三年三月二三日、ドイツの国会がベルリンのクロル歌劇場で開催された。この異例な場所で開かれたのは、前月に起こった火災のせいで国会議事堂《ライヒスターク》が使えなくなっていたからだ。この日国会で演説を行なうことになっていたのは、ドイツ社会民主党党首オットー・ヴェルスである。新任の首相でナチ党党首のアドルフ・ヒトラーを除けば、ヴェルスはその日発言したただ一人の人物だった。ヴェルスはヒトラーの提出した全権委任法案に激しく反対した。この法案は、ドイツの政治家ヘルマン・ラウシュニングが「破壊の革命」と呼んだものの第二段階に相当し、国会を実質的に廃止して、四年にわたりヒトラーにすべての権限を委ねることを定めていた。ヴェルスは自分の演説が事態を変えるとは思っていなかった。袋だたきにされ、逮捕されるかさらにひどい目に遭わされることを想定し、ポケットに青酸カリのカプセルを忍ばせて演説に臨んだ。それまで見聞きしたことから判断して、ナチスと嵐分遣隊（褐色シャツ隊、ＳＡとも呼ばれる）や親衛隊（ＳＳ）などの警察組織の手に落ちるくらいなら自殺すると決めていた。最初の強制収容所がつい前日にダッハウに開設され、二〇〇人の政治犯がすでに移送されていたことを、ヴェルスは知っていた。ナチスは自分たちの敵にどのような事態が待ち受けているかをぬけぬけと発表したからだ。ヒトラーはこの種の収容所の構想を早くも一九二一年には打ち出しており、三月二〇日にはＳＳ長官ハインリヒ・ヒムラーが記者会見でダッハウの開設を発表した。ヴェルスは激しい威圧と暴力の気配を感じながら演説を敢行した。歌劇場にはナチスの党旗やハーケンクロイツ（鉤《かぎ》十字）が掲げられ、廊下と出口にＳＡとＳＳの隊員が待機していた。ヴェルスは法案が通過するだろうと認めつつも、激しく反対した。

この歴史的瞬間に、わがドイツ社会民主党は人道、正義、自由、そして社会主義の基本原理への忠誠を厳粛に誓う。たとえ全権委任法をもってしても、諸君らが永遠不滅の思想を破壊する力を得ることはない……ドイツ社会民主党は、この新たな迫害からいまひとたび新たな力を得るだろう。われわれは迫害され服従させられた人々に……全国の同志たちに、敬意を表する。その不動と忠誠……その信念を支える勇気、そのゆるぎない自信は、より輝かしい未来を約束している。

残念ながら、法案可決は既成事実だった。ナチスはあらゆる手段を使って、社会民主党員以外の全出席者の賛成を取りつけていた。

何が意外だといって、ヴァイマル民主主義がこれほどまでに危機的な状況に瀕《ひん》していたことだ。ヒトラーが首相になり、国会はみずからの廃止を議決しようとしていた。国民社会主義ドイツ労働者党（ナチ党）は、一九二八年の選挙での得票率が二・六％にすぎない、弱小勢力だった。だが世界恐慌によりドイツの経済生産が半分に落ち込み、国民の不満が高まり、無策な政権が続くうちに、ナチ党は一九三〇年の世界恐慌が始まって初めてのドイツ国政選挙で大きく勢力を拡大し、一九三二年の二度の選挙でさらに得票を伸ばした。一九三三年一一月のドイツ最後の自由選挙では、ナチ党の得票率は約三三％に上った。次の選挙は、ヒトラーの首相就任二カ月後の一九三三年三月、恐怖政治とナチスの支配する褐色シャツ隊と警察の抑圧の下で実施された。ナチ党の得票率はいまや四四％近くに上った。ヴァイマルの比例代表制では、六四七議席中の二八八議席に相当した。ナチ党が全権委任法案を通過させるには、全議員の三分の二以上の出席を得た上で、出席議員の三分の二以上の賛成を得る必要があった。とくに全議員が出席した場合、ナチ党の議席数では到底足りなかった。そこでナチ党はまずドイツ共産党の議員八一人の出席を阻止し、その議席を採決の分母から除外することにより、議決に必要な定足数を四三二人から三七八人に減らした。社会民主党議員一二〇人のうち、出席者はわずか九四人だった。残りは拘禁されていたか、病気、または恐怖のために欠席していた。出席した九四人全員が法案に反対票を投じたが、それでは足りなかった。ほかのすべての政党が賛成に回った。かくして民主的に選出された立法府が、みずからの議決により、その存在を形骸化したのである。

このような事態が起ころうとしていたことは、秘密でも何でもなかった。とはいえ、ナチ党はつねにもくろみをはっきり打ち出していたわけではないが。ナチ党の一九三〇年選挙公約には、次のように明記されている。

国家社会主義運動は、勝利を通じて、旧態依然の階級意識と特権意識を打破するだろう。特権の狂気と階級の無意味から、民衆を脱却させるだろう。鉄のごとき決断力をもつよう、民衆を教えるだろう。民主主義を打倒し、個人の権威を高めるだろう。

だが「民主主義を打倒」するとは、正確にはどういう意味なのか？　ヒトラーは、それに必要な期間はたった四年であるとも豪語していた。全権委任法が当初四年間の時限立法だったのは、このためである（一九三七年と一九三九年にそれぞれ延長され、最終的に一九四三年に恒久化された）。一九三三年二月一〇日、ベルリン・スポーツ宮殿での演説で、ヒトラーは言明した。「われわれに四年の歳月を与えよ。しかるのちに審判を下せよ。諸君に誓おう。われわれは、私は、この職に就いたときと同じようにして、この職を去るであろう。私は俸給や賃金のために行動しているのではない。諸君らのために行動しているのだ」。そのくせ演説の翌日、ナチ党の選挙運動資金を集めるための実業家との秘密会合の席でヘルマン・ゲーリングは、われわれが勝てば選挙は四年どころか、一〇〇年はなくなるだろうと公言した。その前年の一九三二年一〇月一七日、ヒトラーはすでにこう宣言している。「われわれはいつの日か権力を獲得すれば、その後も神に誓って支配を続けるだろう。権力を奪われることを、われわれは二度と許さないだろう」。ヒトラーが首相に就任した日、のちの宣伝相であるヨーゼフ・ゲッベルスは発表した。「選挙運動の準備をせよ。最後の選挙だ」

何がどうしてこうなったのだろう？　ドイツのヴァイマル共和国は、活気ある民主主義を築き、その人口は教育水準がきわめて高く、政治的に活発だった。そのような国がなぜ殺し屋軍団の破壊革命に屈しようとしていたのか？

これらの問いに答えるには、ヴァイマル共和政の足跡をたどる必要がある。一九一八年一〇月のドイツ降伏後、休戦協定に反対するドイツ海軍の将官が、イギリスとオランダの沿岸への無謀な捨て身の攻撃を計画した。これに疑問をもった水兵たちが反乱を起こした。この動きは一一月には本格的な革命へと発展し、ドイツ全土に労働者兵士（労兵）評議会が相次いで結成され、仮政府の人民委員評議会が発足した。一一月九日、皇帝ヴィルヘルム二世の退位と亡命をもって、ヴァイマル共和政が成立し、社会民主党党首フリードリヒ・エーベルトが初代大統領に就任した。エーベルトは、労兵評議会執行評議会という並行組織の設立をはじめとする諸施策により、革命的動員を抑え込もうとした。一二月までに、エーベルトは忠実な部隊をベルリンに派遣し、人民委員評議会を解散した。復員兵を中心に結成された国家主義的な民兵組織、ドイツ義勇軍に武器を供与し、翌年一月にベルリンで共産党が蜂起すると、指導者のローザ・ルクセンブルクとカール・リープクネヒトを義勇軍に殺害させた。バイエルンとブレーメンの社会主義共和国宣言も、忠実な部隊と義勇軍によってたちまち鎮圧された。

これほどの暴力と不安定にもかかわらず、ドイツは回廊内を進み、赤の女王はフル稼働していたように見えた。ドイツでは一八四八年以降、男子普通選挙に基づく議会制が取られていたが、エリートの独占する上院が存在し、国家機構と官僚制をプロイセンが支配していたため、政治はまだ全体としてプロイセンのエリートに支配されていた。こうした障害はあったものの、社会民主党は第一次世界大戦前にすでに主要政党になっていた。皇帝退位後に成立したヴァイマル憲法により、成人男女による普通選挙が定められ、上院による政治支配が取り除かれた。だがこれは第一次大戦後に展開する赤の女王効果の一つのステップにすぎなかった。ドイツ帝国陸軍の解体を機に、ドイツ人が自国の制度に感じていた不満が爆発し、社会的動員が勢いを増した。市民は権力と権利、政治的代表権の拡大を要求した。各地で労働組合が相次いで結成され、戦前の交渉では長らくらちがあかなかった一日八時間労働制を経営側に認めさせた。

この社会的動員の中心をなしていたのが、いわゆるフェラインスマイエライ（団体マニア）である。当時のドイツには記録的な数の団体、同好会、市民社会組織が誕生した。ドイツ人は三人以上集まれば同好会を結成するか、規約を起草するといわれた。歴史家のピーター・フリッチェはこう書いている。

自発的団体がますます増え、ますます多くの成員を……かつてないほど積極的に増やしていった。小売商やパン職人、会社員が経済利益団体を結成するのと同じように、体操選手や民俗学者、歌手、教会の信者が同好会をつくり、新しい会員を集め、種々の催しや会議、試合を企画した。

これはたんに社会的動員の時代というだけではなかった。規範の檻も崩れつつあった。とくに、一九一九年にヴァイマル憲法の下で投票権を獲得した、女性にかかわる檻である。一九二九年にエルザ・ヘルマンが著した『新しい女性像』は、女性の新たな自由とアイデンティティを称えた。ヘルマンは社会における女性の役割に対する伝統的な固定観念を批判して、こう指摘した。「昨日の女性は、未来だけのために生き、未来だけを考えて行動した。女性は半人前の人間として、未来の結婚に備えてせっせと働き、宝箱を嫁入り道具でいっぱいにした。結婚当初の数年は支出を減らすために家事に精を出し……夫の商売や仕事を手伝った」。しかし事情は変わりつつあった。

新しい女性は、女性の代表として、ただ従属と服従のためだけに存在する二級市民ではないことを、その仕事や行動を通して証明するという目標を、自身に課しているのだ。

ドイツの政治制度が第一次世界大戦敗戦後に生み出したイノベーションは、女性参政権だけではない。一九一九年一月の選挙後にヴァイマル市で起草された憲法により、ドイツは世襲君主ではなく、選出された大統領を国家元首とする共和政となった。国民は自由に意見を表明し、集会を開き、政治に参加できるようになった。ヴァイマル憲法第一二四条にはこうある。

すべてドイツ人は、刑法に抵触しない目的のために、社団または団体を結成する権利を有する。この権利は、予防的措置によって制限することはできない。宗教上の社団または団体にも、これと同一の規定が適用される。

すべての社団は民法の規定に従い、自由に権利能力を取得することができる。いかなる社団も、政治上、社会上、宗教上の目標を追求することを理由に、こうした権利の取得を制限されることはない。

ヴァイマル期の空前の社会的動員とともに、大いなる文化変容と創造性の爆発が起こった。一九一九年にヴァルター・グロピウスとルートヴィヒ・ミース・ファン・デル・ローエの先見的指導のもとに創設されたバウハウス芸術学校は、アートとデザインの新たな融合を生み出した。画家集団「青騎士」の初期メンバーのなかから、ワシリー・カンディンスキーとパウル・クレーを含む「青の四人」が現れた。カンディンスキーとクレーはともにバウハウスで教鞭《きょうべん》を執っている。アルノルト・シェーンベルクやパウル・ヒンデミットなどの現代音楽の作曲家が、管弦楽に革命をもたらした。フリッツ・ラングとロベルト・ヴィーネは表現主義映画を生み出した。

だが赤の女王のすさまじい力学の例に漏れず、社会が力を伸ばせば、エリートがそれに反応した。この時期のほとんどを通じて社会民主党が権力の座にあったが、エリートはまだ官僚機構に大きな影響力をもち、軍の大部分の忠誠を当てにすることができた。できない場合は義勇軍に頼った。エリートは社会的動員と人民委員評議会を抑圧した。このようなエリートの反応が、戦間期のドイツの分極化に拍車をかけたのである。

ドイツ市民社会の隆盛はほかの反応も引き起こし、それが制度に重大な影響をおよぼした。エーベルトは一九一八年末と一九一九年初めのより過激な運動を鎮圧するために、軍を出動させたが、この方策がほかの運動を解き放ち、それがエーベルトにもヴァイマル体制にも悪影響をもたらした。またいくつかの制度的特性が、その後の展開に重要な影響をおよぼした。ヴァイマル共和政は成立当初から、選出議員の約半数がその制度に信頼を置いていないという事実にがんじがらめにされていた。左派のほぼ五分の一が、ロシア式の革命を望む共産党員だった。共産党員にとって、ヴァイマル民主国家は「ブルジョア的」か「極右的」ですらあった。右派議員の約三割は伝統的エリートと手を組み、保守派が支配していた一九一四年以前の旧態への復帰と王政復古を望んでいた。またナチスのように、共和政の制度の正当性を頭から否定する人々もいた。おそらくこの状態を最もよく物語っているのが、一九三〇年選挙でナチ党が初めて主要勢力になったあとの国会の様子である。褐色シャツの制服に身を包んだ一〇七人のナチ党議員が、七七人の共産党議員と共謀して議事進行を妨げた。右派も左派も大声を上げて議事を妨害し、ルールを悪用して議事進行に異議を申し立てた。右派も左派も、国会に何の敬意も払っていなかった。

実際、国家制度への信頼の欠如を反映して、民兵組織をもっていたのはナチ党だけではなかった。前に見たように、民兵組織のドイツ義勇軍はミュンヘン（バイエルン州）などでの共産党の蜂起を鎮圧するうえで重要な役割を果たした。義勇軍はSAと似たり寄ったりの存在だった。SAは一九二〇年にナチ党の「体育およびスポーツ部」として発足した組織で、その後義勇軍を指導者のエルンスト・レームごと吸収し、レームがSAの指揮官に就任した。不吉なことに、社会民主党は国旗団という自前の民兵組織をもち、共産党も赤色戦線戦士同盟を有していた。プロイセンの強力な国家制度の伝統にもかかわらず、ヴァイマル憲法国家は暴力を完全に独占することはなかったのだ。

こうした政党の妥協を許さない強硬姿勢と、比例代表制に基づく選挙制度のせいで、ヴァイマル民主主義が有効に機能することは非常に難しかった。一九二八年当時、ザクセン農民党やドイツ農民党を含む一五もの政党が国会に代表を送っていた。そのほか、候補者を擁立したが議席に届かなかった政党がもう二六党あり、政党の乱立による票割れの結果、主要政党が議席を伸ばせなかった。ヴァイマル憲法下の選挙で単独過半数を得た政党は一党もなく、すべての政権が連立政権だった。この期間の半分は与党が議会過半数を確保できず、法案を通過させるためにいちいち新たな連合を結ぶ始末だった。一九一九年から一九三三年にかけて二〇の内閣が成立したが、平均任期はわずか二三九日だった。これが挫折と膠着状態を生み、政権は任務を遂行するために大統領権限への依存をますます高めていった。このような大統領の積極行動を容易にしていたのが、ヴァイマル憲法第四八条によって大統領に与えられた、広範な緊急命令権である。国会は原則上は大統領令を否決できたが、大統領は議会解散権ももっていたため、思いどおりに第四八条を行使することができた。初代大統領フリードリヒ・エーベルトは、非常事態条項であるはずの第四八条を一三六回も行使したのである。

不満分子の虹色連合

このきわめて動員性の高い社会と小党分立状態という舞台に登場したのが、ナチ党だった。ナチ党は、一九一九年にミュンヘンで結成されたドイツ労働者党を母体とする政党である。アドルフ・ヒトラーは、まだ軍の伍長だったときに加入した党の初期メンバーであり、圧倒的な演説力でたちまち頭角を現し、宣伝部長になった。一九二〇年に、党はより幅広い層に訴求することを狙い、国家社会主義ドイツ労働者党と改称する。ヒトラーは辣腕《らつわん》とカリスマ性を発揮して、一九二一年に党の指導権を獲得し、党の目標と戦略に関する権限を一手に握った。一九二三年一一月、ヒトラーは失敗を犯した。バイエルン州ミュンヘンの地元部隊の協力を得て、ビアホール一揆《プッチ》と呼ばれる、中央政府に対するクーデターを成功させることができると考えていた。計画は大失敗に終わった。党は活動禁止処分を下され、ヒトラーは逮捕された。

一揆がミュンヘンで起こったのは偶然ではない。一九二二年六月にヴァルター・ラーテナウ外相が極右愛国主義者によって暗殺されたことを受けて制定された法律により、ナチ党はドイツのほとんどの地域で活動を禁止されていた。だがバイエルン州ではナチ党はまだ合法とされ、右派のグスタフ・フォン・カール騎士の政権下で勢力を伸ばしていた。カールは一九一八年から一九一九年にかけて民兵組織を支援し、自身も住民防衛軍と呼ばれる独立した組織を維持していた。当時の保守派の間では、ナチスは犯罪者集団だが、役に立つ犯罪者集団だという見方が大半を占めていた。ナチスのエネルギーを利用して、ヴァイマル以前の体制を復活させられるかもしれないという期待があった。だがビアホール一揆は行き過ぎだった。カールは一揆への関与を拒み、軍は断固協力を拒否した。

しかしその後行なわれたヒトラーの裁判から、地方当局がヒトラーに同情的だったことがわかる。当局は裁判がミュンヘンで行なわれるよう図り、右翼を自任するゲオルク・ナイトハルトを裁判の判事に指命した。ナイトハルトはヒトラーのために演壇まで用意して、法廷で長々と演説をすることを許し、当時のジャーナリストの言葉でいえば裁判を「政治カーニバル」に仕立て上げた。演説の冒頭を聞いた判事の一人は、「このヒトラーという男、只者ではない！」とつぶやいたという。

ヒトラーは五年の禁固刑に処せられたが、逮捕からわずか一三カ月後の一九二四年一二月初旬に釈放された。快適な獄中生活中に、有名な『わが闘争』を執筆した。そしてヒトラーは重要な教訓を胸に刻んだ――ナチ党は武力革命ではなく、民主的な方法で権力を獲得しなくてはならないのだと。

だが一九二八年選挙でも、ナチスはまだ得票率が三％に満たない泡沫《ほうまつ》政党でしかなかった。状況を一変させたのが、一九二九年のウォール街大暴落と、世界的な大恐慌の始まりである。ドイツ経済に本格的な影響がおよび始めたのは一九三〇年になってからだが、一九二九年にはすでに外国資本が撤退していた。一九三〇年に国民所得は八％減少し、一九三一年には二五％、一九三二年には四〇％近く落ち込んだ。多くのドイツ人が収入の激減を経験したが、最大の打撃を受けたのは失業者だった。ドイツの失業率は四四％と、これまで先進国経済で記録された最高水準に達した。ちなみに合衆国の一九三二年の失業率は二四％、イギリスは二二％だった。

そうはいっても、失業者は主にナチ党に票を投じたわけではなく、左翼政党にも投票した。労働組合員も同様だった。むしろ、当時のとてつもない経済不安のなかで、国家を刷新するというナチ党の曖昧な約束に引きつけられたのは、プロテスタントの中産階級や小売店主、農民、そして不満をもつ都市部の若年層だった。かくしてナチ党は既存の政党システムとヴァイマルの政治に幻滅した人々から幅広く支持を集める包括政党となった。歴史家のリチャード・エヴァンズは、このような人々を「不満分子の虹色連合」と呼ぶ。

一九三〇年三月、パウル・フォン・ヒンデンブルク大統領が、中央党のハインリヒ・ブリューニングを首相に任命し、新政権を発足させる。中央党は与党の社会民主党と保守派のドイツ国家人民党に次ぐ第三政党で、獲得議席数は四九一議席中六一議席だった。ヒンデンブルクによるブリューニングの任命は、議会優位が後退する先触れだった。なぜなら任命は議会に諮らずに行なわれ、新閣僚のほとんどがどの政党にも属していなかったのだから。ブリューニング政権は予算を通過させることができず、ヒンデンブルクは国会解散をもって対抗した。憲法は国会解散日から六〇日以内に選挙を実施することを定めていた。そしてこの選挙で、ナチスは得票率を一八・二五％に伸ばし、新しい国会の議席数を一〇七としたのである。ヒンデンブルクは首相に再びブリューニングを任命したが、ブリューニングは深まりゆく経済危機を前に苦闘し、一九三二年六月にフランツ・フォン・パーペンと交代させられた。共産党がナチ党と組んでただちに内閣不信任動議の提出を図るも、ヒンデンブルクはその前に再び国会を解散してしまった。新選挙は六〇日後の一九三二年七月に実施されたが、それまでの間ヒンデンブルクと、事実上パーペンは、議会の反対を受けずに政治を支配することができた。この機会に乗じ、七月二〇日に緊急令を発令して、パーペンをプロイセン州のライヒスコミッサール

（国家弁務官）に就け、プロイセン州政府を中央政府の直接の統治下に置いた。ナチ党ものちにこの種の緊急令を悪用し、民主的に選出されたプロイセン州議会を解散させて、強大な州警察を掌握した。パーペン自身、民主選挙で選ばれたプロイセン州政府を排除することに迷いはなかったようだ。パーペンは回顧録に、自分が権力の座に就いた目的は、帝政の復活と皇帝の復位にあったと書いているし、また一九三二年後半に選挙廃止の計画を棚上げしたのは、たんに不信任案が出されることを恐れたためのようだ。ここでパーペンは、ほかの伝統的エリートと同じ間違いをくり返し、ナチ党の人気を利用して、政治制度をヴァイマル以前の旧態に戻す計略を立てた。これはとんでもない誤算となった。

一九三二年七月三一日の総選挙でナチ党はさらに躍進し、三七％を超える得票率で国会に二三〇議席を獲得した。新政府の人事をめぐるナチ党との交渉が決裂したため、ヒンデンブルクは国会を再度解散し、その間パーペンを通じて何者にも妨げられずに支配した。次の一一月の選挙ではナチ党の得票率は三三・一％、議席数は一九六に後退した。膠着状態は依然続いていた。一二月三日にパーペンはクルト・フォン・シュライヒャーに取って代わられた。シュライヒャーは元大将で、軍の協力を得て——ただし重要なことにナチ党抜きで——クーデターを起こし、保守的な独裁政権を打ち立てるという野望をもっていた。だがこの策略は実現することはなかった。国会の形骸化も明らかだった。一九三〇年の国会の開催日数は九四日で、可決した法案は九八、ヒンデンブルク大統領が出した緊急令は五件にすぎなかった。だが一九三二年になると会期はたった一三日になり、法案可決件数は五件だった。他方、ヒンデンブルクの方はずっと忙しく、この年六六件もの緊急令を発令している。ヒンデンブルクは機能する政府をつくろうとする空しい試みから、パーペンの勧めに応じて一九三三年一月三〇日にとうとうヒトラーを首相に任命する。そしてヒトラーの要請で議会を解散し、次の選挙が行なわれる一九三三年三月五日まで、国家はヒトラーの手に委ねられた。

二月二七日、オランダの共産主義者マリヌス・ファン・デア・ルッベが、おそらく誰かと共謀して、ライヒスタークに放火した。この事件がヒトラーに、共産主義者によるクーデターが始まったと宣言するための口実を与えた。ヒトラーはヒンデンブルクを動かし、ヴァイマル憲法第四八条に基づいて国会議事堂放火事件令〔ドイツ国民と国家を保護するための大統領令〕を発令させた。この大統領令は、人身の自由、表現の自由、報道の自由、結社および集会の自由、電話や郵便を含む通信の秘密の権利など、ドイツ市民のほとんどの権利を停止させるものだった。ヒトラーはこの大統領令を手に、三月の選挙までの間、あらゆる対抗勢力を威嚇《いかく》し、従属させるために、ナチスの警察力と組織力を総動員することができたのだ。この試みの助けになったのが、かつてのフランツ・フォン・パーペンによるプロイセン州政府の乗っ取りである。ヒトラーはゲーリングをプロイセン州の内相に任命し、ドイツ全土の三分の一を占めるプロイセンの警察が、実質的にゲーリングの手に握られることになった。

次の段階がクロル歌劇場での全権委任法の可決であり、ヴァイマル民主主義の終焉《しゅうえん》だった。

ゼロサムの赤の女王

ヴァイマル民主主義の崩壊は衝撃的ではあったが、それを引き起こしたのは思いがけないできごとや、アドルフ・ヒトラーの強烈な個性ではなかった。ヴァイマル共和政には深い断層線があり、それが赤の女王効果を潜在的に不安定にし、危険をはらませ、制御不能にしていたのだ。本章ではなぜドイツがそうなったのかを考察し、国家と社会の力比べが国を回廊の外に押し出してしまう状況がどのようなものかを明らかにしよう。

ヴァイマルの第一の断層線は、国家と社会の競争の本質にかかわるものだ。古代アテナイ（第二章）と合衆国（第二章と一〇章）における赤の女王効果では、国家と社会が優位に立とうとしのぎを削るうちに、双方が能力を増していったが、国家が社会を抑圧し、骨抜きにすることはなかった。また社会的動員がエリートの完全な壊滅をめざすこともなかった（たとえばアテナイでエリートがオストラキスモスによって追放されたときも、財産を没収されはしなかった）。実際、ソロンとクレイステネス、またジョージ・ワシントンやジェイムズ・マディソンなどの合衆国建国の父は、エリートと非エリートのどちらにも受け入れられる調停者として現れた。彼らは社会の力を制度化すると同時に、国家能力の拡大も手助けした。おかげで、よりよい規制と、公共サービスを提供するための諸機関、紛争解決能力によって、国家の能力が伸びていく政治的環境が生まれた——これが、競争の結果双方が最終的に力を高める、「プラスサム」の赤の女王の例である。ドイツの状況はこれとは異なり、より分極化していた。このケースでの分極化とは、エリートと、最も動員が進み、ドイツの政治に強い影響をおよぼすことに最も熱心な社会の階層（とくに労働者運動と、その中心的組織である社会民主党）との間に、妥協の余地がほとんどないように思われる状況を意味する。その結果、ドイツの赤の女王の力学は、国家と社会の相互協力と幅広い層を巻き込んだ国家建設を支える代わりに、双方が生き残りを賭けて互いをつぶしにかかる、「ゼロサム」的な様相を強く呈するようになったのだ。

ドイツで赤の女王がゼロサム化したのは、ドイツのエリートの姿勢にその一因があった（が、それだけではない）。軍や官僚機構、司法機関、学術界、実業界のエリートは、ヴァイマル民主主義を受け入れず、一九世紀の高名な宰相オットー・フォン・ビスマルクの時代の、より独裁的なエリート支配の社会に回帰することを画策していた。プロイセンのエリートが支配する軍部にとって新たな民主主義は、敗戦とその結果甘受させられたヴェルサイユ平和条約の不利な条件を想起させるものだった。実業界のエリートは、社会民主党と大衆政治がもたらした動員に脅威を感じていた。このような姿勢が、決定的に重要な局面で妥協ではなく抑圧を支持し、ナチ党などの泡沫的な右翼組織の台頭を助長する環境を生み出したのだ。

これが最もよく表れているのが、ナチスがドイツエリートから受けていた暗黙の支援である。ヒトラーとその同盟者が権力層から有利な扱いを受けたのは、ビアホール一揆が失敗したあとだけではなかった。警察と司法は、共産党員や社会民主党員を痛めつけ、殺すことさえあった褐色シャツ隊をしばしば援護し、ナチスの恐怖政治を勢いづかせた。統計学者のエミール・ユリウス・ガンベルが収集した一九一九年から一九二二年までのデータによれば、左翼による二二件の政治的殺人が三八件の有罪判決と一〇件の死刑執行につながったのに対し、右翼、主にナチスによる三五四件の政治的殺人では、有罪判決はわずか二四件、死刑執行に至ってはゼロだった。

ドイツの大学も、左翼に反対し右翼に味方する側についた。前述の歴史家リチャード・エヴァンズはこう述べている。「若者の極右勢力への政治的忠誠が最も目立っていたのは、ドイツの大学である。多くが中世にまでさかのぼるルーツをもつ、著名な学問研究の府だった……教授たちの圧倒的大多数も……きわめて国粋主義的だった」。そんなわけで大学は一九二〇年代に組織としていち早くナチスの思想を受け入れ、大勢の大学生が党員になった。これまで見てきたように、ナチ党への支持が拡大し始めると、この傾向は頂点に達した。官僚と軍の大部分、そして恐ろしいことにヒンデンブルク大統領までもが、ナチスの台頭を阻止する対策を何ら講じなかった。ナチ党を意のままにコントロールできると思い込み、共産党はおろか、社会民主党よりも、ナチ党を好んだのだ。

だがなぜドイツのエリートや軍人、官僚は、ヴァイマルの政治実験をあれほど嫌ったのだろう？その理由の一端は、回廊内の生活の様相を決める、構造的要因と関係がある。エリートたちの全員がプロイセンの地主貴族出身という同類だった。地主階級は、社会の強化と民主主義の始まりをゼロサム的な発想でとらえがちで、それにはもっともな理由があった。実業家や専門家は、回廊のなかで経済的にも政治的にも成功できる。それは、経済が変化しても価値が失われにくい（専門的ノウハウや知識、スキルというかたちの）資産をもっているからであり、また都会暮らしゆえに新たな組織化の機会に恵まれ、赤の女王の力学が作用するなかでも政治的影響力を保てるからでもある。地主の場合はそうはいかない。地主は実業家の工場や専門家のスキルに比べればずっと奪われやすい資産である、土地を失うことを恐れていた。実際、社会的動員は、地主の経済的・政治的・社会的特権の剥奪要求を伴うことが多く、ヴァイマル共和国でも（たとえそうした試みが、彼自身プロイセンの地主貴族としてエリートの懸念に共感していた、ヒンデンブルク大統領によって阻止されたとしても）状況は同じだった。また地主は、民主政治のせいで政治の中心から遠ざけられ、脇に追いやられることにも、もっともな理由から不安を抱いていた。こうした事情で、急成長中の足枷のリヴァイアサンに不信感をもっていたのだ。

戦間期のドイツで地主階級のエリートが担った役割には、より一般的な傾向が見て取れる。ここまで強調してきたように、回廊の中と外とでは政治の性質が異なる。また本章で見てきたように、国家と社会の闘争は国を狭い回廊から外に押し出してしまうことがある。だが当然ながら、回廊が狭ければ狭いほど、社会は外へはじき出されやすくなる。たとえば主題図5を考えてみよう。左の「パネルA」は回廊がとても狭く、右の「パネルB」は広い。次章では回廊の形状に影響をおよぼすさまざまな要因と、そのことが回廊内でのとどまりやすさだけでなく、回廊への入りやすさにどう影響するのかについて考える。さしあたりここでいえるのは、ヴァイマル期のドイツで見たように、地主階級の力と富は、回廊を狭くする一因だということだ——地主は土地と政治権力を失う恐れから、立ち上がった社会との妥協や共存を拒み、そうした頑迷さが社会の過激化を促すからだ。つまりドイツの状況

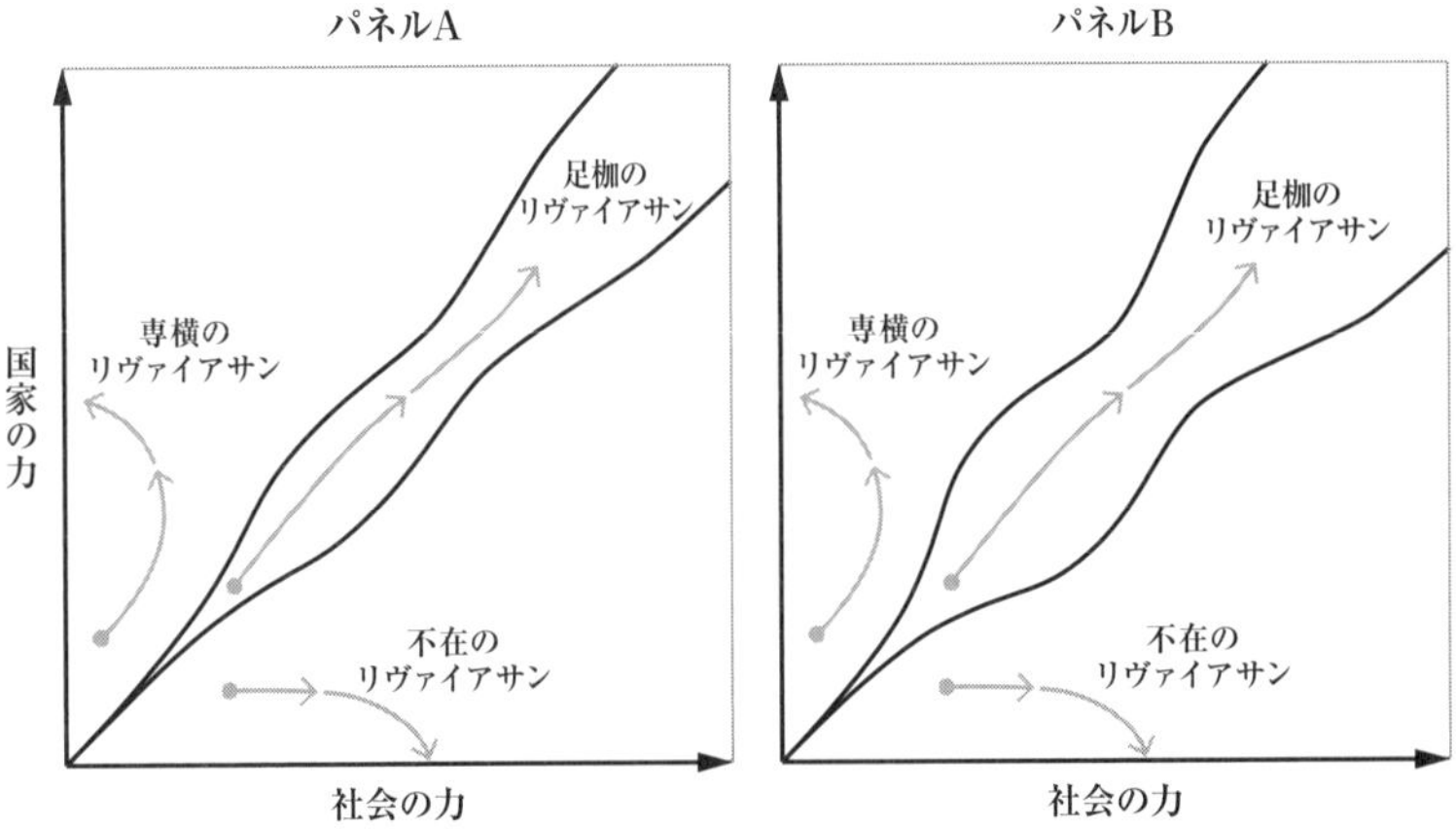

主題図5　回廊の形状

は、主題図5のパネルAに似ており、そのためきわめて不安定だった。

プロイセンの地主階級の姿勢や、彼らが回廊内の生活にもたらした構造的な困難は珍しくはなかったにせよ、社会的動員に抵抗するための連合を組む能力にはほかのケースに比べて長けていた。第一に、政府高官や裁判官、官僚の多くが同じ社会階級の出身で、プロイセンの地主階級と同じ見方をもっていた。それにプロイセンのエリートは、一九世紀後半の社会的変革のなかにあっても、一体性と政治的支配をわりあい保っていた。そのためドイツの政治を動かし、必要とあれば時計の針をオットー・フォン・ビスマルクの時代に戻す力が自分たちにあると思い込んでいた。

ヴァイマル民主主義に何の献身も示さなかったのは、エリートだけではない。ドイツの労働者の票は乱立する政党の間で割れたが、最も重要なことに、共産党と社会民主党の間でも割れた。共産党はロシア式の革命を起こすという夢をもち、ときには宿敵ナチスとさえ手を組んで、ヴァイマル民主主義と国会を葬り去ろうとした。社会民主党はヴァイマル共和政と最も関係の深い政党で、現実的な指導者やエーベルトのような日和見主義的な指導者を多く擁していたが、それでも民主政治への献身は、ときにうわべだけになりがちだった。この党はマルクス主義政治思想にルーツをもち、ドイツ共産党から分党したのは最近のことだった。しかも分裂の理由は、社会主義社会の確立という最終目標をめぐる不一致ではなく、戦争支持の問題をめぐる対立だった。つまりドイツ社会民主党は、ヨーロッパの一部の社会民主主義政党に比べてマルクス主義色が強く、そのことが実業界のエリートをより警戒させ、政治の分極化に拍車をかけた。

こうした妥協のなさと民主主義への敵対姿勢が促した分極化は、ヴァイマル期の市民社会組織の性質をつくった原因であり、結果でもあった。もしもトクヴィルが戦間期ドイツの、組織を通じた活気ある社会生活を目の当たりにしていたなら、一九世紀半ばのアメリカよりもさらに感銘を受けていたにちがいない。とはいえ、こうした活動は主義主張の壁によって隔てられていた。小さな町であっても、団体はカトリックや国家主義者、共産主義者、社会民主主義者ごとに分かれていた。国家主義に共感する若者は国家主義的な同好会に入り、国家主義的な教会に通い、おそらく国家主義者の仲間だけとつき合い、結婚した。カトリック信者、社会民主主義者、共産主義者についても同じだった。この分極化した社会的動員が、赤の女王効果のゼロサム化を促し、すべての勢力が互いをおとしめようとしのぎを削った。ヴァイマル期ドイツには、国家と社会の両方に目を配る、ソロンやジェイムズ・マディソンのような存在が欠けていた。

これらの要因がすべて組み合わさって、ヴァイマル民主主義の第二の断層線を生み出した。赤の女王の力学は、社会の緊張を高めることが多い。そのため、諸制度を通じて紛争を解決、抑制し、緊張を不安定化ではなく、能力拡大の原動力にできるかどうかがとくに重要となる。ドイツでは、裁判所が新種の紛争への対処能力を高めることもなく、社会的動員、とくに左派の動員の正当性を認めることもなかったため、紛争での公正な調停者が存在せず、そのせいもあって対立はますます激化し、社会の分極化が進んだ。国会の分裂と麻痺《まひ》が、急進派政党をさらに勢いづかせ、紛争を解決できたかもしれない民主的妥協が結ばれにくくなった。いうなれば、制度は国家や社会ほど速く走ることができず、そのせいで赤の女王が制御不能に陥る可能性がずっと高くなったのだ。

国家と社会の闘争が実際にどのように展開するかを決めるのは、構造的要因だけではない。第九章で見たように、特定の集団や個人のリーダーシップが、よくも悪くも決め手となる場合もある。アドルフ・ヒトラーが戦間期ドイツの泡沫的な右翼運動にもたらした、狂気がかってはいたがカリスマ的なひたむきさとバイタリティが、ヴァイマル共和政のあっけない衰退と、その後を継いだ体制の血塗られた性格をもたらしたことは間違いない。

これらの断層線と、演説術とカリスマ性に基づくヒトラーの指導力により、ヴァイマル民主主義は前途多難を運命づけられていた。それでも、第三の構造的要因がなければ、このすべてはこんにち忘れ去られていたことだろう。その要因とは、世界恐慌の大きなショックである。これが社会における紛争と分極化を激化させ、とくに分裂した国会が経済危機に対処する能力を欠くなか、当時の民主制度を無力化したのだ。ヴァイマル共和政は、いまや回廊の縁でよろめいていた。

下からの専横

赤の女王の問題点は、国家と社会の能力構築を促すのと同じエネルギーが、ときに制御不能になり、回廊内の生活を不安定にする恐れがあることだ。だが突き詰めれば、ドイツの開花しつつあった足枷のリヴァイアサンにとどめを刺したのは、プロイセンのエリートや軍によるクーデターではなかった。

たしかにこれまで見てきたように、クルト・フォン・シュライヒャー首相などの多くの伝統的エリートは、クーデターを画策してはいたが、それが実現することはなかった。むしろ回廊内の生活に終止符を打ったのは、ボトムアップの社会運動だった。ナチスを初期から支援していた実業家やエリート官僚、裁判官、大学教授はいたが、ナチスそのものは主として不満をもつ中産階級と若年層の運動だった。一九三〇年代に入ってずいぶんたっても、ナチスの運動は、褐色シャツ隊の悪行や街中での乱闘騒ぎ、共産党員や社会民主党員、ユダヤ人に対する暴力と殺害の域を出ていなかった。一九三二年七月になってもまだヨーゼフ・ゲッベルスは「さあ国民よ立て、そして嵐を解き放つのだ！」という演説の決まり文句で人々をたきつけていた。だが、もしもナチスが社会の底辺からわき上がり、ドイツを回廊の外に出した主体だったというのなら、その結果として国家の能力と、社会に対する国家の支配が崩壊したはずではなかったのか？　ナチス後の社会は、第九章で見たソ連崩壊後のタジキスタンや、あるいはレバノンのようになったはずではなかったのか？

明らかに、そうならなかった。ナチス運動はたしかに下から起こったが、国家の専横と社会への支配を弱めるどころか、逆に強めた。ナチスの支配によって阻害された国家能力はたしかにある。とくに警察、司法、官僚の分野がそうだ。これはイデオロギーに燃えた、または日和見主義のナチ党党員が、職務に必要な資格も、公正に任務を遂行する意欲ももたなかったせいだ。だがナチス下のドイツ国家はほとんどの面で、より専横的で強力になった。軍隊は規模と責任を拡大し、官僚機構はユダヤ人の大量追放と根絶を組織し、ゲシュタポをはじめとする治安部隊は圧倒的な権限を獲得した。ナチスの計画は、抑圧を強め、独立的な社会的動員や結社を弱め、社会に対する国家の優位性を強める効果があった。この意味でナチスは模範とするイタリアのファシストに似ていた。ヒトラーのビアホール一揆は、ムッソリーニが成功させたローマ進軍に触発されたものだった。ムッソリーニは次の言葉でファシズムとナチズムの精神を表している。
ファシストにとっては、すべてが国家のなかに含まれ、国家の外にはいかなる人間的なものも、精神的なものも存在しないどころか、価値すらもたない。この意味で、ファシズムは全体主義的であり、ファシスト国家はすべての価値の合成体と結合体として、民衆の生そのものを解釈し、発展させ、力を与えるのだ。

ファシズム史研究者のハーマン・ファイナーは、ファシスト国家の哲学を「市民などいない……いるのは従属者だけだ」というひと言で要約した。このような哲学が生まれたのは主に、ファシズムとナチズムが軍事的な起源をもっていたからであり、またいったん支配を握ると指導者と国家へのいかなる抑制をも拒否したからでもあった。またこの哲学の根底には、これらの運動が社会主義者と共産主義者の社会運動に対する反動として起こったために、左派に対する国家の専横的支配を再確立することを当然の目標と見なしていたという経緯もあった。

だがより根本的なことをいえば、たとえこうした思想的な偏りがなかったとしても、ヴァイマル・ドイツの歴史と強力な国家制度を考えれば、この国がこんにちのレバノンと同じ発展経路をたどることはあり得なかった。いったん制度——軍、警察、司法、官僚機構——ができあがると、政治的主導権を握ったすべての政党が——ボトムアップの起源をもとうがもつまいが、蛮行を是認しようがしまいが——制度を利用した。したがって、たとえドイツの赤の女王が制御不能に陥り、草の根的な動員から生まれた集団の手に国家の支配を委ねたとしても、いったん国が回廊の外に出てしまえば、とくに国家権力に対する民主的その他の制約が取り払われたあとでは、新しい支配集団が国家制度を白分たちの利益になるようにつくり変え、利用する可能性が高かった。そんなわけで、ナチスは芽生えつつあった足枷のリヴァイアサンを破壊し、政権を掌握すると、社会に対する国家の専横的支配をすばやく取り戻し、いっそう強化したのである。

赤の女王はどのようにして制御不能に陥るか

回廊の問題点は、いったん中に入っても、そこから出られることだ。これが起こる一つの方法を、ヴァイマル共和政で見てきた。またドイツでそうなる可能性が高かった理由をいくつか挙げた。戦間期ドイツを不安定にした三つの要因――妥協を困難にし、赤の女王効果をゼロサム化した国家と社会の分極化、紛争を抑制、解決する能力を欠く制度、制度を不安定化させ民衆の不満を募らせた外的ショック――は、赤の女王が制御不能に陥るほかの多くの事例で、何らかのかたちで現れる。しかしだからといって、ドイツに見られたような、足枷のリヴァイアサンを弱めるボトムアップの運動がどこでも起こるとは限らない。エリートが主導権を握り、専横のリヴァイアサンを再構築する場合もあるだろう。エリートが社会との競争で優位に立つか、もしかすると政治が分極化することを恐れて、支配権を取り戻すためにもてる力を総動員する、または総動員せざるを得ない場合もあるだろう。これから見ていくように、一九七三年にアウグスト・ピノチェトが暴力的なクーデターによって民主主義政権を転覆させたとき、チリで起こったのはまさにこれだった。

あるいは回廊内の生活に終止符を打つのは、それをもはや制御できないと確信した、社会の特定の階層かもしれない。この動きは、第五章で見たイタリアのコムーネの大半の没落を招いた原因であり、こんにちの世界の多くの地域にも見られる。

インキリノにはどれだけの土地が必要か？

足枷のリヴァイアサンが一夜にして生まれないことは、ここまで見てきたとおりだ。足枷のリヴァイアサンは国家と社会の長い闘争の産物である。一九五八年、チリはこの闘争の新しい段階に入った。闘争はインキリノと呼ばれる農村労働者の大部分の政治的解放をすでにもたらしていた。インキリノは文字どおりには「賃借人」を意味する言葉だが、チリ農村部で使われるときはやや邪悪な意味合いが含まれる。インキリノは奴隷や農奴ではないが、実質的に農地に縛りつけられ、地主が農園を売るときはインキリノも一緒に売られるほどだった。インキリノは農園で働き、その他の「労役」も提供した。とくに重要なものが、地主の政治力への貢献だ。インキリノは地主の指示どおりに投票することを強制された。選挙になれば、地主はインキリノをバスで投票所に連れて行き、インキリノはそこで投票用紙を渡され、誰に投票するかを指示された。投票は秘密ではなく、地主は一部始終を監視することができた。地主の意に背けば解雇され、土地を追われる恐れがあった。

このようなことが起こっていながら、なぜチリは一九五八年に回廊のなかにいられたのだろう？　回廊内にとどまることはプロセスだということを思い出してほしい。国家と社会がともにささやかだが均衡した能力をもつときにも、国は回廊内に入ることがあるのだ。チリは投票に関しては、ほかの場所とそう違っていたわけではない。イギリスの選挙に無記名投票が導入されたのはようやく一八七二年になってのことだった。一八四一年になっても、保守派の政治家で首相を三度務めたスタンリー卿はこんなことを書いていた。「イングランドの州選挙の起こり得る結果を予想する者は、州内の大地主の人数を数え、大地主の領内の居住者数を考慮することによって、確かな予想を得ることができた」。実際、イングランド農村部では大地主が十分な数の有権者を支配していたため、大地主の支持を得られるかどうかが選挙の行方を決めた。一九五〇年代のチリと同様、「居住者」は地主に背けば窮地に立たされた。イギリスの偉大な経済学者デイヴィッド・リカードはこれを認識して、一八二四年に次のように書いている。「ある人がAの強い影響下にあるか、Aの友人であり、そのためBに投票することが彼の破滅になることを知りながら、『あなたはAかBに投票できる』と告げることほど、残酷なからかいはない。真のかつ実質的な投票権をもつのは彼ではなく、彼の地主である。なぜなら投票権が現行制度で行使されることは、地主の利得と利益になるからだ」

スタンリー卿の理屈はチリにもあてはまった。上院での秘密投票の導入をめぐる討議で、社会主義者のマルトネス上院議員は導入に賛成してこう述べた。

もしもその法［秘密投票のない旧来の選挙法］がなかったら、社会主義者の上院議員は九人ではなく一八人になり、諸君［保守派］は二、三人に減ってしまうでしょう……［笑い］。諸君は笑っていますが、実のところ、オイギンス州やコルチャグア州の保守派上院議員は、二人ではなくなるのです。この二人という数は、これらの地域にある保守派のアシエンダのフンド《地所》に住むインキリノの数に対応する人数です。保守派はたった一人か、おそらくゼロになるでしょう。

秘密投票法は一九五八年に制定され、チリの選挙に劇的な変化をおよぼした。一つには、サルバドル・アジェンデの政治的展望を一変させた。アジェンデは一九五二年に社会党候補として大統領選に出馬したが、得票率五・四％に終わった。一九五八年には社会党が組織した連合、ＦＲＡＰ（人民行動戦線）の候補として出馬し、二八・八％と大きく票を伸ばしたが、ホルヘ・アレッサンドリとわずか三ポイントの差で当選を逃した。

アジェンデは「一度で成功しなければ、何度でも挑戦せよ」の金言を地で行く人物だった。一九六四年にも挑戦し、三度めの敗北を喫した。しかし一九七〇年、アジェンデは四度めの正直で当選する。得票率は長年の政敵アレッサンドリをわずか一・五ポイント上回る三六・六%だったが、議会での決選投票で、得票率第三位のキリスト教民主党がアジェンデ支持に回ったために、大統領に選出された。アジェンデは一九七〇年に、今になってみればやや皮肉な名称の新しい左派の連立政権、人民連合（UP）の首班となった。アジェンデはチリを社会主義国に変える意欲に燃えていた。

チリ社会には体制転換についてのコンセンサスはなかったが、アジェンデは秘密投票や、赤の女王がもたらしたほかの政治的・社会的変化が解き放った波に勢いづいていた。たとえば一九五八年に共産党が合法化され、FRAPとその後継のUPの一翼を担うようになった。それに加えて有権者登録が義務づけられ、登録しない者は禁固刑に処せられた。これが有権者数の大幅な増加をもたらし、一九六〇年の一二五万人から、非識字者にとうとう投票権が与えられた一九七一年には二八四万人になった。これらの変化の追い風を受けて一九六〇年代に権力を握ったキリスト教民主党のエドゥアルド・フレイ政権は、土地の再分配を含む一連の改革を先導するにとどまらず、社会を全般的に強化することにも努めた。最後の追い風として、一九六一年に合衆国大統領ジョン・F・ケネディが「進歩のための同盟」を提唱した。この年の三月一三日、ケネディは宣言した。

われわれはアメリカ大陸の革命をやり遂げ、すべての人が望ましい水準の生活を望むことができ、すべての人が尊厳と自由のうちに生涯を全うできる、そんな半球を築くことをここに提案します。この目的を実現するために、政治的自由は物質的進歩を伴わなくてはなりません……いま一度アメリカ大陸を、革命的な思想と取り組みの渦巻く巨大なるつぼに変え、自由な男女が創造のエネルギーを出し合い、自由と進歩が手に手を取って歩む模範を、全世界に示そうではありませんか。いま一度アメリカの革命をゆり覚まし、世界各地の人々の闘いを導こうではありませんか。

ここで「革命」という言葉が連呼されているのは皮肉である。なぜなら進歩のための同盟は、南米大陸全体に広がりつつあった社会主義革命をくい止めようとする計画でもあったからだ。この同盟は、キューバ革命に対する合衆国政府の政策対応の一環として実施された（もう一つの対応が、ケネディの演説のひと月後に実行された、キューバ・ピッグス湾侵攻作戦だった）。同盟は、土地改革がラテンアメリカをつくり変えると訴えた。ケネディの言葉でいえば、「ラテンアメリカの人々の住宅、仕事と土地、健康と学校――テチョ、トラバホ・イ・ティエラ、サルー・イ・エスクエラ――に対する基本的な必要を満たす」ことを計画していた。

当然ながら、ティエラ（土地）は新しく参政権を得た多くのインキリノにとっての懸案事項だった。加えて、いまや合衆国の後押しを得たことで、土地改革はチリの一九六四年の政治目標の一つになった。一九六七年、フレイは土地再分配とマイポ渓谷の八〇ヘクタール相当を超える（生産性の低い土地ではより大規模な）すべての大農場の接収を含む、農業改革計画を開始する。土地改革を見越して、当時違法だった農村組合が二〇〇以上結成された。組合は同じ法律によって合法化された。一九七〇年になると組合は五〇〇近くに増えていた。労働ストライキが急増し、一九六〇年の八万八〇〇〇件から一九六九年には二七万五〇〇〇件になった。

ここでも赤の女王の働きを物語るかのように、フレイは社会的動員への反応として、ただ土地改革を開始するだけでなく、国家能力の増強も図った。とくにフレイは、本来奉仕すべき国民にほとんど貢献していない政治家が、恩顧主義《クライエンテリズム》的な政策を利用して支持を獲得している現状を変えようとした。そのために、ばらまき型の財政支出に対し項目別拒否権を行使したり、公共事業や給与に対する議員の影響力を減じるなどの方法をとった。議会と上院の予算権限も縮小された。

一九七〇年に政権に就いたアジェンデの政策目標には多くの障害があった。たとえばアジェンデは議会の過半数を制していなかった。大統領になれたのさえ、憲法に「保証法」を加えることを条件に、キリスト教民主党の支持を取りつけたからだった。この法により、一九二五年憲法に多くの新しい個人の権利が導入された。これらの修正条項を見ると、キリスト教民主党などが何を懸念していたかがはっきりわかる。ある条項はこう定めていた。「いかなる政治的思想も、これを維持し普及させることは犯罪や悪用にあたらない」。別の条項は、教育制度がプロパガンダの手段として乗っ取られる恐れに配慮して、次のように定めた。「国家制度を通じて授けられる教育は、民主的で多元的なものとなり、公式政党を偏重したものになることはない。また教育の改定は、多元的に構成された管轄機関での自由討議を経たのち、民主的に実行されなくてはならない」。民兵組織への懸念に触れた条項もあった。ある条項にはこう定められていた。「国家の軍事力は、本質的に専門的、階級的で、規律正しく、忠実で、絶対服従的な機関である国防軍と憲兵によってのみ構成される」。彼らが懸念をもつのも無理はなかった。

アジェンデは権力を握るとすぐに計画を実行に移し始めた。土地改革と農地接収を本格化し、労働者協同組合を設置した。大規模な産業国有化を計画した。経済政策にはそのほか、労働者の大幅な賃上げを柱とするものもあった。政策の一部、たとえば公務員の賃上げなどは、大統領令によって実施することができたが、それ以外は議会の承認を必要とした。承認が得られそうにない場合、アジェンデはどうするつもりだったのか？　憲法外の手段をとるのだろうか？　これが「保証法」が防ごうとしたことだったが、その法を執行するのはいったい誰なのか？

一九七一年三月、アジェンデはフランスのマルクス主義哲学者レジス・ドゥブレとのインタビューに応じた。ドゥブレはこう指摘した。「あなたには……行政権がありますね。だが立法権も、司法権も、抑圧のための装置もおもちではない。適法性、諸制度、そういったものは、プロレタリアートがつくったものではありません。憲法はブルジョアが自分たちの目的に合わせてつくったものです」。アジェンデはこう答えた。

たしかにおっしゃるとおりですが、ちょっと私の話を聞いてください、すぐに答えますから。選挙戦でわれわれは何といったでしょう？　選挙に勝つのは不可能ではないが困難なことであり、勝利してから政権を握るまでの段階はきわめて困難であり、政権の構築はさらに困難なものになるだろう、なぜならわれわれは新しい道を、チリのためのチリの道を、わが国のチリ人のための道をつくることになるからだ、といいました。またこうもいいました。われわれは現行憲法のいくつかの側面を利用して、新しい憲法、人民のための憲法のための道をつくろうとしていると。なぜそうするのか？　チリではそれが可能だからです。われわれが法案を提出し、議会がそれを否決したら、国民投票を実施するつもりですよ。

つまりアジェンデは、憲法的手段を通じてチリに社会主義を導入できるはずだという信念を語っていた。議会の過半数は得ていなかったが、国民投票を通じて国民に直接訴えることによって、計画を推進できるのだと。それがどのようにして実現するのかは定かではなかった。なにしろアジェンデの得票率は三六・六％にすぎなかったのだ。ドゥブレがその点を追及すると、アジェンデはこう述べた。

われわれは彼らのゲームのルールを守って勝利したのです。われわれの戦術は正しく、彼らは間違っていました。しかし私は国民にこう告げました。（選挙に勝利した）九月三日から（権力を引き継ぐ）一一月四日までの間、チリはペレが蹴ったサッカーボールよりも激しい衝撃を受けるだろうと。

アジェンデは憲法的手段によってチリを社会主義に転換させられると信じていたかもしれないが、連立政権の大半はそうは思っておらず、アジェンデは政権をコントロールすることができなかった。労働者の集団が法的手続きを無視して農場や工場を占拠すると、政府が介入して占拠を承認した。土地改革と国有化は混乱に陥った。チリの全国紙《エル・メルクリオ》は、一九七二年の社説で次のように指摘した。「共和国大統領サルバドル・アジェンデも、UP（人民連合）の参加政党も……法を侵す労働者や農民、学生に対して抑圧的な手段を取ることができるとは少しも信じていない」。これらの集団はそれをわかったうえでつけ込んでいた。そもそも現行の政治制度はUPの政敵がつくったものだから、現状を――UPが変えようとしている現状を――守るためにつくられているという考えによって、違法行為はさらに正当化されていった。これもゼロサムの赤の女王効果であり、古代ギリシアや合衆国で見られた効果とはまるで違っていた。その結果、チリの政治はさらに分極化が進んだ。会計検査院長官は政治の分極化を嘆き、会計検査院のような組織は「革命的でも反動的でもない」と記者会見で強調した。妥協が必要なのに、妥協を嫌う姿勢があった。社会党の上院議員カルロス・アルタミラノはこう述べた。

キリスト教民主党との「民主的対話」を促すふりをする者たちがいる。われわれは社会党員としてこういおう。搾取と帝国主義に反対する立場を明確に打ち出す、すべての勢力との対話が可能であると。われわれは民衆レベルでの対話を、過激派であろうとなかろうと、あらゆる労働者との対話を促し、行なうつもりだ。しかし、反動的で反革命的な指導者や政党との対話は断固拒否する。

キリスト教民主党の一部の党員が、政権との一時的な妥協に至ったときも、「共産主義の脅威」を懸念する同じ党内の保守派に握りつぶされた。賽《さい》は投げられた。あらゆる方面で暴力が勃発した。反対勢力による暴力にはどう対応するのかとドゥブレに問われ、アジェンデはこう答えている。「暴力は鎮圧しますよ。まずは彼ら自身のつくった法律の力で。加えて、反動的暴力には革命的暴力で対抗するつもりです。彼らがゲームのルールを破ろうとしていることを、われわれは知っていますから」。反対勢力がゲームのルールを破るだろうというアジェンデの予測は正しかったが、革命的暴力でそれに対抗できるという考えは、まったくの誤りだった。

一九七三年九月一一日、アジェンデはクーデターによって倒された。数カ月前にもクーデター未遂事件があり、アジェンデの政敵は再度クーデターを起こすようにと軍を促していた。《エル・メルクリオ》は六月にこんな記事を載せている。「政治的救済というこの任務を完遂するためには、あらゆる政党と、見せかけの選挙、毒された欺きのプロパガンダをすべてかなぐり捨て、選ばれし少数の軍人に、政治的混乱に終止符を打つ仕事を任せなければならない」

一九六〇年代のチリでの社会的動員と社会強化のプロセスは、国家の強化を伴いはしたが、それが一九七〇年以降にもたらしたのは、社会の要求のいっそうの過激化だった。過激な要求は、土地と企業の大規模接収を恐れるチリのエリートの間に恐怖をかき立てた。こうしたエリートの反応が、チリを回廊から追い出したのである。

事態に拍車をかけたのが、合衆国政府の方針だ。ケネディがラテンアメリカの政治的自由のための「革命」を先導する間も、CIAはアジェンデ政権の不安定化を狙って、チリに莫大な資金と労力を投入していた。二〇一〇年に機密解除された、『チリにおける隠密作戦　一九六三年‐一九七三年』に関する合衆国上院諜報活動特別委員会報告書」によれば、CIAは政治的現実を変えようとして、チリのあらゆる分野への介入を試みた。キリスト教民主党には一九六四年の選挙運動資金として二〇〇万ドル超を提供した。一九七〇年以降、反アジェンデの諸政党にもう四〇〇万ドル。反アジェンデの論陣を張る新聞のなかで最も有力な《エル・メルクリオ》に一五〇万ドル。共産主義主導の組合連合に対抗する「民主的な労働組合」に資金を提供した。ニクソン大統領は一九七〇年の選挙後、アジェンデの政権掌握を阻止するよう、CIAに直接指図した。上院報告書にはこうある。

アジェンデが選挙で首位を得ると……ニクソン大統領はリチャード・ヘルムズCIA長官とヘンリー・キッシンジャー、ジョン・ミッチェルと会談した。ヘルムズはアジェンデの政権就任を阻止するよう命じられた……アジェンデ政権を成立させないためには、軍事クーデターが唯一の道であることが、すぐに明らかになった。CIAはクーデターを画策するチリ軍の複数の集団と連絡を取り、最終的にそのうちの一つに武器を供与した。

クーデターは陸軍総司令官レネ・シュナイダーの誘拐から始まるはずだった。ところがシュナイダーは銃弾を受けて死亡し、クーデターは大失敗に終わった。合衆国の関連文書にはいまも機密扱いのものがあるため、ＣＩＡが一九七三年のクーデターにどの程度関与していたかについては、意見の分かれるところだ。上院報告書はこう結論づけている。「合衆国がクーデターを直接支援したという確かな証拠はない」ものの、「合衆国は——過去の活動や、それまでの姿勢、そしてチリ軍との接触方法を通じて——軍事クーデターを不快には思わないというシグナルを送っていた」。

合衆国が「不快に思わな」かったこのクーデターは、チリ国民に対するすさまじい暴力と殺害を解き放った。政治的信条や政治活動を理由に約三五〇〇人が殺され、数万人が投獄されて暴力や虐待を受けた。数万人が支持政党を理由に解雇された。組合は禁止され、集団行動は不可能になり、議会は正式に閉鎖された。一九六〇年代に回廊内の国家と社会のおなじみの競走と、社会的動員の高まりから始まったものが、やがて制御不能に陥り、最終的にチリを回廊から放り出し、一七年間の専横期に投げ入れたのである。

そんなわけで、チリの事例でもゼロサムの赤の女王が分極化を招き、双方が折り合おうとも、妥協点を見出そうともせずに、互いの弱体化を図ろうとする様子が見られた。ヴァイマル共和政で、回廊の幅をとくに狭め、赤の女王を危険に満ちたものにした構造的要因は、チリの事例と多くの共通点がある。きっかけとなったのは、土地改革と政治的影響力の喪失に対する地主階級のエリートの恐れであり、それが社会的動員と再分配を受け入れまいとする、より幅広いエリートの姿勢に拍車をかけた。エリートの妥協を許さない態度と、アジェンデ政権の過激なマルクス主義思想がもたらした分極化の進行も、決定的要因の一つだった。また議会と裁判所をはじめとするチリの政府機関に紛争解決の能力がなかったこともその一つだ。そのため紛争の両当事者が、武力で紛争を解決すべしという結論をもつに至った。チリをゆるがす大恐慌のような外的ショックはなかった。このことは、外生的な攪乱《かくらん》

要因がなくても、国が回廊を容易に離れ得ることを明らかにしている。それでも、アジェンデの政策とエリートの強硬な反対は深刻な経済停滞をもたらし、それが混乱に拍車をかけたのである。チリはドイツと同様、回廊を離れた。この事例では、チリの足枷のリヴァイアサンの前途を（少なくとも一時的に）ふさいだのは、褐色シャツ隊ではなく、エリートの支援を受けた軍事クーデターだった。

誰がために鐘は鳴る

一二六四年、北イタリアの都市フェラーラで厳粛な会議が行なわれた。議長を務めたのはポデスタ。第五章で見た、イタリアのコムーネの政府を運営するために外部から招聘された長官である。会議の記録には次のようにある。

フェラーラのポデスタであるカラーラのピエコンテは、鐘を鳴らすといういつもの方法で中央広場に集められたフェラーラ市の全住民の会議において、コムーネ全体と当会議に集まった住民の意志と同意と命令により……以下を決定した……輝かしい故アッツォ侯の御孫で世継ぎであられる、輝かしく高貴なるオビッツォ侯が、みずからの意志で、フェラーラ市とその地区の知事、統治者、司令官、そして終身侯に就任される。オビッツォ侯は市の内外の司法権、支配権、統治権を有し、侯が望み、役立つと思う方法で増進、行動、命令、提供、処理する権利を有する。また一般にフェラーラ市とその地区の終身侯として、侯の希望と命令に応じてすべてのことを行ない、取り計らう権限と権利を有する。

おそらく説明が必要だろう。「コムーネ全体と……住民」が会議を開いて、「終身侯」の職を創設した。その後雲行きはますます怪しくなる。なぜならこれはオビッツォ侯だけのことではなく、こう続いているからだ。「われわれは上記のすべてを、オビッツォ侯に永久的に適用するだけでなく……その死後は世継ぎが市の知事、統治者、司令官になることを望む」。終身侯は個人に適用されるだけでなく、世襲制だった。それは「全住民の会議」に集まった「コムーネ全体と……住民」によって実行された、王朝的支配の創設だった。共和制のコムーネが投票により、みずからを消滅させたのだ。

フェラーラやイタリアのほとんどのコムーネで起こったことを理解するには、少し時をさかのぼる必要がある。すでに見たように、ランゴバルド族とカロリング朝の参加型の政治制度をルーツとして、中世初期にコムーネが生まれ、足枷のリヴァイアサンを支える精巧な共和政の体制をつくり上げた。コムーネはローマの遺産にも助けられた。エリートは都市を基盤としていたため、都市部で組織化された社会にとって、御しやすかった。しかしコムーネが支配するようになってからも、エリートは消えていなかった。エリートは往々にして地方に領地と封建的な絆を維持し、それを利用して富と政治権力を守ることができた。コムーネはこれに対抗するため、封建的関係を制限する法律を成立させた。たとえば「いかなる人も他人の臣従になったり、忠誠を誓ってはならない」と定めた法があった。ペルージャのコムーネでは極端な措置がとられ、臣従の誓いに関与した者は、それを記録した公証人を含め、全員が死刑に処せられた。コムーネが懸念していたのは、農奴が容易に武装化され、コムーネの安定を脅かす存在になることであり、そうした事態は現に生じていた。

赤の女王の論理どおり、またウィリアム・シェイクスピアの言葉をもじっていうと、「まことの競争の道は決して平坦ではない」のである。エリートとコムーネの競争には、まさにこれがあてはまった。エリートはコムーネが創設されるのを手をこまねいて見ていたわけではない。エリートは組織化を始めた。実際、コムーネが出現する間に、エリートはコンソーツェリア（コンソーシアム）と呼ばれる一種の結社を結成し始めた。これらはエリートが、とくにコムーネとの闘争で、必要な場合に互いを助け合うことに合意して結ばれた同盟である。一一九六年のあるコンソーツェリア協定にはこうある。「われわれは……塔と集会所をもって、互いを欺瞞《ぎまん》なく誠実に助け合うことを誓う。われらのうちのいかなる者も、互いと直接、または第三者を介して敵対しないことを誓う」

塔に関する言及は意義深い。イタリアの各地で、エリートが塔を建設し始めた。ほどなくしてコムーネは、塔の高さを制限する法律を発布するようになった。塔はいまもボローニャやパヴィアの空にそびえている（現存するボローニャの塔の写真を口絵に載せた）。実のところ塔は要塞だった。旅行家のトゥデラのベンヤミンが、一一六〇年代のジェノヴァについてこんなことを書き残している。「どの家主も家に塔をもち、戦いが起これば塔のてっぺんから互いを攻撃する」。ピサでもベンヤミンは同様のことを見聞きした。一一九四年に、ピストイアの白派と黒派と呼ばれる二つの集団間で起こった抗争について、ジェノヴァの市民が次のように記している。

黒派はイアコポ卿の息子たちの塔を要塞にしており、そこからラニエリ卿の息子たちに大打撃を加えた。また白派はラッツァーリ卿の家を要塞にしていた……この家から火矢と石を放ち、黒派に大きな損害を与え、黒派が通りから攻撃できないようにした。黒派は家の中の使用人に妨害されていることに気づき、ヴァンネ・フッチと仲間たちは家に近づいて正面から火矢で攻撃し、それから家の片側に火をつけ、もう片側から中へ侵入して陥落させた。家の中にいた人々が逃げ出すと、追いかけて、傷つけ、殺し、そして家を略奪した。

多くのコムーネで、紛争解決に問題があったことは明らかだ。黒派と白派は、長年の確執から敵対関係にあった、エリートのコンソーツェリアだ。イタリアのエリート一族の間の報復行為は、ウィリアム・シェイクスピアの戯曲『ロミオとジュリエット』のキャピュレット家とモンタギュー家の争いとして、文学作品にも描かれている。実際に、レッジョ市ではセッソ家とフォリアーノ家の抗争が五〇年も続き、二〇〇〇人の死者を出したともいわれる。セッソ家はフォリアーノ家に包囲されて兵糧攻めにされたとき、降伏するより、くじ引きで選ばれた仲間の肉を食べる方を選んだ。宿敵の捕虜になるよりは食人する方がましのようだ！

エリートはエリート同士で戦うだけでなく、共和国の体制そのものを脅かした。多くのコムーネはエリートの特権や封建関係を一掃することができなかった。ミラノ、ジェノヴァ、ピサ、マントヴァ、モデナ、ラヴェンナをはじめとする各地で、一三〇〇年になっても各種の関税や税金、貨幣の鋳造や度量衡の決定に関する権限を、まだエリートが握っていた。ミラノのヴィスコンティ家などの一族は、これらの権限を盛んに行使した。いくつかのコムーネでは、封建領地のせいで市民の所有権が制限され、封建法や慣習に基づいて契約が結ばれていた。

こうしたエリートの活動や特権の継続に対抗して、市民は人民という意味の「ポポロ」と呼ばれる自衛組織を結成した。第五章で、カピターノ・デル・ポポロという、民衆を組織化する要職について簡単に触れた。ポポロはエリートに対抗するための動員だったのだ。ベルガモでは、ポポロの一人ひとりがこんな誓いを立てた。

評議会と……ベルガモのコムーネのすべての役人と高官が、一部の当事者のためにではなく、共同体の利益のために選ばれるよう、私は全力を尽くそう……

もしもベルガモ市の当事者や同盟者、集団が武装するか、戦闘を開始した場合、またもしも彼らがポデスタの名誉と地位……またはコムーネや当組織（ポポロ）に逆らった場合……私はポデスタを……そしてコムーネを、できる限りの方法で防御、救助、維持することをここに誓う。


ポポロの存在それ自体が、コムーネが順風満帆でないことの表れだった。コムーネをエリートから守るために、社会は組織化する必要があったのだ。だがコムーネとその法制度では、エリートとの抗争を解決できなかったのだろうか？　なぜ一般市民自身がみずから対処しなくてはならなかったのだろう？　ポポロは「強欲な狼とか弱い子羊が対等に歩めるようにするため」に必要な措置なのだと、ボローニャのポポロは主張した。強欲な狼がエリートで、子羊が一般市民というわけだ。ポポロの起源は、都市によってさまざまだった。ギルドから発展したものもあれば、地域の団体を前身とするものもあり、また多くが軍事組織をもっていた。ポポロはコムーネに倣って、カピターノという職を置いた。一二四四年にパルマで任命されたのが初めてのようだ。ポポロはそのメンバーをコムーネの理事会に一定数含めることを定めた。早くも一二二二年には、ヴィチェンツァのコムーネの役職の半数が、ポポロに割り当てられていた。ポポロは要職に占めるエリートの割合を制限することを求めた。ポポロはエリートよりも大きな法的権限を要求することさえあった。パルマでは、「ポポロの成員による宣誓は、あらゆる有力貴族や権力者に対する完全な反証となる」とされ、その逆はなかった。一二八〇年代のフィレンツェとボローニャでは、ポポロがエリート一族をリストアップし、将来の品行方正の保証として金銭の支払いを要求した。

さらに悪いことに、イタリアをゆるがしていた溝は、エリートとポポロの間の亀裂だけではなかった。前に見たように、コムーネは名目上は神聖ローマ帝国に属していた。カール大帝没後、カロリング帝国は息子たちの間で分割され、東の部分の継承国が神聖ローマ帝国にあたる。コムーネは事実上の独立を獲得していたが、コムーネの内部には依然帝国を支持する勢力と、それに反対する勢力があった。前者はギベリン（皇帝党）と呼ばれ、この名の由来は一二世紀のほとんどを通じて帝国の支配一族の座を維持し、帝国の最も有名な皇帝である赤髭王《バルバロッサ》フリードリヒ一世を輩出したホーエンシュタウフェン家の所有する、ヴァイブリンゲン城にあるといわれる。後者はゲルフ（教皇党）と呼ばれ、その名はフリードリヒ一世の主な敵対者オットー四世を出した、ヴェルフ家から来ている。ギベリンとゲルフの紛争は、エリートとポポロの紛争に劣らず熾烈だった。ゲルフは一二六八年にフィレンツェの政権を握ると、すぐさま市内のギベリンをリストアップし、一〇五〇人のうち四〇〇人を追放した。

ここまで来れば、フェラーラで何が起こっていたかがいくらか見えてきただろう。コムーネの創設は、封建エリートの反応を誘発した。続いてそれが、ポポロというかたちでの一般市民の反応を引き起こした。ポポロは法制度を市民の有利につくり変え、エリートをコムーネの代表から排除して、非民主的な方法で市民の代表権を確保するようになった。これに対し、エリートは体制を阻害するだけでなく、転覆も謀った。エリートはしばしばこれをゲルフなどの「党」の名の下に行なった。ゲルフはフィレンツェとルッカのポデスタに、シチリア王カルロ一世を六年間の任期で任命し、これらの市の統治者の任命権を事実上委任した。またゲルフはフィレンツェとボローニャの政権を掌握すると、軍の役職を含むすべての公職を党員で占めた。こうした「党」の多くはエリート一族の名をとり、コムーネ転覆の急先鋒となった。ミラノにはヴィスコンティとデッラ・トーレ、コモにはルスコーニとヴィッターニ、ボローニャにはランベルタッツィとジェレメーイ、オルヴィエートにはモナルデスキとフィリッペスキの党があった。当初エリートは共和政に対する支配を強めることに成功する。トリノにほど近い都市イヴレーアでは、市がモンフェラート侯に忠誠と「臣従」さえ約束し、市の歳入の半分を差し出し、ポデスタを任命させた。そのほか、たとえば当時イタリアの最も成功した都市国家の一つだったヴェネツィアでは、エリートがルールを変えて、政治権力から非エリートを締め出した。また一二七二年にはマントヴァのボナコルシ家、一二七五年にはラヴェンナのポレンタ家、一二八三年にトレヴィーゾのダ・カミーノ家、一二九五年にリミニのマラテスタ家のそれぞれが、軍事力を利用して支配を強化した。一三〇〇年になると、以前コムーネのあった都市の少なくとも半数が、専横的支配の下に置かれていた。そのことの影響はすぐに明らかになった。この節の冒頭で取り上げたフェラーラでは、評議会への市民の参加が厳しく制限され、ギルドや信心会が停止された。新しい権力者が采配を振るい始めた。

じわじわと強まるエリートの力にポポロは反応したが、ただエリートと戦うだけではなかった。政治権力が完全にエリートの手に戻る可能性が高いなら、体制そのものを壊してしまった方がましだと、ポポロは考えたのだ。この動きは一二五〇年にピアチェンツァで始まった。ポポロの主導の下で、イニキターテのウベルトがポデスタとポポロの役員に一年の任期で選任された。だが任期はすぐに五年に延長され、かつウベルトの没後は息子が引き継ぐことが定められた。こうした取り決めは珍しくなかった。ブオスカ・ダ・ドヴァーラは一二四八年に、当初一〇年の任期でクレモナのポデスタに就任し、一二五五年にはソンチーノの終身ポデスタになっていた。ウベルト・パッラヴィチーノはヴェルチェリ、ピアチェンツァ、パヴィア、クレモナのポデスタの終身職を得た。ペルージャでは、エルマンノ・モナルデスキがポポロの助けを借りて政権の座に就いた。モナルデスキが離任すると、支持者の一人が憲法停止を提案し、市の制度を刷新するために一二人の委員会が結成された。委員会はモナルデスキにほぼ絶対的な権力と、ゴンファロニエーレ（旗手の意味）の終身称号を与えることを決定した。

実のところ、コムーネはくい止められない紛争のせいで、衰退する運命にあった。コムーネはエリートの脅威を排除できず、そのため市民がエリートに対抗して結集した。両者間の紛争は、制度によってもくい止められず、むしろ双方が制度を無視して行動することを厭わず、制度そのものを壊すことさえあった。その結果生じた不安定が、コムーネの衰退をもたらしたのである。フェラーラの人々にとって、オビッツォ侯とその一族による支配は、果てしのない紛争と暴力や、エリートによる占有よりも安全な賭けに思われたのだ。

専制君主の魅力

イタリアのコムーネが参加型の制度を廃止し、みずからコムーネを解体するに至ったのは、一見腑《ふ》に落ちない気がする。社会は回廊のなかに居続けようとするものではないのか？

これまで見てきたように、たしかにそうなのだが、エリートの権力や反対にもかかわらず社会が回廊内にとどまれる、という確信を民衆がもっている場合に限られる。もしも赤の女王の力学がエリートの立場をますます有利にし、やがてエリートの専横が始まるだろうという悲観的な見通しを人々がもつようになれば、人々はエリートの支配する政権よりも、市民の利益により配慮してくれるかもしれないという一縷《いちる》の望みを抱いて、説明責任を負わない専制君主に権力を渡すことを選ぶかもしれない。これは空頼みに終わることが多いが、それでもエリートとの闘いで優位に立つために、みずから生み出した足枷のリヴァイアサンを破壊する社会は、いまもあとを絶たないのだ。

イタリアのコムーネの衰退の歴史と、ヴァイマルとチリの民主主義転覆に共通する要因の一つは、地主階級の権力と敵意である。この要因が回廊を狭め、社会の分極化を推進した。そのせいで、続いて赤の女王効果が、国家と社会の能力をともに高める競走ではなくなり、それよりもずっとゼロサムに近い、存亡を賭けた闘いと化した。このことはイタリアのケースにはっきりと見て取れる。エリートはコムーネに対して有利に立つためだけでなく、コムーネを破壊するためにも闘い始め、他方コムーネはエリートとの共存を不可能と見なし、エリートの影響力の高まりに甘んじるよりは、独裁政治を選んだのだ。

マキャヴェッリはこれを『君主論』で巧みに要約している。

民衆は貴族によって命令されたり、抑圧されたりすることを望まないのに対し、貴族は民衆に命令したり、抑圧したりすることを欲する。この二つの相反する欲求の結果として、都市には君主政、自由、無秩序の三つのいずれかが現れることになる。君主政は、民衆と貴族のどちらかが好機をつかんで樹立する。つまり、貴族は民衆に刃向かえないと判断すると、仲間うちの誰かを支援し始め、その人物を君主に祭り上げる。そして彼を隠れ蓑《みの》にして、自分たちの望みをかなえようとする。また一般市民の側も、貴族に抵抗できないと見て取ると、誰か一人に支援を与え、その権威によって守ってもらおうとする。

実際、ここでマキャヴェッリが明らかにしているのは、ときに「ポピュリズム（大衆迎合主義）」のレッテルを貼られることもある、現代の多くの運動の推進力である。ポピュリズムという用語の起源は、一九世紀末の合衆国に存在した人民党に代表されるポピュリズム運動であり、最近の事例は多種多様で、一般に同意された定義がないにせよ、共通する特徴がいくつかある。たとえば「民衆」対狡猾なエリートというレトリックを多用する、(民衆に貢献しない)体制や制度の再編の必要性を強調する、民衆の真の望みや利益を代表する(という触れ込みの)指導者を信頼する、運動や指導者の妨げになる制約や妥協の試みを拒否するなどだ。フランスの国民連合、オランダの自由党、ウゴ・チャベスの創設したベネズエラ統一社会党、ドナルド・J・トランプがつくり変えた合衆国の共和党を含む、現代のポピュリズム運動はすべてこれらの特徴を共有している。初期のファシスト運動もそうだった(より強力な軍国主義と狂信的な反共産主義によって増幅されてはいたが)。イタリアのコムーネの例で見たように、もしかするとエリートは実際に狡猾で、一般市民を陥れようと画策しているのかもしれないが、たとえそうだとしても、ポピュリズム運動とその強力な指導者が民衆の利益を守るという主張は、方便にすぎない。

私たちの枠組みを使えば、何がこうしたポピュリズム運動を駆り立てるのか、なぜそうした運動が回廊内の社会の安定を脅かすのかがはっきり見えてくる。赤の女王の力学は、整然とした秩序正しいものでは決してない。回廊内で作用すれば、国家と社会の両方の能力を高めることができる。だがこれまで見てきたように、この力は分極化してゼロサムになることもある。さらに悪いことに、制度によって紛争を阻止・解決できない場合、またエリートと非エリートの競争が非エリートの利益や実力の向上につながりそうにない場合、回廊を形成している制度そのものへの信頼が崩れかねない。これが、ヴァイマル共和政期に起こったことの一端だ。民主制度が機能不全に陥り、司法と警察は社会の紛争を解決できなくなり、経済は破綻した――そして多くのドイツ人に壊滅的な影響がおよんだ。イタリアのコムーネでも、高まりゆくエリートの支配をくい止められるという希望を、多くの都市の市民が失ううちに、同じプロセスが生じた。どちらのケースでも、制度が市民の役に立ち、市民の利益を守ってくれるという信頼が失われた。その結果市民にとっては、われこそは市民の利益を保護できる——ただし自身が権力に就き、自身の独裁的権力への制約がすべて取り払われさえすれば——と標榜する独裁的指導者や運動に頼ることが、ますます魅力的になったのだ。

この観点から考えると、これらの過去のできごとと、こんにち世界各地で起こっていることの間には、いくつかの共通点がある。過去三〇年間の技術変化とグローバリゼーションが、限られた人々を豊かにした反面、先進国の多くの市民がごく限られた経済的利益しか得ていないこと（第一五章でくわしく論じる）は、紛れもない現実であり、そのことが大きな不満の種になっている。政治制度が民衆の苦境に対応してこなかったという主張も、おおむね正しいといえる。二〇〇八年の世界金融危機と、危機への対応において政治的影響力の大きい金融機関が優先され有利に取り計らわれたことがおよぼした経済的悪影響に対して、西洋の大いに尊ばれてきた制度が対処できなかったことが明らかになるなか、こうした正当な懸念は爆発寸前にまで高まった。制度に対する民衆の信頼が急低下する状況が整い、ポピュリズム運動の台頭への道が開かれたのである。

続いてポピュリズムの台頭は、回廊内の政治をむしばんでいく。国家と社会の競争（と社会階層間の競争）が分極化し、ゼロサム化すればするほど、赤の女王は制御不能に陥りやすくなる。運動に参加しない人々を、ひとくくりに敵であり、民衆の足を引っ張ろうとする狡猾なエリートの仲間であると決めつける、ポピュリズム運動のレトリックが、分極化に拍車をかける。制度への信頼が低下すれば、制度を通して妥協を図ることが難しくなるからだ。

また、ポピュリズム運動がひとたび権力を握れば、たとえボトムアップという重要な要素をもっていようが、民衆の代表をうたおうが、いつか必ず専横をもたらす理由も、私たちの分析は明らかにする。それはナチス政権の台頭をめぐる議論で挙げたのとまったく同じ理由だ——自分たちの権力を抑制することは狡猾なエリートを助長することになるという、ポピュリストの詭弁《きべん》のせいであり、ポピュリストが権力掌握に力を注ぐため、いったん国家が占有されると国家権力にはめられた足枷の効力が持続しにくいせいでもある。

ということはつまり、民衆の代弁者を自任して強力なエリートに反対するすべての政治的運動が、ポピュリズムで、回廊内の生活を不安定にしがちだということなのか？　むろん、そうではない。回廊の制度――こんにちそのほとんどが民主制度である――との連携を重視する運動の助けがあれば、赤の女王は不安定化要因にならずに、本領を発揮することができる。社会の恵まれない層に大きな救いの手を差し伸べることもできる。第一〇章で見たように、アメリカの公民権運動は、エリート層の敵対的姿勢を認識していたが、裁判所や連邦政府を頭から拒否するのではなく、むしろそれらの制度を利用して目的を推進した。赤の女王をゼロサム化するポピュリズム運動の特徴は、制約と妥協を受け入れようとしない姿勢である。こうした運動が社会的不均衡を是正できる見込みが薄いのは、まさにこの姿勢に原因がある。ポピュリズムは支配を終わらせるのではなく、新たな支配を生み出そうとしているのだ。

抑制と均衡が好きな人なんてどこにいる？

現代のポピュリズムを形成している要因とその影響を物語る格好の例が、ペルー、ベネズエラ、エクアドルを含む、ラテンアメリカ数カ国の経験だ。これらの国の多くは、定期的に選挙を実施し、たとえ実態は足枷のリヴァイアサンとかけ離れていようとも、民主制度らしきものをもっている。これらの国が専横のリヴァイアサンの軌道上にあった理由の一つは、伝統的エリートが地方や大農場に基盤をもっていたため、選挙があろうとなかろうと政治を支配できたからだ。その結果生まれた分極的な環境のなかで、ポピュリストへの支持は、イタリアのコムーネで民衆が独裁者を支持したのと同じ理由から、大統領に対する抑制と均衡の廃止や、民主制度の停止をもたらすことも多かった。

ペルーを例にとって見よう。アルベルト・フジモリ大統領は一九九二年、大統領府に対する民主的抑制を緩めるために、法令第二五四一八条を発布して憲法停止と議会解散に踏み切り、新選挙を実施した。民衆が武器を取ったとしてもおかしくない状況だった。だがフジモリはこの権力掌握の理由を、マリオ・バルガス・リョサの設立した政党を隠れ蓑にした右派と、左派のＡＰＲＡ（アメリカ革命人民同盟）の伝統的エリートに対抗するためだと主張した。ペルーがエリートに支配されていることは、もちろんうそではなかったが、フジモリの主な動機はエリート支配を終わらせることではなかった。それでもプロパガンダは成功し、フジモリの支持者は新しい議会で過半数を獲得した。フジモリらは続いて憲法を書き換え、二院制だった議会を一院制にし、大統領権限を強化した。これらの変更は国民投票で承認された。ペルーはかくしてフジモリの権威主義的独裁体制の下に置かれた。

ベネズエラでのウゴ・チャベスの権力掌握も、同様にして行なわれた。一九九八年に大統領に就任したとたん、チャベスは憲法制定会議を設置し、新憲法に基づいて一院制に移行し、大統領に強大な権限を集中させた。国民投票では投票者の七二％が新憲法を支持した。それでもまだ足りないとでもいうかのように、二〇〇〇年には一年間、議会承認を得ずに大統領令によって立法する権限がチャベスに与えられた。この権限は二〇〇七年に更新され、期間は一八カ月間に延長された。二〇一〇年一二月にはさらに一八カ月間延長された。チャベスはどうやってこれをやってのけたのだろう？　フジモリがやったのと同じ方法だ——ベネズエラの政治経済を長らく支配してきた狡猾なエリートから国民の利益を守る革命家、というイメージを打ち出したのだ。フジモリの場合と同様、たしかにエリートによる支配や謀略はあったし、ベネズエラの貧困層や先住民社会がきわめて不利な扱いを受けていたことは間違いないが、民衆の権限と福利を拡大するというチャベスの決意は、どうひいき目に見ても弱かった。チャベスとその後継者ニコラス・マドゥロの下で、ベネズエラ経済は破綻し、ベネズエラの制度は破壊された。チャベスの反対派とベネズエラの一般市民は抑圧され、黙らされ、最近では政権の飼い犬である治安部隊に殺されることも増えている。本書を執筆しているいま、ベネズエラは内戦の瀬戸際にある。

大統領ラファエル・コレアを政権の座に就けたエクアドルの状況も、似たようなものだ。二〇〇七年、コレアはフジモリとチャベスよりもおそらくさらに巧妙なポピュリズムの政策目標を掲げた。コレアはエクアドルの抑制と均衡の仕組みと参加型制度の廃止というあからさまな目的をもちながら、国民の味方を標榜した。

われわれは市民の革命によって、祖国を変革するつもりだといいました。民主的に、憲法に沿って、しかし革命的に、また伝統的権力をもつ者たちの手に落ちることなく、祖国が特定の所有者のものだと認めることなく、変革を行なうと。祖国はうそ偽りなく、絶対的な透明性のもとで、国民全員のものなのです。

マキャヴェッリが予期したとおり、もしも切羽詰まれば「一般市民の側も……誰か一人に支援を与え、その権威によって守ってもらおうとする」。コレアはその「一人」になり、二〇〇八年九月二八日にはエクアドルの投票者の六四%が、一院制議会とコレア大統領の権限強化が盛り込まれた新憲法を批准した。コレアはもはや独立した司法機関や中央銀行を相手にする必要がなくなり、議会解散権を手にしていた。そのうえ二回までの再選が可能となった。

回廊内に戻る?

一九三三年にナチ党が政権を掌握してからわずか（身をもって経験した人にとってはつらく長い）一六年後の一九四九年五月に、ドイツは新憲法のドイツ連邦共和国基本法を採択した。これにより国家とエリートの権限を抑制するさまざまな仕組みが法制化され、個人の権利と自由が保障された。同年八月、ドイツは民主的な国政選挙を実施し、そのひと月後に大統領選挙を行なった。ドイツは、より正確にいえば、ドイツのうちのソ連の軛の下に置かれていない部分は、回廊のなかに戻った。それ以来、ドイツは回廊内を順調に歩み続けている。

チリもまた、アウグスト・ピノチェト将軍の残虐なクーデターから一七年後に、民主主義への平和的移行を成し遂げ、すばやく回廊内に戻った。チリでは地主階級と実業界のエリートの権力が完全に衰えたわけではない（それにはほど遠い）ものの、活気ある民主主義が発展し、社会の力が回復した結果、一連の改革を通じてエリートの特権が縮小され、軍部によって書き換えられた憲法が元に戻され、恵まれない層の教育・経済的機会が改善された。

なぜそんなことができたのだろう？　ナチスとピノチェトの独裁政権はどちらも警察と軍の力に対する制約を取り除き、政敵を投獄、追放、殺害し、あらゆる社会組織を激しく弾圧し、全般的に害をおよぼした。それから二〇年とたたずに、どうやって国家と社会の力の均衡を取り戻したのだろう？

ドイツとチリの独裁政権がどれほど血塗られ、社会を従属させることにどれほど力を入れていたとしても、どちらの国ももとは回廊のなかにいた。回廊から投げ出されたあとでさえ、かつて社会を活発にし立ち上がらせた要因の多くが残っていた。たとえば社会的動員の規範や、エリートや国家制度に説明責任を課すことは可能だという信念などの要因である。かつて一般市民が組織化され、力をもち、法律が万人に適用され、リヴァイアサンが社会によって足枷をはめられていた時代の記憶も、要因の一つである。社会への応答性が高い、抑制された官僚機構を構築するための青写真も、要因の一つだ。ドイツを例に取ってみよう。一六四八年のヴェストファーレン条約以降の絶対王政の時代と、一九世紀後半の宰相ビスマルクの時代は、たしかに専横的支配の要素が強かったが、これらの時代にあっても、ドイツにはリヴァイアサンに足枷をはめることのできる制度的特性があった。一例を挙げると、プロイセンは別としても、ドイツの大半はカロリング朝に深いルーツをもっていた。この歴史から受け継がれた国家制度と代議制は、プロイセンの絶対主義時代の最盛期を含め、完全に廃止されたことは一度もなく、一九世紀、とくに一八四八年革命後に復活した。社会民主党が第一次世界大戦前の国会で第一党になることができたのは、こうした遺産によるところが大きい。国会の権限は、皇帝とプロイセンのエリートの支配する上院によって制限されていたとはいえ、回廊内の制度的構造の基盤となった。これらの歴史的要因は、ヴァイマル共和政によってさらに強化、開発された。おかげで回廊を離れてから二〇年近くたっていたのに、ドイツはまだ回廊に近い場所にいたのだ。これを中国の状況と比べてみよう。中国は専横のリヴァイアサンの軌道にあまりにも長く乗っているため、回廊は視界にも入らないし、国が近々回廊の射程圏内に入る可能性もほとんどないように思われる。

したがって、赤の女王が制御不能に陥れば悲惨な事態を招くものの、もしも国家と社会の均衡を手遅れになる前に立て直すことができれば、回廊内に戻れる可能性があることが、この視点からわかる。

しかしだからといって、回廊に戻るのは容易だ、自動的だ、などということではない。もしもドイツが第二次世界大戦で完膚なきまでの敗北を喫しなかったなら、また戦後ドイツに民主主義を構築しようとするアメリカと（一部の）ヨーロッパ諸国の取り組みがなかったなら、事態はどう転んでいたかわからない（実際私たちの考えでは、ドイツがこんにちのような、民主的で平和を愛し自由を尊重する国になっていたかどうかは疑わしい）。チリが民主主義に移行したのも、国際的要因に反応したからでもあった。チリの将軍たちは、国際的圧力が高まるリスクを冒すよりも、軟着陸を図る方がよいと判断したのだ。こうした外的影響がなければ、チリの独裁政権はずっと長く存続していたかもしれない。

イタリアのコムーネの歴史を見れば、回廊への回帰が自動的には起こらないことがわかる。またもちろん、ゼロサム的な紛争と制度の完全な崩壊のさなかにあるベネズエラが、回廊内への移行のようなものを経験する見通しは明るくない。したがってドイツとチリの立ち直りを、起こるべくして起こった物語だとか、足枷のリヴァイアサンの当然の帰結だなどと解釈すべきではない。むしろ、これらは国家と社会の力の均衡が完全に消滅してしまう前に、それを取り戻すことに偶然にも成功した事例と見なすべきだ。

迫り来る危険

経済的変化の利益を享受できず、エリートの支配をひしひしと感じ、制度への信頼を失いかけている国民。分極化、ゼロサム化が進む勢力間の闘争。紛争を解決、仲裁できない制度。制度をさらにゆるがし、制度への信頼を根こそぎ失わせようとしている経済危機。エリートと戦う国民の代表を標榜し、国民によりよく奉仕できるよう制度的抑制の緩和を求める絶対的指導者。どこかで聞いた話だろう？

問題は、この状況にあてはまる国が一つではなく、いくつもあることだ。それはトルコかもしれない。絶対的指導者のレジェップ・タイイップ・エルドアンが、トルコの世俗エリートへの対抗を標榜し、制度的抑制を次々と取り除きつつ、保守的中産階級と地方の有権者に支持を訴えている。またはヴィクトル・オルバーンが反移民的な発言と行動を加味して同じことをやっている、ハンガリーかもしれない（いまのところまだEUの制度によって拘束されてはいるが）。あるいは絶対的指導者のロドリゴ・ドゥテルテが殺人部隊を組織し、麻薬の密売人や使用者、その容疑者を殺害し、政敵を糾弾している、フィリピンかもしれない。フランスの二〇一七年大統領選挙で、二一世紀の対立を左派対右派ではなく、グローバル主義者対愛国主義者の対立として巧みにとらえ直し、逆転勝利寸前まで行ったマリーヌ・ルペンかもしれない。

あるいはドナルド・J・トランプかもしれない。

だが、合衆国でそんなことが起こるはずがないだろう？　すばらしい憲法がエリートと非エリートの力を均衡させ、野心的すぎる政治家に対し幾層もの牽制の仕組みを敷いている国。政治的動員と独裁者への懐疑心の伝統をもつ社会。国の民主主義と個人の自由をしっかり保護する、尊ばれてきた法的伝統。奴隷制の名残や泥棒男爵による国家の占有、アフリカ系アメリカ人に対する差別の蔓延など、過去のさまざまな課題を克服してきた歴史。そして、赤の女王によってくり返し強化されてきた回廊にしっかり根を下ろした国なのだから。

そんなことはヴァイマル共和政でも起こったはずがない、そうだろう？

第一四章

回廊のなかへ

黒人の重荷

一九一三年六月二〇日金曜日の朝、目覚めたとき、南アフリカの先住民は、奴隷ではないにせよ、祖国の最下層民になっていた。

ソル・プラーチェの『南アフリカ先住民の生活』は、この書き出しから始まる。プラーチェは黒人のジャーナリスト、作家、政治活動家で、南アフリカ先住民民族会議（ＳＡＮＮＣ）の創設メンバーの一人である。ＳＡＮＮＣは一九一〇年の南アフリカ連邦成立を受けて一九一二年に結成された政治団体で、一〇年後にアフリカ民族会議（ＡＮＣ）に改称した。南アフリカ連邦は、ブール戦争後に旧イギリス領のケープ州およびナタール州と、オランダ語を母語とするブール人（アフリカーナー）の共和国であるオレンジ自由国とトランスヴァール共和国を統合してできた。当時のケープ州では、政治的権利は人種ではなく財産や土地によって定められていた。だがブール人の共和国では参政権は白人に限定されていた。南アフリカ連邦は、一八九九年から一九〇二年まで続いた第二次ブール戦争でのイギリスの勝利を受けて設立された。イギリスは戦時中、アフリカーナーによる黒人の残酷な扱いを非難していたため、戦後秩序で黒人の権利が拡大することが期待された。つまり戦争終結後に、制度を刷新する千載一遇のチャンスがあったことになる。しかし、新しく誕生した南アフリカ連邦は結局のところ、既存制度のうちの最も過酷な共通項を採用するに至った。ケープ州のよりリベラルな政治的権利は、ほかの地域に適用されることなく廃《すた》れていった。最終的にすべての黒人が代表権を奪われた。

政治権力の欠如は悲惨な結果を招いた。一九一三年に先住民土地法が成立し、黒人の「先住民」をプラーチェのいう、自国の「最下層民」におとしめる環境が整った。プラーチェは「黒人の重荷」という、別の衝撃的な表現を用いてこう述べている。

「黒人の重荷」には、南アフリカのすべての非熟練・最低賃金労働の忠実な遂行と、街の黒人居住区が放置されるなかで白人居住区を開発・美化するために……各地方自治体に納める直接税……［そして］先住民の子どもが締め出されている国立学校を維持するための……税金の支払いが含まれる。

だが白人の認識は違った。南アフリカ連邦議会での先住民土地法をめぐる討議で、オレンジ自由国フレーデフォート選出のファン・デル・ヴェルヴェ議員は、「先住民が白人と一緒にいることを許されるのは、労働者としてだけです」と得々として語り、近隣のフィックスバーグ選出のキーター議員は、自由国は「つねに有色人種を最大限の配慮と、最大限の公正をもって扱って」おり、先住民土地法は「オレンジ自由国が白人の国であり、われわれがその状態を維持するつもりであることを有色人種に伝える」ための「公正な法律」だと主張した。議事録にはこの時点で、議員たちがキーター議員の公正に関する解釈に賛意を表して「そうだ、そうだ」と叫ぶ様子が記されている。自由国を白人の国のままにしておくために、先住民は「この地では土地を購入することも、土地を借りることもできず、この地にとどまることを希望する者は労役に就かねば」ならないとされた。同法を支持する理由として、グロブラー議員は「先住民問題の解決をこれ以上遅らせるわけにはいきませんでした」と述べた。プラーチェは著書の注釈に、「『先住民問題の解決』という言葉は、『自由』国の農民にとって、一般に奴隷制の再確立を意味するものだった」と書いている。

プラーチェは国内を回って、先住民土地法がどのように施行されていたか、どのようにして黒人の土地所有者と借地人を「白人の国」である南アフリカの土地の八七％から締め出したかを目の当たりにした。それまで一〇〇ポンドの年収を得ていた黒人農民クゴバディの経験が典型例だ。一九一三年六月三〇日、クゴバディは以下を命じる通知書を受け取った。「本日の日没までに、下記の農場に出頭せよ。従わない場合は、家畜を押収・没収の上、農場に不法侵入した罪で当局に引き渡すものとする」。立ち退きを回避するために、クゴバディは農場での月給三〇シリング〔一・五ポンド〕の仕事を提示された。白人農家が「クゴバディ自身とその妻、牛の労役」を、それまで彼が得ていた収入の数分の一の金額で利用するためにだ。クゴバディは命令を拒否して退去させられ、家族と死にかけた家畜とともに路頭に迷い、別の片手間仕事を受けるか、白人政府が黒人居留地として指定した黒人の「ホームランド」に行くほかなかった。

なぜ白人の大多数は黒人の土地を奪おうとしたのだろう？　黒人の土地と家畜を手に入れるのも、目的の一つだ。だがもう一つの狙いは、白人経営の農場や鉱山のために、豊富で安価な労働力を、必要とあれば強制的に確保することにあった。そして黒人が農業で食べていけないようにすることが、このプロセスの重要なステップだったのだ。一九三二年にホロウェイ委員会は、二〇世紀初頭の状況を次のように認識していた。

過去においては、わが国の諸産業のために十分な労働力を獲得することは困難だった……［黒人先住民は］部族生活で求められる単純作業以外の労働には不慣れで、収入を増やすために働くインセンティブをまるでもたなかった。ヨーロッパ諸国の政府は、諸産業のための労働力を求めて、先住民への課税を通して、労働に従事するよう圧力をかけた。

一九〇九年、南アフリカ連邦成立直前に開催されたケープ植民地先住民問題特別委員会の審議では、こうした目的が強調され、次のようなやりとりが行なわれた。

トランスケイ〔黒人指定居住地域〕首席補佐官A・H・B・スタンフォード　［深刻な人口過剰と土地争奪戦のせいで］一部の地域では（黒人が）追い詰められています……

特別委員会委員W・P・シュライナー　もちろん、当然の経済的帰結として……余剰人口は南アフリカ全体で単純作業や労働に従事するようになるでしょう。いうなれば、居住地の外に仕事を求めるのではないでしょうか。

スタンフォード　農業以外の仕事を探す必要があるでしょうな。

シュライナー　そして別の場所で正当な手段によって生計を立てると？

スタンフォード　それしか道はないように思えますよ。

シュライナー　しかも、とてもよい解決策ではないですかな？

だが、この「とてもよい解決策」を導入するためには、人口の大多数を占める黒人が反対できないようにするために、黒人の政治的権利を完全に剝奪する必要があった。これが、南アフリカ連邦が行なったことである。政治的権利の剝奪に続き、白人経営企業のための低賃金労働力を強制的に生み出した、先住民土地法などの法律が施行された。そのほか、南アフリカの黒人をほぼすべての熟練労働と専門的労働から締め出す、「カラーバー」などの措置が導入された。教育支出のほとんどが白人に向けられていたが、プラーチェが指摘したように、そのための税金は黒人が支払わされた。土地をほぼもたず、ホームランドに縛りつけられ、教育もなく、農・鉱業以外の就業機会を与えられない黒人労働者は、白人の農民と鉱山所有者にとって強制が容易な、豊富で安価な労働力となった。一九四八年にアフリカーナーの利権者が支配する国民党が政権に就き、のちにアパルトヘイトとして知られるようになるものを制度化、拡大していくなか、黒人に対する抑圧とあからさまな差別は拡大し続けた。

南アフリカは回廊の外にあり、専横のリヴァイアサンに共通する収奪的な制度をもっていた。そんな社会がどうやって回廊内に入れるだろう？　一般に、そうした国の経路を変えるには、重大な問題や存亡にかかわる危機が起こる必要がある。だがそのような状況がたとえあったとしても、それだけでは回廊内への移行を導くには不十分だ。本章では、国が回廊内への移行を実現できるかどうか、またどのように実現するかに影響を与える、三つの重要な要因を明らかにしよう。それらは、移行を支える連合を形成する能力、既存の国家と社会の力のバランスおよび回廊との相対的な位置関係、そしてこれら二要因の展開を左右する、回廊の形状である。

虹の連合

一九九四年にアパルトヘイト政権が崩壊すると、南アフリカは民主主義への平和的移行を実現し、回廊のなかに入った。この歴史的転換を先導したのは、ＡＮＣに率いられた南アフリカの黒人による、組織的抑圧をものともしない大規模な動員だった。そしてこの転換は、ＡＮＣと黒人中産階級、白人実業家の新しい連合にも支えられていたのである。

黒人の賃金を低く抑える政治・経済政策から主に利益を得ていたのは、農・鉱業部門のエリートだった。白人労働者も大きな利益を得ていた。カラーバーのような取り決めや黒人の教育制度の惨状に助けられて、白人は熟練・半熟練労働に就き、白人との競争を実質的に禁じられていた黒人の五・五倍から一一倍もの高賃金を得ることができたからだ。だが実業家にとっては、アパルトヘイト制度はそれほど望ましい取り決めではなかった。たとえばカラーバーは、白人の農家や鉱山所有者、労働者の利益にはなったが、法外に安価な黒人労働力が役に立ったのは最も単純な非熟練労働だけだったため、実業家にとっては人件費はむしろ割高になった。また実業家は鉱山所有者や農民に比べ、多数派の黒人が政治権力を得た場合に資産を接収されることをそれほど危惧していなかった。近代的な工場を接収、運営するのは、農場や鉱山を乗っ取るよりずっと困難だったからだ。アフリカーナーとイギリス系エリートの間には社会的な違いもあった。社会哲学としてのアパルトヘイトは、アフリカーナーが生み出したものだった。これに対し、実業家は英語圏の出身が多く、アパルトヘイトにそれほど思い入れがなかった。つまり実業家はアパルトヘイトという鎖の弱い環であり、政権打倒を狙う新しい連合にとって誘い入れるべき格好のターゲットになった。

連合が自然に形成されることはめったにない。関係や保証、信頼という接着剤が欠かせない。南アフリカの民主主義への移行を下支えした連合も例外ではなかった。実業家とＡＮＣの指導者（と黒人中産階級）の関係を築く重要な手段となったのが、歴史的に差別されてきた黒人を優遇するための黒人経済力強化政策（ＢＥＥ）というプログラムである。この概念そのものを正式に提案したのは政府の一九九四年復興開発計画だったが、第一陣のＢＥＥプロジェクトを実際に主導したのは民間部門だった。白人企業から黒人や黒人経営企業への株式譲渡が、プロジェクトの一つである。早くも一九九三年には、金融サービス会社サンラムがメトロポリタン・ライフの持ち分の一〇％を、黒人所有のコンソーシアムに売却した。ちなみにこのコンソーシアムを率いていたのは、ＡＮＣの指導者で、のちの大統領ネルソン・マンデラとデズモンド・ツツ大司教の主治医を一時務めていた、元ＡＮＣ青年部書記のタト・モトラナだ。一九九四年以降、ＢＥＥ取引の件数は急増し、一九九八年には二八一件に達した。この頃ヨハネスブルグ証券取引所（ＪＳＥ）上場企業の全株式の一〇％を黒人企業が所有していたという推計もある。問題は、株式購入を希望する黒人が、往々にして購入資金を欠いていたことにあった。解決策として、企業が黒人に購入資金を融資し、一般に市場価格の一五％から四〇％引きという大幅な割引価格で自社株式を売却した。

一九九七年、ＡＮＣ政権はＢＥＥ委員会を設置し、委員長にシリル・ラマポーザ（アパルトヘイト終結後の南アフリカ第四代大統領）を任命する。政府は二〇〇一年のＢＥＥ委員会報告書の提案に従い、資産移転を制度化したほか、ＢＥＥの監視対象を大幅に拡大して、「人材開発、雇用均等、事業開発、優先調達、その他企業・経済資産の投資、所有権、経営支配の要素」を含めた。ＢＥＥ委員会は、南アフリカ経済が一〇年以内に達成すべき目標を定めた。とくに重要な目標として、生産可能な土地の三〇％以上を黒人の小作農や協同組織に譲渡すること、経済への黒人資本参加比率を二五％にまで高めること、ＪＳＥ上場企業の時価総額の二五％以上を黒人所有にすることを挙げた。委員会が定めたその他の目標には、ＪＳＥ上場企業の業務執行および非業務執行取締役に占める黒人の割合を四〇％にすること、黒人所有企業からの調達割合を公共部門五〇％、民間部門三〇％にすること、民間企業の全役員に占める黒人の割合を四〇％にすること、公的金融機関の融資に占める黒人所有企業の割合を五〇％にすること、政府部門の契約・譲渡のうち黒人所有企業がかかわるものを三〇％にすること、民間部門に対する政府援助に黒人所有企業の占める割合を四〇％にすることがあった。

またＢＥＥ委員会報告書を踏まえ、民間部門は来るべき法改正をにらんで、業界憲章の策定を進めた。その第一弾、二〇〇二年初頭に発表された鉱業憲章は、大きな波紋を呼んだ。当初、鉱業会社への黒人出資比率を一〇年以内に五一％にするという草案がマスコミに漏洩《ろうえい》すると、ＪＳＥでは鉱山関連株が暴落し、続く六カ月間で一五〇億ランド（約二億五〇〇〇万米ドル）もの資本が流出した。その後の交渉により、憲章では黒人出資比率を五年以内に一五％、一〇年以内に二六％にすることが義務づけられた。また鉱業界は権益移転のために一〇〇〇億ランドの資金を調達することで合意した。このようなＢＥＥの取り組みが、二〇〇四年一月にムベキ大統領によって署名、承認された「広範な分野における黒人経済力強化法（ＢＢ‐ＢＥＥ法）」として結実したのである。この法によって、ＢＥＥに準拠する適正実施基準を設定、施行する権限が貿易産業大臣に与えられた。簡単にいえば、企業が政府契約に入札したり免許を更新したりするためには、ＢＥＥ順守企業であることを証明しなくてはならなくなった。これらの取り決めを通して、政府は鉱業などの部門に非常に大きな影響力をもつようになった。

南アフリカの社会科学者で、タボ・ムベキ大統領の弟のモエレツィ・ムベキは、ＢＥＥを不神聖同盟と揶揄する。

> 南アフリカの政治エリートに、ＢＥＥを推進するようけしかけているのは、（黒人の）超富裕層の一部だ。超富裕層は、次の目的を達成するために、政治的便宜を求めている。（一）所有企業の主な上場先をヨハネスブルグ証券取引所（ＪＳＥ）からロンドン証券取引所に移管し、資産を海外に移転する、（二）政府契約の最も実入りのよい部分を支配する、（三）経済政策決定に参加する権利を金で買う。

不神聖であろうとなかろうと、この連合は南アフリカの回廊内への移行を確かなものにするために不可欠だった。連合は、ただ実業家や政治権力から取り残されてきた社会階級との間で緊密な関係を築くだけでなく、ＡＮＣの指導部や経済に参加し始めた黒人中産階級が、白人所有の資産や財産を接収する意向がないことを、実業界に保証したのだ。一九九三年に採択された暫定憲法に、権利章典やその他の抑制の仕組みが盛り込まれ、ＡＮＣが白人少数派を抑圧することが難しくなったことも、南アフリカの白人を安心させた。もう一つ、重要な役割を果たしたのが、一九九五年に設立された真実和解委員会である。人権侵害などの罪を犯した人々に対し、そうした行為が政治的動機に基づくものだったという、偽りのない証言や証拠と引き換えに、幅広い恩赦を与えた。これは、ＡＮＣ政権の下では権利を回復した黒人多数派が白人に報復しない、というシグナルになった。

だがいくら関係や保証があっても、連合のパートナー間に信頼がなければ十分とはいえない。このような場合に大きな意味をもつのが、歩み寄りを象徴する行動である。人々を鼓舞するネルソン・マンデラのリーダーシップが、ここで決定的に重要な役割を果たした。一九九五年六月二四日、マンデラの長年の努力を象徴するようなできごとが、南アフリカ開催のラグビー・ワールドカップ決勝戦で起こった。この大会でアパルトヘイト体制に対する国際的ボイコットが解除され、初めて参加を許された南アフリカのナショナルチーム、スプリングボクスは、決勝で大本命のニュージーランド代表オールブラックスと対戦した。スプリングボクスはアパルトヘイトの象徴と見なされ、チームのジャージはアフリカーナー支配のシンボルとして黒人に忌み嫌われていた。アパルトヘイト後の新生南アフリカ大統領はこの日、国家元首としての職務をどのように果たしたのだろう？　見事にやり遂げたのだ。黒人多数派と白人少数派の間にある確執や不信を取り除くことに長年心を砕いてきたネルソン・マンデラは、南アフリカチームの主将フランソワ・ピナールと同じ、背番号六のジャージを着て競技場に現れた。六万三〇〇〇人を超える観衆――そのうち六万二〇〇〇人が、アフリカーナーを中心とする白人だった――は度肝を抜かれた。そしてスプリングボクスは、マンデラの寛大なジェスチャーにも勇気づけられて、延長戦で決勝のドロップゴールを決め、あらゆる予想を覆してオールブラックスを下し、優勝したのである。六万三〇〇〇人の大観衆の応援をどう感じたかと聞かれ、ピナールはこう答えた。「私たちを今日応援してくれたのは、六万三〇〇〇人の南アフリカ人ではありません。四二〇〇万人が応援してくれたのです」。ピナールに優勝杯を渡しながら（口絵に写真を載せた）、マンデラは語りかけた。

ありがとう、君がこの国のためにしてくれたことにお礼をいおう。

ピナールはすぐにこう返した。

大統領、あなたがこの国のためにしてくださったことに比べれば何でもありません。

回廊への入り口

ここまで、ＡＮＣの後ろ楯を得た連合が、南アフリカの回廊内への移行に果たした役割を見てきた。二つめの重要な要因は、国と回廊との相対的な位置関係である。

永続的な自由を実現するには、回廊の中に入り、足枷のリヴァイアサンの構築に必要な均衡を生み出す以外の道はない。国家が不在でも、専横のリヴァイアサンの下でも、真の自由が栄えることはない。だが足枷のリヴァイアサンをつくるための普遍的な方法はないし、回廊に通じるただ一つの入り口もない。国がどのような道を歩んでいくかは、どのような歴史を歩んできたかや、どのような連合と妥協が可能か、国家と社会の力のバランスがどうなっているかによって決まる。たとえば不在のリヴァイアサン、専横のリヴァイアサン、張り子のリヴァイアサンのどれを起点とするかによって、回廊に入る現実的な経路は違ってくる。これを主題図6に示した。

専横のリヴァイアサンをもつ国が最も簡単に回廊に入る方法は、社会を強化すること（または国家の力を牽制し、弱める新しい方法を開発すること）だ。これを示したのが図中の経路1である。強力な白人の経済エリートに支配された、アフリカ大陸で最も有能な国家制度の一つをもつ、南アフリカの状況がまさにこれだった。したがって南アフリカの課題は、社会が立ち上がり、国家権力に異を唱える能力を伸ばすことであり、ANCと黒人の労働運動がこれを成し遂げた。

不在のリヴァイアサンからスタートする社会にとっての問題は、別のところにある。社会をさらに強化し国家の弱体化を図ることは、かえって裏目に出る。むしろこのケースで回廊に入るための方法の一つは、図中の経路2が示すように、国家の力を強くすることだ。

最後に、図の左下に近い国、つまり張り子のリヴァイアサンの多くや、ティヴのように国家能力が非常に限られているうえ、社会が権力を行使する方法が制度化されていない国は、さらに難しい課題をこなさなくてはならない。国家または社会の能力を別々に高めても回廊には入れない。回廊に入るためには、経路3が示すように、国家と社会の能力を同時に高めることが欠かせない。これから説明するように、これを実現する方法の一つが、第一一章で説明した動員効果を利用する方法だ――つまり、国家能力の高まりに反応して社会が強くなることを許し、それに反応して国家がさらに能力を高めるのである。

これらの経路がどのように機能するのか、どのような連合や妥協によって回廊内への移行を支える

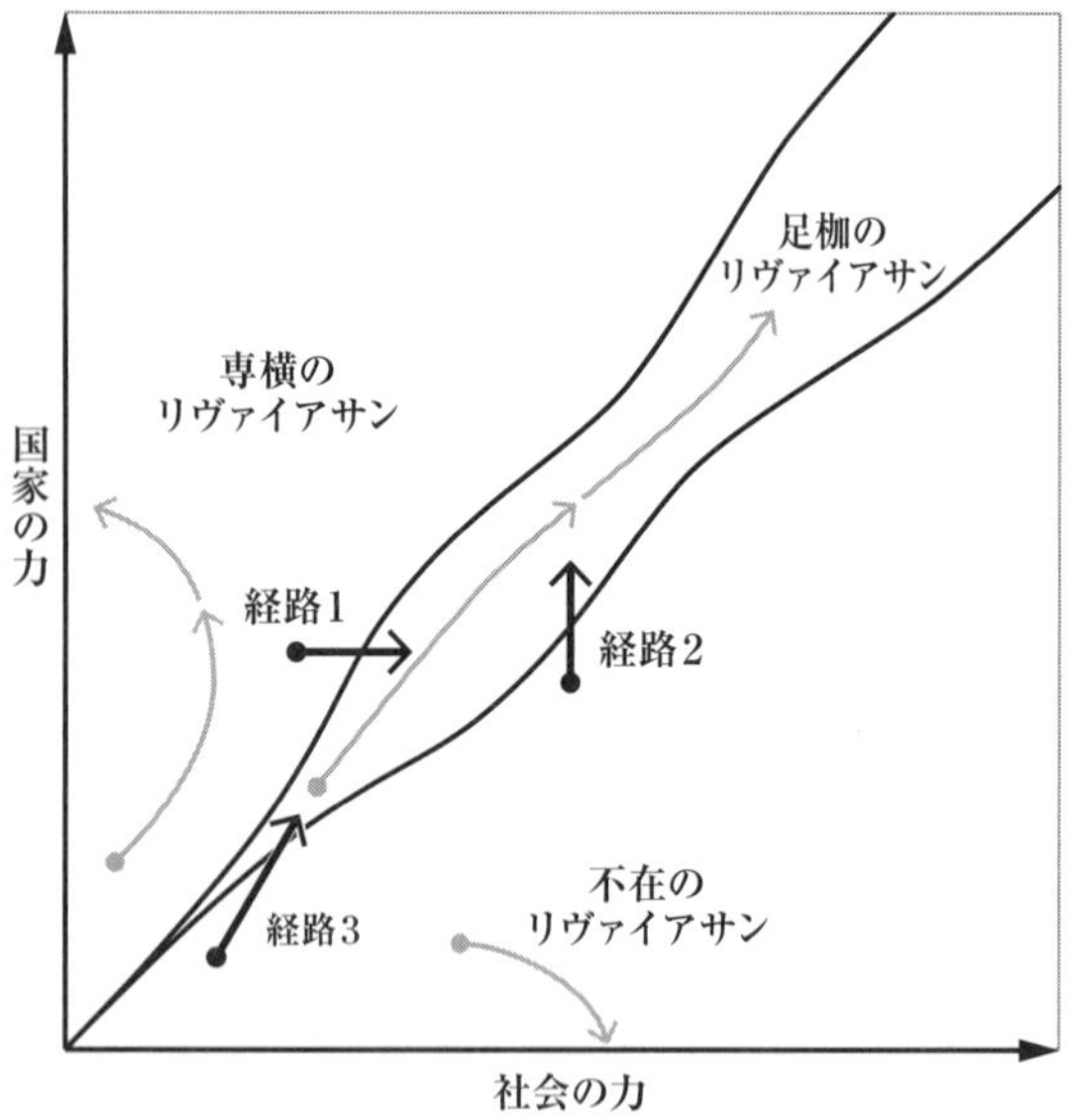

主題図6　回廊への入り口

必要があるのか、また連合が形成されない場合に回廊への入り口がどのようにして閉ざされるかを見ていこう。

鉄の檻を足場とする

南アフリカは経路1の例である。南アフリカで主に対立していたのは、黒人が多数派を占める社会と、国家制度を支配する白人のエリートだった。エリートの構成やその権力の性質は、専横のリヴァイアサンによってまったく違うことがあり、それによって、経路1をたどる間に築かなくてはならない連合の種類も大きく変わってくる。二〇世紀初頭の日本のケースでは、ほかの多くの社会と同様、エリートの最大勢力は高級官僚と軍人であり、大企業も進んでこれに加わった。日本は専横を強める方向に舵を切っており、二〇世紀初頭には軍部の影響力の増大を背景に、独自の「鉄の檻」を築きつつあった。軍上層部は、エリート支配の政治体制をゆるがす、いかなる動きにも断固反対した。天皇と側近官僚とともに、「日本の国家の本質」を意味する国体思想に基づいて政治を支配していたことが、軍部を社会の上に位置づけた。日本が満州を侵略したことで、軍部の支配はさらに強まった。しかし一九四五年に合衆国によって広島と長崎に原爆を投下され、第二次世界大戦で決定的敗北を喫したことで、変化は避けられなくなった。軍官複合体が支配を手放し、日本が回廊への入り口に立つことはあるのだろうか？

連合国軍最高司令官ダグラス・マッカーサーが厚木海軍飛行場に降り立った一九四五年八月三〇日の時点で、先行きは予断を許さなかった。マッカーサー自身は、日本を親米の民主主義国に変えることは可能だと楽観していた。マッカーサーと助言者たちは日本に到着したとき、日本の制度と政治の改革に関してすでに構想をもっていた。マッカーサーの右腕で軍事秘書官のボナー・F・フェラーズ准将は、一九四四年に「日本への回答」と題する文書で、こんなことを予想している。

完全な軍事的敗北と、それに伴う大混乱がない限り、日本国民は、優れた民族である自分たちこそがアジアの盟主となる運命にある、という狂信的な洗脳から目覚めることはないだろう。
悪質な軍国主義者が神聖なる天皇を欺いたことを、民衆はやがて悟るだろう。天子を、帝国の神なる支配者を、軍国主義者が破滅の瀬戸際に追い込んだことを。天皇を欺く者は、日本では生きられない。この悟りの瞬間が来れば、長らく地下に追いやられてきた日本の保守穏健派が本領を発揮し始めるはずだ。
天皇に対してのみ責任を負う、日本の独立した軍部は、平和に対する永遠の脅威である。

つまり、日本の完全な敗北だけでなく、完全な非軍事化が必要だと考えていたのだ。その後合衆国が実行に移したのが、まさにそれである。マッカーサーはアメリカ人のチームを招集して、憲法草案を起草させた。草案の第八条は、日本の軍隊の解散を定めていた。

国の主権の発動としての戦争と、武力による威嚇または武力の行使は、他国との紛争の解決の手段としては、永久にこれを放棄する。

陸軍、海軍、空軍その他の戦力は、これを決して保持してはならない。国の交戦権は、これを認めない。

次に標的とされたのは、日本の対外侵略の根源と見なされていた「国体」〔天皇を中心とする秩序〕である。だがマッカーサーとフェラーズは、日本人を束ねていくには天皇が必要だと判断し、裕仁（昭和天皇）の戦争責任を追及することはなかった。天皇を退位させようともせず、代わりにみずからの神格性を否定するよう、天皇に要請した。天皇はこれを受け入れ、一九四六年一月一日に発布された新年の詔書に、次の文言を含めた。

朕ト爾等国民トノ間ノ紐帯ハ、終始相互ノ信頼ト敬愛トニ依リテ結バレ、単ナル神話ト伝説トニ依リテ生ゼルモノニ非ズ。天皇ヲ以テ現御神トシ、且日本国民ヲ以テ他ノ民族ニ優越セル民族ニシテ、延テ世界ヲ支配スベキ運命ヲ有ストノ架空ナル観念ニ基クモノニモ非ズ。

（私とあなたたち国民との結びつきは、つねにお互いへの信頼と敬愛によって結ばれたものであって、たんなる神話や伝説によって生まれたものではない。天皇を現人神《あらひとがみ》とし、日本国民はほかより優れた民族で、ひいては世界を支配すべく運命づけられたという、架空の概念に基づくものではない）。

また合衆国は、フェラーズが「日本への回答」のなかで示した、日本には強力な指導者が必要だという考えに基づいて、戦時内閣で中心的役割を果たした人々を含む、軍部や官僚の上層部に協力する用意があった。

戦後日本の政治体制の最大の立役者である岸信介《きしのぶすけ》のキャリアは、多くを物語っている。岸は強い政治理念をもつ優秀な若手官僚として、戦間期に頭角を現した。岸はテイラー主義的な労働者管理手法を含む、トップダウンの経済運営を称賛し、日本がめざすべきはナチス・ドイツの政治・経済政策だという持論をもっていた。岸はその後高級軍人との結びつきをさらに深め、日本のアジア支配を強めるために「国家総力戦」を呼びかけた。日本による満州侵略と、日本の傀儡《かいらい》政権である満州国の建国を機に、岸の名は一躍知られるようになる。満州国政権の目的は、満州の資源を容赦なく搾取して、軍部主導で工業化を一気に推し進めることにあり、岸はその中心的な立案者だった。岸は当時のアジア最大の企業、南満州鉄道の民間株主から株式を接収し、満州を占領する関東軍に譲渡する取引に関わっている。一九三六年には満州国国務院実業部次長として満州に渡り、中国人労働者の組織的徴用と搾取に大きく依存する、国家主導の経済体制を構築した。

一九四一年に岸は、陸軍大将で内閣総理大臣となった東条英機によって商工大臣に任命され、その名をさらにとどろかせた。岸は対米英戦争を支持し、戦時中に日本の企業や鉱山に朝鮮人と中国人の労働者を徴用する強制労働計画を立案した一人だった。敗戦後はA級戦犯として逮捕され、三年間拘留されたが、戦争遂行の責任を問われた東条などとは違い、戦争犯罪法廷で裁かれなかった（東条のほか数人は裁判で有罪判決を受け、絞首刑に処せられた)。

岸は一九四八年のクリスマスイブに釈放され、公職追放解除となった一九五二年から政界に復帰する。一九五五年に自由民主党を結成し、以来いまに至るまでこの政党が日本の政治を支配し続けている。岸自身は一九五七年から一九六〇年にかけて内閣総理大臣を二度務めた。岸のえり抜きの弟子たちの多くは、日本の政治経済、とくに通商産業省(現経済産業省)の策定した産業政策の推進において、主導的な役割を果たした。岸の次に首相になった池田勇人《はやと》は、戦後日本の工業化の中心的立案者となった。岸が日本の政治におよぼした影響は、いまも続く自民党支配を通して感じられるだけではない。孫の安倍晋三《あべしんぞう》は、現在の日本の首相である。

「アメリカお気に入りの戦犯」とも呼ばれた岸は、マッカーサーとフェラーズが考案した、戦後日本の体制の経路を方向づけるための戦略——古い官僚エリートを抱き込むこと——にうってつけの存在だった。戦略は奏功した。日本社会のよりリベラルな思想をもつ層と、古い専横国家の多くの指導者との間で連合が結ばれ、社会と民主政治においてより大きな役割を担い始めたのである(軍官複合体の役割はより限定的なものになった)。この連合は、ときに労働組合や左翼政党の弱体化を図ろうとすることはあったものの、それでも日本を回廊のなかに導き入れ、その後の七〇年にわたり回廊内にとどめることに成功している。

日本の経験から、連合に至るもう一つの経路が見えてくる。この事例では、過去の専横政権を支えたのと同じ鉄の檻を土台として、連合が築かれた。それでも連合は、市民の政治参加を促し、回廊内への移行を促すことができたのだ。この手法は倫理的に疑わしい場合が多いものの、均衡を生み出し、移行プロセスが制御不能に陥らないようペースを緩やかにとどめる助けになる。だがもちろん、足枷のリヴァイアサンの出現を確実にすることは並大抵のことではないし(完膚なきまでの敗北がなかったら、日本に現れただろうか？）、必ず出現するという保証もない。次はこれを見ていこう。

黒いトルコ人、白いトルコ人

二〇〇〇年代初頭、トルコは回廊内に移行する千載一遇のチャンスを迎えていた。このケースでも、スタート地点は軍部と官僚の支配する専横のリヴァイアサンだった。トルコには、二〇〇〇年から二〇〇一年にかけての金融危機後に実施された一連の主要な経済改革による力強い回復と、欧州連合（ＥＵ）への加盟プロセスにおける政治改革の推進という追い風が吹いていた。しばらくの間、トルコは回廊のなかへ入りそうに見えた。しかし、移行に欠かせない連合と妥協が実現することはなかったのである。

トルコ共和国は、オスマン帝国の制度的遺産の多くと訣別《けつべつ》することで生まれた国家だが、過去の時代との間にかなりの連続性が見られる。トルコ共和国のルーツは、一九世紀に始まった改革努力にある。その最初のものが、一八三九年の薔薇宮（ギュルハネ）勅令で発表され、その後「青年トルコ」や若手将校を中心とする強力な組織、統一と進歩委員会（ＣＵＰ）によって推進された、全面的な財政・政治改革である。改革運動の主導者、とくにＣＵＰは、オスマン帝国の専横のリヴァイアサンの方向性を根本的に変えるつもりはなかった。めざしたのは、国家の衰退をくい止めるために、その能力を増強することだった。改革とそれがもたらした近代化は、明らかにトップダウンで進められた。たとえばＣＵＰの将校は一九〇八年にクーデターで権力を握って議会の開会を要求し、オスマン帝国の君主、皇帝アブデュルハミト二世との間で権力を共有する議会を率いて近代化を推進する一方で、抗議者や労働組合、そして一八三九年以降に芽生えていた市民社会を厳しく抑圧した。六年後の一九一四年、CUPはオスマン帝国の第一次世界大戦参戦を主導した。CUPの二人の指導者がロシアの対独宣戦布告の翌日に、ドイツと秘密裏に同盟条約を結んだのである。

第一次大戦敗戦後に起こったトルコ革命でムスタファ・ケマル（のちに「父なるトルコ人」を意味するアタテュルクの姓を贈られる）が指導する勢力が勝利したのち、一九二三年に建国されたトルコ共和国は、多くの点でCUPの戦略を踏襲していた（またアタテュルクを含む共和国の指導者の多くがCUPの元党員だった）。こうしていっそうの改革と国家建設への道が開かれたが、それはつねに軍人・官僚主導の専横的な取り組みだった（連合には実業家も参加したが、末端勢力として加えられたにすぎなかった）。いまや権力の座には、アタテュルクの共和人民党（CHP）が着いていた。CHPは経済・社会の近代化を進めながらも、指導者とその同盟者に野放しの権力と富を与える仕組みを築いた。女性の解放と地位向上、官僚機構の近代化、工業化の推進といった一部の改革は、国家能力を構築し、自由を奪われていた多くの社会階層にいくらかの自由を与えるうえで重要なステップではあったが、その目的はトルコを回廊のなかに入れることではなかった。トルコ語のアルファベット表記や西洋風の服装、宗教組織の再編を含む多くの改革は、社会との協議もなく一方的に押しつけられた。たとえば西洋風の帽子でなくフェズ（トルコ帽）をかぶるなどして改革に抵抗する者は起訴され、ときには処刑されることさえあった。

アタテュルクが当初導入した一党制によって制度化されたCHPの独占的権力は、その後の数十年で崩壊したが、軍部と官僚はその後も不釣り合いに大きな影響力をもち続けた。軍部は支配力の弱まりや社会的動員の兆しを感じるたび、一九六〇年、一九七一年、一九八〇年、一九九七年にクーデターを通して介入した。これらの軍事・文民政権は、大半が世俗主義的だったにもかかわらず、社会統制の手段として宗教を利用することを厭わず、宗教勢力と同盟を結んでは解消することをくり返した。

一九八〇年の軍事クーデター後の軍事政権とその後の中道右派の諸政権は、左翼勢力への対抗策として、日常生活や学校での宗教の役割を強化した。
　こうした社会変化を受けて大胆になった、地方のより保守的で敬虔《けいけん》で貧しい社会階級や、イスタンブールなどの主要都市の貧困地区の住民は、力を奪われたように感じ、西洋化してしまい自分たちの懸念を代表しているようには思えない軍部・官僚のエリートに対し、現状を認識するよう要求し始めた。この状況が、レジェップ・タイイップ・エルドアン率いる公正発展党（ＡＫＰ）が台頭する背景を形成したのである。ＡＫＰは支持を伸ばしていた宗教的な保守派政党のうちの一つで、二〇〇二年の総選挙で（絶対多数にはほど遠いが）相対多数を得て政権に就いた。ちなみにエルドアンはイスタンブール市長時代にイスラムを賛美する詩を公《おおやけ》の場で朗読したために、党が選挙で勝利したときは政治参加を禁じられていた。エルドアンは党の支持基盤の間に広がる心情をとらえ、幾分それにつけ込んで、集会でこう述べた。

　わが国には黒いトルコ人と白いトルコ人という区分があります。みなさんの同志タイイップは、黒いトルコ人の仲間です。

「白いトルコ人」とは、軍部・官僚の幹部と、彼らと手を組む西洋化した財閥からなるトルコのエリートを指し、社会と対立する存在とされた。大げさでかなりのこじつけではあったが、それでも軍部・官僚のエリートと社会の大多数が対立しているという世間の認識を巧みにとらえていた。したがってＡＫＰの台頭は、第二次世界大戦後の日本で起こったように、支配力が軍部・官僚から遠ざかり、世間から顧みられない貧しい階層へと向かうチャンスになっていたかもしれなかった。二〇〇〇年代に入って数年は、一連の政治・経済改革により市民社会が栄え、トルコの民主主義は深まり、回廊内への移行は可能かに見えた。

そしていきなりすべてが覆った。回廊内に移行するためにうまく運ぶ必要があったものごとが、ことごとくうまく運ばなかったのだ。日本は合衆国による導きがあり、かつ古い軍事政権が追放されたため、強力な政治エリートが進んで新しい連合に参加し、回廊内への移行を支援しやすくなった。トルコではそうならなかった。リベラル派と左派知識層の一部は、当初ＡＫＰとその改革を支持していたが、軍部・官僚の上層部はＡＫＰにきわめて敵対的で、二〇〇七年四月には軍部がウェブサイト上の書簡によってクーデターを警告し、また反対派がＡＫＰの解党を求める訴えを強力な憲法裁判所に提起した（事の起こりは、ＡＫＰの大統領候補の妻が公の場でムスリムのスカーフをかぶっていたことだった！）。この流れは、宗教政党が政権に着いていた一九九七年に起こったこととほぼ同じである。このときも軍部の警告により政権は辞任に追い込まれ、その後憲法裁判所によって党は解散させられた。ＡＫＰは生き残ったが、このできごとは同党と軍部・官僚上層部との関係における分極化・ゼロサム化の分水嶺となった。

もう一つの重要な要因が、ＡＫＰ自身の野望である。日本では、第二次世界大戦後の社会は混乱を極め、結集した状態とはほど遠かった。実業界と保守派エリートが恐れていた主な敵対勢力は政治的左派だったが、自由民主党の下に右派を結集することによって、容易に抑え込むことができた。だがトルコでは、ＡＫＰが二〇〇二年の時点で総選挙に勝てるほどの力をすでに蓄えており、その後も勢力を伸ばし続けた。もう二つあった中道右派政党が、一九九〇年代の不行状や蔓延《ふぎようじよう》する汚職への加担を非難されて失脚したために、ＡＫＰは突如選挙で優位に立ち、党の創設者たちが夢にも思わなかったほどの政治権力を手に入れたのだ。そんなわけで、トルコはたちまち力の均衡を維持するのが困難になった。

　日本でマッカーサー将軍と米軍が果たした指導的役割は、トルコでは当初EU加盟プロセスが部分的に担い、クルド人の権利を含む人権・市民権の向上を図る改革や、軍部による民間の問題への過度の介入を抑制するための憲法改革などが推進された。AKPの指導部は、最初のうちはEUの指導を大いに歓迎していた。なぜならEUは軍部の政治関与を抑制することを求めていたからであり、二〇〇七年の軍の「書簡によるクーデター」が政権転覆に至らなかったのも、おそらくEUの圧力によるところがあった。しかしEU加盟プロセスはすぐに勢いを失い、その後完全に頓挫したため、AKPを制度改革のプロセスにつなぎとめていた強力な錨は失われてしまった。

　トルコは専横的国家支配のある段階から、別の段階へ移った。二〇〇七年を機に、AKPは強硬路線に転じ、国内のあらゆる権力のレバーを一手に掌握し始めた。このプロセスで重要な役割を果たしたのが、AKPの指導部と、イスラム教指導者フェットフッラー・ギュレンの地下組織との連合である。この組織はトルコの治安部隊や官僚、司法、教育機関に深く根を下ろしていた。世俗主義的な官僚に不信感をもつAKPは、初期に党の志向や優先事項に合った人材を起用しようとしたが、十分な専門的能力をもつ人材を獲得するすべがなかった。そこで、多くの高校や大学内に組織をもち、有能な人材を抱えるギュレン運動に頼った。ギュレン運動はかくして力を手に入れ、国家機関内で密かに勢力を伸ばしていった。二〇〇七年以降、AKPとギュレン支持者は捏造《ねつぞう》証拠に基づくやらせ裁判によって、党の敵対者と見なした人々を組織的に追放した。また政府はこの頃から、政権に批判的なメディアや、二〇〇〇年代に自由が拡大するなかで増えていた独立的な社会組織の取り締まりを強化し始めた。

　トルコは二〇一一年に当局に拘留されたジャーナリストの数が世界で最も多い国だった。二〇一三年五月、イスタンブールのタクシム広場に隣接するゲジ公園で、抗議者が声を上げた。最初は市内に残る数少ない緑地をショッピングモールに再開発する計画への反対運動だったが、まもなく抗議の焦点は信仰、表現、報道の自由や、トルコ社会での世俗主義の後退、汚職といった問題に移る。運動はたちまち全国の主要都市に拡大した。政府はこれに抗議者の弾圧でもって応えた。AKPが進めていた、南東部地方のクルド人反政府勢力との和平プロセスは破綻し、自由はさらに抑圧された。その間、かつて同盟者として世俗主義者と左派の追放を推進していたエルドアンとギュレンは、おそらく権力争いから反目し合うようになる。対立が頂点に達したのは、ギュレンと密かに手を結んだ軍の一部勢力が画策した、二〇一六年七月のクーデター未遂事件だった。クーデターが失敗に終わると、エルドアンは戒厳令を敷き、治安、司法、官僚機構からギュレン支持者を追放し始めた。一三万人以上の公務員や裁判官、軍人が職を追われ、五万人以上が多くの場合状況証拠だけで逮捕された。クルド人の権利拡大を求める活動家や、政府の批判者、ギュレン運動の陰謀を暴くことにキャリアを賭けてきた人々までをも含む左派が、ギュレン支持者として逮捕されるケースも散見された。この間、メディアと言論の自由への締めつけはさらに強まった。エルドアンは続いて、抑制をほとんど受けない実権型大統領制に移行した。この移行のための憲法改正は、戒厳令下で主流メディアが反対キャンペーンを展開できないなかで実施された二〇一七年の国民投票で、僅差《きんさ》で承認された。トルコはいまもジャーナリストの拘束数で世界上位だが、最近では議会政党である親クルド政党の共同代表を含む現職議員数人の身柄も拘束している。

トルコは回廊内に移行するチャンスを逃したのだ。

トルコが逃した機会は、中国で今後予想される展開について多くのことを教えてくれる。中国も、

共産党という官僚エリートに率いられた専横国家支配の典型例だ。日本をめぐる私たちの議論は、官僚エリートを連合に引き入れることの重要性を浮き彫りにした。中国の場合、回廊内への移行を困難にしているのは、国家と社会の力の著しい不均衡だけではない。専横のリヴァイアサンを脱するための連合を組もうとする勢力が、中国共産党のエリート層に一つも存在しないことが、移行をさらに阻害しているのだ。実際、共産党の結束を考えれば、そうした連合に参加する個人が権力を維持できる見込みはほとんどない。これは共産党中央委員会総書記だった趙紫陽《ちょうしよう》が、一九八九年の天安門広場での抗議運動に関して学生を擁護する発言をした際に、身をもって学んだことだ。趙はただちに権力を剝奪され、死ぬまで自宅に軟禁され、すべての公的記録を抹消された。専横のリヴァイアサンの軛をスタート地点とする場合、回廊内への移行を主導する連合を築くのは至難のわざだ。

不在のリヴァイアサンと張り子のリヴァイアサンの下では、また事情が違う。国家は弱いせいで、新しい組織や能力を生み出そうとする社会の動きを完全に封じ込めることができない。とくに、動員効果を何としても抑え込もうと奮闘する弱い国家にとっては、並大抵のことではない。だが逆に、もしも動員効果が働けば、社会が力と積極性を増していくなかにあっても、リヴァイアサンが能力を獲得する余地が生まれる。したがって、回廊への道は完全に閉ざされているわけではない。

さらにいえば、社会や各種の市民団体、地方政府などが、地方レベルでの国家能力を高めると同時に、社会的動員を促す場合もある。これは市民に根本的な変化をもたらす可能性がある。なぜなら不在のリヴァイアサンや張り子のリヴァイアサンの下で提供される公共サービスや法執行機能の多くが、（中央政府によってほとんど提供されないため）地方レベルの活動に頼っているからだ。また中央政府のエリートは地方の社会活動にあまり脅威を感じないため、国家と社会の力の均衡を一時的に実現する機会が生まれるかもしれない。加えて、地方には実験の余地が——国家能力を拡大し、公共サービスの質を高める手法を試す機会が——あるかもしれない。だが公的議論で重視されることが多いこの種の実験よりもさらに重要なのは、国家能力の拡大を支持する連合を築くと同時に、地方レベルで社会の政治参加を促すことを試みる政治実験である。地方での政治実験が成功すれば、国家レベルの変革の青写真になるはずだ。これから地方レベルでの国家構築が成功した二つの例を通して、この力学を説明しよう。一つは主題図6の経路2、もう一つは経路3に近いものだ。

バイアグラの春

第一章で見たように、ロバート・カプランは法と秩序が完全に崩壊したラゴスの例を通して、世界中にアナーキーが到来するという陰鬱《いんうつ》な予測を描き出した。ウォーレ・ショインカの一九九四年の旅は、カプランの最悪の恐れを裏づけているように思えた。だがあれからわずか二十数年たったいま、ラゴスは様変わりしているように見える。まだ先は遠いとはいえ、経路2をたどって回廊に近づいたのだ。どうやって？

一九九〇年代はアフリカの独裁主義者にとって困難な時代だった。冷戦が終わり、権力にしがみつくためには民主主義者に（見せかけだけでも）生まれ変わって選挙を実施し、スーツを着て、敵へのあからさまな抑圧を避ける必要があった。第一章で見たナイジェリアの軍事独裁者サニ・アバチャは、一九九八年六月七日に二人のインド人売春婦とことにおよぼうとして、おそらくバイアグラの過剰摂取で死亡した。アバチャの妻はすぐさま国外逃亡を図った。カノ国際空港で足止めされたとき、預け入れ荷物の制限を少々オーバーしていたようだ。預けた三八個のスーツケースはどれも現金でパンパンだった。ナイジェリア軍は、アバチャ一族はもはや用済みと判断した。一九九九年に一族は権力を放棄し、オルシェグン・オバサンジョ大統領が民主的に選出された。バイアグラの春である。
ラゴスに話を戻すと、ここでも選挙が実施され、ボラ・アーメッド・ティヌブがラゴス州知事に選ばれた。就任するやいなや、ティヌブは意外なことをした。政治的同盟者を要職に着ける代わりに、有能な人材を起用したのだ。権威ある法学教授に司法長官のポストが、シティバンクの重役に経済計画・予算委員長のポストが与えられた。ラゴスは深刻なゴミ問題以外にも数多くの問題を抱えていた。何より、ラゴスの財政は破綻していたし、ナイジェリアの連邦政府によって各州に分配されるはずのわずかなオイルマネーも当てにならなかった。ティヌブが政権を引き継いだ当時、税務当局には一四〇〇人の職員がいたが、そのうち職業会計士はわずか一三人、公認税理士は六人で、それ以外のほとんどが政治任用者だった。ナイジェリア人はニョッキよりもキャッサヴァやヤムイモを好むかもしれないが、採用プロセスは「ニョッキ」がアルゼンチンの官僚機構に流れ込んだ経緯にそっくりだった。ナイジェリアが軍事政権下にあった一九七六年のこと、新憲法を起草する必要が生じた。起草委員会は「権力」をどう定義するかという問題に頭を悩ませた。最終的に、権力とは次のようなものと定義された。

（権力とは）富と威信を獲得する機会であり、親族や政治的協力者に雇用や契約、金銭贈与等のかたちで恩恵を与える立場にあることをいう。

ナイジェリア憲法の起草委員会自身が、権力とはズバリ、ニョッキを生み出す能力だと認めたのだ！
ティヌブはラゴスでやるべきことについて違う考えをもっていた。ティヌブはゴミ問題など、市の山積する問題に対処しようとしたが、典型的な八方ふさがりの状況に陥った。何をするにも税収が必要だというのに、引き継いだ政府の性質上、徴税は困難を極めた。そこで電子納税を導入した。収税官に現金で税金を支払う代わりに、電子的に支払ってもらえば、汚職の余地がほとんどなくなると考えたのだ。納税システムは民間企業に委託し、納税者データベースと納税システムを開発する見返りとして、徴税額の一定割合を与えた。アウトソーシング戦略は他の分野でも用いられた。二〇〇一年には、民間監査人に企業の税務監査を行なわせ、追徴額の一定割合を見返りとして与えた。また（口絵写真の横断幕が示すように）市民に納税を促した。

結果、ラゴスが切実に必要としていた税収増が実現した。これを元手にティヌブと、首席補佐官で次期知事になったババトゥンデ・ラジ・ファショラは、官僚機構の再編に着手し、二〇〇三年にはラゴス州内歳入庁（ＬＩＲＳ）を設置して、有能で十分な訓練を受けた人材を採用した。個人所得税が大半を占める州の税収は、一九九九年の約一億九〇〇〇万米ドルから二〇一一年には約一二億米ドルに急増した。納税者数も五〇万人から四〇〇万人近くに増えた。

財源基盤が拡大したおかげで、多岐にわたる活動に資金を提供できるようになった。その一つが、ラゴス州住民登録庁を通じて全住民を登録する取り組みだ。もう一つがゴミ問題への持続的な取り組みで、数千人のゴミ収集員が新たに採用された。ゴミ輸送車の数は二〇〇五年の六三台から二〇〇九年に七六三台に増やされ、二〇一二年には一〇〇〇台を超えた。ラゴスは清潔な都市となった。治安も、とくにファショラの下で大きく改善し、市民を脅迫・略奪していたエリアボーイズがほぼ一掃された。社会のあらゆる面に規制が行き届くようになった。交通事故の半数近くを占めていたバイクタクシーがラゴス市と州の大半の地域で禁止された。一九九九年に発生した自動車の死亡事故は五二九件、重傷事故は一五四三件だった。二〇一二年には、市内を走る車が大幅に増えたにもかかわらず、それぞれ一一六件と二四〇件に減少した。新しいインフラがそこかしこに建設され、通勤時の混雑緩和のために新型路面電車が導入された。一九九九年に新設された街灯の数はゼロだった。それを灯す電気さえない状態では、設置する意味もなかったのかもしれない。二〇一二年には市に電気が供給され、一二一七本の新しい街灯が設置された。

公共サービスの改善と犯罪の減少は、人々の経済生活にも劇的な影響をおよぼした。二〇〇四年から二〇一〇年にかけて、人口に占める貧困層の割合は五七％から二三％に低下した（その間ナイジェリア全三六州のほぼ半数で貧困率は上昇した）。

かくしてティヌブは地方国家の能力を拡大することにより、ラゴスをつくり変えた。だがこれは社会の協力なしには達成できなかった。ティヌブの母はラゴス市場取引業者協会の会長を務めており、二〇一三年に亡くなるとティヌブの娘があとを継いだ。ラゴスは経済に占める非公式経済部門の割合が非常に高いため、市場取引業者協会は州政府にとって貴重な政治資源だった。反面、協会は大きな政治的制約でもあり、協会の反対はプロジェクト全体を頓挫させていたはずだ。協会との協力と交渉は、税政策にも明白に表れている。取引業者は重要な税収基盤になる可能性があったが、監視がとても難しかった。そこでラゴス州は協会と税率を交渉し、協会はどの業者がどの市場を利用しているかという情報を提供し、納税した業者名を記録する業務を引き受けた。代わりに州は市場に公共サービスと警備の提供を約束した。非正規のバス運転手や職人などの団体との間でも、同様の協定を取り決めた。公式の経済部門も、制度的枠組み内で積極的に要求を行なった。二〇〇〇年には、製造者協会とエコホテルが売上税の導入をめぐってティヌブ政権を訴え、二〇〇三年には政府が反対の声によって固定資産税の税率を引き下げた。より一般的にいえば、ティヌブとファショラは社会がその権限に異議を唱えたために、「市民は税金を納め、規則や規制を守れば、州がきちんと仕事をすることを期待できる」という考えに基づいて、社会契約を書き換える必要があった。この社会契約は、情報提供や苦情申し立て、説明責任の手段を通じて強化された。ファショラにいたっては、プライベートな電話番号を公開し、ショート・メッセージで意見を送ってほしいと呼びかけたほどだ。ラゴスは複雑な制度的構造を通じてではなく、社会による積極的な国家の監視を通して、ギルガメシュ問題を解決し、国家能力の拡大を実現したのである。

アナーキーが到来するというロバート・カプランの予測が、すべての場所にあてはまるわけではないことを、ラゴスは教えてくれる。それに、ラゴスがデジタル専制体制に向かっていないことも明らかだ。ラゴスでは歴史も終わりを迎えていない。同様に、たとえ絶望的な状況から始めても回廊に近づけることを、この都市は示している。古代ローマの軍人で学者の大プリニウスは、「アフリカにはいつも新しい何かがある」といった。そのとおりだ。こんにちアフリカでは、崩れかけた国家能力と自由を立て直す方法を探す人たちによって、数々の地方発の実験が進められている。ラゴスではいまも多くの人が貧困に暮らし、合衆国市民よりも寿命が短い。だが一九九九年に比べれば寿命の差は大幅に縮まっているし、貧困者の数も大きく減っている。またほとんどの人の生活が、一九九九年ほど過酷でも野蛮でもなくなっている。ティヌブとファショラの両知事は、多くの恩恵が期待できる地方の足枷のリヴァイアサンを、ラゴス独自の方法で築き始めたのだ。

オランウータンからタキシードを引きはがす

ラゴスは一九八〇年代と一九九〇年代に困難な時代を経験したが、コロンビアの首都ボゴタも同様だった。第一一章では、コロンビアの張り子のリヴァイアサンを支えている入り組んだ仕組みを見た。

一九六〇年代にボゴタ市長を務め、一九八六年にコロンビア大統領になったビルヒリオ・バルコは、こういって嘆いた。「私が治めていたあの活気ある都市にいまも残っているのは、都市化されたアナーキーととほうもない混乱、ひどい無秩序、目も当てられない惨状だけだ」。バルコが市長を務めたのは、コロンビアの「国民戦線」協定の時代のことだ。この協定によって、自由党と保守党が一六年の間権力を共有した。選挙は実施されたが、やる前から結果は決まっていた。なにしろ両党間で大統領を回りもちにしていたのだ。バルコはいろいろな意味で「タキシードを着たオランウータン」の典型例だった。別の元大統領アルベルト・ジェラスは、バルコについてこう述べている。「彼はボゴタではテクノクラートだったが、ククタではマンサニージョだった」。マンサニージョも、グーグルが英語に翻訳してくれない言葉だ。適切な訳語をあてはめると、「闘牛場でワインを配る人」となる。ワインをただでふるまえば、票を集められる。それはオランウータンの仕事だ。バルコはＭＩＴで学び、タキシードの着方を知っていた。だが生まれ故郷のククタのような田舎では、マンサニージョになる方法も心得ていた。

マルクス主義ゲリラや麻薬カルテルが幅を利かせていた一九八〇年代、コロンビアは世界の誘拐首都と殺人首都と呼ばれていた。この時期政治エリートは少々能力を高め、社会は立ち上がり、政治に参加した。やがていくらかの民主主義が芽生え、一九八八年に初の民選市長が各地に誕生した。ボゴタ市民が選んだのは、保守党の伝統的な政治家でのちにコロンビア大統領になったアンドレス・パストラーナだった。だが選挙はボゴタの混乱をすぐに解決したわけではない。混乱を利用して利益を得ていた既得権益層のすべてが、まだ力をもっていた。市の雇用と契約を私的利益のために利用する慣行は、とくにボゴタの立法評議会で見られた。立法評議会は市長とともに行政権を分有していたため、評議員は友人や支援者に直接契約を与えることができた。評議員が公営企業の取締役を務めることもあり、それがさらなる腐敗とニョッキを生んだ。官僚機構の嘆かわしい状態と一般市民に対する扱いは、アルゼンチンと大差なかった。ボゴタでは、市庁舎の本館は市民の間で「辱《はずかし》め屋」と呼ばれていた。

一九八九年と一九九〇年に、コロンビアの状況はさらに悪化した。三人の大統領候補が暗殺された。新しく大統領に就任したセサル・ガビリアは対応を迫られ、憲法制定会議を招集することでコロンビアの制度のきわめて急進的な改革を後押しした。制定会議の三分の一近くを武装解除ゲリラの政党M-19が占めていた。一九九一年に制定されたコロンビア新憲法にはいくつかの刷新が盛り込まれたが、なかでもとくに首都ボゴタにとって重要な意味をもつものがあった。ボゴタ選出の議員でボゴタ市長への就任が決まっていたハイメ・カストロが議会を説き伏せ、ボゴタ市の行政機構を再編する法律の起草を次期市長に義務づける条項を、新憲法に含めさせたのだ。重要なことに、起草された法律は大統領令によって施行され、市の評議会は拒否権をもたなかった。カストロは翌年市長に就任し、新法により市の最高執行責任者になった。評議員は職位や契約を与えることも、公営企業の役員になることも禁じられた。新法は市の行政機能を二〇の「ロカリダーデ（地区）」に分権化し、それぞれに選出された地区長を置くことにより、評議員の力を弱めた。カストロはこのようにして、伝統的な政治機構を迂回《うかい》することに成功した。新法は税の抜け穴もふさいだ。ボゴタの財政にはただちに改善効果が表れた。一九九三年から一九九四年にかけて、税収は七七％増加した。

カストロの取り組みはトップダウンだったが、それでも改革は動員効果を生み、そして社会が反応し、組織化するうちに、主題図6の経路3のようなものが現れた。一九九四年に、政治経験ゼロのアンタナス・モックスが市長に選出された。モックスはコロンビア国立大学の数学と哲学の教授だった。モックスは、国家の能力を構築すると同時に社会の政治参加を促すことは可能だという、重要な気づきを得た——これまた動員効果だ！　規則や法律、国家に対する市民の認識を変えれば、市民は政治に関与し、自分たちに有益な方法で国家能力が拡大、活用されるよう要求するようになるはずだ。モックスの首席補佐官リリアナ・キャバジェロが、この方針を説明している。

市民が国家に頼みごとをしたり、権利を求めたりするのではなく、本来中央にいるべき市民に、政府が伺いを立てるべきなのです。

モックスは市民の意識変革に焦点を当て、多くの斬新な施策を生み出した。スーパーマンのコスチュームをみずから身につけ、「スーパーシチズン（市民）」を名乗った（口絵に写真を載せた）。布製のヒキガエルを襟に留め、ヒキガエルになろうと呼びかけた。コロンビアには「ヒキガエルになるな」ということわざがある。この強力な規範が意味するのは、「余計なお節介をするな、何かおかしなことが起こっていても関わり合うな」ということだ。モックスはむしろ、ヒキガエルになるのが市民の務めだと諭した。まず二〇人、次いでもう四〇〇人のパントマイム役者を雇い、ボゴダの街中を歩かせて、赤信号で道路を横断した人や、ゴミをポイ捨てする人、ルールを破る人たちを茶化させた。三五万枚の「いいね」カードと「よくないね」カードを市民に配布し、街中で称賛すべき行動や非難すべき行動を見かけたら、カードを手渡してほしいと頼んだ。モックスの在任中、交通事故の死亡者数は年一三〇〇人から六〇〇人に激減した。モックスは市民が公共の場を取り戻せるようにあらゆる戦略を駆使した。その一つが「女性のための夜」という催しで、男性に四時間留守番をしてもらい、その間一五〇〇人の女性警察官が見守るなか、女性が街を独占した。女性は大いに元気づけられた。

こうした施策でモックスがもくろんだのは、動員効果を活用することだ——社会自身の働きかけを通して、国家をより有効に機能させ、より多くをより適切に提供させるのだ。市役所での支払いに要する時間は一時間半から五分間に短縮された。「辱め屋」はもういなかった。ニョッキが多すぎて対処できない場合、モックスは公営企業の民営化に踏み切った。だが電力会社の民営化では、市が四九％の株式を留保し、電力会社が黒字転換してから残りの株式を売却し始め、公共サービスの資金にした。モックスの在任中、税収は三倍に増えた。一九九三年から二〇〇三年にかけて、上水道設備に接続している家庭の割合は、七九％から一〇〇％になった。下水道へのアクセスも七一％から九五％に改善した。当然だが、ボゴタ市民にとっての最大の懸念は、暴力だった。これも改善した。人々は街路を取り戻し、一〇万人当たり八〇人だった殺人率は、モックスの任期が終了する頃には一〇万人当たり二二人まで減っていた。

雇用と契約を求める評議員との戦いがまだ残っていたが、モックスには作戦があった。誰かに特別な便宜を求められたら、まるで「嘔吐した人を見るような顔で見つめて……何もいわずに身振りだけで、床にぶちまけられたものをどうやって片づけようかと思案して［いるふりをした］」と、のちに語っている。上院議員が名入りの便箋に頼みごとを書いてくると、モックスはこう書き込んで返送した。「上院議員殿、誰かがあなたの名入りの便箋を使っていますぞ」

ボゴタの改革はまだまだ道半ばだ。カストロとモックスが生み出したこれほどの効果をもってしても、第一一章で見たように、サミュエル・モレノの略奪を止めることはできなかった（その理由は、ボゴタの社会的動員が部分的なものでしかなかったからでもあり、モックスが築いた地方機関との信頼関係をモレノに悪用されたからでもある）。それでもモックスは「新しい何か」を試し、市民との協力体制を直接築き、強力な動員効果を解き放つことができた。モックスはこれをクルトゥーラ・シウダダーナ（市民的文化）と呼んだ。オランウータンからタキシードを引きはがす戦略だ。ラゴスでと同様、それは地方レベルで始まったのである。

ここまで、どの入り口を通って回廊に入るかは、国家と社会の当初の力のバランスによって決まることを見てきた。専横のリヴァイアサンを起点とする場合は、社会の力を高める（かつ経済エリートや軍官複合体の支配を緩める）必要がある。不在のリヴァイアサンを起点とする場合は、国家能力を高めなければならない。張り子のリヴァイアサンが起点の場合、または回廊が不在の状況から始める場合は、国家と社会が同時に力を高めなくてはならない。

ここまで強調してきたとおり、入り口がどこにあろうと、回廊に入るのは並大抵のことではない。移行を支援してくれる幅広い連合や協力体制を、多くの場合一から築く必要があるし、また一つの集団が専横的支配を確立しようとして残りの集団を骨抜きにすることがないように、連合内の力の均衡を保つことも必要だ。権力闘争が完全な分極化とゼロサム化を招かないようにするには、妥協や歩み寄りが欠かせない。また回廊の形状、とくに回廊が広いか狭いかによっても、入りやすさは変わってくる。次は、回廊の形状に影響を与える要因にはどんなものがあるか、そうした要因が足枷のリヴァイアサンと民主主義の未来にどんな意味をもつのかを見ていこう。

回廊の形状

南アフリカで、ネルソン・マンデラのカリスマ性と先見性あふれるリーダーシップと同じくらい重要だったのは、二〇世紀初頭に比べ、一九九〇年代には南アフリカの経済状況と、ひいては回廊の形状が大きく変わっていたことだ。前章で見たように、国が回廊内にとどまれる見込みは回廊の幅によって左右される。回廊に入ろうとする国についても、同じことがいえる。前章の主題図5の二つのパネルを比較すればわかるように、(たとえばANCが多数派黒人の組織化を改善するなどして)社会の力が同じだけ高まったとしても、(パネルAのように)回廊が狭ければ国を回廊内に入れるには不十分だし、(パネルBのように)回廊が広ければ国を回廊の中にしっかり入れることができる。南アフリカの回廊は一九九〇年代には広がっていたため、回廊内に移行できる見込みが高まったのだ。

多くの要因が回廊の形状に影響を与える。前章の強力な地主階級をめぐる私たちの議論と関係する要因が、強制労働だ。強制労働関係が回廊の幅に影響を与える理由は、国家とエリートの政治権力の使い方を変えるからであり、この種の専横的権力の利益を変化させるからでもあり、社会が組織化する方法に影響を与えるからでもある。これらの相互に関連する三つの影響を、一つずつ見ていこう。

第一に、強制労働は、奴隷制、農奴制、土地再分配を通じた経済的強制、または南アフリカでの雇用者による脅迫など、どんなかたちをとるものであれ、階層間の格差をさらに拡大させる効果がある。なぜなら労働を強制する側のエリートが、強制される側を食いものにして大きく力を伸ばすからだ。階層格差の拡大により、国家と社会の力関係がどんな状態であっても、両者の力の持続的な均衡を確保するのがいっそう難しくなる。その結果、強制労働がなければ国を回廊内にとどめられたはずの国家と社会の力関係も、労働が強制され、人口の大多数を抑圧し低賃金の経済活動に強制的に従事させることに国家の力が向かった場合、国を回廊の外に押し出してしまう可能性がある。その結果回廊が(専横のリヴァイアサンの側から)狭くなる。

第二に、強制労働に依存する経済活動を推進するために、エリートは一体となって行動し、国家の力を利用して既存の経済体制を保護し、固定させることに邁進《まいしん》するようになる。エリートが社会への支配を強めれば、一九一〇年以降の南アフリカで見られたように、強制労働をいっそう強化できる。

これも私たちの枠組みでいえば、回廊が狭まることに相当する――国家と社会の力のバランスが同じ状態から始まったとしても、強制労働により国家とエリートの専横的支配が強まるため、足枷のリヴァイアサンを支えることが難しくなるのだ。

これらの二つの作用は専横の支配力を高めるが、第三の作用は社会が組織化し、権限に異議を唱える方法を変えてしまう。強制労働は、社会が組織化し、集合行為（集団行動）の問題を解決する能力を弱めるのだ。その理由は、一つには強制労働が集団行動を妨げるからでもあり、もう一つには強制労働により労働組合などの組織が政治的・経済的要求を形成しにくくなるからでもある。社会が組織化されていなければ、専横に抵抗することはさらに難しくなり、そして回廊は不在のリヴァイアサンの側からも狭まる。思い出してほしい、弱いリヴァイアサンまたは不在のリヴァイアサンをもつ国が回廊に入れるかどうかは、社会の力を制度化できるかどうかにかかっている。社会の力が制度化されれば、国家建設のプロセスが開始したあとも、社会は組織化し、国家とエリートに対し力を行使し続けることができる。だが強制労働という軛の下では、社会の異なる層が組織化して集団行動を起こすことができないため、制度化はさらに困難になる。その結果、第一章のティヴをめぐる議論で見たとおり、危険な坂はいっそう危険に感じられ、国家建設のプロセスを軌道に乗せることがますます困難になるため、回廊は両側から狭まり、国がその中に入り、とどまり続けることがいっそう困難になるのだ。

これらの要因すべてを、南アフリカの初期から最近までの歴史に見ることができる。南アフリカで黒人の強制労働がとくに広く用いられていたのは、農業と、トランスヴァールで金鉱が発見された一八八六年以降重要性を増した鉱業だ。南アフリカの白人が、黒人から参政権を完全に奪い、黒人の土地を接収し、抑圧的なアパルトヘイト政権を確立する制度的変更を支持したのは、白人の農家や鉱山所有者が安価な黒人労働力を確保し、強制的に働かせることを望んでいたことが大きい。南アフリカ連邦史の初期には、黒人に分配される土地を拡大したり、カラーバーを緩めたりしようとするいかなる試みも、安価な黒人労働力から利益を得たい一心の白人の農家と鉱山所有者からの、社会的影響や人的犠牲をも厭わない、なりふり構わない抵抗に遭った。農・鉱業の強制的な雇用関係にも縛られて、黒人はときおり蜂起することはあっても、専横的な制度改革に抵抗するための組織をもたなかった。

一九八〇年代と一九九〇年代になると、状況はかなり変化していた。一九九〇年代には、金とダイヤモンドがまだ経済の柱だったとはいえ、工業部門が発展していた。多くの実業家がカラーバーの廃止を望んでいたし、また社会全体を代表するより民主的な政権の下でも、（BEEを通して実現したように）黒人の強力な指導者を味方につけることができさえすれば、資産を接収されることはないと信じてもいた。一九九〇年代の南アフリカは、連邦史の初期に強制労働によってつくられた国とは様変わりしていたのだ。そしてもちろん、南アフリカの企業にとっては、アパルトヘイト政権に課された国際制裁の代償も、過度に抑圧的で差別的な制度を排除しようという誘因になった。いまや実業家はアパルトヘイト連合から離脱する準備ができていた。これはANCの成果である。

南アフリカの回廊を広げる上で、同じく重要な役割を果たしたのが、黒人市民のより積極的で組織的な要求だった。多くの黒人がいまでは製造業に雇用され、労働組合を形成していた。黒人の組合は正式に認可される前も、ANCとともに黒人労働者の組織化と経済的・政治的要求の策定に大きな役割を果たしていた。学校でアフリカーンス語の授業が強制されたことに抗議して起こった一九七六年のソウェト蜂起後、黒人の労働組合は正式に認められ、アパルトヘイト政権に圧力をかけ始めた。

強制労働が回廊の形状に与える影響は、南アフリカの経験だけでなく、第九章で見たコスタリカとグアテマラのたどった異なる軌跡を理解するのにも役立つ。グアテマラの大規模なコーヒー農園では強制労働が多用されていたのに対し、コスタリカの小自作農のコーヒー生産には強制労働が存在しなかった。そのせいで、おそらくコスタリカの回廊が広がり、続いて足枷のリヴァイアサンの発展が促される一方で、グアテマラが狭まった回廊に入る可能性がますます遠のいたのだろう。

強制労働が回廊の形状に与える影響を頭に入れておけば、南アフリカと、やはり収奪的な白人少数派の政権がかつて支配していたローデシア（現ジンバブエ）が異なる軌跡をたどった理由も理解しやすくなる。ローデシアと南アフリカには多くの共通点があった。とくに、どちらの国も白人少数派の利益のために土地がきわめて不適切に分配され、黒人が白人の農家や鉱山にわずかな報酬で非熟練労働を提供させられていた。どちらの国にも、抑圧的な政権を葬り去ろうとする強力な武装組織と、妥協を拒む政権の強硬派がいた。だが南アフリカには鉱山所有者と農家以外に実業家がいたのに対し、ローデシアの大半には鉱山と農園しかなかった。ローデシアの白人少数派には亀裂がほとんどなく、政権がようやく終焉を迎えたのは長く暴力的な闘争が終わってからのことだった。政権がとうとう倒れると、回廊に向かうために欠かせない力の均衡を支えるものはほとんど何も残っていなかった。独立闘争の指導者の一人ロバート・ムガベと、その同志であるジンバブエ・アフリカ民族同盟愛国戦線（ZANU‐PF）の党員たちが率いるローデシアの政権は、専横的で抑制を受けない、不均衡な政権になった。そしてこの政権は予想どおり、新しく建国されたジンバブエの国民と経済に破滅的な影響をもたらしたのだ。

ジンバブエには、デズモンド・ツツ大司教が「虹の国」と呼んだ新生南アフリカ共和国の連合を強化した、マンデラやBEEのような存在はなかった。この理由の一つは、狭い回廊をもつジンバブエには、虹の国のような経済基盤がなかったからである。

足枷のリヴァイアサンは、一部の状況下では、生み出すのがずっと難しい。足枷のリヴァイアサンが出現する条件がいったん整えば、マンデラやBEEの指導部が築いたような連合がきわめて重要になる。南アフリカの実業家は、このことをはっきりと認識していた。白人の産業団体である南アフリカ石油協会の理事は、こう指摘した。

ジンバブエのあとを追って危険な坂道を滑り落ち、経済的破滅に陥らないようにするためには、南アフリカの全国民、とくに実業家が、黒人の経済力強化を真剣に考える必要がある。

そして彼らはそれを実行に移したのだ。

違う世界？

歴史の終わりは近づいていないし、すべての国が同じ種類の国家と社会の関係に収斂することもないが、過去四〇年間に世界中の政治制度に特筆すべき変化が起こっている。一例として、政治制度のなかでも比較的くわしく計測されている側面である、選挙制民主主義を考えてみよう。候補者が自由に競争して選挙運動を展開し、市民が自由に投票できるかどうかだ。ある指標によると、選挙制民主主義国家の数は、一九世紀末の数カ国から一九七〇年代に四〇カ国、二〇一〇年には一二〇カ国に増えた（二〇一〇年代は民主主義にとってよい一〇年間ではなかったにもかかわらずである）。選挙制民主主義国家は、（インドとラテンアメリカをめぐる私たちの議論が強調するように）必ずしも回廊内にはないし、過去に回廊に入った国の多く、たとえば中世の多くのヨーロッパ諸国などは、民主主義的とはとてもいえなかったが、それでも民主主義政権と足枷のリヴァイアサンとの間には選択的親和性がある。したがってこの傾向は、回廊に入りつつある国や、入ろうと試みている国が、ほかにもずっと多くあることを示唆している。なぜなのだろう?

主な原因が回廊の形状の変化にあることを、私たちの枠組みは示している。著名な古代史研究家のモーゼス・フィンリーは、一九世紀のアメリカの歴史家が「特異な制度」と呼ぶこともある、アメリカの奴隷制について論じたスタンリー・エンガーマンとロバート・フォーゲルの重要な著書『苦難のとき』に言及して、次のように述べている。

普遍史という観点から見れば、自由労働、すなわち賃金労働こそが特異な制度である。

古代エジプトの大規模な奴隷経済からヨーロッパの農奴制まで、新世界の近代奴隷制からアフリカなどその他植民地の多様な形態の労働まで、強制労働はほとんどの文明を支える重要な役割を果たしてきた。労働者を対象とする強制的行為は、工業化の初期段階には珍しくなかったし、イギリスからそれが消滅したのは、種々の主従法が撤廃された一八八九年になってからのことだ。それでも大規模な強制労働は、北朝鮮や最近までのウズベキスタンとネパールなどの少数のディストピア的な地域を除けば、過去半世紀の間にほとんどの経済国で次第に消滅しつつある。この傾向を大きく推進したのが、南アフリカで見られたように、農・鉱業に比べそれほど強制労働が普及しなかった工業の成長である。なぜ工業で普及しなかったかといえば、一つには前に見たように、製造業は製造工程が複雑なせいで、強制労働への依存がそれほど利益をもたらさないか、そもそも可能でないからであり、もう一つには労働者が工場で集団行動を組織する機会が増えるため、強制労働を維持することの代償が大きくなるからでもある（強制労働が衰退したもう一つの原因は、回廊内に入った社会に作用する赤の女王効果だ。たとえば第六章で見たとおり、ヨーロッパの数カ国は回廊内を進むうちに、強制的な封建的労働関係がゆっくりとだが消滅した)。その結果回廊が広がり、回廊内への移行と民主主義、自由が実現したのだ。

回廊の形状を変化させつつある要因は、強制労働の衰退だけではない。もう一つの重要な経済動向がグローバリゼーションだが、それが自由におよぼす影響は、より複雑で多面的である。

グローバリゼーションがつくる回廊

グローバリゼーションの経済合理性は、経済活動の専門化を促す。国際間の結びつきが深まるにつれ、一部の国は工業生産や輸出を拡大し、一部の国は農業や鉱業に特化する。このことは回廊の形状にどんな影響をおよぼすのだろう?

農業に特化する国にとっては、回廊が狭くなるかもしれない。たとえ二一世紀の地主はあからさまに抑圧的でなかったとしても、農業は前に挙げた理由から、社会的動員に有利ではない。農業主体の経済下では、労働者は十分組織化されないため、権力に異議を唱えることが難しい。農業従事者が集団行動を組織化しにくい理由はほかにもある。市民社会組織や抗議運動、政党などを組織するには、都市部にいる方が好都合なのだ。

これに対し、工業化やサービス・ハイテク事業への特化は、回廊を広げ、足枷のリヴァイアサンを生まれやすくする。この可能性を示す実例が、韓国だ。韓国は一九四八年に北朝鮮と北緯三八度線で分断されてから、李承晩《イ・スンマン》大統領の下で、市場志向だが専横的な体制として始まった国である。共産主義の北朝鮮からの存亡にかかわる脅威と、合衆国による支援とを推進力として、抜本的な土地再分配をはじめとする一連の改革を進め、続いて工業化を強力に推進した。朴正熙《パク・チョンヒ》将軍が当初一九六一年にクーデターにより、その後は選挙により実権を握ってから一九七二年に戒厳令を敷くまでの間、さらに工業化が進んだ。この時期の韓国の経済発展では、国際貿易と製品輸出が中心的な役割を果たした。経済成長を主に牽引したのは、サムスンやヒュンダイなどでおなじみのチェボルと呼ばれる巨大財閥の協力のもとで進められた、政府計画である。韓国の産業の労働需要を満たすためもあって、教育にも多大な投資が行なわれた。だがこのような発展が実現した背景には、一九五〇年代に発達した市民社会が組織的抑圧にも負けずにまだ勢いを保っていたことと、工業化の過程で労働組合がすでに組織化されていたことがあった。これらの変化が、一九七〇年代の軍事政権に対する大規模な抗議運動の条件を整え、ひいては軍事政権の退陣と、一九八七年の民主選挙という成果をもたらしたのである。軍事政権が学生の抗議者や労働組合を暴力的に鎮圧し、国内外の支持を失ったことが、転換のカギを握った。抑圧の代償は、農業や天然資源に依存する経済よりも、新興工業国にはるかに破壊的で大きな影響をおよぼし、このプロセス全体を促進する力となったのだ。したがって韓国のケースでは、グローバリゼーションがもたらした製造業への特化が、回廊を広げ、この国を回廊のなかに押し込む推進力になったといえる。

だが肝心なこととして、経済活動の専門化がおよぼす影響は、国家と社会の既存の力のバランスによって変わる。このことは、韓国と中国を比べれば明らかだ。中国はグローバリゼーションによって加速した、さらに急激な工業化を経験している。それでも、社会がはるかに弱く、政府がはるかに専横的なため、そうした変化は回廊へと向かう持続的な動きを何ら生み出すに至っていない。たとえ回廊が広くなっても、そこから遠く離れた国は簡単に中へ入れないのだ。

したがって、経済グローバリゼーションの影響はまちまちである。天然資源や農業生産に特化する国にとっては、依然種々の強制的行為を課すことが可能で、社会的動員が困難になるため、回廊は狭まりやすい。逆に、グローバリゼーションによって製造業やサービス、ハイテク活動に特化し、その結果回廊のなかに入りやすくなる国もある。それに、グローバリゼーションとそれがもたらす経済・社会変化により、アイデアのやりとりが容易になり、そのことがさらなる社会的動員と新たな希望を育《はぐく》むこともある。グローバリゼーションの影響に関しても、悪魔は細部に宿る、すなわち細部が決め手となるのだ。

専門化のパターンを変化させる要因は、経済グローバリゼーションだけではない。ほとんどの国は、ある程度の経済成長を遂げると、労働人口が農業から製造業とサービス業へとシフトする（その理由の一つは、消費者が豊かになるにつれ、製品・サービスへの需要が農産物需要よりも急速に拡大するからだ）。そのうえ、先進国が導入する新しい効率的な技術が世界全体に波及することも、製造業への後押しとなる。こうした長期的傾向は、グローバリゼーションの有無にかかわらず、たとえ緩慢で、国によってばらつきがあったとしても、バランスを農業生産と天然資源から遠ざけ、回廊を広げるのに役立つことが多い。

回廊の形状を決めるのは経済的要因だけではない。国際関係も回廊の形状と自由の展望に影響をおよぼすのだ。だがグローバリゼーションと同様、これらの影響はまちまちで、回廊を広げるかと思えば、専横者の助けになることもある。こうした国際要因をめぐる議論で本章を締めくくるとしよう。

いまや誰もがホッブズ主義者

ヨーロッパ列強によるアフリカ分割が定められた一八八四年のベルリン会議で、真の勝者となったのはベルギーのレオポルド二世だった。独立国「コンゴ自由国」の名の下に、広大なコンゴ盆地を人道主義的・博愛主義的事業として支配することを、会議の出席者と、合衆国大統領チェスター・アーサーなどその他諸国の首脳に認めさせたのだ。現実には、この国家には自由のかけらもなく、もちろん人道主義の大義などとは何の関係もなかった。レオポルド二世は、まるで私有地のように国家を運営し、天然ゴムを主とする資源を容赦なく搾取した。天然ゴムは、一九三〇年代に合成ゴムに取って代わられ始めるまで、世界中で莫大な需要があった。レオポルドの私軍フォース・ピュブリック（公安軍）は、先住民の強制労働者にゴム生産の過酷なノルマを課し、残虐な暴力でノルマを強制した。鞭《むち》打ちや村の焼き打ち、ノルマを達成できなかった者の腕切断、大量殺人などが横行していた。レオポルドの治世中に、コンゴの総人口二〇〇〇万人のうち一〇〇〇万人が失われたともいわれる。

このとてつもない人道的悲劇から生まれたのが、それに先立つ奴隷解放運動を土台とする、国際的な人権運動である。コンゴ人に対する非道な行為を初めて暴いたのは、一八九〇年代前半にコンゴを旅していたアメリカのジャーナリスト、ジョージ・ワシントン・ウィリアムズだった。ただし、最初のうちは国際社会の反応は鈍かった。一八九九年にジョゼフ・コンラッドがコンゴ川汽船の船長としての経験をもとに執筆した『闇の奥』が刊行されると、コンゴの植民地での残虐行為に国際的な関心が集まり始めた。やはり国際人権運動の草分けである、エドマンド・モレルとロジャー・ケースメントの二人は、コンゴ自由国の人々の窮状を救うことを大義に掲げ、レオポルドのコンゴ支配を終わらせるという明確な目的をもって、コンゴ改革協会を設立した。

モレルはリバプールの船会社エルダー・デンプスターの事務員として、コンゴ自由国と商品のやりとりをするうちに、レオポルド国王の政権がもたらした人道的悲劇と搾取の根深さを理解するようになった。モレルがコンゴでの人権侵害の実態を暴露したことをきっかけに、イギリス議会下院が調査に乗り出した。この調査を実施したのが、コンゴ駐在のイギリス領事でアイルランド人のロジャー・ケースメントである（のちにアイルランドの独立闘争に関わったかどで、イギリス当局によって処刑された）。ケースメントは、当時の植民地の状況について現在知られていることの大部分を明らかにした。ケースメントがどれほどの残虐行為を目にしたかは、その日記からも感じ取れる。一九〇三年六月五日から九月九日までの日記は次のとおりである。

六月五日　この国は荒れ地で、先住民は一人も残っていない。
七月二五日　村々を訪れた。一番近い村は――人口が恐ろしいほど減っていた――数百人いたうち、わずか九三人しか残っていなかった。
七月二六日　哀れなか弱き人々よ……――灰は灰に、塵《ちり》は塵に（弔いの祈り）――温かい心と痛ましい思いは、いったいどこへ行ってしまったのか――人々とともに消えてしまった。
八月六日　先住民に話を聞いて多くを書きとめた……収穫をもってくるのが遅れると、残虐な鞭打ちに処せられるという。
八月一三日　Ａの報告によれば、手を切り落とされた人々が五人、私に見せるためにビコロの方からミヤンガまで来ていたそうだ。
八月二二日　ボロンゴの町はほぼ死に絶えている。一八八七年一一月には人であふれていたのをよく覚えている。いまは大人が合わせて一四人しかいない。哀れな人々はゴム税に激しい不満をもっていた……六時三〇分、ボクタの寂れた側を通過した……ムゼデによれば、住民全員がマムポコまで強制連行されたという。哀れで不幸な人々よ。

八月二九日　ボンガンダンガで……ゴムの「市場」を見学したが、銃しか見なかった――二〇人ほどの武装した男たちがいた……ゴムをもった二四二人の住民全員が囚人のように見張られていた。これを「貿易」などと呼ぶのはうその極みだ。
八月三〇日　一六人の男性、女性、子どもが、町の近くのムボイェ村で縛られていた。罰当《ばち》たりめが。男性は牢に入れられ、私の抗議で子どもたちは解放された。罰当たりめが。罰当たりで恥ずべき体制よ。
九月二日　一六人の女性がピイターの番兵にさらわれ、牢に連行されるのを見た。
九月九日　一一時一〇分、再びボロンゴを通過。哀れな人々がカヌーに乗って私に助けを求めてきた。

ケースメント報告は一九〇四年に発表され、コンゴでの恐るべき人権侵害の実態を、目撃証言を通して生々しく伝えた。とくにケースメントは、レオポルド二世の部下たちが、ゴム生産のノルマを果たせなかった先住民の手足を切り落とした様子をくわしく記録している。たとえばこんなふうに。

湖水地方にいる間に私の目に直接とまった（身体切断の）例は二件あった。一件は、若い男性がライフルの銃床で両手を木に叩きつけられ、手がもげてしまった。もう一件は、一一、二歳の少年で、右手を手首から切断された……いずれの場合も、政府軍の兵士に白人の役人が付き添っていた。白人たちは名を名乗った。ゴム政権下でこのようにして手足を切断された六人の先住民（少女が一人、少年が三人、若者が一人、老女が一人）のうち、一人を除く全員が、私が訪問したときには死んでいた。

報告書の総評は痛烈だった。

一八九〇年代半ばには、コンゴ盆地とその生産物はレオポルドの莫大な富の源泉になっていた。レオポルドはこの富を利用してベルギーの首都ブリュッセルを美しく飾り立て、その一方でアフリカの代理人を通して、コンゴ自由国の内陸森林地帯からゴムを採取するための、残虐で搾取的な体制を確立していた。

この報告書が国際世論を大きく動かし、コンゴ改革協会の大義に英米の著名人から支援が寄せられ始めた。サー・アーサー・コナン・ドイル、マーク・トウェイン、ブッカー・T・ワシントン、バートランド・ラッセル、ジョゼフ・コンラッド。最終的にこの協会が、レオポルドの植民地支配の終焉をもたらしたのである。

国際人権運動は第二次世界大戦後ますます深みを増し、国際的な影響力を高めた。次章で見る一九四八年の世界人権宣言が中心的な役割を果たした。同じく重要なステップが、一九四八年に採択された、国連集団殺害罪の防止および処罰に関する条約（ジェノサイド条約）である。この条約は、二〇世紀前半の悪名高いジェノサイドを批判しただけではない。たとえば一八九九年に署名され一九〇七年に改定されたハーグ陸戦条約や、古くは一八六四年のジュネーヴ条約のような初期の条約や宣言が、国家を主権者と認め、国家間の相互関係と戦時中の戦闘員や市民の扱いを規制することをめざしたのに対し、ジェノサイド条約は、国家が市民を好き勝手に扱うことは許されないという考えを示した。条約はこう定めている。

集団殺害または第三条に列挙された他の行為を犯す者は、憲法上の統治者であるか、公務員であるか、または私人であるかを問わず処罰する。

メッセージは明確だった――リヴァイアサンであろうとなかろうと、人々に残虐行為を働くことは許されない。当初これは実効性のない、たんなる声明文にすぎなかった。だがさまざまな国で起こっている人権・市民権の侵害を広く伝え防止することをめざすアムネスティ・インターナショナルやヒューマン・ライツ・ウォッチ、また二〇〇二年に設立され、ジェノサイドや人道に対する犯罪、戦争犯罪をおかした個人や国家元首さえをも訴追する権限をもつ国際刑事裁判所などの組織の活動とともに、主権国家に対する国際的な圧力と監視は増していった。

もちろん、こうした条約や組織の影響力は誇張すべきでないし、一九七〇年代のカンボジア、一九九四年のルワンダ、二〇〇〇年代のスーダンなど、第二次世界大戦後も人権侵害やジェノサイドはあとを絶たない。それでも国際人権運動は、世界中の国家と社会の関係に二つの根本的な影響をおよぼした。過激な抑圧の実態をずっと見えやすくすることによって、社会を抑圧した国家やエリートが支払う代償を大きくし、また専横に対して立ち上がるための共通基準と共通言語を社会組織に与えたのだ。これら二つの影響が果たした役割は、「色の革命」の多くにも表れている。これらの革命では、独裁政権による組織的な人権・市民権侵害が明白に立証されたことが一つのきっかけとなって、人々が立ち上がった。私たちの枠組みの視点に立てば、このような国際社会の反応は、専横のリヴァイアサンを弱めることにより回廊を広げることに相当する――つまり、専横の力学を発動させていたかもしれない国家の力を、いまや国際人道組織とそれらが生み出す社会的動員の助けを借りて、封じ込められるようになったのだ。

国際人権運動は、とくに国家の能力を組織化して特定の集団に対する差別や人権侵害との戦いに利用するよう国家を促すことによって、回廊をもう一方の側からも広げる。一例として、アムネスティ・インターナショナルが家庭内暴力や女性器切除の反対運動で果たした役割を見てみよう。二〇一二年に国連がとうとう女性器切除を禁止する決議を採択したが、このプロセスのカギを握ったのがアムネスティ・インターナショナルの運動だった。結果として、差別に苦しむ人々を保護する国家の能力が高まったことは、不在のリヴァイアサンの側から回廊が広がったことに相当する。

こうした作用があるのだから、国際関係は回廊を広げ、足枷のリヴァイアサンの台頭を促す強力な力になっていると思う人がいるかもしれない。だが現実はもっと微妙だ。国際関係のさらに広範な影響をおよぼしている側面には、回廊を狭め、専横および張り子のリヴァイアサンを増強する作用があるのだ。


二〇一七年一〇月、世界保健機関（ＷＨＯ）がジンバブエの当時の大統領ロバート・ムガベを、非伝染性疾病との闘いを支援する「親善大使」に任命し、この地位を利用してムガベが「地域の仲間たちに影響を与え」てくれるだろうと宣言した（国連で演説するムガベ大統領の写真を口絵に含めた）。どんな影響を？　この親善大使は、国民を抑圧し、マタベレランドの民間人数千人を虐殺し、土地を強制接収して自身と家族、党の支援者に再分配し、生産性が高いはずの経済を壊滅的な破綻に追い込み、定期的に選挙不正を犯している、ロバート・ムガベその人なのだ。いや、百歩譲って、ジンバブエは健康と医療の分野では優れた成果を挙げているのだろうか？　とんでもない。ジンバブエ国民の全体的な健康状態は国の経済的命運とともに悪化の一途をたどっている。全人口の八％がＨＩＶに感

染しており、男性の出生時平均余命はたった五九年だ。国家医療制度の崩壊が、二〇〇八年から二〇〇九年にかけてのコレラ大流行を招き、一〇万人の感染者と四〇〇〇人もの死者を出した。クーデターにより追放される前のムガベが、自国の医師に健康を委ねる代わりに、シンガポールに何度も渡航して治療を受けていたという事実が、ジンバブエの医療制度の実状を何よりも雄弁に物語っている。ムガベ個人の二〇一六年度の海外治療費は、国家予算全体の六分の一に上る五三〇〇万ドルと推定される。

この任命は、国際国家システム全体を視野に入れない限り意味をなさない。国際人権運動で重要な役割を果たすこともある国連を含む国際機関は、主権国家の首脳と協力するために存在する。国際機関の方針は、ホッブズ主義者になることである——国家が存在するとき、その国家は国を代表しており、国際社会の敬意を受けるに値する。たとえ大統領や首相、軍事独裁者、君主が、国民の人権や市民権の侵害を含む過酷な抑圧に手を染めていようとも、彼らを認めるということだ。どこかの国家を代表する人物が得るのは、国際社会の敬意だけでなく、金融資源もだ。ソマリアなどのアフリカ諸国が国際社会から得る資金は、国家予算の四〇％にも上る場合がある。国際国家システムのこのようなあり方には、もっともな理由がある。国家を正当なパートナーとして認めなければ、国際協力がずっと困難になり、政権を不安定にしてしまうかもしれない。国際国家システムは、ある意味ではうまく機能してきたといえる。たとえば国境紛争や対立の火種がくすぶるアフリカやラテンアメリカで、戦争を防いできた。

だが私たちの概念的枠組みの視点に立てば、ホッブズの理論の最も疑わしい部分——国家はつねに正当な存在であり、力こそ正義であるという考え——をうたいあげるこの国際システムは、回廊を狭めるという、意図せざる結果をもたらしている。国際的正当性は国内的正当性となり、国内の反対派を抑圧し鎮圧するための隠れ蓑になる。国際的正当性は資金を提供し、現在のエリートを頂点とする階層を固定化する。こうして力のバランスを国家に有利に傾けてきた結果、国家と社会の関係に有害な影響をおよぼしているのだ。一つには、社会が国家の専横的権力に対抗することが非常に困難になる。そのうえ、社会の力を制度化することも難しくなる。このような影響はすでに第一一章で見たとおりだ――国際国家システムは、張り子のリヴァイアサンを下支えする。張り子のリヴァイアサンは植民地支配にルーツがあるが、いまも存続できているのは、国際国家システムがそれらを真のれっきとしたリヴァイアサンとして扱うからである。だが張り子のリヴァイアサンは、動員効果と社会の反応を恐れるあまり、どんな種類の国家能力を築くこともできず、またその過程で社会の力が制度化される可能性をも押しつぶしてしまう。その結果、国際人権運動とは逆向きの強い力が生じ、回廊を狭めてしまうのだ。

それではこれらの要因や、本書で議論していないほかの多くの要因が作用するなか、今後数十年間で回廊が広がり、自由の展望が改善することを期待できるだろうか？　答えは明らかではないが、私たちは楽観主義者であり、たとえ現在のように多くの国で独裁者の支持率が高まり、回廊内の一部の国がかつてないほど不安定に見える状況であっても、ほとんどの国にとって回廊が少し広がりつつあると考える根拠はある。それでも、第一章の主要なメッセージは引き続き有効だ――すべての国が、ある決まった国家制度や国家と社会の関係に自然と向かうことなどない。専横のリヴァイアサンや張り子のリヴァイアサン、不在のリヴァイアサンは、足枷のリヴァイアサンに劣らず頑強だ。本章で示したもう一つのメッセージも同じくらい重要である。回廊の形状がどうであれ、新たな幅広い連合を築き、妥協を支援することができない国は、回廊内に足がかりを築くことはできないのだ。

第一五章

リヴァイアサンとともに生きる

ハイエクの誤り

第二次世界大戦のさなか、ロンドン・スクール・オブ・エコノミクス（ＬＳＥ）の学部長ウィリアム・ベヴァリッジは、公務員のチームを指揮して『社会保険および関連サービス』と題した政府報告書を取りまとめた。今ではベヴァリッジ報告として知られるこの文書は、イギリスの福祉国家の拡大を図るための土台となった。同報告の主な勧告には、失業保険・疾病手当・老齢年金を提供するプログラムである国民保険制度の大幅な拡充、国民保健サービス（ＮＨＳ）という無料の国民皆保険制度の創設、最低賃金の導入などが含まれていた。報告はイギリス国民の絶大な支持を得た。戦後の国民保険担当労働相ジェイムズ・グリフィスは「戦時中の最も苦しい時期に、［報告は］天からの恵みのようにやってきた」と回顧録に書いている。

勧告のなかには、戦時中に実行に移されたものもある。たとえば乳幼児と母親向けサービスの拡充や、五歳未満の子どもをもつ母親と家族に灯油と補助金付き牛乳を支給するプログラム、無料の学校給食の提供などだ。一九四五年、ベヴァリッジ報告の実施を公約に掲げて選挙で圧勝した労働党は、いくつかの象徴的な法律を成立させ、報告で示された計画を実現した。これらの法律には、一九四五年家族手当法、一九四六年国民保険法、一九四八年国民扶助法、一九四六年国民保健サービス法などが含まれる。

当時ＬＳＥで教鞭を執っていた、聡明なウィーンからの亡命者は危機感を抱いた。フリードリヒ・フォン・ハイエクが主に懸念していたのは、全体主義国家の台頭だった。数年前にナチスから逃れたばかりのハイエクは、ナチズムを全体主義国家の極端な形態の一つと見なしていた。とくに心配していたのが、「社会主義的」な中央計画や行政による経済規制が、全体主義のようなものにつながることである。ハイエクはウィリアム・ベヴァリッジに宛てた覚書のなかで、経済に対する国家管理の拡大の危険性を初めて説いた。この覚書を雑誌記事にし、それをもとに『隷属への道』という本を書き上げた。『隷属への道』は二〇世紀における最も影響力のある社会科学研究の一つになった。といってもすべての政府介入や社会保険に反対していたわけではない。実際、「一部の自由主義者はある大まかな経験則、とくにレッセフェール〔自由放任主義〕の原則に頑なにこだわっているが、そうした姿勢ほど自由主義の大義を損なうものはおそらくないだろう」と書き、さらに「健康と働く能力を維持できるだけの最低限の衣食住を万人に保障できることに疑いの余地はない」と述べている。しかしハイエクは、賃金や資源配分の決定において、国家が決定的な役割を果たすようになることを案じていた。多くの国が、社会主義思想の影響もあってこの方向に進みつつあると考え、そうした状況を変えようとして書いたのがこの本である。一九五六年アメリカ版の序文のなかで、ハイエクはイギリス労働党の諸政策を踏まえて、次のように述べている。

福祉国家の名の下に寄せ集められた、あの筋が通らず一貫性のない理想論が、社会主義に代わって改革者の目標となってしまった。それらをきわめて注意深く選別しなければ、本格的な社会主義とあまりにも似た結果を招きかねない。とはいえ、そうした政策が掲げる目標が、実行可能でないとか、称賛に値しないなどということではない。しかし同じ目標をめざすにしても、方法はたくさんあるはずだ。また現在の世論の状況を考えれば、性急に結果を出そうと焦るあまり、特定の目的を達成するのには効果があっても、自由社会の維持とは相容れない手段を選択してしまう恐れがある。

ハイエクはこうも続ける。

いうまでもなく、社会主義政権が続いたこの六年間で、イギリスは全体主義的国家のようなものに近づいてはいない。だが、このことが『隷属への道』の主張が誤っているという証拠になると考える人たちは、本書の重要な論点の一つを見落としている。それは、政府による広範な統制がもたらす最も重大な変化は、心理的な変化だということ、つまり人々の性質が変わっていくということである。このような変化は必然的にゆっくりとしたもので、数年ではなくおそらく一、二世代かけて起こる。ここで重要なのは、人々がもっている政治理念や政府に対する姿勢は、彼らが受け入れる政治制度の原因になると同時に、その結果でもあるということだ。つまり、たとえ政治的自由の強力な伝統があったとしても、新しい制度や政策がその精神を徐々にむしばみ、打ち砕く恐れがあるとき、そうした伝統は何の安全策にもならないのである。

ハイエクがここでいう「心理的な変化」は、本書でいう社会に対する国家の支配と似ている。この観点から考えると、ハイエクが懸念していたのは、イギリス国家の高まった能力が社会を骨抜きにしてしまい、より専横的な国家への道を開くのではないかということだ。ハイエク自身が別の機会やいまの引用でも主張したように、「実行可能で、かつ称賛に値する」目標もあるだろう。だがそれだけでは十分ではない。なぜなら、国家の力が高まることによって、国家と社会の関係が変質しかねないからだ。ハイエクが恐れていたのはそれだった。実際、ハイエクがこの潜在的問題を防ぐために考案した対策は、私たちの主張と一致する。ハイエクはこう書いているのだ。「当然だが、このような帰結を防ぐことはできる。まだ間に合ううちに人々が国家に対する力を取り戻し、ますます危険な方向に向かって社会を導く政党を追放するだけでなく、危険の本質を理解して決然と方向転換するならば」

いいかえれば、ハイエクは専横のリヴァイアサンの出現を阻止する唯一の方法は、社会が力を取り戻し、国家の権力と支配に対抗することにあると認識していた。ここまではいい。だがハイエクの鋭い分析からは、ある重要な要因が抜け落ちている——赤の女王効果だ。能力を高めつつある国家に社会が対抗する方法は、そうした動きを完全に抑えつけることだけではない。別の方法として、社会はみずからも能力を高め、その力で国家を制御することもできる。これが、第二次世界大戦後の数十年間にイギリスやヨーロッパの大部分で起こったことである。また第一〇章で見たように、こうした力学のいくつかは合衆国にも作用した。

実際、国家が新しい難題に対処するために役割と能力を拡大する一方で、社会も能力と警戒を高めることができなければ、人間の進歩の多くは起こり得ない。国家の能力拡大を未然に抑え込めば、人間の進歩を妨げることになる。経済的・社会的危機に瀕した国家が権限を拡大することはとくに重要である。イギリスのベヴァリッジ報告は、そのような危機への対応だった。

したがって、ハイエクの誤りは二つあった。第一に、赤の女王の力を見抜いておらず、それが足枷のリヴァイアサンを回廊内にとどめることを認識していなかった。第二に、またおそらく驚くに当たらないが、今ではかなり明らかになっていることが、ハイエクには見えていなかった——再分配や社会的セーフティーネットの構築、そして二〇世紀前半にすでに出現していた、複雑化する経済の規制において、国家が一定の役割を担う必要性である。

国は何もしなくても、自動的に回廊内にとどまれるわけではない。新しい難題に直面したときはなおさらだ。第一三章では赤の女王がゼロサム化するとき、国がどのようにして回廊から外に出てしまうかを見た。ハイエクが懸念していたのは、自由がより根本的な意味で脅かされること――行政国家が能力を高めるうちに、新しい種類の「隷属」をつくり出してしまうことだった。だが赤の女王効果はゼロサム化しない限り、社会が回廊内にとどまりつつ、拡大する国家を制御するための新しい能力や制度的取り決めを開発するのを手助けする、強力な力にもなるのだ。赤の女王がこの役割を果たす方法と、赤の女王を動員するために新たな連合が往々にして必要になることを説明する例として、世界恐慌まっただ中のスウェーデン福祉国家の建設にまさる例はないだろう。

牛売買

世界恐慌は西側諸国全体に国家と社会の危機をもたらした。経済危機が政治危機を招いたわけだが、その展開は国によって大きく異なった。ドイツがナチズムに屈し、速やかに回廊を離れたのに対し、合衆国は制約の範囲内で対応すべく奔走し、そしてスウェーデンは赤の女王効果に力を得て国家と社会が同時に能力を拡大する、象徴的な事例となった。スウェーデンでは戦間期に男子普通選挙が導入され、より競争的な選挙環境が整っていた。また新たな連合が、スウェーデンを回廊内にとどめるとともに、労働市場を規制し所得分配に影響をおよぼす国家の能力を大幅に高めた。こうした変化に道を開いた要因はいくつかあった。

二〇世紀初頭のスウェーデン経済は農村を主体としており、まだ人口の半数以上が農業に従事していた。スウェーデンには第六章で見たように、小作農をも含む代議制の長い歴史があり、一九世紀になると地主は大方の富と権力を失っていた。それでも選挙権の範囲は制限されていたし、貴族院である第一院が依然政治に大きな影響力をもっていた。だが一九〇九年にまず庶民院である第二院に、続いて一九一八年にはすべての選挙に男子普通選挙が導入され、同年に国王の権限が制限されたことにより、競争的選挙による議会制民主主義体制が実現した。こうした制度改革においてきわめて重要な役割を果たしたのが、スウェーデン社会民主労働党（SAP）である。

ヨーロッパのほかの多くの社会主義政党とは対照的に、SAPは覇権争いに加わり始める前に、そのルーツであるマルクス主義的思想をかなり徹底的に捨て去っていた。この転換の立役者の一人が、同党の二〇世紀初頭の強力な指導者、ヤルマール・ブランティングである。ヨーロッパ大陸のほかの社会主義政党が、プロレタリア革命をめざして激しいイデオロギー論争を繰り広げ、政権に就くチャンスをみずからつぶしていたのをよそ目に、ブランティングはSAPを選挙に勝てる確かな勢力にするために、連立相手探しに余念がなかった。一八八六年にこう語っている。「スウェーデンのような後進的な土地では、中産階級の担う役割がますます重要なものになっているという事実を無視するわけにはいきません。中産階級が労働者の支援を必要とするように、労働者階級も中産階級から得られる助けを必要としているのです……」

SAPが二〇世紀初頭に男子普通選挙の両院への導入を主な目標に掲げ、そのために農民や小作農など、政治的代表権をもたないすべての人の権利拡大を求める戦略に基づくプログラムを推進していたことが、連立相手探しに役立った。

スウェーデンも世界恐慌の影響を免れなかった。ほかの多くの諸国と同様、政府は自国通貨クローナの防衛を図ったが、そうした政策がデフレーションと失業率上昇を招き、危機をいっそう深めた。一九三一年のイギリスの金本位制離脱とポンド切り下げを受けて、スウェーデンは方針を一部転換し金本位制を放棄したが、それでも状況は改善しなかった。SAPの連立相手探しがスウェーデンの政治を変え始めたのは、このような背景においてのことだった。この時点で、SAPは連立相手として中産階級ではなく、農民と小作農に目を向けた。苦しい闘いだった。SAPが連携していた労働組合は、失業手当の維持や高い賃金水準の確保、公共事業と政府支出による工業部門の雇用創出を主な優先事項としていた。また組合は労働者の食費上昇につながる政策にことごとく反対した。他方農民は、労働者の高賃金に反対し、農産物価格を下支えするための販売委員会を通じた価格支持やその他の手段を要求した。

それでもSAPは連立相手を探し続けた。一九三二年の選挙戦で党首ペール・アルビン・ハンソンは、SAPがすべてのスウェーデン人に開かれた「国民の家」になるというスローガンを打ち出した。ハンソンは次のように説明している。

わが党の最も重要な仕事は、経済危機でいわれのない苦境に立たされたすべての集団を、全力を挙げて助けることです……わが党は誰かの犠牲のもとで、［一つの］労働者階級を支援し、助けることをめざすものではありません。わが党は未来のための仕事において、工業労働者階級と農民階級を区別したり、手を動かす労働者と頭を動かす労働者を区別したりはしません。

SAPの指導者はこの戦略を、経済危機が招いた深刻な状況の打開策として提示し、また大恐慌の悪影響を軽減するために積極的な実験を厭わない姿勢を、有権者への最大の売りにしていた。一九三二年選挙の同党のマニフェストに、それが明言されている。

わが国は現在進行中の危機に巻き込まれ、社会のあらゆる層が犠牲になっています……わが党はこの状況を継続的に改善するための対策をとることに全力を尽くし、「なおかつ」危機の罪なき犠牲者に有効な助けを差し伸べるよう、国家を促しています。

これが効いた。SAPは前回一九二八年の総選挙から大躍進し、単独過半数にはおよばないものの、得票率四一・七%の歴史的勝利を収めた。農民層を取り込もうとするハンソンの努力が実ったのは、この時である。SAPはいわゆる「牛売買」〔多くの妥協を盛り込んだ交渉〕を成功させ、農民同盟と連立政権を組んだのだ。SAPは農産物価格を引き上げるための保護主義的措置を受け入れ、その見返りとして政府支出増大と工業部門の賃上げを柱とする、危機対策パッケージの実施を負託された。

このパッケージは当初、ヴァレンベリ家などの金融業界の有力勢力と、実業界の最大にして最も声高な部門の反対を受けた。それは輸出製造部門で、人件費の上昇による競争力の低下を懸念していた。だがSAPがさらに得票を伸ばした一九三六年の選挙後、状況は一変する。幅広い支持を背景に、SAPは一九三八年に小さなリゾート町サルトショーバーデンで、実業界、労働組合、農民、そして政府の代表を集めて会合を開いた。この会合をもって「社会民主」連合に実業界が迎え入れられ、実業界は新たな政府プログラムと福祉国家を受け入れ、より協調的な労使関係と労働争議の減少に努める見返りに、労働者はその結果として高賃金を得たのだ。

このモデルは第二次世界大戦後、さらに発展を見せた。スウェーデン国家は公平と成長を両立させるべきだ、という考えを中心とする社会的コンセンサスが醸成された。このコンセンサスから生まれたのが、コーポラティスト（政労使協調）・モデルである。国家が労働者に手厚い給付を与えるとともに、節度ある賃金設定を促し、積極的労働市場政策（労働者の再訓練による雇用支援など）を通じて労働市場の流動性を高めるというものだ。サルトショーバーデンでの協定に則《のっと》り、実業界にも利益があった。この体制を支えていたのが、社会契約的な賃金交渉によりすべての企業のために産業レベルの賃金を決定するという、レーン＝メイドナー・モデルである。この結果、経済全体の「賃金圧縮」（同一労働同一賃金）を通じて、労働者間のより公平な所得分配が実現しただけでなく、生産性の高い企業が高賃金を支払う必要がなくなった。生産性が高い企業にとって、業界横並びの賃金は大きな利益機会となった。同じ論理から、この制度は投資とイノベーション、再編のインセンティブを企業に与えた。なぜなら企業は生産性向上による増収をまるまる利益に計上できたからだ。

その一方で、スウェーデン福祉国家の拡大と発展が続いていた。スウェーデンは手厚い社会給付を保障しただけでなく、ベヴァリッジ報告が提唱した普遍主義に則り、全市民にほぼ同じ水準で支給した。手厚い失業手当と健康保険、続いて先駆的な妊婦手当と児童手当を支給し、「スウェーデンの学校制度を民主化する」取り組みから生まれた、平等主義的で良質な教育制度を導入した。これらのプログラムが、スウェーデンを貧困削減の先陣に立たせたのである。大恐慌により失業率が急上昇するなか、恐怖と不透明感が高まるだけでなく、ドイツと同様に民主的な政治制度が脅かされていた当時の状況を考えれば、すばらしい成果といえよう。

私たちの枠組みの観点からすれば、重要なのはスウェーデン国家の役割と能力が大幅に拡大したことだけではなく、それが民主主義の深まりと社会による国家の制御の強化と歩を一にして起こったことだ。社会の能力も、国家の能力拡大に呼応して高まったのである。このプロセスにはいくつかの特筆すべき側面があった。第一に、一般に国家の役割拡大をめぐる主な懸念は「エリートによる占有」が生じること、つまり国家の関与が、社会を犠牲にして少数の企業や狭い利益集団を利するための手段になることへの恐れである。だがすべてがＳＡＰの主導の下で推進されたことと、労働組合がパートナーとしてプロセスや体制を監視・制御する重要な役割を担ったことが、国家制度の占有を防ぐ有効な手段となった。そしてスウェーデンの福祉制度の普遍主義的性格からして、制度がエリートの利益供与の手段になることはなく、また国民の間に社会的結束と当事者意識が育まれ、制度を支えようという機運が社会に広がったのである。

第二に、ハイエクの不安と関係する大きな危険として、経済における国家の役割拡大が、たとえば国有化や資本の接収というかたちで、実業界全体に犠牲をもたらす懸念があった。だがスウェーデンではサルトショーバーデンでの会合以降、社会民主連合に実業界を引き入れることによって、この恐れは抑えられた。ＳＡＰが共産主義政党との連立を一貫して拒み、国による利益または資本の独占や、あからさまな収奪を避けてきたことには、この点で大きな意義があった。労働組合は、ときに賃上げ政策を要求することもあったが、たいていの場合ＳＡＰは拒否した。この唯一の例外であり、社会による強力な国家の制御を物語る例を挙げよう。一九七〇年代に労働組合とＳＡＰの内部で、集権的賃金交渉方式のレーン＝メイドナー・モデルの条件を変更して、生産性が高いのに業界標準の賃金を支払う企業の「超過利潤」を回収し、「賃金労働者基金」にすることを求める動きがあった。だがそのような基金を設けること自体が、スウェーデンの社会民主主義を下支えしてきた連立そのものをゆるがすという認識が芽生え、反対の声が高まった。ＳＡＰは提案の撤回を余儀なくされ、結果として一九七六年に初めて下野することになった。

第三の側面として、民主主義の深化と歩調を合わせるようにして国家が拡大していった。スウェーデンの主要政党すべてが社会民主主義の基本原則を受け入れるうちに、有権者は多様な型の社会民主主義を推進する政党のなかから選ぶことができるようになり、必要とあれば、一九七〇年代に労働組合とＳＡＰが提唱した賃金労働者基金のような行き過ぎた政策から政府を引き戻すこともできるようになった。

最後の側面として、スウェーデンの官僚・司法機構が、とくに労働組合とともにプログラムの管理・監督にかかわるうちに、こうした変化に呼応して発達し、社会福祉制度の実施や制度の悪用防止にかかわる能力を伸ばした。

ひと言でいえば、経済不況の危機が生み出した新たな必要と要請は、スウェーデン国家が役割と能力を拡大することによって満たされた。ハイエクの恐れとは裏腹に、国家の拡大は全体主義を招かなかった。むしろ、国家の拡大が労働者と農民、実業界との連携の下で行なわれ、また赤の女王効果により国家を制御するために社会が立ち上がったおかげで、スウェーデンの民主主義は弱体化するどころか、その過程でますます力を増していったのである。

スウェーデンの経験は、細かい点ではこの国に特有のものだが、大筋ではほかの数カ国で起こったことと一致する。デンマークとノルウェーも、連立が形成された経緯こそ違うが、同様の福祉国家を建設した。第二次世界大戦後のドイツも、高い国家能力と社会による統制のもとで福祉国家を生み出した。

合衆国の経験も興味深い。フランクリン・デラノ・ローズヴェルト（ＦＤＲ）大統領も、ＳＡＰと同様の経済・社会の激変に立ち向かったが、それ以外にも人種間・地域間で深く断絶した、政府活動に強い不信感をもつ社会に対処する必要があった。それでも一九三三年全国産業復興法（ＮＩＲＡ）と農業調整局（ＡＡＡ）の設立を含む初期の政策的取り組みは、ＳＡＰと同じ方向に向かい、社会的セーフティーネットの強化と経済回復の促進にかかわる国家能力を拡大した。これらのプログラムも、労働者と農民を引き入れようとする試みだった。たとえばＮＩＲＡの第一条はＳＡＰが採用した産業方針とよく似た指針を定めていたし、政権の農業政策は価格引き上げというかたちの農家支援を中心としていた。どちらのプログラムについても、FDRの当初の計画はスウェーデンと同様、行政による管理・実施を伴った。だが合衆国の状況はスウェーデンとは違った。NIRAは実業界や裁判所の猛反対を受け、多くの条項が廃止されるか、かたちを変えて実施された。それでもFDRの計画は、たとえ一部が骨抜きにされ、合衆国の官民パートナーシップ・モデルに合わせてつくり変えられたとしても、スウェーデンの牛売買と同じいくつかの目的を達成し、その過程で合衆国経済に対する規制と管理のあり方を根本的に変えたのである。

リヴァイアサンvs市場

経済学と社会科学の重要な問題に、国家と市場のバランスをどこに置くかというものがある。国家は経済にどれだけ介入すべきなのか？　規制の適正な度合いと範囲とは何だろう？　市場に任せるべき活動と、国家の管轄に置かれるべき活動は？　経済学の教科書的な答えは、国家は明確に線引きされた状況でのみ介入すべき、というものだ。たとえば「外部性」が存在する状況が、その一例だ。外部性が発生するのは、一部の経済主体による活動が、市場を介さずにほかの主体に大きな影響をおよぼしうる状況であり、その結果として環境を汚染する活動などが過剰な水準に達する場合がある。ほかに国家が介入すべき状況としては、インフラや国防など、すべての人に便益を与える「公共財」を提供する場合や、市場で一部の参加者が、取引される製品・サービスの品質を正確に判断できない、「情報の非対称性」が存在する状況がある。また独占事業が不当に高い価格を課したり、競合を排除するための略奪的行動をとったりしないよう、規制する必要もある。きわめて重要なことに、不平等を是正するための社会保険制度や再分配においても、政府介入は必要である。教科書的アプローチの重要原則は、国家が経済における所得分配に影響を与えようとする際には、市場価格への影響を最小限にとどめ、目的を達成するために税や移転に依拠すべきというものだ。

これはハイエクが『隷属への道』で提唱した、資源配分に関しては市場に任せた方が効率的なため、国家による経済介入の範囲を制限すべき、という主張と一致する。だが重要なことに、ハイエクはさらに踏み込んで、国家の力と関与の拡大が政治に悪影響をおよぼしうると論じた。たしかにハイエクの結論の一部は説得力に欠けていたし、その後数十年間の政治動向によって裏づけられてはいない。だがそれでも、ハイエクがこの問題に取り組んだ手法は、新しい境地を切り拓いた。おそらくハイエクの最も優れた洞察は、国家と市場のバランスが、経済だけでなく政治にかかわる問題でもあるということだ（これが私たちの概念的枠組みの重要な示唆の一つだからそういっているわけではない）。きわめて重要な課題は、国家が足枷をはめられたままの状態で、社会の必要を満たすために能力を伸ばせるようにすることだ。そのためには、社会が国家とエリートを監視して制御できるように、新しい方法で社会に力を与えることが必要になる。また、国家の介入が有益かどうかを診断するには、経済的な費用と便益だけでなく、介入の政治的意味も考える必要がある。問題は国家の能力そのものだけでなく、その能力を誰が制御・監視するか、それがどのように使われるかでもあるのだ。

この観点から考えると、スウェーデンや、その後ほかの北欧諸国で実現した真の制度的イノベーションとは、たんに介入と再分配に積極的な国家を生み出したことだけではなく、実業界と政治的に活発な労働組合に参加する大多数の労働者を含む連合の後押しの下で、国家にきつい足枷をはめながらそれを生み出したことでもあるのだ。一方では、前に指摘したように、スウェーデンの巨大企業までを含む実業界の関与を得たことにより、スウェーデン福祉国家は産業の全面的な国有化や市場廃止の方向には決して進まなかった。また他方では、労働組合がこのプロセスで重要な役割を担ったおかげで、より大規模な市民の政治参加が実現し、力を増した国家制度をエリート集団が占有しにくくなった。この連合と赤の女王効果のおかげで、スウェーデンの政治制度は、一部の規制が行き過ぎた一九七〇年代に、そして一九九〇年代にも、方向転換することができたのである。

国家と市場のバランスについて理解するために、スウェーデンの経験から学ぶべき重要な教訓は、あと三つある。第一が、ここまですでに議論してきたことから導かれる推論である。国家が新たな責任を担う必要が生じたら、それとともに社会が新しい方法を通じて、政治に参加し、国家と官僚を監視し、必要とあれば新しいプログラムの支持を打ち切ることが欠かせない。ということは、市場と政府の適正なバランスをめぐる議論の多くが、最も肝心な問いに答えていないことになる——ハイエクははるか昔にこの問いの重要性を指摘していたのだが。新しい責任と新しい権力を獲得したリヴァイアサンを、社会は制御し続けることができるだろうか？　リヴァイアサンに新しい抑制を取り入れるための費用は、とくに赤の女王効果のせいで抑制が容易ではない場合、国家の追加的な介入の便益を上回ってしまわないだろうか？

この視点からいえば、政府がほとんどの財の価格を規制すべきでない理由は、適正な価格が市場によって決定されるから（経済学用語でいうと、外部性や公共財、非対称な情報、分配に関する問題が存在しないから）ではなく、国家が介入を拡大することの政治的コストが高すぎるからなのだ。介入のせいで追加的な予防措置が必要になったり、回廊の外にはじき飛ばされるリスクが高まってしまう。この論理で行くと、国家が介入すべき唯一の状況は、介入の便益が費用を上回る場合だということになる。さらに重要なことに、この論理からもう一ついえるのは、強力な（プラスサムの）赤の女王効果を誘発するような介入や活動は、社会に便益をもたらす可能性がとても高いということだ。したがって、国家にとっては（第一一章で見た張り子のリヴァイアサンが社会の要求に応答したような方法で）砂糖や鉄鋼の関税といった狭い領域で、限定的で往々にして不透明な規制や是正措置を行なうよりも、社会的保険や幅広いサービスを提供し、労使交渉を取りまとめるとともに、（スウェーデンの事例で見たように、赤の女王を強化する可能性が高い）労使双方の協力を求める方が好ましいということになる。

第二の教訓は、経済の明らかに非効率な側面にも、社会的に有用な役割を担うものがあるかもしれないということだ。そうした側面の一例が、労働組合である。労働組合は、非組合員が仕事を得にくくなることもお構いなしに、組合員の賃上げを要求することを目的の一つとしているせいで、非常に疑わしい目で見られることが多い。実際スウェーデンでさえ、前に見たように、組合は高すぎる賃金を要求することがあった。なかでも合衆国の政策立案者の多くは組合に批判的な姿勢を取り、労働組合の弱体化を図ろうとしてきた。このような政策態度もあって（また製造業の雇用減少もあって）、こんにちの合衆国経済、とくに民間部門の組合加入率は、労働者の団結権、団体交渉権、ストライキ権を認めた一九三五年全国労働関係法（ワグナー法）の制定後に訪れた、二〇世紀半ばの組合全盛期に比べ、大幅に低下している。ほかの先進国経済でも同様に労働組合の勢力縮小が進行している。労働組合に反対することが、純粋な経済学的見地からして理にかなっているかどうかは、意見の分かれるところだ。しかし労働組合が担う重要な役割は、政治的なものである。高度に組織化された経営側と労働側の偏りがちな力関係を均衡させる、重要な役割を果たしているのだ。ここ数十年間の労働組合の勢力縮小は、したがって合衆国社会の力のバランスが大企業に有利に傾きつつある一因なのかもしれない。私たちの枠組みにとってより重要な点として、政策や制度の役割を評価するにあたっては、力の均衡を生み出し、リヴァイアサンとエリートの足枷を維持することを目的とする、補足的な取り決めとセットで考えなくてはならない。

第三の重要な教訓は、政府介入の形態に関するものだ。この点で私たちの考えは、ハイエクや経済学の教科書的解答とは一線を画する。彼らの主張は、市場価格への介入はつねに避けることが賢明で、政府がより公平な所得分配をめざすならば、市場を自由に機能させ、課税による再分配を通じて望ましい分配に近づけるべきだというものだ。だがこの考え方は、経済を政治から誤って分離してしまう。リヴァイアサンが市場価格と所得分配を所与と見なし、財政による再分配だけに頼って目的を達成しようとすると、税金と再分配の水準が非常に高くなる恐れがある。とくにリヴァイアサンの制御という見地からすれば、市場価格を調整して、さほど財政再分配を行なわずに目標を達成できるのなら、その方がよくないだろうか？　まさにこれが、スウェーデン福祉国家が行なったことだ。社会民主連合は、労働組合と国家官僚機構が労働市場を直接規制するという、コーポラティスト・モデルを土台にしてつくられた。これにより労働者の賃金水準が上がったため、資本家や企業の収益を労働者に再分配する必要性が薄れた。また、このモデルのもたらした賃金圧縮により、労働者間の所得分配がより公平になったため、課税による再分配の必要性が低下した。もっとも、スウェーデン経済では寛大な福祉国家を賄うためにかなりの課税が行なわれたのであるが。こうした展開の多くは、事前に想定または予定されたものではなかった。それでも私たちの枠組みは、スウェーデンでこの仕組みがとられるようになった理由の一つを明らかにする。国家はこの仕組みによって、賃上げと圧縮を確実にもたらし、規制されない市場行動の結果から離れることにより、さらに高水準の財政再分配と課税が必要になる状況を回避したのだ。そして財政の役割が縮小したおかげで、国家の抑制はより実行しやすい目標になった。

共有されない繁栄

こんにち西側諸国の多く、とくに合衆国は根本的な経済上の急務に迫られている。これまでの政治的対応は、スウェーデンの「牛売買」の力学よりは、ゼロサムの赤の女王の力学の方に近い。牛売買では新しい課題に対処するために、まったく新しい連合と制度的構造が生み出された。だがこの経路は回廊内にいるほとんどの国に開かれており、まず新しい課題が何であるかを理解することが出発点になる。以下の三節は、その課題に焦点を当てよう。

過去数十年間の経済繁栄を最も強力に推進してきた力の二つは、経済グローバリゼーションとオートメーション技術の急速な普及である。経済グローバリゼーションにより貿易規模が拡大し、またアウトソーシングやオフショアリング〔業務の海外委託〕により、特定のタスクやモノの低い生産コストを享受するために生産プロセスを海外に移すことが可能になった。発展途上国と先進国の双方が、グローバリゼーションのプロセスから利益を得ている。グローバリゼーションがなければ、一九七〇年代、八〇年代、九〇年代の韓国と台湾、一九九〇年代と二〇〇〇年代の中国をはじめとする諸国のめざましい経済成長はあり得なかった。また先進国の消費者も、衣料品から玩具、電化製品、コンピューターまでの多くの安価な製品を利用できなかった。前章で見たように、グローバリゼーションは回廊の幅と、回廊への入りやすさに影響をおよぼす。だがグローバリゼーションが先進国の経済と政治に与える影響は、それよりも複雑だ。その理由は、グローバリゼーションの利益が共有されてきた方法、というよりは、共有されてこなかった方法に問題があるからだ。経済政策の提言では、とかく経済グローバリゼーションが万人に恩恵を与えることが強調されるが、合衆国でもヨーロッパでも現実は違っている。企業と既存富裕層の所得が上昇する一方で、労働者はごく限られた利益しか得られず、むしろ賃金低下や失業をこうむるケースさえある。これは実際、経済学の理論どおりの結果である。グローバリゼーションは勝者と敗者を生み出し、そしてグローバリゼーションが先進国と低スキル・低賃金労働が豊富な途上国経済の統合というかたちをとるとき、敗者となるのは労働者——とくに先進国の非熟練労働者なのだ。

経済的繁栄のもう一つの強力な推進力である技術革新も、同様の影響をおよぼしている。技術進歩は生産性を向上させ、消費者が利用できる製品の幅を広げる効果があり、歴史を振り返ると持続可能な経済成長の根底にはつねに技術進歩があった。ときにはすべて（またはほとんど）の船をもち上げる上げ潮になることもあった。たとえば一九四〇年代から一九七〇年代半ばにかけての合衆国経済では、高卒未満から大学院卒までのすべての学歴分類で、急激な生産性の向上と所得の増加が見られた。しかし過去三〇年間で職場を一変させた、困惑するほど多くの新しいテクノロジーは、かなり違う影響をおよぼしている。たとえば性能が著しく向上したコンピューターや、数値制御機械とその後のコンピューター制御機械、産業用ロボット、最近のＡＩなどの多くのテクノロジーによって、生産プロセスの自動化が進み、従来労働者が担っていた仕事が機械に奪われている。オートメーションはその性質上資本に有利であり、いまや新型機械というかたちで資本集約が進んでいる。またオートメーションは非熟練労働者よりも熟練労働者に有利に働き、前者は機械に仕事を奪われる傾向にある。そのため当然ながら新しいオートメーション技術は分配に幅広い影響をおよぼしている。

グローバリゼーションとオートメーションの相乗効果が、繁栄に明暗をもたらしている。合衆国では一九七〇年代後半以降、幅広い賃金上昇のパターンが途絶え、所得分布の最下位層と最上位層の格差が拡大しつつある。一例として、大学院卒の男性の（インフレ調整後）所得が一九八〇年以降六〇％近く増えているのに対し、高卒以下の男性は二〇％以上減っている。過去三五年間で非熟練労働者の実質の手取り収入は大幅に減少しているのだ。

同じ期間中に、アメリカ経済の雇用創出も減少した。合衆国の製造業の雇用者数は一九九〇年代半ばから約二五％減少しており、全人口に対する雇用率も二〇〇〇年以降大幅に低下している。同様の傾向はほかの先進国経済にもはっきり表れている。ただし低学歴労働者の実質所得の激減は、合衆国の労働市場に特有の現象である。

こうした傾向の主な原因がオートメーションとグローバリゼーションだというのが、大方の見方である。雇用と所得の喪失は、自動化された活動または中国をはじめとする途上国からの輸入が急増した活動に特化していた地域や産業、職種に集中している。中国からの輸入増によって、合衆国経済から二〇〇万人以上の雇用が失われ、新しいオートメーション技術の顕著な一例である産業用ロボットの導入によって四〇万人もの雇用が失われたという推定もある。どちらの場合でも、主に影響を受けたのはスキル分布の最下層の労働者だ。

タガの外れたウォール街

不平等拡大を助長している動向は、経済グローバリゼーションとオートメーションだけではない。合衆国の一部産業の急激な規制緩和と、その他先進国のより緩やかな規制緩和も、不平等をもたらした主な要因の一つだ。この過程でとくに大きな意味をもっていたのが、金融の規制緩和である。

世界の多くの国で、金融業界は第二次世界大戦後の数十年間は厳しく規制されていた。合衆国では銀行員といえば典型的なホワイトカラーの仕事で、給料もそれを反映して、一般に他業種とほぼ同じ水準で推移していた。合衆国の戦後金融制度の根幹をなしていたのが、「レギュレーションQ」と呼ばれる規制で、預金金利に上限を設けて金融機関の過当競争を防止するとともに、州外銀行による州内での支店設置を制限し、複数の州で預金獲得競争ができないようにしていた。これらの規制を拡張したのが一九三三年に成立したグラス＝スティーガル法で、（主に預金受け入れと貸し出しに特化する）リテールバンクと、（証券の引き受けやM&A仲介、金融デリバティブ取引、トレーディングなどに特化する）よりリスクの高い投資銀行の分離を定めていた。このような規制環境で、銀行のお役所的で気楽な仕事ぶりを表す「三・六・三ルール」という言葉ができた——三％の金利で預金を受け入れ、六％の金利で貸し出し、午後三時にはゴルフに出かける、というわけだ。こうした状況は、一九七〇年代に変化し始める。とくに一九八六年にレギュレーションQが撤廃されると、銀行業の寡占化が一気に進んだ。寡占化の進行とともに、銀行はリスクの高い業務の比重を大幅に高めていった。たとえば金利スワップ（同一通貨間の異なる種類の金利を当事者間で交換する取引）やクレジット・デフォルト・スワップ（CDS。対象となる債券がデフォルトした場合に、一方の当事者がもう一方の当事者に損失相当額を支払う取り決め）を含む、金融デリバティブがその代表例である。金融部門はよりリスクの高い業務に足を踏み入れながらも、増大する影響力を行使して新たな規制をことごとく阻止し、いっそうの規制緩和を強く要求した。寡占化、規制緩和、積極的なリスクテイクは増収増益をもたらした。一九八〇年から二〇〇六年にかけて合衆国国内総生産（GDP）に占める金融部門の割合は四・九％から八・三％に上昇し、利益は実質ベースで八倍に増加した。これは同時期の非金融部門の利益成長率の三倍以上に当たる。

規模と利益の拡大により政治力が増大し、それがまた拡大をもたらすという、強力なフィードバックサイクルが作用し続けた。金融部門からの政治献金は一九九〇年の約六一〇〇万ドルから、二〇〇六年には二億六〇〇〇万ドルに増加した。これが持続的かつ大胆な規制緩和をもたらした。大恐慌後に敷かれた金融規制の重要な柱が次々と取り除かれた。まずは一九九四年リーグル・ニール州際銀行業務並びに支店設置の効率化法により、州際銀行業務の規制が緩和されたことで大型合併への道が開かれ、ＪＰモルガン・チェース、シティコープ、バンク・オブ・アメリカといった巨大銀行が誕生した。一九九九年にはグラム・リーチ・ブライリー法により、商業銀行と投資銀行の残っていた垣根のほとんどが取り払われた。同じ時期に、複雑な金融デリバティブが普及する間も、銀行は新しい規制に強硬に反対し続けた。その結果、多くのデリバティブ取引が規制の対象外とされ、モーゲージ証券を担保とする債務担保証券（ＣＤＯ。多数のモーゲージ証券を束ねてリスク特性の異なる証券に組み直した商品）やＣＤＳの急拡大が、規制的枠組みの外で起こった。これが、保険会社のＡＩＧ（アメリカン・インシュアランス・グループ）が巨額のＣＤＳを販売し、とほうもないリスクを取ることのできた理由の一つである。こうした規制緩和の波に乗って、フィードバックサイクルは作用し続け、金融部門はますます利益を拡大していった。

金融の規制緩和の問題点の一つは、不平等を拡大させたことにある。ウォール街のケタはずれの利益によって、富裕層向けの高リスク証券に特化したヘッジファンドなどの所有者と、それ以外の大手金融機関の所有者の間で、所得分配の格差が拡大しただけでなく、全体的な不平等が進んだ。なぜなら金融業界の幹部社員やトレーダーも、巨額の報酬パッケージやボーナスを受け取るようになったからだ。一九九〇年まで他部門とほぼ同水準だった金融業界の社員や役員の所得は、その後大きく乖離し始めた。二〇〇六年になると金融業界の労働者は他業界より五〇％も所得が多く、経営幹部に至っては同等の資格をもつ他業界の幹部の三・五倍の所得を得ていた。

不平等のこの側面を測る指標の一つに、所得分布の上位一％と上位〇・一％の所得が国民所得に占める割合がある。これらの層は超富裕層と超・超富裕層に相当し、金融機関の所有者や経営者が不釣り合いに多い。アメリカ人の上位一%は、一九七〇年代に国民所得の約九%を占めていた。二〇一五年にこの割合は二二%になっていた。上位〇・一%のシェアはさらに驚くべき伸びを示し、一九七〇年代の所得シェア約二・五%から、二〇一五年には一一%近くにまで高まったのだ。

二つめの問題点は資源配分と関係がある。金融機関は預金者から集めた資金を新しいアイデアや投資機会をもつ人々に振り向けることにより、経済活動の効率を高めるという重要な役割を担っている。だがその金融機関が寡占化し、リスクテイクに特化し、政治権力によって保護されれば、逆に広範な非効率を招きかねない。二〇〇七年から二〇〇八年の金融危機時、金融業界はすでにこの方向にかなり進んでいた。過剰なリスクテイクは、規制なき環境での野放図な競争にその根本原因があった。こうした環境のなか、多くの金融機関が放漫な融資を続け、また投資家に高い投資実績を喧伝《けんでん》するために、自己勘定で無謀な取引をした。それに、たとえ投資で巨額の損失をこうむったとしても、政府と連邦準備銀行が金融機関を破綻させるはずがないという、多くの大手金融機関の過信も（それはあながち間違ってはいなかった）、この動きをさらにあおった。突き詰めれば、そうしたリスキーな投資の失敗が金融危機に拍車をかけ、世界的な経済危機を招いたのである。二〇一〇年ドッド＝フランク法と連邦準備制度による規制強化は、この種のリスクテイクの範囲を制限し、金融機関の損失が経済全体におよぼす悪影響を抑えようとしてきたが、よくいっても部分的な成功しか収めていない。金融業界は強力なロビイング活動を通じて、規制の本格的な実施を拒否、阻止し、往々にして時計の針を巻き戻そうとしてきた。その間にも、この部門の寡占化はさらに進んでいる。合衆国金融部門に占める五大銀行のシェアは、一九九〇年の二〇%から二〇〇〇年に二八%に上昇し、二〇一九年には四六%を超えているのだ。

超巨大企業

寡占化が進んでいるのは金融だけではない。全般的な規制緩和と新しいテクノロジーにより、多くの部門、とくにオンラインサービス、通信、ソーシャルメディアの業界で経済の集中が進展している。大手企業が経済全体に占める割合は、かつてないほど高まっている。巨大技術系企業のアルファベット（グーグルの持ち株会社）、アマゾン、アップル、フェイスブック、マイクロソフトの五社の市場価値（時価総額）の合計は、合衆国ＧＤＰの一七％を超えている。政策立案者や社会が大企業の力に懸念を抱き始めた一九〇〇年でさえ、当時の五大企業の比重は同六％にも満たなかった。この大幅な寡占化の進行には、いくつかの原因があると考えられる。そのうちの最も重要なものが、これら新興企業が開発した、経済学者が「勝者総取り」と呼ぶ力学を生み出すテクノロジーの性質である。グーグルを例に取ってみよう。一九九八年、すでにいくつかのインターネット検索エンジンが成功していた頃に創業したグーグルは、優れたアルゴリズムによってたちまち頭角を現した。ヤフーやアルタビスタなどの競合企業が、検索文字列がそのページに含まれる頻度をもとにウェブサイトをランクづけしていたのに対し、グーグルの創業者セルゲイ・ブリンとラリー・ペイジは、スタンフォードの大学院生だった頃に、それよりずっとよい手法を考案した。のちにページランク・アルゴリズムと呼ばれるようになったこの手法は、検索文字列を含むほかのページからの被リンク数をもとに推定した重要度によって、ウェブサイトをランクづけした。このアルゴリズムは、ユーザーにとってより関連性の高いウェブサイトを示すことができたため、グーグルはインターネット検索市場におけるシェアを急速に伸ばしていった。いったん大きな市場シェアを握ると、ユーザーの検索データを利用してアルゴリズムの精度をさらに高め、よりよい検索結果とさらに支配的な地位を得た。グーグルがインターネット検索のデータを、翻訳やパターン認識などのAI用途に利用し始めると、この力学はさらに強化された。また、初期の成功で得た資金を元手に研究開発に投資し、グーグルの拡大に役立ちそうな技術を開発する企業を買収することができた。

アマゾンとフェイスブックの華々しい台頭の根底にも、勝者総取り効果がある。アマゾンはオンライン小売業者およびプラットフォームとして初期に成功を収めていたことで、売り手とユーザーの双方にとってより魅力的な存在になったし、フェイスブックのソーシャルメディア・プラットフォームとしての人気は、仲間も加入するだろうという期待をユーザーがもつかどうかに決定的に依存している。アップルとマイクロソフトの場合、勝者総取り効果の性質は少々異なるとはいえ、それが重要なことに変わりはない。なぜならこれら企業のプロダクトの価値も、プロダクトの全体的な人気度や利用するユーザーの数に依存するからだ。

経済の集中が進んだ決定的要因がインターネット時代のテクノロジーの性質にあったとはいえ、合衆国を筆頭とする規制当局の怠慢が主な要因だったことも間違いない。こうした姿勢は、合衆国史の同様の岐路で見られたものとは対照的である。第一〇章で見たように、二〇世紀初頭に少数の企業が支配的な地位を得たとき、進歩主義思想に感化された政権が実権を握り、巨大企業の解体に乗り出した。こんにち、これに類する制度的・政策的提案はいっさい議題に上っていない。もちろん、このような企業の多くが急成長を遂げたのは、より斬新で性能の高い安価なプロダクトを提供してきたからでもある。しかしだからといって、寡占化の懸念が見過ごされていいはずがない。市場を支配する企業がいずれ独占力を行使して料金を引き上げ、イノベーションを妨げる恐れがあるならなおさらだ。寡占企業の所有者や主要株主が富豪になっただけでなく、そうした企業の従業員の賃金が他産業を上回るペースで伸びたことから、経済の集中も不平等を増幅させた主要因なのである。

ここまで簡単に見てきた経済動向――経済グローバリゼーション、オートメーション、金融部門の成長、超巨大企業の台頭――は、少なくとも三つの理由から、合衆国といくつかの先進国に喫緊の課題を突きつけている。一つめの理由は、いま指摘した不平等に与える影響である。二つめが、経済効率の問題だ。現代はテクノロジーの黄金時代とも見なされているが、グローバリゼーションがこれほど進展し、魅力的な新しいテクノロジーが開発されてきた割には、少なくとも過去二〇年間の所得と生産性の伸びは期待外れに終わっている。この生産性の伸び悩みの原因はよく理解されていないが、いま挙げた動向と関係している可能性が高い。グローバリゼーションと急激なオートメーション化は利益をもたらしているものの、そのせいで生産性向上や繁栄にさらに貢献したであろうその他の技術進歩が妨げられてきたかもしれない。金融の過剰な肥大化と非効率なリスクテイキングが多大な犠牲をもたらしたのは間違いない。経済をゆるがし（金融危機を考えてほしい）、本来ならほかの部門やイノベーションに向かっていたであろう資源を金融に向かわせているのだから（イノベーションやサイエンス分野、公共部門の代わりに、ヘッジファンドや投資銀行に行った優秀な卒業生を思い浮かべてほしい）。経済の大幅な集中も、競争を阻害し、採用・開発されるべき新技術の選択を歪めることによって、やはり効率性を損なってきたはずだ。

第三の理由は、制度への信頼と関係がある。足枷のリヴァイアサンには、国家と社会の力の均衡だけでなく、社会が制度に信頼をもっていることが欠かせない。制度への信頼がなければ、市民は国家とエリートから制度を守ろうとせず、赤の女王はゼロサム化してしまう。信頼がなければ、（戦間期のドイツでと同様）制度は社会の紛争を仲裁できない。不平等の拡大、雇用の伸び悩み、金融業界の莫大な利益、規制されない巨大企業――これらすべてが、経済は不正に操作されていて、政治制度がそれに加担しているという不信感を人々に抱かせている。この感情が、金融危機とその余波によってさらにあおられたことは間違いない。危機の種をまいた当の銀行が政府に救済される一方で、苦境に陥った貧困家庭はほとんど助けを得られなかったのだから。さらに悪いことに、ヴァイマル期のドイツをめぐる議論で見たのと同様、政治制度をゆるがし、回廊内の生活を支える国家と社会の力の均衡を打ち壊そうとする運動が取り込もうとしているのが、経済的に取り残され、制度への信頼を失いつつある社会階層なのだ。この種の運動は近年、予想どおり勢いを増しつつある。

不平等、失業、生産性と所得の伸びの低迷、制度への信頼喪失——これらの要因は、大恐慌期の政治的不安定を生む土壌となった。こんにちの先進国経済を取り巻く危機は大恐慌ほど極端ではないものの、共通点を考えると、うかうかしてはいられない。

ゼロサムの赤の女王を回避する

ここまで大恐慌に対する二つの対極的な反応を見てきた。一つめのドイツのヴァイマル共和政の崩壊は、ゼロサムの赤の女王の一例だ。国家と社会の双方が互いの弱体化を図り、いっさい妥協することなく競争を繰り広げた。二つめのスウェーデンの反応は、国家が関与と力を強める一方で、社会も国家を制御するために能力を高め組織化を図った。この社会的動員の砦となったのが、新たな制度的構造を支えた新しい連合である。こんにちの多くの西側諸国の反応は、スウェーデンよりヴァイマル期ドイツの反応に近い。エリートが優位を守るために闘い、最も不安定な立場に置かれた人々が独裁者の魅力に屈しかけていて、分極化と非妥協的姿勢が当たり前の風景になりつつある。私たちは戦間期のドイツの過ちをくり返す運命にあるのだろうか？　それとも赤の女王が完全にゼロサム化するのを防ぐことができるだろうか？　またハイエクの警告を心に留めて、「隷属」を避けることができるだろうか？

まずはよい知らせから始めよう。第一三章で強調したように、赤の女王は回廊が狭いとき、制御不能に陥りやすくなる。この点で、合衆国など多くの西側諸国は有利な状況にある。なぜなら製造・サービス業を土台とする多様な経済をもち、強制労働の果たす役割が非常に限定的で（第一四章を思い出してほしい）、民主主義に真っ向から反対する（プロイセンの地主階級のような）有力な集団がおらず、近代からこのかた、民主政治が途切れなく続いているおかげで、回廊が広いからだ。だが回廊の広さも回廊内の安定も、当たり前と思ってはいけない。広い回廊を補強しているのは、民主的で参加型の制度である。制度が人々の信頼を失えば、回廊は狭くなり、社会は紛争に対処する能力を失ってしまう。それにたとえ回廊が広くても、赤の女王は完全にゼロサム化すれば制御不能に陥る。

そのようなゼロサム的な反応を避ける方法を考えるために、いま一度大恐慌期のスウェーデンの経験に立ち戻ろう。スウェーデンの反応においては三本の柱が決定的に重要だった。一本めの柱として、プロジェクト全体が労働者、農民、企業からなる幅広い連合の上に築かれていた。労働組合とSAPによって代表された労働運動は、ほかの勢力の弱体化を図るどころか、妥協を見出そうとした。

二本めの柱は、一連の短期的・制度的な経済対策だ。景気刺激策のほかにも、失業や収入の喪失、貧困に苦しむ人々に所得を再分配するための諸改革が実施された。その後こうした措置は、国家が労使間交渉を仲裁して労使協調を図ろうとする社会民主主義モデルを通じて制度化された。また繁栄をより公平に分かち合うために、寛大な福祉国家が築かれた。

三本めの柱は政治的なものだ。深まった国家能力が政治制度に埋め込まれたために、社会が国家の活動と、政治・経済エリートの関係をしっかり制御することができた。社会による制御はいくつかの要因によって補強された。第一に、プログラムの普遍的性質が、社会民主連合を強化したこと。第二に、国家の行政能力が、福祉国家の運営を通じて急速に発達したこと。第三に、主要なプログラムの運営に労働組合が直接かかわったことである。またこうした要因のすべては、スウェーデン政治の大幅な民主化をもたらした初期の政治改革に下支えされていた。

スウェーデンから得られる一つめの教訓は明らかだ。妥協を図り、足枷のリヴァイアサンと新しい政策を支持する幅広い連合を築く方法を考えよ。ドイツの例が示すように、政治が極度に分極化してしまえば、当然ながらこれをするのはずっと難しくなる。手遅れになる前に共通の土台を見つけることが望まれる。この意味で、こんにちの合衆国や多くの西側諸国では、いま見た動向——不平等の拡大、雇用喪失、ウォール街の支配、経済の集中——が問題であることを、右派と左派の両陣営が認識することが肝心である。問題は、解決策についての合意があまり見られないことだ。だがそれは今に始まったことではない。新しい連合には、新しいアイデアや視点、制度的イノベーションが必要になることが多い。具体的に考えるために、合衆国の例に焦点を当て、ヒントがどこにあるかを考えてみよう。

まず、連合の構築について。これは連邦主義者が直面した課題と似ている。連邦主義者が考え出した妥協は、第一〇章で見たように一部の側面では代償が大きかったが、いま再び役に立つかもしれない。連邦主義者の妥協の一つが、（地方の共同体に一定の発言権を確保するために）州に多大な権限を委譲することだった。経済・政治的問題や、連邦政府の関与に対する許容度が、州によってまちまちであることから、こんにちも同じ妥協が必要になるかもしれない。もう一つの妥協が、官民パートナーシップだった。この手法には、民間部門を関与させることにより、国家の能力が拡大する間も社会を安心させておけるという利点があった。現在の合衆国の状況でも同様の妥協が必要だが、このあと議論するように、現行のかたちの官民パートナーシップを離れた制度的構造が必要になるかもしれない。最後に、本章の冒頭で見たハイエクの警告を取り入れることが助けになる。つまり国家関与の増大と社会的セーフティーネットの強化を伴う社会契約では、社会が国家を監視する能力を大幅に拡大する必要があることを、改めて確認しなくてはならない。スウェーデン社会は、国家の介入にそれほど疑念をもっていなかったが、それでも一九三〇年代のスウェーデンではこのとおりのことが起こった。

経済分野に関しては、課題の性質上、国家の責任と能力を多面的に拡大する必要があるのは明らかだ。国家、とくにアメリカ国家が担い始めなくてはならない責任の一つが、経済情勢の大きな変化から利益を得ていない人々を保護するための、より手厚く包括的な社会的セーフティーネットの設計と運営である。また、社会的セーフティーネットを改善する政策は、雇用創出を促進し、労働者の収入を増やし、新しい分野での就労を支援する諸政策によって補完されなくてはならない。そうした施策の一例に、合衆国の勤労所得税額控除（ＥＩＴＣ）がある。これは低賃金労働者の税負担を軽くすることにより、実質的に補助金を与える仕組みをいう。また合衆国の教育制度を見直すことも欠かせない。教育制度が時代遅れになったのは、変化しつつある経済情勢のニーズに制度が対応できていないからというだけでなく、社会の不平等が教育にもおよび、大半のアメリカ人に公平な競争条件を与えるという目標を達成できなくなっているからでもあるのだ。そのほか、金融・ハイテク業界を含む多くの企業に対し、より厳格で大胆で包括的な規制を導入する必要がある。さらに、昨今の合衆国の経験から浮き彫りになったように、官民パートナーシップモデルへの過度の依存は、近代的な福祉国家を建設する妨げになる。福祉と社会保険のプログラムを成功させるには、国家の管理能力を高めることが必要だ。だからといって民間部門に頼らないわけにはいかないが、より自律的で有能で信頼できる官僚が必要だ。

スウェーデンの経験から得られた（またデンマーク、ノルウェー、イギリスの事例によって確認された）もう一つの教訓は、現行の福祉制度をより普遍的な方向へ動かすことによって、制度を受け入れ、一丸となってそれを監視するよう、社会全体に働きかけることの大切さだ。特定の産業や特定の労働者に対する補助金では、通常この目的を達成することはできない。経済・社会が激変を経験するときが、普遍的な給付を導入する絶好の機会となる。なぜならそのような時期には幅広いプログラムを提供する必要があり、それをもとに市民との連合を築くことができるからだ。経済グローバリゼーション、オートメーション、その他の経済的変化の悪影響に対処するための改革や、変化がもたらした新しい機会をより効果的かつ公平に活用できるようにするための教育投資も、同様に幅広いものにする必要があり、幅広さを利用して強力な連合を構築することができる。

ここでもスウェーデンの経験を参考にすると、税金と再分配政策だけに頼って目標を追求するのは間違いだといえる。むしろ、労働者が労働協約や最低賃金制度、その他の賃上げ政策に参加する機会を拡大するなどして、経済成長の利益がより公平に分配された状態を直接的にもたらすような労働市場制度を設計することが望ましい。このような政策は国家の負担を減らす（またその結果として国家を御しやすくする）と同時に、制度の維持を支持する幅広い連合を築くのにも役に立つはずだ。

これらの要因は、技術進歩の経路を軌道修正する必要を示唆しているのかもしれない。技術の発展経路やそれが経済に与える影響は、前もって決まっているわけではない。こんにちの生産性の伸び悩みは、この分野で何かがうまく行っていないことを告げている。問題の一端は、合衆国政府が冷戦終結以降、基礎研究や企業の研究開発への支援を減らしていることにある。この減少に歯止めをかけることが、生産性の伸びを促す上で重要な一歩になるのは間違いない。そのうえ過去数十年間は迅速なコスト削減に重点が置かれ、それが大規模なオートメーション化をもたらしてきた。オートメーション重視のせいで、生産性が十分伸びていないと考えるのは、こじつけではない。経済成長の利益をより公平に共有しようという社会的コンセンサスがあれば、ただ既存のタスクを自動化する技術だけでなく、多様なスキルをもつ労働者が生産に寄与できる新しい機会を生み出すような技術への投資が促されるはずだ。そのような投資が実現すれば、所得と雇用がより公平に分配され、財政再分配の必要性が薄れるばかりか、人間のスキルがより有効に活用され、生産性が向上するにちがいない。

政治分野でも、課題が手ごわいのは同じだ。経済改革や経済制度を支える連合を確保するにとどまらず、過去二〇年間でケタはずれの規模に膨れ上がった選挙運動献金やロビイングを通じた民間の利権集団の過剰な影響力を制限することも必須である。拡大した国家が経済エリートによって占有される懸念は、合衆国の政治体制にとっては遠い脅威ではなく、すでに目の前に迫っている。だが、ことが重大なだけに、合衆国の左派と右派の双方が、（たとえ望ましいと考える解決策は違っていたとしても）政治の占有が問題だということを認識している。この脅威に対抗するための政治改革としては、以下が考えられる。第一が、選挙運動献金に制限を設け、ロビイングの影響を抑えること。とくに重要なのが、企業とロビイスト、政治家の関係の透明性を高めるための具体的な施策だ。なぜなら、政治家が特定の産業や利権の忠実な僕《しもべ》と化した経緯を調べると、公の監視がおよばない会合や、規制当局者や政治家が退任後に非常に魅力的な報酬で民間部門に雇われる天下りの取り決めが発端となることが多いからだ。

第二の改革は、官僚の自律性を高めることだ。ロビイストと国家のなれ合いの関係に終止符を打つことが、明白な第一歩になる。だがさらに肝心なこととして、新政権の高級官僚の任命権を制限する、より抜本的な改革により、官僚の自律性を高め、官僚による政治の占有を防ぐことができるはずだ。

ほかに必要な改革として、合衆国政治制度の代表性を損なっているいくつかの動向を阻止する措置が必要だ。とくに二〇〇〇年代初めからの選挙区改定を通じて、二大政党のどちらかに有利な区割りが増えている。

こうした個々の政治改革よりもさらに重要なのが、社会の動員を全体的に促すことであり、この点に関しても合衆国には大筋で意見の一致が見られる。トクヴィルをあれほど魅了した一九世紀アメリカ社会の特徴は、政府以外の団体を組織し、形成しようとする国民の意欲だった。だからこそ人々は特定の社会的問題を解決するだけでなく、市民として政治的意思決定に圧力をかけることもできた。この種の団体の衰退が、近年大きく取り沙汰されている。衰退がどの程度におよぶのか、何が原因なのかについては議論の余地があるし、そうした団体のすべてが政治的な役割を担っているわけでもないが、それでも国家と強力なエリートを抑制できる団体に新しい活力を吹き込むことが重要である。とくに、経済エリートの影響力を弱めることのできる労働団体が、ここ数十年で大きく力を失っている状況ではなおさらだ。このような衰退は、産業労働者やその他の市民にとって政治参加の新しい入り口になり得る、別の形態の組織の必要性を浮き彫りにしている。果たしてそうした組織が、過去に労働組合が担っていた役割を果たせるかどうか（またどうすれば果たせるのか）という問いには、まだ答えが出ていない。この問いには、本章の終わりに立ち戻ろう。

国家能力の拡大を支援し監視する、多様な集団からなる連合を築いたスウェーデンの成功から学ぶといっても、合衆国やほかの西側諸国が、スウェーデンが八〇年以上前に始めたことを盲目的に模倣すべきだということではない。だいいち、合衆国でプラスサムの赤の女王の力学を下支えできるような連合は、スウェーデンの牛売買での労働者と小作農との連合とはまったく違うものになるはずだ。合衆国の連合は、さまざまな地域やイデオロギー集団、民族集団を引き入れるものでなくてはならない。合衆国はソフトウェアやＡＩ、バイオテクノロジー、ハイテク技術を含む主力産業でいまも世界で最も革新的な国なのだから、一九三〇年代のスウェーデンとは異なる組織を追求する必要がある。それでも、産業の活力とイノベーションを促進する機会とインセンティブを確保することは、よりよいセーフティーネットと福祉国家を構築することと両立できる。国家を抑制するために社会を動員することとも両立できる。有能な国家を築くこととも、もちろん両立できる。アメリカ国家の科学・研究分野への関与が、アメリカ経済のイノベーションの活力を支えてきたのだ。合衆国政府がハイテク設備の大口購入者であることや、全米科学財団などの組織や研究費用の寛大な税額控除を通して研究資金を提供していることからも、それは明らかだ。したがって問題は、合衆国やほかの西側諸国が、国家に足枷をはめた状態で、より公平な資源配分が実現されるような方向に経済活動を向けるにはどうしたらいいかということだ。この答えのヒントを得るために、安全保障上の脅威に対処する国家を監視するという問題を考えてみよう。

リヴァイアサンの対テロ戦争

国家が足枷をはめられたままで、新たな問題への対処能力を拡大するための手法は、経済以外の問題にも応用できる。市民が国家に突きつける最も重要な要求には、安全保障にかかわるものがある。実際、国家建設を駆り立てる強力な動機の一つが、法を執行し、紛争を解決し、安全を保障する中央集権的権威の追求である。だが世界情勢の変化に合わせて、安全保障の課題の性質も変わりつつある。

このことを西側の人々がはっきり認識したのは二〇〇一年九月一一日の朝、テロ組織アルカイダの一九人のハイジャック犯が、四機のアメリカ旅客機を乗っ取ったときだ。四機のうちの二機はニューヨーク世界貿易センタービルの二棟に激突し、一機はワシントンD・Cのペンタゴン（国防総省本庁舎）に突入し、最後の一機は乗客がハイジャック犯に抵抗して、ペンシルヴェニア州の野原に墜落させた。死亡者は二九九六人に上り、負傷者は六〇〇〇人を超えた。もちろん、九月一一日以前にも世界では残忍なテロ攻撃やハイジャック事件はそれなりに起こっていたし、西側諸国は冷戦中の数十年間も安全保障上の問題に対処していたが、それでもこの大胆不敵な攻撃は世間を震撼《しんかん》させた。大半の市民や政府機関は、安全保障上の脅威に立ち向かわねばならない新たな世界の始まりとして、この事件を受けとめた。その後の一八年間、大規模な攻撃は回避されてきたが、この見立てはおおむね正しかったことが判明している。いわゆるイスラミック・ステート（ＩＳ）や類似組織による多くの小規模な攻撃や未遂事件がその後も相次いだからだ。つまりこれは、新たな課題に対処するために国家の能力拡大と積極主義を社会が要求した、明白な事例となる。

こうした要求に応えて、合衆国の治安組織は規模と責任を大きく拡大してきた。だが第一〇章ですでに指摘したとおり、これは社会が監視するなかで行なわれたのではなかった。このことを人々が痛感したのは、エドワード・スノーデンによって暴露された、連邦政府の機密監視プログラムの存在と役割を明らかにする秘密文書を、メディアが報じ始めた二〇一三年六月のことである。最初に暴露されたのはＰＲＩＳＭと呼ばれるプログラムで、政府はこれを通して国民のグーグル、ヤフー、マイクロソフト、フェイスブック、ユーチューブ、スカイプのアカウントに直接アクセスしていた。そのほかにも、大手通信会社ベライゾンに対し国民の通話記録数百万件をＮＳＡに提出するよう求めた極秘の裁判所命令や、数十億件のメールや通話に関するメタデータ情報を収集するデータマイニング・プログラム「バウンドレス・インフォーマント」（無限の情報提供者の意）、「ネット上で行なわれるほとんどすべてのこと」を収集できるコンピューターシステム「Ｘキースコア」などの存在が明らかになった。NSAがメールやインスタントメッセージの連絡先を数百万件収集し、メールの内容を検索し、携帯電話の位置を追跡して地図上に記録し、暗号化を妨害していたことを、スノーデンは明るみに出した。スノーデンはこう語っている。「私は自分のデスクに座ったまま、誰でも盗聴することができました。個人のメールアドレスさえわかれば、あなたやあなたの会計士、連邦判事、大統領さえ盗聴できたのです」。スノーデンの暴露を受けて、一九七一年に国防総省の機密文書「ペンタゴン・ペーパーズ」をリークしたことで知られるダニエル・エルズバーグは、次のように述べている。

スノーデンの暴露は、憲法の真価が問われる機会である……エドワード・スノーデンは、憲法修正第四条と修正第一条の観点から、私の知る誰よりも憲法に貢献している。

もしかしたら、このすべてが空騒ぎなのかもしれない。もしかしたら、治安当局は深刻なテロの脅威と戦うために秘密裏に行動し、大量のデータを収集し、プライバシー上の懸念を無視し、一部のメディアに声高に批判させているのかもしれない。もしかしたら。

これを別の視点から見るために、デンマークの経験に目を向けよう。二〇〇六年にEUは「公衆電子通信サービスまたは公共通信ネットワークの提供に関連して生成または処理されるデータの保持」にかかわるデータ保持指令を発令した。デンマーク政府はこの指令を拡大することを決定し、指令に定められたことをはるかに超える法律を公布した。この法律には「セッション・ロギング」の義務化が含まれていた。ユーザーの送信元と送信先のIPアドレス、ポート番号、セッションの種類、タイムスタンプの情報の保持をプロバイダに義務づけるものだ。これを受けて、世界中のプライバシーの権利を監視・擁護する非営利団体プライバシー・インターナショナルは、デンマークのプライバシー保護に関する格付けを二・五（保護措置の実施を全体として怠っている）から二・〇（広範な監視社会）に下げ、その結果デンマークは調査対象の四五カ国中、三四位になった。だがほとんどのデンマーク人は気にしていないようだ。デンマーク政府が国民のIPアドレスやポート番号、セッションタイプ、タイムスタンプを利用してこそこそ嗅ぎ回り、言論の自由を抑圧し、政治的見解を理由に投獄するといったことをするはずがないと信頼しているのだ。二〇一五年四月に欧州司法裁判所は、デンマークのデータ保持に関する慣行が「基本的権利に対するとくに重大な干渉」であるという判断を示したが、デンマーク国民は政府に抗議するでも、データ保持の慣行の中止を要求するでもなかった。

デンマークと合衆国の対応の違いは、デンマーク政府が同様の安全保障上の脅威に積極的に取り組まなかったということではない。デンマーク政府が社会の信頼を保ちながら対処した点が違うのだ。この信頼は二つの重要な要因に依存していた。第一に、合衆国のプログラムが極秘で、何の監督も受けないまま拡大し続けたのに対し、デンマークのデータ保持政策は国民に明確に知らされており、意図しない方向に進んでしまう「ミッション・クリープ」に陥ることもなかった。第二に、デンマーク人はもともと自国制度を基本的に信頼しており、政府が国民の不利益になるようなかたちで情報を扱ったり、9・11後のCIAのように囚人特例引き渡しや拷問のために情報を利用したりするはずがないと信じていた。これら二つの要因から、政府がデータを収集しても国家は足枷をはめられたままの状態でいると、国民が信じていたことがうかがえる。アメリカ人はそうではなかった。その理由は、CIAとFBI、NSAが監視を受けずに、ともすれば無節操に行動することが多かったからだ。

このように、足枷のリヴァイアサンが足枷をはめられたままで新たな安全保障上の脅威に対処する方法と、新たな経済的課題に対応する方法の間には、強い共通性がある。この共通性の根底にあるのは、リヴァイアサンを回廊内にとどめるための、制度的その他の制約の決定的な重要性である。その意味で、新たな安全保障上の脅威に対するNSAとCIAの対応の何がまずかったかといえば、責任や活動範囲を拡大したことそれ自体ではなく、監視を受けずに密かに行なったことだった。スノーデンが暴露したプログラムは、外国情報活動監視裁判所の監視を受けるはずだったが、この裁判所までもが密かに活動し、往々にして追認のゴム印を押すだけの存在になっていた。リヴァイアサンの足枷を維持し、信頼を築くのに適切な方法とはとてもいえない。

本書はまず第一章で、ほとんどの国がリベラル民主主義、アナーキー、または何らかの独裁主義に向かうだろうという、いくつかのよく知られた予測を取り上げた。人類の大半がまもなくデジタル専制体制の下に置かれるというユヴァル・ノア・ハラリの警告は、おそらく最も不吉な予測であり、中国の「社会信用」システムやNSAの攻撃的な監視プログラムが、この主張の信憑《しんぴょう》性を高めている。しかし、ここまで議論してきたように、すべてまたはほとんどの国が同じ種類の政治・経済システムに向かって否応なく突き進んでいくと予想すべき理由は何もない。それぞれの国が進む経路を決定するのは、既存の国家と社会のバランスである。同じ安全保障上の脅威に際して、デンマークがとった手法が、このことを強調している。安全保障上の脅威に対し、監視を受けずに国家の力を拡大して対処すれば、違法行為が起こりやすくなり、デジタル専制体制の危険が増す。同じ活動が白日の下に行なわれ、権力が悪用されていないかどうかを社会が監視できるとき、回廊を支える力の均衡が再確認される。この再確認によって、新しいテクノロジーがプライバシーを侵害する恐れがあるときでさえ、足枷のリヴァイアサンの原理に即した方法で用いられるようになる。新しいテクノロジーがどのようなかたちで用いられるか、それらが力の均衡を乱すかどうかは、あらかじめ決まっているわけではない。それを決めるのは、私たちなのだ。

権利の実際――ニーメラーの原則

足枷のリヴァイアサンは、生み出すのが大変なだけではない。それとともに生きていくのも大変な努力を要するのだ。ここまで、成長するリヴァイアサンを前にした社会が力を高めるための具体的な方法をいくつか示した。最も重要な考えが、社会の動員を活用することだ。だが実際問題として、どうやって実現するのか？　社会が組織的に能力を拡大し、国家とエリートに対する制御を強める方法はあるだろうか？　その答えはイエスだと、私たちは考える。この方法は、前章で示したアイデアと関係している。すべての脅威――国家、エリート、ほかの市民の脅威――からの市民の権利保護を土台とするのだ。

権利は、本書で示した「自由」の概念、すなわち恐怖や暴力、支配からの個人の保護と密接に関係している。人々が家を捨てて逃げるのは、主に恐怖や暴力から逃れるためだが、支配――個人が自分の価値観に従って選択をし、自分の人生を追求することができないこと――も同じくらい息苦しいものだ。権利とは基本的に、すべての個人が人生においてそのような選択をする能力を、社会が法律や規範に刻みつける方法なのだ。

権利が重視されるようになった起源は、少なくともジョン・ロックや、独立宣言でのトーマス・ジェファーソンの「人間に生まれながらに与えられた、生命、自由、および幸福の追求を含む不可侵の権利」という文言、また一七八九年フランスの人間と市民の権利の宣言（人権宣言）にまでさかのぼる。私たちの現代的な権利観は、一九四八年に採択された国連の世界人権宣言から影響を受けている。ウィリアム・ベヴァリッジは一九四五年に発表した小冊子『なぜ私は自由党員か』のなかで、世界人権宣言に先駆けて次のように述べている。

自由には、政府の恣意的な権力からの自由という以上の意味がある。それは渇望や貧困、その他の社会悪への経済的隷属からの自由である。それはあらゆるかたちの恣意的権力からの自由である。飢える者は自由ではない。

世界人権宣言も同様にこううたっている。

人権の無視と軽視は、人類の良心を踏みにじる野蛮行為をもたらしてきた。そのため、人間が言論と信教の自由を享受でき、恐怖と欠乏から解放される世界の到来が、一般市民の最高の願望として宣言されたのである。

同第二三条は次のように定めている。

一．すべて人は、勤労し、職業を自由に選択し、公正かつ良好な勤労条件を確保し、失業に対する保護を受ける権利を有する。

二．すべて人は、いかなる差別をも受けることなく、同等の勤労に対し同等の報酬を受ける権利を有する。

三．勤労する人はすべて、自身と家族が人間の尊厳にふさわしい生活を確保できるだけの、公正で良好な報酬を受ける権利を有し、必要な場合にはほかの社会的保護手段による補充を受けることができる。
四．すべて人は、自身の利益を保護するために労働組合を組織し、これに参加する権利を有する。

フランクリン・デラノ・ローズヴェルト（ＦＤＲ）も同様の考えを表明した。一九四〇年と一九四一年に、「四つの本質的な自由」として、「言論の自由、信教の自由、欠乏からの自由、恐怖からの自由」を挙げている。一九四四年の一般教書演説ではこう述べた。

真の個人の自由が、経済的安心と主体性なくしては存在し得ないという事実を、私たちははっきりと認識するに至りました。「困窮する者は自由な者にあらず」。空腹と失業にあえぐ人々は、独裁政権を育む温床なのです。

ＦＤＲは続けて、本質的な自由として「有益で利益になる仕事を得る権利」「十分な食料と衣服、娯楽を確保できるだけの報酬を得る権利」「大小を問わずすべての事業に携わる人が、国の内外で、不公正な競争と独占事業による支配のない環境で商業活動を行なう権利」「すべての家族が適正な住宅を得る権利」「老齢、疾病、事故、失業の経済的不安からの十分な保護を得る権利」「よい教育を受ける権利」を挙げた。ＦＤＲ自身、かつてはこうした権利や自由の一部を制限することを厭わなかった。たとえば一九四二年から一九四五年まで日系人の強制収容を実施し、南部諸州のジム・クロウ法にかかわった（ＦＤＲの四つの自由を聞いて、あるアフリカ系アメリカ人が放ったひと言が多くを物語っている。「白人は四つの自由を語るが、俺たちにゃ自由など一つもない」）。そのＦＤＲが権利を重視するようになったことは、欧米の風潮が大きく変化していたことの証左である。

これらの声明の特筆すべき点は、権利の概念を支える二つの原則にある。これらの声明は普遍的で一般的な権利にかかわる原則であり（この点で、奴隷を対象とせず女性の権利を明言しなかった独立宣言よりはるかに先進的だった）、かつ個人がみずからの選択を実現できることの重要性を認識している。したがって、いかなる集団に対する暴力の脅威も思想と言論の自由の制約も、権利の侵害となり、宗教活動や性的指向の追求（または追求しないこと）の妨害も同様である。だが同じく重要なことに、まともな生活ができるだけの収入を得る手段を奪うことも、権利侵害である。なぜならこれも一種の支配を生み出すからだ。なぜ支配かといえば、赤貧のせいで意味のある人生を追求できなくなるからというだけでなく、そのような状況では好ましくない条件や、屈辱的な条件、やる気を著しくそがれる条件での労働を雇用主に強いられる恐れがあるからだ（第八章のダリットのマニュアル・スカベンジャーを思い出してほしい）。

このような権利の概念は、男性や多数派の自由だけでなく、女性、宗教的・民族的・性的マイノリティ、障害をもつ人々の自由にとっても重要である。これらすべての権利を神聖なものとして重視することによって、国家や社会の強力なエリートにできることと、できないことを、明確に線引きすることができる。権利が明確に保護されるとき、人々が組織化し、意見を論じ、人生を追求する能力を奪うことは、いかなる人にも決して許されない行為となる。人々が経済的に従属し、支配を受けざるを得なくなる状況を生み出すことも同様である。

社会を変革する力の糸口がここにある。国家にできないことを明確に示す境界線が広く認識されていれば、その境界線が侵害されたとき、国家の密かな越権行為を阻止すべく、幅広い階層の人々が立ち上がるだろう。少数派の権利が普遍的権利として認識されることが、きわめて重要になる。なぜならそうした認識がなければ、権利を侵害されている特定の少数派だけが声を上げ、抗議することになり、社会全体が立ち上がったり、対抗したりすることにはならないからだ。ちょうどインド（第八章）やラテンアメリカとアフリカ（第一一章）で見た、まとまりのない、断片化した社会のように。権利の普遍的認識こそが、幅広い連合の土台となるのである。

この考えの重要性をいち早く認識したのが、ドイツのルター派牧師マルティン・ニーメラーである。ニーメラーが一九五〇年代に著した詩は、なぜナチス国家があれほどたやすく、またたく間にドイツ社会を支配できたのかを簡潔にとらえている。ニーメラーの詩の最もよく知られた版は、多くのホロコースト記念博物館に掲げられ、犠牲者追悼のイベントで暗唱されることも多い。こんな詩だ。

彼らが最初に社会主義者を襲ったとき、私は声を上げなかった
私は社会主義者ではなかったから。
彼らが労働組合員を襲ったとき、私は声を上げなかった
私は組合員ではなかったから。
彼らがユダヤ人を襲ったとき、私は声を上げなかった
私はユダヤ人ではなかったから。
彼らが私を襲ったとき、
私のために声を上げてくれる人は一人も残っていなかった。

つまりニーメラーの考えによると、ドイツ社会がナチスに対して声を上げられなかった根本原因は、最も基本的な権利が普遍的に認識されていなかったことにあった。ドイツ社会の幅広い連合が、ナチスに対して立ち上がらなかったせいで、ナチスはそれぞれの集団に個別に対処し、排除することがで

きたのだ。これは回廊を守るための非常にまずい方法だった。

ＦＤＲはこのような考えの一部も、いち早く表明している。同じ一九四四年の一般教書演説で、ＦＤＲは多様な権利をすべての人に認めることの重要性を強調して、ベンジャミン・フランクリンの一七七六年の発言を引用した。「われわれは、そろって腹をくくらねば、別々に首をくくられるのみである」

逆にいえば、もしも社会が幅広い（適正な）権利をより普遍的なものにすることができれば、社会は組織化し、拡大する国家の力に対抗しやすくなる。世界人権宣言によって示された権利に、利益になる仕事を得る権利が含まれていることは特筆に値する。なぜならこの権利によって、経済的な不安や怒りに駆り立てられた社会のさまざまな階層が、専横に抵抗するために幅広い連合を組み、組織化する可能性や意欲が生まれるからだ。すでに説明したように、労働運動が以前の影響力を取り戻すことは二度とないかもしれないと考えれば、この課題は今後とくに重要になるかもしれない。権利を中心に（市民）社会が団結することが、一つの選択肢になる。

積極的な社会と有能な国家をもつ民主主義国に暮らす私たちの多くは、専横のリヴァイアサンの軛の下で苦しむ人々や、何の国家制度にも保護されずに恐怖や暴力、支配の下で暮らす人々に比べて、とてつもなく幸運である。それでも、足枷のリヴァイアサンとともに生きていくことは、いつまでも終わることのない取り組みだ。私たちの主張は、この取り組みをより安定させ、回廊からはじき出されにくくするカギが、国家と社会の均衡、力をもてる者ともたざる者の間の均衡をたえまなく生み出し続けることにあるというものだ。赤の女王効果は助けになるが、社会の力とは突き詰めれば、社会が組織化し、立ち上がることである。

二〇一七年一〇月、権力をもつ男性から受けてきたセクハラや性的暴力について、女性たちが声を上げ始めた。発端となったのは、映画界の超大物プロデューサー、ハーヴェイ・ワインスタインのセクハラ疑惑である。一〇月五日に女優のアシュレイ・ジャッドが告発に加わった。一〇月一七日には女優のアリッサ・ミラノが、活動家のタラナ・バークが二〇〇六年に掲げたスローガンを使って、こんなツイートをした。「セクハラや性的暴力を受けたことがある人は、このツイートに #MeToo と返信して」。雪崩のようなツイートが寄せられ、そして社会運動が始まった。たとえ世界中のすべての女性が完全に平等で保護されている状態にはほど遠いとしても、このような最も基本的な権利の侵害に反対して人々が立ち上がったおかげで、政府や企業、学校で権力者が女性に嫌がらせや屈辱、虐待を加えることが少し難しくなった。これに呼応して法律が変わり始め、たとえばニューヨーク州では性的嫌がらせを防止する法律ができた。

人間の進歩は、国家が新たな課題に応答し、新旧のすべての支配に対抗する能力を拡大できるかどうかにかかっている。だが社会がそれを要求し、すべての人の権利を擁護するために立ち上がらない限り、国家の能力拡大が起こることはない。これは簡単なことでも、自動的に起こることでもないが、起こり得ることであり、現に起こっていることなのだ。

謝辞

本書を執筆するにあたり、多くの知的恩義を受けた。なかでも、本書の土台となった研究のさまざまな側面で、私たちとともに研究に取り組んでくれた共同執筆者たちに、とくに大きな恩義を感じている。次のみなさんに感謝を捧げたい。マリア・アンヘリカ・バウティスタ、ジネット・ベンツェン、ダヴィデ・カントニ、イサイアス・チャヴェス、アリ・チーマ、ジョナサン・コニング、ジュゼッペ・デ・フェオ、ジャコモ・デ・ルーカ、メリッサ・デル、ジョージー・エゴーロフ、レオポルド・ファーガソン、ファアン・セバスチャン・ガラン、フランシスコ・ギャレゴ、カミーロ・ガルシア＝ヒメノ、ジェイコブ・ハリリ、タレク・ハッサン、リーンダー・ヘルドリング、マシュー・ジャクソン、サイモン・ジョンソン、アシム・クワジャ、サラ・ロウズ、セバスチアン・マズーカ、ジェイコブ・モスコーナ、スレシュ・ナイドゥ、ジェフリー・ヌージェント、ネイサン・ナン、フィリップ・オサフォ＝クワーコ、スティーヴ・ピンカス、トリスタン・リード、ファン・ディエゴ・レストレポ、パスカル・レストレポ、ダリオ・ロメロ、パブロ・ケルビン、ラファエル・サントス＝ヴィラグラン、アハメド・タホウン、ダヴィデ・ティッチ、コンスタンティン・ソニン、ラグナー・トーヴィク、ホアン・F・バルガス、ティエリー・ヴェルディエ、アンドレア・ヴィンディグニ、セバスチャン・ヴォルマー、ジョン・ワイゲル、アレックス・ウォリツキー、ピエール・ヤレド。みなさんの創造性、努力、忍耐心に感謝を捧げる。

二〇一八年三月に、ノースウェスタン大学経済史センターにおける二日間のブック・カンファレンスを企画してくれた、ジョエル・モキールに、とくに感謝の意を表したい。ジョエルは二〇年以上にわたり私たちのインスピレーション、ロールモデルとなり、専門的なアドバイスを与えてくれ、ジョエルがいなければ私たちのキャリアがどうなっていたか想像もできない。カンファレンスでは参加者のみなさんから洞察に満ちたフィードバックをいただいた。カレン・オルター、サンディープ・バリガ、クリス・ブラットマン、ピーター・ボエトック、フェデリカ・カルガッティ、ダニエル・ディアマイアー、ジョージー・エゴーロフ、ティム・フェッダーセン、ゲアリー・ファインマン、ジリアン・ハッドフィールド、ノエル・ジョンソン、リン・キースリング、マーク・コヤマ、リンダ・ニコラス、デビン・マー、メラニー・メン・シュエ、スレシュ・ナイドゥ、ジョン・ナイ、パブロ・ケルビン、ジャレド・ルービン、ケン・シェプスル、コンスタンティン・ソニン、デイヴィッド・スタサヴエージ、ジョン・ウォーリス、バート・ウィルソンのみなさんに感謝する。ブラム・ヴァン・ベソウとマット・ミトルーネンがカンファレンスでメモを取ってくれたおかげで、私たちはフリーディスカッションで脱線せずにいられた。

私たちの過去二〇年間の研究の軌跡に影響を与えてくれた研究者たちにも、おそらくこの場で感謝申し上げるべきだろう。なかでもリー・アルストン、ジャン゠マリ・バラン、ロバート・ベイツ、ティモシー・ベスリー、ジャレド・ダイアモンド、ロバート・ディクソン、リチャード・イースタリン、スタンリー・エンガマン、ジェフリー・フリーデン、スティーヴン・ヘイバー、ジョー・ヘンリッチ、イアン・モリス、ダグラス・ノース、ジョシュ・オバー、ニール・パーソンズ、トーステン・ペルソン、ジャン＝フィリップ・プラトー、ケネス・ソコロフ、ギド・タベリーニ、ジャン・ヴァンシナ、バリー・ワインガスト、ファブリツィオ・ツィリボッティのみなさんに感謝を捧げたい。
本書のさまざまな章に大変有益なコメントをいただいた。サイワン・アンダーソン、デイヴィッド・オーター、ピーター・ダイアモンド、ジョン・グルーバー、サイモン・ジョンソン、ラクシュミ・アイヤー、ラムジー・マーディーニ、マーク・プリジク、ゴータム・ラオ、コーリー・スミス、デイヴィッド・ヤン、アナンド・スワミーのみなさんの時間と博識に感謝申し上げる。クリス・アッカーマンとチハト・トゴズがすべての草稿を読み、数々のコメント、提案、助言をくれたことに感謝している。

ここ数年間にわたり、本書のアイデアをさまざまな場で発表させていただいた。ノースウェスタン大学ネマーズ・レクチャー、ミュンヘン・レクチャー、イェール大学クズネッツ・レクチャー、ケンブリッジ大学リチャード・ストーン・レクチャー、台北大学スン・チェン・レクチャー、トゥールーズ大学ジャン＝ジャック・ラフォン・レクチャー、ノートルダム大学ギジェルモ・オドンネル記念レクチャー、イリノイ大学（アーバナ・シャンペーン校）リノース・レクチャー、オックスフォード開発研究アニュアルレクチャー、世界銀行ABCDE基調講演、タフツ大学社会オントロジー年次会議などである。席上で多くの有益なコメントと提案をいただいた。とくにトーケ・アイト、ゲイブリエル・レオン、ミン＝ジェン・リンに感謝したい。

優れたリサーチアシスタントであるトム・ハオ、マット・ロー、カルロス・モリナ、ジェイコブ・モスコーナ、フレデリック・パパジアン、ホセ・イグナチオ・ヴェラルド・モラレスに感謝する。トビー・グリーンバーグは写真エディターとしてすばらしい仕事をしてくれた。アレックス・カー、ローレン・フェイヒー、シェルビー・ジェイマーソンは貴重な編集上の提案・訂正を提供してくれた。

私たちのパートナーであるアス・オズダグラーとマリア・アンヘリカ・バウティスタの支援と励まし、忍耐に感謝を捧げたい。

最後になったが、エージェントのマックス・ブロックマンと編集者のスコット・モイヤーズ、ダニエル・クルー、そしてペンギン・プレスの編集助手ミア・カウンシルに、このプロジェクトへの献身ととても有益な提案を与えてくれたことに感謝したい。当然のことながら、本書における誤りは、すべて私たち著者に帰するものである。

解　説　自由と繁栄の安定経路を求めて

明治学院大学社会学部教授
稲葉振一郎

本書はDaron Acemoglu and James A. Robinson, *The Narrow Corridor: States, Societies, and the Fate of Liberty*. Penguin Press. 2019. の全訳である。

ダロン・アセモグル Daron Acemoglu はトルコ出身、英国ヨーク大学卒業後、ロンドン・スクール・オブ・エコノミクス（ＬＳＥ）で一九九二年に博士学位を取得した。九二年から九三年までＬＳＥで経済学講師、九三年以降はマサチューセッツ工科大学（ＭＩＴ）に経済学助教授として移り、九七年准教授、二〇〇〇年より教授（二〇〇四‐一〇年はチャールズ・Ｐ・キンドルバーガー記念応用経済学教授、二〇一〇年以降はエリザベス＆ジェイムズ・キリアン記念経済学教授）を務めている。この間アメリカ経済学会のジョン・ベイツ・クラーク・メダル他、世界各国の様々な学術賞や名誉学位を授与されており、二〇〇六年以降はアメリカ芸術科学アカデミー会員である。

主たる研究分野は政治経済学、経済発展、経済成長、経済理論、技術、所得と賃金の不平等、人的資本と訓練、労働経済学、ネットワーク経済学。その関心は見られるとおり経済成長を主軸として極めて広く、純粋理論の論文のみならず、計量分析の専門家との共著で多数の実証的論文を超人的なペースで量産している。

著書としては、本書を含む「成長の政治経済学」プロジェクトの一環をなすロビンソンとの共著『独裁と民主政の経済的起源』（*Economic Origins of Dictatorship and Democracy*. Cambridge University Press. 2006. 未邦訳）、『国家はなぜ衰退するのか――権力・繁栄・貧困の起源』（*Why Nations Fail: The Origins of Power, Prosperity, and Poverty*. Crown Business. 2012. 邦訳早川書房、二〇一三年、文庫版二〇一六年）の他、長期マクロ動学の包括的な大学院レベル教科書『近代経済成長論入門』（*Introduction to Modern Economic Growth*. Princeton University Press. 2009. 未邦訳）、デヴィッド・レイブソン、ジョン・リストとの共著による学部レベルの入門教科書（*ECONOMICS*. Pearson Education. 2015. 邦訳『マクロ経済学』東洋経済新報社、二〇一九年、『ミクロ経済学』東洋経済新報社、二〇二〇年刊行予定）がある。

ジェイムズ・A・ロビンソン James A. Robinson は英国生まれ、LSE卒業後にウォーリック大学で修士、イェール大学で九三年に博士学位を取得している。九二年よりメルボルン大学経済学講師、九五年より南カリフォルニア大学経済学助教授。九九年からはカリフォルニア大学バークレー校で政治学（political science）助教授、二〇〇一年からは政治学・経済学准教授。二〇〇四年からはハーバード大学政治学（government）教授（二〇〇九年以降はデイヴィッド・フローレンス記念政治学教授）、二〇一五年からはシカゴ大学ハリス公共政策大学院教授（二〇一六年からリチャード・I・ピアソン博士記念グローバル紛争研究教授、ピアソン・グローバル紛争解決研究所ディレクター）を務めている。『独裁と民主政の経済的起源』でアメリカ政治学会ウッドロー・ウィルソン基金賞ほか、多数の賞を獲得している。主たる研究分野は政治経済学と比較政治学、経済発展と政治発展。

経済理論の知識をベースとしつつ、近年は計量政治学者として活躍している。ラテンアメリカ、サブサハラアフリカの現場を踏まえた実証分析を重ね、スペイン語の論文もある他、スウェーデン外務相の諮問委員その他の公職も多数経験している。

本書はベストセラーとなった『国家はなぜ衰退するのか』（以下「前著」）の続篇ともいうべき著作であるが、前著刊行以降の著者たち自身の研究の深まりと、それ以上に、世界情勢の変化を反映しての危機感の高まりが反映されている。リベラル・デモクラシーと自由な市場経済という「包括的制度セット」こそが、長期的な経済成長の成否を左右する最重要の要因である、という前著で提示された主張それ自体に変更は見られないものの、本書では原題「狭い回廊（The Narrow Corridor）」が示唆する通り、その実現と維持とがいかに困難か、という方向に議論の焦点が移動している。言うまでもなくそれは前著の発端で希望をもってその将来が展望された「アラブの春」のあとに中東を襲ったISISの台頭やシリア内戦といった一層の混沌、のみならずアメリカ合衆国におけるトランプ大統領の誕生を含めた、欧米先進諸国におけるポピュリズムと排外主義の台頭を意識している（トルコがアセモグルの母国であることをも胸にとめておこう）。

今少し具体的に前著と本書の違いを確認してみよう。

まず、前著では包括的政治制度としてのリベラル・デモクラシーと、包括的経済制度としての自由な市場経済のセットに、収奪的政治・経済制度のセットが対比されていた。ところがこの枠組みでは、収奪的政治制度の中には、高度に組織された集権的独裁体制が含まれる一方で、地方ボスが分立し争いあう破綻国家の無政府状態も含まれてしまう。また収奪的経済制度の中にも、社会主義計画経済や農奴制や奴隷制、さらには略奪者が跋扈する無政府状態といった、互いに異質な制度（さらに制度自体の不在）までもが放り込まれてしまう。

このような難点は本書ではかなり克服されているが、その際に議論の枠組み自体が前著とはかなり変わったものになっていることに注意しよう。本書の議論を主導するのは、「国家 state」と「（市民）社会（civil society）」という二つのまとまりを分析単位として区別したうえで、両者それぞれの、更にその組み合わせの多様性に着目して、両者の関係を分析していこう、という方法論である。簡単に言えば国家には強力なものもあれば、きわめて弱体なものもある。大量の資源を動員し、社会を統制できる「強い」国家がある一方で、ほとんど何もできない名目的な「弱い」国家もあり、そもそも国家不在の社会もある。他方で社会の方にも、高い生産力をもって繁栄し、積極的に政治参加して国家の専横を許さない「強い」市民社会もあれば、個々人やローカルなコミュニティがバラバラに孤立し、相互不信の中で停滞している「弱い」社会もある。このような枠組みを設定することによって、強権的な独裁国家（本書の表現では「専横のリヴァイアサン」）と、破綻国家の無政府状態（本書でいう「不在のリヴァイアサン」）を同じカテゴリーに放り込んでしまうような前著の失敗から、本書はうまく逃れている。この枠組みを生かして本書では、前著では「収奪的制度セット」と一括されがちだった中国、インド、あるいは中東やサブサハラアフリカ諸国における困難が、それぞれきちんと区別されてとらえられるようになっている。それに加えて、「包括的制度セット」の下で好循環に乗った社会の例も、近代西欧に偏ることなく、古典古代のギリシアはもとより、中世後期イタリアや、古代メキシコの都市国家など、より広い範囲に求められるようになっている。

本書では、前著において包括的な制度セットとして捉えられたリベラル・デモクラシーと自由な市場経済の組み合わせ、両者が互いに強め合う好循環は、「強い国家」と「強い社会」の組み合わせ（本書の言葉でいう「足枷のリヴァイアサン」）による好循環としてとらえられる。しかしアセモグルとロビンソンによれば、この好循環は非常に不安定である。ゆえにこれを彼らは「狭い回廊」と呼ぶ。単純に国家と社会がそれぞれに力をつけていけば、この循環にうまく乗れる、という、かつての「近代化理論」風の楽観論は成り立たない。この「狭い回廊」の外では、国家が強化されると社会が弱体化し、あるいは社会が強くなると国家が弱体化する、といったトレードオフ関係の方が強くはたらき、国家の力と社会の力がちょうどよいバランスを保ちながらどちらも発展していく、という経路＝「狭い回廊」にたどり着くのは困難であるし、たどり着いたら安心、というわけでもない。先述のように好循環の「狭い回廊」に入った社会の例が、近代の先進諸国以外にも広く求められていることは、そのような社会は必ずしも永続的ではないことをも意味する。イタリア都市国家の多くは、そしてワイマールの共和政も、自ら独裁者を選んで崩壊した。今日の先進諸国においても、ポピュリズムの旋風が吹き荒れている。

このような理論によってアセモグルとロビンソンは、前著以上に自由と繁栄の実現可能性と維持可能性の困難さを強調するようになっているが、これに加えて、本書では自由の価値をよりストレートに称揚するようになっているように思われる。前著も本書も基本的にはまず実証分析を主題としており、望ましい社会や政治経済のありかたについての著者たちの主観的なコミットメントや提言はあくまでもそれを踏まえての二義的なものとなってはいるが、それでも若干のニュアンスの違いは無視できない。前著では実証された事実命題として「長期的な経済発展のためには経済的のみならず政治的な自由（を支える制度）が必要である」とのテーゼが提示され、そこから「もし社会を繁栄させたければ、自由を大切にしよう」という主張が導き出せるようになっていた。それに対して本書ではどちらかというと「もし個人の自由を大切にする社会を実現したければ、『狭い回廊』に入り、そこからそれないようにしなければならない」という語り方に変化しているように思われる。

今ひとつ気づかれるのは、政治的民主化、リベラル・デモクラシーの実現と維持のための必要条件として、市民社会を構成するノンエリート中間層・庶民の多元的な提携・連帯の重要性が、前著で以上に強調されていることだ。前著のクライマックスとなるエピソードのひとつは、ボツワナにおける安定した民主政の確立だったが、本書でそれに対応するのは、第一五章で描かれる、スウェーデンにおける社会民主党主導の広い社会連帯の確立と福祉国家の形成であろう。これには、経済学に詳しく、アセモグルとロビンソンの研究をリアルタイムで追っていた一部の読者にとっては、第一三章でのアメリカ合衆国の立憲体制に対する思いのほか辛い評価と併せて、意外の感があるかもしれない。彼らはまた別の系統の研究プロジェクトにおいては、技術革新能力においてはスウェーデンなどの協調主義的・平等主義的な「優しいcuddly」資本主義よりも、アメリカ合衆国型の、激しい競争の結果の大きな格差を許容する「凶暴なcutthroat」資本主義の方が優位であり、グローバル経済においては両者のすみわけ（と前者による後者の成果へのただ乗り）が起きて、どちらかへの収斂は起こらないだろう、と論じているからだ（「文献の解説と出典」第一五章に紹介されているAcemoglu, Robinson, and Verdier（2017））。

このように、前著に比べてより洗練され、スケールアップした本書だが、不満も残らないわけではない。先に述べたように本書では、国家と社会とが区別されたうえで、それぞれに、特に社会の側の多様性が強調されているわけだが、それでもなお本書で「社会」と呼ばれているものを我々はどう概念化すればよいのか、必ずしも明らかではない。「強い国家と強い社会とが相互に牽制しつつ成長する『狭い回廊』『足枷のリヴァイアサン』こそが自由の実現のための必要条件である」との命題は本書のかなり早い段階で提示される。自由に対する脅威は、中国におけるような、社会を圧伏する強権的な国家「専横のリヴァイアサン」だけではない。国家が弱体であるかそもそも不在の社会においても、必ずしもホッブズ的な戦争状態になるわけではなく、慣習の網の目と人々の相互統制（「規範の檻」）によって、平和が保たれることは十分にありうる。しかしそのような社会には、繁栄も自由もない。例として本書では、カースト制度の網の目に拘束されたインドを挙げる。更にサブサハラアフリカに多く見られるような破綻国家では、国家も社会も弱体で、秩序を確立できない（「不在のリヴァイアサン」「張り子のリヴァイアサン」）。ここまでは比較的わかりやすい。しかしながら著者たちはそれにとどまらず、サウジアラビアという、強力な国家と、これまた強力で因習的な社会が組み合わさって、自由を抑圧している事例を紹介する。だとすると、サウジアラビアにおける社会の「強さ」と西洋先進諸国の社会の「強さ」とは異質なものだと考えねばならない。しかしそれは具体的にはどのようなものなのか？　国家にせよ社会にせよその「強さ」は一元的なものではないだろうが、具体的にそれらをどのように見出し、どのような尺度で測ればよいのだろうか？

また、前著に引き続き本書の舞台裏でも、膨大な計量的実証研究と、理論的研究が行なわれている（本書にたびたび登場する「狭い回廊」の図も、「文献の解説と出典」の最初に紹介されている Acemoglu and Robinson（2017）における、国家と社会の力関係を表す微分方程式系の安定経路を視覚的に図示したものである）が、理論的分析においては現象を取り扱いやすい数理モデルに落とし込まねばならないためか、基本的には支配階級と民衆、あるいは国家と社会の二者間のゲームとしてモデル化されている。その点ではこれまでと変わりない。むろんこの二者間ゲームでも十分に、国家と社会の力関係のバランスの微妙さ、「狭い回廊」の不安定性について我々を啓発してくれてはいる。しかしながらそれでもなお、民衆の、社会そのものの多様性、更には「自由」それ自体をわかりやすいモデルに落とし込むことは、トップクラスのモデルビルダーである彼らをもってしても、なお困難な課題であるようだ。

二〇一九年一二月

索　引

＊は地図や主題図のページ数を示す

■数字・アルファベット
1358年のジャックリーの乱　㊤299
1785年公有地条例　㊦139
1848年のグレート・マヘレ　㊤204
『1984年』（オーウェル）　㊤368
2001年9月11日のテロ攻撃　㊦239, 379
三十年戦争　㊦70, 71
B・R．アンベードカル　㊦22–28, 36–37
FARC（コロンビア武装革命軍）　㊦185
FRAP（人民行動戦線）　㊦266–67
FSB（連邦保安庁，ロシア）　㊦89, 91
IMF（国際通貨基金）　㊦172
INCORA（コロンビア農地改革庁）　㊦184
KGB（国家保安委員会）　㊦89, 91, 92
RCD－ゴマ　㊤175–76
URPO　㊦90

■あ
アークライト，リチャード　㊤317–18
アーサー，チェスター　㊦337
アーレント，ハンナ　㊤50
アイエ＝クミ，E　㊦200
アイスランド　㊤300–01, 319
アイゼンハワー，ドワイト・D　㊦160
アイヒマン，アドルフ　㊤49–50
アヴィニョン（フランス）　㊤236, 237
アウグストゥス（オクタウィアヌス）（ローマ皇帝）　㊤261, 265
アウジェロ，ハビエル　㊦165–68, 171–72, 173
赤の女王効果
　～と足枷のリヴァイアサンの育成　㊤136–37
　～とアメリカの国家建設　㊤99–100, 103, 107–09, ㊦134–35, 140–41
　～とアメリカのリヴァイアサンの矛盾　㊦161–62
　～とアメリカの例外主義　㊦120
　～とアルゼンチン　㊦173–75
　～とイギリスの政治的発展　㊤293–95, 304, 307
　～とインド国家の欠点　㊦57–58
　～とインドのカースト制度　㊦21–22, 26–28, 35–37, 43–44, 53
　～と回廊への経路　㊤243
　～と各種リヴァイアサンの発展　㊤127, 132–34
　～と構造的要因による影響　㊦110
　～と古代ギリシア　㊤91–94
　～と国家の力による多様な影響　㊦82
　～と産業革命　㊤313
　～と政治的階級を抑制する規範　㊤114–15
　～とハイエクの経済理論　㊦349–51
　～とヘンリー2世の司法改革　㊤281–85
　～とポーランドの市民社会　㊦86
　～とヨーロッパの政治的発展　㊤255, 298
　～とマグナ・カルタ　㊤288–89
アカンの人々　㊤59
アサビーヤ　㊤183–84, 189
足枷のリヴァイアサン　㊤70–71
　～と赤の女王効果　㊤91–93, 136–37
　～とアメリカの国家建設　㊤67–70
　～とアメリカ例外主義　㊦120–22

～とアルゼンチン　㊦168-69, 173
～と安全保障上の脅威　㊦383
～とイギリスの政治的発展　㊤319
～とイタリアのコムーネ　㊤219-20, ㊦275-76
～とヴァイマル共和政の衰退　㊦257-58
～とエリートの利益による影響　㊦282-83
～の恩恵　㊤71-72
～と回廊の形状に影響を与える要因　㊦258-59, 327-28, 330-34
～と回廊への回帰　㊦291
～と回廊への経路　㊦304-06, 327, 344
～と回廊外の経済　㊤211
～と回廊内の経済　㊤239-43, 249
～と各種リヴァイアサンの発展　㊤125
～と各種リヴァイアサンの進展　㊤127
～と権利保護　㊤103
～と構造的要因による影響　㊦110-12
～と国際人権運動　㊦341-44
～と小作農主体のコーヒー経済　㊦106
～と古代ギリシア　㊤85, 97-99
～と国家能力の発達　㊤132
～と国家の力による多様な影響　㊦64, 64＊
～と国家の力に対する戦争の影響　㊦74
～とサポテカの文化　㊤245
～と産業革命　㊤313, 318
～と社会の力の形態　㊤114-15
～と「信頼せよ、されど検証もせよ」の戦略　㊤136-27
スウェーデンの例　㊦373-74
～と制度に対する信頼　㊦371
～と狭い回廊の構造　㊤124-26, 126＊
～とソ連崩壊による多様な影響　㊦92, 94-95
～と力への意志　㊤168-69
～と中国における専横的成長　㊤352-53
～とドイツにおける社会的動員　㊦261-62
～とナイジェリアの統治改革　㊦321
～とナチスによるドイツ国家の乗っ取り　㊦263, 264
～とハイエクの経済理論　㊦351
張り子のリヴァイアサンとの比較　205, 206, 206＊
～とポピュリズム運動　㊦286
～とヨーロッパにおけるローマの影響　㊤268
～とヨーロッパの制度の多様性　㊤300
～とヨーロッパの政治的発展　㊤253-54
アジャリア　㊤166
アシャンティ王国　㊤37＊, 60-61, 65, ㊦204
アショーカ　㊦44, 45
アショーカ王の碑文　㊦44
アゼルスタン（国王）　㊤275
『新しい女性像』（ヘルマン）　㊦248
『アタルヴァ・ヴェーダ』　㊦38
アッシジの聖フランチェスコ　㊤227-39, 239-40
アッティカ　㊤87, 94-96
アッバース朝　㊤185-86, 192-93, ㊦228
アテナイ　㊤81-82, 85-91, 93-97, 97＊, 98-99, 168-69
『アテナイの国制』（アリストテレス）　㊤83
アバチャ，サニ　㊤36, ㊦318
アバナシー，ラルフ　㊦141
アパルトヘイト　㊦299-301, 303, 329-30
アブー＝バクル　㊤185
アブデュルハミト2世（アブドゥル・ハーミド）（皇帝）　㊦311

アブドゥル＝フセイン，ムヒー　㊦233
アブドゥルマリク（イブン・マルワーン）（カリフ）　㊤185
アフリカーナー　㊦197, 295, 299–300, 303
アフリカ大戦　㊤34–35, 176
アフリカ南部　㊤151＊
アフリカ民族会議（ANC）　㊦295, 299–301, 303–05, 328, 330
安倍晋三　㊦310
アムネスティ・インターナショナル　㊦342
アメリカ革命人民同盟（APRA）　㊦287
アメリカ植民地協会（ACS）　㊦196
『アメリカのデモクラシー』（トクヴィル）　㊤106
『アメリカの奴隷制、アメリカの自由』（モーガン）　㊦130
アラゴン王ペドロ2世　㊤296
アラビア半島　㊤142＊, 183
アラブ・イスラエル紛争　㊦236
アラブ首長国連邦（UAE）　㊤29, 142＊
アラブの征服　㊤185, 189, 190, ㊦81
アリー（ムハンマドの従弟）　㊤185
アリスティデス　㊤95
アリストテレス　㊤83, 85, 87, 89, 95, 96, 97, 98
アル＝アズハル大学　㊦237
アルカイダ　㊦379
アルコン　㊤82, 86–88, 93, 95
アルシング　㊤300–01
アルゼンチン　㊦165–73, 177
『アルタシャーストラ』（実利論）（カウティリヤ）⇒『実利論』を参照。
アルタミラノ，カルロス　㊦271
アルバニア　㊤84–85, 276, 277, ㊦62, 66, 74, 77
『アルバニアの高地』（ダーラム）　㊦74
アルバロ・ウリベ　㊦181, 187
アルフォンソ10世（カスティーリャ王）　㊤299
アルフレッド（大王）（ウェセックス王）　㊤271, 273–75, 277, 285, ㊦74
アレオパゴス　㊤86, 88, 90
アレグザンダー，キース　㊦161
アレクシオス1世コムネノス　㊤303
アレッサンドリ，ホルヘ　㊦266
アレン，アデル　㊦154
アロガスト　㊤266, 267
安徽商人　㊤366, 367
アングロ・サクソン　㊤271, 273–75, 278, 285, 288, 295
『アングロ・サクソン年代記』　㊤274
安史の乱　⇒「安禄山の乱」を参照。
アンドラーシュ2世（ハンガリー国王）　㊤296
安禄山の乱　㊤335, 361, 362

■い
李承晩（イ・スンマン）　㊦334
イースト，ルパート　㊤113
イースト・アングリア　㊤270, 274
『イーリアス』（ホメロス）　㊤88, ㊦37
イーリー，ジェイムズ　㊤203
イエナの戦い　㊦79
イオセリアーニ，ジャバ　㊤165–67
イギリス⇒「イングランドとイギリス」を参照。
『イギリスにおける民衆闘争一七五八年－一八三四年』ティリー　㊤305
『イギリス法釈義』（ブラックストン）　㊤309
池田勇人　㊦310
イサゴラス　㊤95
イササ，ラモン　㊦185–87

移住者 ㊤146–47
威信財 ㊤180–81, 204
イスラエル ㊦236
　～とアラビア半島 ㊤142＊
　～とアラビア半島内陸部の砂漠地帯 ㊦211–12
　イスラム革命（イラン） ㊦226
　イスラムの誕生 ㊤141–47
　イスラム法 ㊦213–14, 222–23
　～とイブン・ハルドゥーンの政治的発展説 ㊤182, 183
　～とサウジの規範の檻 ㊤223–27
　～とジハード ㊦214, 215, 219
　～と政治的階級 ㊤147–49
　～と専横的支配 ㊦235–36
　法学派 ㊦213
偉大な社会プログラム ㊦146, 148
イタリアのコムーネ ㊤215, 216, 217＊, 217–24, ㊦275–84, 291
イニキターテのウベルト ㊦281
イノベーション
　～とアメリカの国家建設 ㊦146, 156
　～とイギリスの政治的発展 ㊤320
　～とイスラムのカリフ制国家 ㊤190
　～とインドのカースト制度 ㊦21
　～とヴァイマル共和政における女性参政権 ㊦248
　～と回廊外の経済 ㊤211
　～と回廊内の経済 ㊤239–40
　ギリシアの政治における～ ㊤94
　～とグローバリゼーションの経済的影響 ㊦371
　～と構造的要因の影響 ㊦111–12
　～と古代ギリシアのオストラキスモス ㊤97–98
　～とコロンビアの統治改革 ㊦323–24
　～とサウジの規範の檻 ㊦223
　～と産業革命 ㊤313–18
　～と社会的流動性 ㊤237–39
　～と銃器 ㊤158–59
　～とスウェーデンの経済と福祉国家 ㊦355, 359
　ズールーの軍事イノベーション ㊤151–52
　～と専横的成長 ㊤195, 352–54, 356
　～と中国共産主義国家 ㊤354, 355–56
　～と中国の法家主義 ㊤327, 330, 332
　中世の商業革命 ㊤229–34
　～とムガル帝国 ㊦49–50
　～と連合構築の取り組み ㊦374, 378
イブラヒム・パシャ（エジプト） ㊦218
イフワーン ㊦218–20, 226
イブン・ハルドゥーン ㊤182–95, 199, 207, 211, ㊦216, 236
イボランド ㊤112
イラク戦争 ㊦149, 222, 232–36
イラン ㊦226, 234
イラン・イラク戦争 ㊦234
インキリノ ㊦265–75
『イングランド共和国』（スミス） ㊤293
イングランドとイギリス
　イギリス植民地主義 ㊦36, 36＊
　イギリスの委任統治領 ㊦232
　イギリス東インド会社 ㊦50
　イングランド内戦 ㊤44, 304, 314, ㊦81
　～と間接統治 ㊤111
　議会 ㊤287–89, 295–98, 304–06
　～と産業革命 ㊤313
　～と市民参加 ㊤289–94
　～における社会秩序と階層 ㊤111–12
　～とシャンパーニュの大市 ㊤228
　『女性にとってのイギリス法』（ノート

ン）　㊤309
～における女性の権利　㊤30, 308–10
～とスワローフィールド　㊤304
～と封建制度　㊤278–85
～とマグナ・カルタ　㊤285–90
9世紀の諸王国　㊤270–78, 272＊
イングランド農民反乱　㊤299
インディコプレウステース，コスマス　㊤302
インディゴ生産者協会　㊦106
インド　㊦21–22, 41＊, 388
インド・ヨーロッパ語　㊤300
「インド飢饉委員会報告書」（1880年）　㊦52
『インドの村落共同体の起源と成長』（バーデン＝パウエル）　㊦51

■う

ヴァージニア　㊤103, ㊦130–33
ヴァージニア案　㊤130
ヴァイキング（ノース人）　㊤300
ヴァイシャ　㊦18–19
ヴァイマル共和政　㊦244–65, 274, 284, 290, 292, 372
ヴァルガス，ジェトゥリオ　㊦175
ヴァルナ（カースト）制度　㊦18–19, 24, 26, 28, 43, 56
ヴァンクーヴァー，ジョージ　㊤198
ヴィーネ，ロベルト　㊦249
ヴィクトル，オルバーン　㊦292
ウイグル人　㊤369–70
ウィスキー税反乱　㊤103, ㊦136
ヴィスコンティ家　㊦278
ウィソガスト　㊤266, 267
ヴィダタ　㊦38–39
ウィタン（集会）　㊤271–78, 285
ウィドガスト　㊦266, 267
ウィリアムズ，ジョージ・ワシントン　㊦337
ウィリアム征服王　㊤277–80
ウィルソン，ウッドロー　㊦144
ウィルソン，ダレン　㊦117
ウィルバーフォース，ウィリアム　㊤318
ヴィルヘルム2世（皇帝）　㊦246
ヴェーダ　㊦26, 37–38
ヴェーバー，マックス　㊤49, ㊦169–72, 185
ウェーバー，ユージン　㊦178
ウェールズ　㊤272＊, 282
ウェセックス　㊤270, 271, 272＊, 274
ヴェトナム戦争　㊤158
ウェナム，ジョージ　㊤292
ヴェネツィア（イタリア）　㊤233–34, ㊦281
ウェバー，ジョン　㊤159
ヴェラーノ，ベルナルド・ド　㊤219
ヴェルサイユ条約　㊦219
ヴェルス，オットー　㊦243
ウォーレン，アール　㊦128
ヴォルテール　㊦61
ウォルド，ジョージ・E　㊦157
ウクライナ　㊦84
ウズベキスタン　㊦333
ウスマーン　㊤185
ウタイビー，ジュハイマーン・アル　㊤226
ウッドワード，ラルフ・リー　㊤106
ウフドの戦い　㊤145
ウマイヤ朝　㊤185, 190, 192–93
ウマル　㊤186
ウムコシ　㊤155, 156
ウラマー　㊦213–14, 217, 218–26, 227, 233, 234, 237
ウルク　㊤25–27, 130, 142＊, 253
ウルストンクラフト，メアリ　㊤310–11

ウルフヘルム大司教　㊤275

■え
永昌　㊤338
エイリーク血斧王　㊤274
エインシャム大修道院の院長アエルフリク　㊤271
エヴァンズ，リチャード　㊦263, 257
エーベルト，フリードリヒ　㊦246
エクアドル　㊦288
エクレシア　㊤86–87, 89
《エコノミスト》誌　㊦172
エジプト　㊤192, ㊦217, 236, 237
エゼルレッド1世（ウェセックス王）　㊤271, 277
エゼルワイン（イーストアングリアのエアルドルマン）　㊤275
エチャンディア，ダリオ　㊦189
エディントンの戦い　㊤274
エドガー（「平和王」）　㊤271–73, 277
エドワード（「懺悔王」）　㊤277–78
エドワード（「長兄王」）　㊤274
エリザベス1世（イングランド女王）　㊤295
エリツィン，ボリス　㊦87–91
エルズバーグ，ダニエル　㊦381
エルドアン，レジェップ・タイイップ　㊦292, 313,
エルフヒヤ（マーシア王国のエアルドルマン）　㊤275
エルマンダー，ヘネラル　㊤299
エンガーマン，スタンリー　㊦333
エンキドゥ　㊤26, 27, 130
エンクルマ，クワメ　㊦199–201, 202, 204
エンコミエンダ制　㊦107, 191
塩商　㊤334, 347–48, 357, 358＊, 364
「円卓会議－自由グルジア」　㊤185
エンバー，キャロル　㊤42

■お
オアハカ盆地　㊤244, 245, 253
王位継承法（1701年）　㊤314
欧州司法裁判所　㊦382
王秀楚（おうしゅうそ）　㊤340
欧州連合（EU）　㊦87, ㊦311, 315, 381
王莽　㊤334, 335
オーウェル，ジョージ　㊤368
オートメーション　㊦363–65, 371, 377
オグルトゥリー，ヴァージル　㊦128
汚職
　アルゼンチンにおける～　㊦169–73
　コロンビアにおける～　㊦323–24
　贈収賄　㊤122, 134, 167, 207–10, 311, ㊦99, 183
　中国における～　㊤133–36, 334, 345–46, 365–66
　「ニョッキ」（幽霊公務員）　㊦169–75, 319, 324–26
　～と張り子のリヴァイアサンによる影響　㊦207
オストラキスモス（古代ギリシアにおける）　㊤97–98
オスマン帝国　㊤119, ㊦75, 212, 217–19, 232, 236, 311
オットー4世（神聖ローマ皇帝）　㊦280
『オデュッセイア』（ホメロス）　㊤88, ㊦37
オバサンジョ，オルシェグン　㊦319
オバマケア　㊦156
オビッツォ侯　㊦275–76, 282
オランダ　㊦81
オリガルヒ　㊦89, 90, 91

檻に入れられた経済　㊤179–82, 210–11, ㊦202–03
オリモヴァ，サオダット　㊦93
オレンジ自由国　㊦295, 296
温州　㊤362–63

■か
カーシム，アブドゥルカリーム　㊦233
カースト制度
インドにおける～　㊦17–37, 43–45, 53, 56–58, 190, 206
元王朝における～　㊤336
ラテンアメリカにおける～　㊦190
カーディー　㊦213, 217, 218
ガーナ　㊤58, 60, ㊦199–202, 204
カーネギー，アンドリュー　㊦144
カアバ　㊤141–42, 146, ㊦214
カール大帝（シャルルマーニュ）　㊤255, 157, 268, 269, 279, 319, ㊦85, 280
カールマン2世（国王）　㊤255, 257
カーン，ゾリーナ　㊦137
海印（僧）　㊤339
海禁　㊤341, 353, 355
外国情報活動監視裁判所　㊦383
ガイダル，エゴール　㊦87, 88
槐店の人民公社　㊦53
開発経済学の実際（キリック）　㊦199
カウティリヤ　㊦17–20, 22, 40, 42, 44
カエサル，ユリウス　㊤258, 260, 300
カガピスト，ジラルド　㊤223
『鏡の国のアリス』（キャロル）　㊤92
革命指導評議会　㊦233
「隠れた反革命分子の完全な粛清のための指令」　㊤55
ガザーリー，アブー・ハーミド・アル　㊦225
カシケ　㊦191
カスティーリャ，ラモン　㊦194
カストロ，ハイメ　㊦324
カタスト（1427年版）　㊤234
学校給食法　㊦140
合衆国
～とアメリカのリヴァイアサンの矛盾　㊦161–62
～とアメリカ例外主義の影響　㊦120–23, 135, 162
～と警察による暴力　㊦117–19
～と権利保護　㊤99–109
～と公民権　㊦123–29, 140–43
～と国家建設の力学　㊦134–40
～と社会の分極化の影響　㊦291–92
～と人種的／社会的不平等　㊦149–56
～と進歩主義時代　㊦143–49
～と政治的階級を抑制する規範　㊤114–15
～における世界恐慌の影響　㊦351
～と独立戦争　㊤101, 104, 105, 108, ㊦143, 192, 193
～と奴隷経済の遺産　㊦129–34
連合構築の取り組み　㊦373–74
～と連邦のポリスパワー　㊦156–61
～と労働組合　㊦361
合衆国憲法⇒「権利章典」も参照。
～とNSAによるデータ収集　㊦161
～と足枷のリヴァイアサン　㊤71
～とアメリカ例外主義　㊦120
～と権利保護　㊤99–100, 101, 102, 109
～と国家建設　㊦134 ⇒「権利章典」および各条項も参照。
～と銃をもつ権利　㊦150
～と抑制と均衡　㊤130
～と代表制の仕組み　㊤118

～と奴隷制　㊦131
～とポリスパワーの発展　㊦157
合衆国国際開発庁 (USAID)　㊦196
合衆国司法省　㊦117, 124, 127, 141-42, 157
合衆国公有地委員会　㊤68
合衆国最高裁判所　㊦125, 128
合衆国財務省　㊦156
合衆国特許商標庁　㊦137
合衆国郵政庁　㊦136
寡頭制　㊤85
カトゥンバ　㊤63
ガナ・サンガ国　㊦39-40, 45, 49
カナリア諸島　㊤234-39
カヌン　㊤84-85, 276
鐘の評議会　㊤219
カピターノ・デル・ポポロ　㊤220
ガビリア，セサル　㊦324
カプ（タプ、タブー）の規制　㊤162-64, 169, 199
「株式担保融資」取引　㊦88-89, 92
カプチン派修道会（コロンビア）　㊦178
カプラン，ロバート　㊤33-34, 36, 44, 69, ㊦318
カマカウ，サミュエル　㊤200
ガムサフルディア，ズヴィアド　㊤166
カメハメハ1世　㊤149, 159-64, 168, 197-202
カメハメハ2世（リホリホ）　㊤164
カメハメハ3世　㊤201, 203-04
カラス　㊦28-29
カラニオプウ　㊤159-60
カリージョ，ブラウリオ　㊦104-05, 112-13
カリフ／カリフ制国家　㊤185-87, 190-92, 207, 211, ㊦211
ガリレオ・ガリレイ　㊤316
ガルシア・グラナドス，ミゲル　㊦107
カルドーソ，シロ　㊦104
カレラ，ラファエル　㊦106
カロ，ミゲル・アントニオ　㊦188
カロリング朝　㊤255, 256＊, 260, 273, 297, 302, ㊦75, 276, 290
漢王朝　㊤332-35, 340, 351
灌漑　㊤191, 195, 249, 352, ㊦47
漢口（中国）　㊤346-48
韓国　㊦334-35, 363
監視　㊦123, 136, 156-61, 379-83
間接統治　㊤111, ㊦203-04, 207
勧善懲悪委員会　㊦227, 228
ガンディー，マハトマ　㊦52
カンディンスキー，ワシリー　㊦249
カントン　㊤296, ㊦65-70, 72, 73
ガンベル，エミール・ユリウス　㊦267
カンボジア　㊦341
官民パートナーシップ　㊦121-23, 136-39, 145-49, 156-57, 162, 374-75

■き

キーリー，ローレンス　㊤42
ギーレ，エノ　㊤331
キヴ（コンゴ）　㊤175-76, 182
飢饉　㊤52-53, 354,
既婚女性財産法　㊤310
岸信介　㊦309-10
技術系企業　㊦369-70
キターブ・アル＝イバル（「教訓の書」）　㊤183
北朝鮮　㊤367, ㊦333, 334
キチェ族　㊦96, 99
キトヴァニ，テンギス　㊤165-66, 167
規範の檻　㊤58-66
～と足枷のリヴァイアサン　㊤70-71
～とイスラム過激主義　㊦236-39
～とインドのカースト制度　㊦21-23, 57

～とヴァイマル共和政　㊦249
～とガーナの文化　㊦202
～と回廊内の経済　㊤243
～と各種のリヴァイアサンの発展　㊤127–28
～と古代ギリシア　㊤87
～と古代ギリシアのオストラキスモス　㊤97–98
～とサウジの文化　㊦223–27, 232
～と社会的流動性　㊤318
～と植民地化の遺産　㊦206
～と女性の権利　㊤66, 308–13
～とズールー国家　㊤157
～と専横的成長　㊤194–97
～と戦争による影響　㊤178–79
～とタジキスタンの文化　㊦92–93
～とタブー　㊤162–64
～とハワイの文化　㊤163
～とワイオミング州　㊤69
ギベリン　㊦280
キャバジェロ，リリアナ　㊦326
キャロル，ルイス　㊤92
キャンベル，ドゥガルド　㊤61，63
義勇軍　㊦246, 249, 250
『宮廷・組織論』（ヒンクマール）　㊤255
キューバ革命　㊦268
救貧法　㊤295
ギュレン運動　㊦315–16
キュロン　㊤82
教育　㊤132–33, 233, ㊦139–40, 355, 375
共産主義　㊤334, 360–70, ㊦249–50
共産党（ソヴィエト連邦）　㊦83
共産党（中国）⇒「～における共産党」を参照。
共産党（チリ）　㊦267
共産党（ドイツ）　㊦245, 248, 249, 253, 257
共産党（ポーランド）　㊦84
強制労働　㊤201–03, ㊦104, 106–111, 328–34 ⇒「債務奴隷」「奴隷制」も参照。
『共和主義――自由と政府の理論』（ペティット）　㊤39
共和人民党（CHP）　㊦312
ギリシア暗黒時代　㊤81, 82, 168
ギリシア正教　㊤119, 120
ギリシアの都市国家　㊤326 ⇒各都市国家も参照。
ギリシア正教キリスト教徒　㊤119
キリスト教　㊤119, 120＊, 122, 144, 263–65
キリスト教民主党（チリ）　㊦267–69, 272–73
キリック，トニー　㊦199–201
ギルガメシュ叙事詩　㊤25 ⇒「ギルガメシュ問題」も参照。
ギルガメシュ問題　㊤24–28, 57, 101, 130, 263. ㊦104, 133
金印勅書　㊤296
金王朝　㊤335
近代化　㊤54, 366, ㊦225, 228, 311–12

■く

グアテマラ　㊤75, ㊦96–100, 102, 106–09, 111–13, 159, 330–31
グアルディア，トマス　㊦106
クイ・タム規定　㊦138
クー・クラックス・クラン　㊤109
クーロン，ヤツェク　㊦86
グェンベ・トンガの人々　㊤173
クゴバディ（農民）　㊦297
クシャトリヤ　㊦1819, 34
グシンスキー，ウラジーミル　㊦89
グスルム（王）　㊤274
クック，ジェイムズ　㊤158–59, 198
『苦難のとき』（エンガーマンとフォーゲ

ル）　㊦333
クヌート　㊤278
クライシュ族　㊤141, 144
グラス＝スティーガル法　㊦366
グラックマン，マックス　㊤205
グラム・サダック・ヨジャナ　㊦54
グラム・リーチ・ブライリー法　㊦357
クラレンドンの陪審裁判法　㊤282, 293
クラン　㊤141, 143–46, 154, 172–74, ㊦17, 39, 61, 74, 93, 94
グリーン，ヴィクター　㊤132
グリフィス，ジェイムズ　㊦347
グリムバルド（サン・ベルタン修道院の）㊤273
グルジア（共和国。現ジョージア）　㊤165–67, 206–10
クルシの戦い　㊦75
クルックシャンク，ブローディー　㊦58
クルトゥーラ・シウダダーナ（ボゴタ）　㊦326
クレイステネス　㊤95–99, 115–17, 169, ㊦256
クレイトン反トラスト法　㊦144
クレー，パウル　㊦249
クレーフェ＝マルク　㊦72
クレオール　㊦190, 192
グレツキー，セルゲイ　㊦93
クローヴィス　㊤259, 264, 265, 266, 269, 275, 280, 302, 319, ㊦76
クロディオ　㊤259
グロピウス，ヴァルター　㊦249
クワズール・ナタール　㊤150, 151＊, 158, 204
クワメ・アンソニー，アッピア　㊦202
『君主論』（マキャヴェッリ）　㊦61, 283

■け
経済協力開発機構（OECD）　㊦155
「刑書」　㊤342
経度測定の問題　㊤317
ケースメント報告　㊦339
ケープ植民地先住民問題特別委員会　㊦298
ゲーリング，ヘルマン　㊦246
ゲオルク・ヴィルヘルム（ブランデンブルク選帝侯）　㊦70
ゲクラン，ベルトラン・デュ　㊤236
結対認親運動　㊤369
ゲッベルス，ヨーゼフ　㊦248, 262
ケネディ，ジョン・F　㊦142, 267, 273
ケネディ，ロバート・F　㊦141
ケペリノ　㊤163
ゲルフ　㊦280
『ゲルマニア』（タキトゥス）　㊤257
ゲルマン人　㊤256–58, 264–65, 296–97, 300, 301, 320, ㊦66
元王朝　㊤336, 363
権力分立　㊦120, 193
原ドラヴィダ人　㊦29
憲法（合衆国）⇒「権利章典」「合衆国憲法」を参照。
権利章典（合衆国）　㊤71, 100, 103, 131, ㊦123–29, 141, 303
乾隆帝　㊤339–41, 344–45

■こ
ゴイ　㊤61–62
コインテルプロ　㊦158, 159
航海条例　㊤315
康熙帝　㊤344
孝公　㊤327–28
公行（貿易独占）　㊤354
公正発展党（トルコ；AKP）　㊦313
高祖（皇帝）　㊤332
郷鎮企業　㊤364–65

洪武帝　㊤336
公民権　㊤108, 109, 128, 138
公民権法（1964年）　㊦138, 142–45, 158, 286
『紅楼夢』（曹雪芹）　㊤360
ゴーヴィンダン，ティライ　㊦28
コートジボワール　㊤18
ゴート族　㊤300
コーヒー経済　㊦97–104, 106–12
コーポラティスト　㊦354, 362
護官符　㊤340
国際国家システム　㊦205, 343–44
黒死病　㊤238, 290, ㊦80
黒人経済力強化政策（BEE）　㊦300–02, 330–32
『黒人ドライバーのためのグリーンブック』　㊤132
国民協約（レバノン）　㊤119, 123
国民社会主義ドイツ労働者党（ナチ党／ナチス）　㊤49–51, ㊦243–46, 250, 251–55, 257–59, 262–64, 289, 347, 388
国民戦線協定（コロンビア）　㊦323
国民代表法　㊤288
国民党（南アフリカ）　㊦299
国民保険制度（イギリス）　㊦347
国立農地改革局（INTA）　㊦99
国連集団殺害罪の防止および処罰に関する条約（ジェノサイド条約）（国連）　㊦340
呉敬梓（ごけいし）　㊤359
呉三桂（ごさんけい）　㊤341
コスタリカ　㊦64, 96, 100–110, 112–13, 330. 331
国家安全保障局（NSA）　㊦123, 149
国家警備隊（グルジア）　㊤165
国家なき社会
　～に関する考古学的・人類学的証拠　㊤42–43
　～とイスラムの台頭　㊤141, 145, 147–49
　～と規範の檻　㊤60
　グェンベ・トンガの文化　㊤73
　～と現代の社会との関連性　㊤118
　州の権限　㊤131, ㊦120–22
　～と政治的階級を抑制する規範　㊤117
　～と狭い回廊の構造　㊤124
　～と狭い回廊の性質　㊤127–29
　～と戦争の影響　㊤176–79
　ティヴの文化　㊤10–13
　～と暴力抑制の仕組み　㊤48 ⇒「不在のリヴァイアサン」も参照。
『国家はなぜ衰退するのか』（アセモグルとロビンソン）　㊤196, 342, ㊦78, 80, 82
国家評議会　㊤166
ゴドウィンソン，ハロルド（ハロルド2世）（イングランド王）　㊤278
子どもたちの行進　㊦142
コヒコ教　㊤248
コメンダ制度　㊤232
コモン・ロー　㊤283, 284, 309, ㊦128
コルソン，エリザベス　㊤173
ゴルバチョフ，ミハイル　㊤166, ㊦83–84, 87, 93
コレア，ラファエル　㊦288
コロンビア　㊦177–82, 179＊, 189–92, 323-25
コロンビア特別区対ヘラー　㊦150
コロンブス，クリストファー　㊦81, 192
婚姻事件訴訟法　㊤310
コンゴ　㊤34, ㊦159⇒「コンゴ民主共和国」も参照。
コンゴ改革協会　㊦337, 340
コンゴ自由国　㊦337, 340
コンゴ民主共和国　㊤34, 49, 61, 82＊, 175, 177
コンスタンツの和議　㊤217
コンラッド，ジョゼフ　㊦337, 340

■さ

『ザ・フェデラリスト』 ㊤102, 104
サーカシビリ，ミハイル ㊤209
サーサーン朝 ㊤185, 191
「財務府についての対話」（フィッツナイジェル） ㊤283
再建期 ㊤108–09, ㊦127
最低賃金 ㊦347, 376
ザイド・イブヌル・ハッターブ ㊦214
裁判を受ける権利 ㊤100, ㊦129
債務奴隷 ㊤87, 89–90, ㊦107
サウード，アブド・アル＝アジーズ・ムハンマド・イブン ㊦216, 217, 224–26, 228
サウード，ムハンマド・イブン ㊦212, 216, 218, 223
サウジアラビア ㊤142＊, ㊦192, 211–39
ザカート ㊦214, 217
ザクセン ㊤272＊, 250
ザクセン農民党 ㊦250
サダト，アンワル ㊦238
サバー ㊦28, 46–49
サバー，ローク ㊦49
砂漠の嵐作戦 ㊦234
サハラ以南のアフリカ ㊦196
サビラの戦い ㊦220
サポテカ文明 ㊤74
サマルカンド ㊤190
ザミーンダール ㊦50
サミティ ㊦30
サムツヘ＝ジャヴァヘティ ㊤166
サリカ法典 ㊤266–70, 75
サリ系フランク族 ㊤66, 268
サルヴァ・シクシャ・アビヤン ㊦54
サルトショーバーデン ㊦354, 355, 356
サルミエント，ドミンゴ ㊦102
サルミエント，ルイス・カルロス ㊦184
サレガスト ㊤266, 267
ザン・ギュ ㊤134
サン・ホセ・モゴテ（メキシコ） ㊤245, 246, 247, 249
産業革命 ㊤313–18, 320–21, 367, ㊦82
産業の国有化 ㊦356
サンダウン・タウン ㊤132, ㊦151, 154
ザンビア ㊤172
三部会（フランス） ㊤296

■し

シーア派イスラム教徒 ㊤119–120, 120＊, 123
ジェイ，ジョン ㊤102
シェイクスピア，ウィリアム ㊦277–78
ジェイムズ2世 ㊤304
シェーンベルク，アルノルト ㊦249
シエナ（イタリア） ㊤215–25, 233, ㊦48
ジェノヴァ（イタリア） ㊤233
ジェファーソン，トーマス ㊤102, 105, 247, ㊦130, 133, 139, 384
シェメリン，F・I ㊤201
シエラ・レオネ ㊤83
ジェラス・カマルゴ，アルベルト ㊦181, 323
シェリダン，キャロライン ㊤308
シェワルナゼ，エドゥアルド ㊤166–68, 206–10, 211
識字率 ㊤234, ㊦96, 105, 108
自警団の正義 ㊤68
始皇帝 ㊤331, 332
子産 ㊤326
「四清」運動 ㊤56
シチリア王カルロ1世 ㊤280
『実利論（アルタシャーストラ）』（カウティリヤ） ㊦17–18, 40, 44
指定カースト ㊦18
司馬遷 ㊤334

シブンドイ渓谷　㊦178, 179＊, 190, 191
司法制度
　～と産業革命　㊤313
　～とアメリカの国家建設　㊦138
　～とイタリアのコムーネ　㊤219
　～と古代ギリシア　㊤86-88
　コロンビアにおける～　㊦187
　～とシャンパーニュの大市　㊤228-29
　～とスウェーデンの官僚機構　㊦357 ⇒「法と司法制度」も参照。
　～と政治的階級を抑制する規範　㊤115
　～と中国の法典　㊤342-33
　チリにおける～　㊦270
　～とヘンリー2世の司法改革　㊤281-85
　～とマグナ・カルタ　㊤287
　～とヨーロッパにおけるローマの影響　㊤262
　リッチャヴィ国家の～　㊦39-40
ジム・クロウ法　㊦127, 386
シャーキャ　㊦40, 42
ジャーティ　㊦17-19, 24, 28-29, 33-35, 56
シャーマン反トラスト法　㊦144
シャイアン（ワイオミング州）　㊦68-69, 138
シャイフ　㊦212, 214-17
シャカ・ズールー　㊤149, 152-58, 162, 168, 204-06, 246, 349
社会契約　㊤47, 333, ㊦204, 322, 375
社会的セーフティーネット　㊤107, 295, ㊦122, 350, 257, 375
社会党（チリ）　㊦266, 271
『社会保険および関連サービス』（ベヴァリッジ）　㊦347
社会保障　㊦145-48, 152
社会民主党　㊦243-44, 247, 249, 253, 256-59, 290
ジャジマーニー制度　㊦33, 36
ジャッド，アシュレイ　㊦390
シャリーア　㊦211-17, 225-32, 236-38
シャルルマーニュ　⇒「カール大帝」を参照。
シャンパーニュの大市　㊤217＊, 228-29
シャンパーニュ伯ティボー2世　㊤228
シュ・シェクシン　㊤134
集会政治　㊤254-60, 279, ㊦37-39, 58, 66, 81
銃器　㊤159, ㊦65, 150
州議会　㊤70, 101, 106, 116, ㊦120, 145, 254
習近平　㊤56, 366
州際通商法　㊦144
自由将校団　㊦233
囚人特例引き渡し　㊦160, 382
秀水市場（北京）　㊤364
修正第一条　㊦118, 125, 159, 381
修正第二条　㊦150, 151
修正第四条　㊦118, 125, 128, 381
修正第五条　㊦129
修正第六条　㊦129
修正第一〇条　㊦139
修正第一三条　㊤108
修正第一四条　㊤108, 126-27
修正第一五条　㊤108
修正第一七条　㊦145
修正第一六条　㊦144
住宅に関する差別　㊦152-54
収奪的成長　㊤196, 202-03
銃と銃犯罪　㊤159-60, ㊦149-51
シュードラ　㊦18-19, 26-29, 34, 56
自由民主党（日本）　㊦310, 314
住民防衛軍　㊦252
シューラー評議会　㊦224
朱元璋　㊤336
主従法　㊦333
シュトゥルムアプタイルング　㊤51

シュナイダー，レネ　㊦273
ジュネーヴ条約　㊦340
シュライヒャー，クルト・フォン　㊦254, 262
シュリニヴァス，M・N　㊦29
『儒林外史』（呉敬梓）　㊤359
荀子　㊤327, 328
『春秋左氏伝』　㊤325–26
ジュンブラット，ワリド　㊤122
ショインカ，ウォーレ　㊤36–37, 37＊, 45, 69, ㊦318
上院諜報活動特別委員会報告書　㊦273
商鞅　㊤327–37, 342, 351, 356, 360–62, 367, ㊦40, 175
蒸気の力　㊤313, 315, 318, ㊦101
『商君書』　㊤328
「小憲法」(ポーランド)　㊦86
ショー，フローラ　㊤110
ジョージア　⇒「グルジア」を参照。
初期国家形成　㊤147, 149, 158, 246
贖罪期　㊤109, 127
植民地後の社会　㊦64, 101, 203–06
女性の権利と制に関する規範
　イスラム教国における　㊤29–30, ㊦227–32, 236, 237
　イングランドにおける　㊤30, 308–13
　〜と国際人権運動　㊦341–42
　コロンビアにおける　㊦325
　コンゴにおける　㊤176
　女性参政権　㊤30, 70, 312, ㊦248
　〜とパシュトゥーンワーリの体制　㊤65–66
　ポリネシアの文化における　㊤162–63
『女性の権利に関する法的解決法』（エドガー）　㊤308
『女性の権利の擁護』（ウルストンクラフト）　㊤310
『女性の隷属』（ミル）　㊤311
ショットガンナーズ　㊦185
ジョン（イングランド国王）　㊤285
ジョンソン，リンドン・B　㊤123, 142–43, 148
ジラス，ミロヴァン　㊦62, 76
シリア　㊤22–24, ㊦219
「白いトルコ人」　㊦311–13
秦王朝　㊤327–29, 331–35, 342, 346, 351, 361, ㊦175
清王朝　㊤337–46, 353–57, 361, 365
新界　㊤349
新疆　㊤369
シング（集会）　㊤266, 300–01
人種主義と人種差別　㊤130–32, ㊦117–19, 141, 149–50
人工知能　㊤33, 366–67, ㊦364, 379
真実和解委員会　㊦303
臣従　㊦281, 289, 387
真正ホイッグ党（TWP）　㊦197
神聖ローマ帝国　㊤217, 296, 299, ㊦65, 67–70, 73, 280
親族の絆
　〜とインドのヴェーダ時代　㊦39
　〜とインドのカースト制度　㊦17
　〜と檻に入れられた経済　㊤181
　ガーナの文化における〜　㊦202
　〜と古代ギリシアのオストラキスモス　㊤97
　ズールーの文化における〜　㊤154–55
　〜と政治的階級　㊤149
　〜と政治的階級の出現を防ぐ規範　㊤116–17, 168
　中国の文化における〜　㊤349–50
　同郷組合　㊤346–47
　〜とプロイセンの官僚機構　㊦78

　　ポリネシアの文化における～　㊤158
　　モンテネグロの文化における～　㊦75
　　リベリアの文化における～　㊦197-99, 198＊
ジンバブエ　㊦192, 331-32, 342, 343
申報（漢口）　㊤348
進歩主義時代　㊦144
進歩のための同盟　㊦267-68
人民党（合衆国）　㊦283
『人民日報』　㊤362
人民連合（UP）　㊦267, 271
人命金　㊤276

■す
隋王朝　㊤335
スイス　㊤255, 296, ㊦61, 64, 64＊, 65-70, 67＊, 73-79
スイス連邦　㊤296, ㊦61, 66, 68, 79
ズヴァイディスト　㊤165
スウェーデン　㊦351-62, 372-75, 378-79
スウェーデン社会民主労働党（SAP）　㊦352
スーダン　㊦341
ズールー国家　㊤149-54, 204-05
スカンジナヴィア人　㊤274, 300
スキナー，クェンティン　㊤222
スコット，ジェイムズ　㊤119
スコット，トム　㊦61
スタンリー卿　㊦265-66
ステュアート朝　㊤304, 314
ステントン，フランク　㊤278
スノーデン，エドワード　㊦123, 149, 380-83
スバラヤル，Y　㊦49
スピルズベリー，F・B　㊤63
スペイン帝国　㊦103, 110
スペインの植民地主義　㊦96, 110, 189-92
スミートン，ジョン　㊤315
スミス，アダム　㊤178
スミス，エドワード・W　㊤58
スミス，トマス　㊤293-94
スミス＝ドリエン，ホレス　㊤149-52
スルアガ，ルイス・エドゥアルド　㊦185
スルピキウス　㊤259-60
スワローフィールドの憲法　㊤291-93, 304
スンナ　㊦223
スンニ派イスラム教徒　㊤119-120, 120＊, 224, 236

■せ
セイヴォリー，トマス　㊤315
生存レベルの農業　㊤178-79, 180
井田法　㊤332, 334-36, 351, 353, 361
青年トルコ　㊦311
「西洋国」　㊤341
世界恐慌　㊤77, ㊦244, 252, 261, 274, 351-55, 356, 372
世界銀行　㊦54
世界経済フォーラム　㊦230
世界人権宣言　㊦340, 384-85, 389
世界保健機関（WHO）　㊦342
セクハラと性的暴力　㊤35, ㊦32, 380
世代論（イブン・ハルドゥーン）　㊤182-97, 207
セテワヨ（国王）　㊤150
「迫り来るアナーキー」（カプラン）　㊤33, 42
セルナ・イ・セルナ，ビセンテ　㊦107
セルマ（アラバマ州）　㊦142, 143
専横のリヴァイアサン
　　～と赤の女王効果　㊤91
　　～とアメリカの国家建設　㊦161-62
　　～とアメリカの政治的発展　㊤115

アルゼンチン国家との比較　㊦168-69, 173
～とイスラム過激主義　㊦238-29
～と汚職の抑制　㊤135
～と回廊の形状に影響を与える要因　㊦258
回廊への経路　㊦304-05, 306＊, 317, 327, 344
～と回廊への復帰　㊦289
～と回廊外の経済　㊤211
～と回廊内の経済　㊤240
～と各種のリヴァイアサンの発展　㊤126, 129
～と経済的インセンティブ　㊤182
～と構造的要因の影響　㊦110-11
～と国家による多様な影響　㊦63, 64＊, 81-82
国家の二面的な性質　57-58, 71
～と国家能力の発達　㊤132
～と植民地化の遺産　㊦204-06
～と狭い回廊の構造　㊤124-25, 126＊
～と専横的成長　194-97, 206, 210-11, 351-61, 364
～とソヴィエト連邦崩壊による多様な影響　㊦82-83, 94-95, 95＊
～とタジキスタン　㊦92-94
～と中国の井田法　㊤336
～と中国の法家主義と儒教をめぐる議論　㊤332
～とトルコ　㊦311
～とナチスによるドイツ国家の乗っ取り　㊦264
～とハイエクの経済理論　㊦349-50
張り子のリヴァイアサンとの比較　㊦207-08, 207＊
～とビザンティン国家　㊤302-03
～とブランデンブルク＝プロイセン　㊦73
～とポピュリズム運動　㊦286
～と南アフリカ　㊦299
～と力への意志　㊤169
全権委任法（ナチスドイツ）　㊦243, 244, 245, 255
全国コーヒー生産者連合会　㊦182
全国産業復興法（NIRA）　㊦357
戦国時代　㊤327, 329＊, 361, ㊦175
全国住宅法　㊦152
全国酪農生産者会社　㊦148
全国労働関係法（合衆国）　㊦145, 361
先住民土地法　㊦296, 297, 298
専制君主　㊦73, 282-86, 289-91, 344
「善政の寓意，悪政の寓意と効果，善政の効果」（ロレンツェッティ）　㊤215, 221, 224-26, 241-43
セント・ヘレナ法　㊤307
セントルイス（ミズーリ州）　㊦150, 151, 152, 154
専売条例　㊤314
ゼンパッハの戦い　㊦68
全米ライフル協会　㊦151
戦略諜報局　㊦159
戦略諜報部隊　㊦159

■そ

ソヴィエト連邦　㊤75, 165, ㊦64, 82, 84 ⇒「ロシア」も参照。
ソウェト蜂起　㊦330
宋王朝　㊤335-37, 343, 350, 352-53, 367
総合児童開発計画　㊦54
曹氏　㊤357, 358＊
曹雪芹　㊤360
ゾティクス　㊤262-63

ソマリア ㊦343
ソロン ㊤85–91, 93–99, 101, 115–16, 169, 268, ㊦256
尊者ベーダ ㊤270, 273

■た
ターイフ合意 ㊤123
ダーラム，イーディス ㊦74
第一回十字軍 ㊤303
第四回十字軍 ㊤304
第一回選挙法改正 ㊤307
第二回選挙法改正 ㊤307
第三回選挙法改正 ㊤307
第一次世界大戦 ㊤119, ㊦219, 236, 247, 248, 290, 312
第二次世界大戦 ㊦149, 159, 307, 314, 347
第一次・第二次コンゴ戦争 ㊤175
「大異教軍」 ㊤274
大ウラマー委員会 ㊦222, 237
対テロ戦争 ㊦160, 379–83
大統領の権力 ㊤123, ㊦191–93
大パンアテナイア祭 ㊤94
太平天国の乱 ㊤346
大陸横断鉄道 ㊦136
台湾 ㊤368, ㊦363
タキトゥス ㊤257–59, 300, ㊦38
タジキスタン ㊦92–94, 95＊, 262
ダティーニ，フランチェスコ・ディ・マルコ ㊤234–41
楯金 ㊤286
ダニロ（モンテネグロ王太子） ㊦77
タバコ ㊦101, 102, 131–32
タブー ㊤162–64
タブーク ㊤142＊, 146, 147
タフト，ウィリアム・H ㊦144
タブマン，ウィリアム ㊦197, 198＊
タミル・ナードゥ（インド） ㊦28–32, 41＊, 46–49, 53
ダラムのレジナルド ㊤238
ダリット（「不可触民」） ㊦19, 22–23, 27–32, 58, 387
ダルトン，ジョージ ㊦196–97
ダルマ ㊦42, 43, 44
タレーラン，シャルル＝モーリス・ド ㊤34
タレンシ族 ㊦204
郯城（たんじょう）県 ㊤337, 344
ダンスタン司教 ㊤273

■ち
地域活動局 ㊦146
チェイニー，ディック ㊤188–89
チェチェン ㊦89, 92
チェボル ㊦336
『力なき者たちの力』（ハヴェル） ㊦83
「力への意志」 ㊤148, 157, 165, 168–69, 186, 216, 249, ㊦174
チクウィヴァ（首長） ㊤61
チブーク ㊦75
チャーチ委員会 ㊦159
チャールズ1世（イングランド国王） ㊤304
チャールズ2世（イングランド国王） ㊦81
チャイルド，V・ゴードン ㊤116
チャベス，ウゴ ㊦287
チャマール ㊦35
チャンドラグプタ（マウリヤ朝） ㊦17, 44
中央アメリカ連邦共和国 ㊦102, 112
中央情報庁（CIA） ㊦149, 159–60, 273–74, 382
中央党（ドイツ） ㊦253
中国
　〜と回廊への経路 ㊦317

～における官僚 ㊤334–35, 342–47, 353, 256–57, 360
～と共産主義 ㊤51–57, 334, 361–70
～における共産党 ㊤53–57, 132–35, 334, 360–63, 365–66, 269, 317
～とグローバリゼーションによる経済的影響 ㊦363, 65
～における経済発展 ㊤350–60
～と市民社会 ㊤346–50
～と社会的監視 ㊤369–70
～と儒教の原理 ㊤325–27, 332–34, 341, 352, 354, 360–62
～と清代の専横主義 ㊤340–46
～と井田法 ㊤332, 334–36, 351, 353, 361
～と狭い回廊の構造 ㊤124–27
～と専横のリヴァイアサンの発展 ㊤129
～と天命 ㊤327–31
ドイツとの比較 ㊦290
～と道徳的リーダーシップ ㊤362–68
文化大革命 ㊤56, 361, 363, 369
～と弁髪令 ㊤337–39
～と法家主義 ㊤327, 330, 332, 334–35, 337, 341, 360
中傷に関する法律 ㊤267
中世
～とイスラムの規範と法 ㊦213, 227
～とイタリアのコムーネ ㊦238
～と産業革命の種 ㊤313, 318
～とシャンパーニュの大市 ㊤228–29
～とドイツの大学 ㊤257
～とビザンティンの金貨 ㊤302
ヨーロッパの政治的発展に対する影響 ㊤73–74, 332
中東 ㊤65, ㊦224, 236⇒それぞれの国も参照。
チューリッヒ同盟 ㊦68
チュバイス，アナトリー ㊦87, 88
趙紫陽 ㊦317
張尚（ちょうしょう） ㊤338
徴税
～とアフリカ経済 ㊦201–22
～とアメリカの国家建設 ㊦135, 139
～とアメリカのリヴァイアサン ㊤101, 103
～とアメリカ例外主義 ㊤121
～とイギリスの政治的発展 ㊤308
～とイスラム ㊤145, 214, 217
～とイスラムのカリフ制国家 ㊤185–87, 188–93
～とイタリアのコムーネ ㊤225
～と古代ギリシア ㊤81, 95
～とコロンビアにおける自衛 ㊦185
～とコロンビアの統治改革 ㊦324, 326
～と社会的緊張 ㊦124
～とシャンパーニュの大市 ㊤228
～と植民地化の遺産 ㊦203
～と清王朝 ㊦355
～と進歩主義時代 ㊦144
～とズールー国家 ㊤154
～と専横的成長 ㊤195, 351–52
～とソ連崩壊による多様な影響 ㊦83
～と中国の共産党国家 ㊤365
～と中国の社会組織 ㊤348
～と中国の井田法 ㊤332–34
～と中国の官僚 ㊤344
～と中国の法典 ㊤342
～とナイジェリアの統治改革 ㊦319
～とハワイの国家 ㊤200
～とビザンティン国家 ㊤302–03
～とプロイセン ㊦71–72, 79
～とマグナ・カルタ ㊤285–88
～とムガル帝国 ㊦49–50

～とモンテネグロ　㊦77
～とヨーロッパの議会　㊤298
～とロシアにおける市場改革　㊦89
張福洪（ちょうふくこう）　㊤52
チリ　㊦159, 194, 265–75, 289–91
賃金政策　㊦353–56, 361–64, 370

■つ

ツァオ・ホア　㊤133
ツツ，デズモンド　㊦301

■て

ディアス，バルトロメウ　㊦81
ディーガ・ニカーヤ（長部）　㊦42
デイヴィス，W・H　㊤199
デイヴィス，アイザック　㊤181
デイヴィソン，エミリー　㊤30
ティヴランドとティヴの文化　㊤37＊, 93, 110–18, 123–28, 128＊, 156, 163, 169, 179–82, 305
ディオクレティアヌス　㊤261
定住生活の文化　㊤184
ティヌブ，ボラ・アーメッド　㊦319–22
ティリー，チャールズ　㊤305–06, ㊦65, 68, 70, 180
ディンギスワヨ　㊤152–53, 205
デーヴァダーシー制度　㊦27
テーヴァル　㊦29–32
デーヴィ，ラブリ　㊦53
テオティワカン　㊤248
テオドシウス　㊤261
デジタル専制体制　㊦33, 322, 383
テセウス　㊤81–85
鉄道　㊤67–68, 355–56, ㊦135–36
鉄の檻　㊦171–72, 306–10
テミストクレス　㊤98
デリー・スルターン朝　㊦45
デルフォイの神託　㊤81
テロリズム　㊦123, 238, 239
天安門広場での抗議行動　㊤366, 369, ㊦317
デンマーク　㊤297, ㊦66＊, 357, 381–83
天命　㊤328, 360

■と

ドイツ
～の赤の女王の力学　㊦255–61, 264–65
～とヴァイマル共和政の衰退　㊦243–51
専制主義からの復帰　㊦289–91
～と世界恐慌　㊦251
～とナチスによるドイツ国家の乗っ取り　㊦261–64
～とナチスの台頭　㊦251–55
福祉国家の発展　㊦358
～とプロイセンの官僚機構　㊤49
ドイツ国家人民党　㊦253
ドイツ連邦共和国基本法　㊦289
ドイツ労働者党　㊦251
ドイル，アーサー・コナン　㊦340
ドウ，サミュエル　㊦197
ドヴァーラ，ブオスカ・ダ　㊦281
同一賃金法　㊤312
統一と進歩委員会（CUP）　㊦311
ドゥームズデイ・ブック　㊤279
トゥールのグレゴリウス　㊤258–60, 264
トウェイン，マーク　㊦144, 340
ドゥテルテ，ロドリゴ　㊦292
唐王朝　㊤335, 336, 342, 351, 362
ドゥカジニ，レク　㊤84
『東西の村落共同体』（メイン）　㊦51
トゥシナの反乱　㊤299
東条英機　㊦309
鄧小平　㊤56, 334, 362–63, 366
盗聴　㊦158, 160, 281

トゥデラのベンヤミン　㊤221, ㊦277
道徳的リーダーシップ　㊤362–68
ドゥブレ，レジス　㊦270–72
動乱の時代（グルジア）　㊤165
東林書院　㊤336
ドゥルーズ派イスラム教徒　㊤119–120, 120＊
道路建設プロジェクト　㊦177–78
トーロ・ディ・ベルト　㊤236
トクヴィル，アレクシ・ド　㊤106, ㊦137, 188, 195, 260
匿名単純協会　㊦184
独立宣言　㊦130, 384, 387
独立戦争（アメリカ革命）　㊤101, 104, 106, ㊦143, 193
都市化　㊤233, 353, ㊦323
特許　㊦137–38
ドッジ，グレンヴィル・M　㊤67–68
ドッド＝フランク法　㊦368
ドハティ，チャールズ　㊦216
トマス・アクィナス　㊤231
富の再分配　㊦134, 328, 334, 342, 351, 359–62, 373, 276–77
ドラコンの法　㊤82–85, 88, 275
トラスカラ　㊤248
トランプ，ドナルド・J　㊦153, 284, 292
トリアナ，ビクトル　㊦178
トリアナ，ミゲル　㊦178
トルコ　㊦219, 292, 311–16
奴隷制
　～とアテナイの社会　㊤97
　～と回廊の形状に影響を与える要因　㊦328
　合衆国における　㊤108, 121, 122, 126, 129–34, ㊦195
　～と規範の檻　㊤62
　～とズールー国家　㊤204
　～とフランク族の社会　㊤269
　～とリベリアの建国　㊦203
トンガの社会　㊤173–75, 177–79, 182, ㊦77
ドンディ，ジョヴァンニ・デ　㊤234

■な
ナードゥ（村の集合）　㊦48–49
ナイジェリア　㊤36–38, 37＊, 49, 109–11, 204, 318–22
ナジュド（サウジアラビア）　㊦211–15, 218, 220
『なぜ私は自由党員か』（ベヴァリッジ）　㊦384
ナビエフ，ラフモン　㊦93–94
ナワトル語　㊤245
ナワリヌイ，アレクセイ　㊦91
南京（中国）　㊤353
南米地域インフラ統合計画　㊦181
南北戦争（合衆国）　㊤108, ㊦122, 126, 195

■に
ニーチェ，フリードリヒ　㊤148
ニーメラー，マルティン　㊦388
ニェゴシュ（ペタル2世、モンテネグロ主教公）　㊦76
ニカラグア　㊦113
ニクソン，リチャード　㊦273
西ゴート族　㊤256＊, ㊦81
「二四の罪状」　㊤336
西ローマ帝国　㊤229, 254, 270, 301, 319
日本　㊤52, 362, ㊦306–11, 313–17
ニャンブアというカルト　㊤112–14
ニューコメン，トマス　㊤313, 315
ニューディール　㊦145–47, 152
ニュートン，アイザック　㊤316–17
「ニョッキ」（幽霊公務員）　㊦169–72, 175,

319, 324, 326
人間と市民の権利の宣言（人権宣言）　㊦384

■ぬ
ヌエストラス・ファミリアス　㊦165–67

■ね
熱帯アフリカの市場と国家（ベイツ）　㊦201

■の
農業調整局（AAA）　㊦145, 367
農奴　㊤286, 288–90
農奴制　㊤390, ㊦80, 328, 333
『農民からフランス人へ』（ウェーバー）　㊦178
農民同盟（スウェーデン）　㊦364
能力主義　㊤335, 343, 344, ㊦72, 171, 175, 183
ノーヴェ（シエナの評議会）　㊤215, 218,
ノーヴェの間（プッブリコ宮殿）　㊤215, 225, 243
ノーサンブリア　㊤270, 272＊, 274
ノースコート・トレヴェリアン報告　㊤307
ノートン，キャロライン　㊤308–10, 312
ノートン，ジョージ　㊤308
ノベラ（呪術医）　㊤156–57
ノルウェー　㊦357

■は
バーク，タラナ　㊦390
ハーグ陸戦条約　㊦340
ハーシム（クラン）　㊤141, 143
バアス党（イラク）　㊦233
バーゼルの和約　㊦68
バーデン＝パウエル，B・H　㊦51
パーペン，フランツ・フォン　㊦253–54
パーマー・レイド　㊦158
バーミングハム（アラバマ州）　㊦141–43
ハイエク，フリードリヒ・フォン　㊦347–51, 356–57, 359–62, 373, 375
ハイデッガー，マルティン　㊤51
バイユーのタペストリー　㊤278
ハヴェル，ヴァーツラフ　㊦83–84
バエス，エルネスト　㊦187
朴正熙（パク・チョンヒ）　㊦335
パシフィック鉄道法　㊤67, ㊦136
パシュトゥーン　㊤42, 65–66
バシレウス　㊤88–89
パストラーナ，アンドレス　㊦323
パッラヴィチーノ，ウベルト　㊦281
ハディージャ　㊤143
ハディース　㊦213, 223, 224, 230, 231
バドルの戦い　㊤145
パパン，ドニ　㊤315
パプアニューギニアのゲブシ　㊤118
ハプスブルク家　㊦67
ハミルトン，アレクサンダー　㊤99, 101–02, 106–08, 247
バラ革命　㊤209
ハラリ，ユヴァル・ノア　㊤33, ㊦383
張り子のリヴァイアサン
　～とアフリカ諸国　㊦196–203
　アルゼンチンの官僚機構　㊦165–69, 173–76
　～と回廊への経路　㊦304, 316–18, 327
　コロンビア　㊦176–89
　～と社会の力　㊦206
　～と植民地後の世界　㊦203–06
　の帰結　㊦207–08
　の仕組み　㊦173–76
　～とラテンアメリカ　㊦189–95

ハリソン，ウィリアム・ヘンリー ㊤69
ハリソン，ジョン ㊤317–18
バルガス・リョサ，マリオ ㊦287
バルコ，ビルヒリオ ㊦323
バルツェロヴィチ，レシェク ㊦85, 86
パルマ（イタリア） ㊦279
パレスチナ ㊦220
「バロンたちの要求条項」 ㊤285
ハワイ ㊤149, 158–64, 160＊, 168–69, 197–204
ハワイ州憲法 ㊤197
ハンガリー ㊦81, 84, 292
ハンザ同盟 ㊤299
ハンソン，ペール・アルビン ㊦363–64
パンチャーヤティ・ラージ法 ㊦52
パンチャーヤト ㊦28–31, 45, 51–52, 57
ハンディ，エドワード ㊤162
バンワーラ・ジャート族 ㊦17–19

■ひ
ピアチェンツァ（イタリア） ㊤229, ㊦281
ビアホール一揆 ㊦252, 257
東インド会社（イギリス） ㊤307, ㊦36, 46, 50
東ローマ帝国 ㊤281 ⇒「ビザンティン帝国」も参照。
ピグミーのムブティ族 ㊤58
ビザンティン帝国 ㊤185, 229, 301–03, 319
ヒジャーズ（サウジアラビア） ㊦211–12, 215, 218–20, 228
ヒジュラ ㊤143, 144
ピストイア ㊦277
ヒズボラ ㊤120, 122
ビスマルク，オットー・フォン ㊦256, 259, 290
ヒッパルコス ㊤95
ヒッピアス ㊤95
ヒトラー，アドルフ ㊤51, ㊦243–46, 251–52, 254–55, 257, 261, 262
ピナール，フランソワ ㊦303, 304
ピノチェト，アウグスト ㊦264, 289
ビハール州（インド） ㊦39, 54, 56
秘密投票 ㊦266–67
ヒムラー，ハインリヒ ㊦243
ヒメネス，ヘスス ㊦105
白蓮教 ㊤346
ヒューマン・ライツ・ウォッチ ㊦22, 27, 29, 30, 31, 32, 229, 341
ヒュブリス法 ㊤90, 91, 98
ひれ伏しのタブー ㊤163
裕仁（天皇） ㊦208
ビン・ラディン，ウサマ ㊦223, 237–39
ピンカー，スティーヴン ㊤42
ピンカートン探偵社 ㊦157
貧困との闘い ㊤123, 146
ヒンデミット，パウル ㊦249
ヒンデンブルク，パウル・フォン ㊦253–55, 257, 258
ヒンドゥー・スワラージ（インドの自治原則） ㊦52
ヒンドゥー教 ㊦18, 24–26, 31, 37

■ふ
ブアースの戦い ㊤143
ファーティマ朝 ㊤192
ファイサル（国王）（ファイサル・ビン・アブドゥルアズィーズ・アル・サウード） ㊦220–22, 226, 232
ファイナー，ハーマン ㊦263
ファシズム ㊦263
ファショラ，ババトゥンデ・ラジ ㊦320–22
ファトワー ㊦213, 217–26, 229–32, 236–38
ファハド国王（ファハド・ビン・アブドゥル

アズィーズ・アル・サウード） ㊦222, 226
ファン・デア・ルッベ，マリヌス ㊦255
フィールド，スティーヴン ㊦126
フィゲーレス，ホセ ㊦105, 113
フィッツナイジェル，リチャード ㊤283
フィップス，ジョン ㊤293
フィボナッチ，レオナルド ㊤232
フィリップス，デイヴィッド・グレアム ㊦145
フィリピン ㊦292
フィレンツェ（イタリア） ㊤233–34, 236
フィンチェールのゴドリック（のちの聖ゴドリック） ㊤238
フィンリー，モーゼス ㊦333
フーヴァー，J・エドガー ㊦157, 158
プーチン，ウラジーミル ㊦89, 91–92
ブール戦争 ㊦295
ブールモン，ピカ・ド ㊤227
ブーレ ㊤88, 90, 96
フェラーズ，ボナー・F ㊦307, 308, 309, 310
フェラインスマイエライ（団体マニア） ㊦247
フェルナンデス・デ・キルチネル，クリスティーナ ㊦172, 173
フォーゲル，ロバート ㊦333
フォース・ピュブリック（ベルギー領コンゴ） ㊦337
フォーナンダー，エイブラハム ㊤199
フォスター，オーガスタス・ジョン ㊦133
フォン・カール，グスタフ（騎士） ㊦252
「不可触性」 ㊦22
福祉国家 ㊦347–51, 354–55, 357, 359, 362, 373
復社 ㊤336
フクヤマ，フランシス ㊤33–34
不在のリヴァイアサン
～とアイスランドの政治 ㊤300
～と赤の女王効果 ㊤91
～とアルゼンチン ㊦168–69
～と回廊に入る経路 ㊦304, 306, 306＊, 316, 327, 344
～と回廊の形状に影響を与える要因 ㊦259＊, 330
～と回廊内の経済 ㊤240
～と規範の檻 ㊤58–59, 66
～と現代の諸国家 ㊤118
～と国際人権運動 ㊦342
～と構造的要因による影響 ㊦110
～と古代ギリシア ㊤81–85
～と国家の力による多様な影響 ㊦64, 64＊
～とコンゴの憲法 ㊤34–35
～と社会の力の形態 ㊤114
～と植民地化の遺産 ㊦204–06
～と清王朝 ㊤361
～と狭い回廊の構造 ㊤124
～とソヴィエト連邦崩壊による多様な影響 ㊦94–95, 95＊
～とティヴの社会 ㊤109–14
張り子のリヴァイアサンとの比較 ㊦207–08
～とモンテネグロ ㊦77
～とレバノン ㊤118–24
～と力への意志 ㊤168–70
フサイン・イブン・アリー（メッカのシャリーフ） ㊦219
フジモリ，アルベルト ㊦287–88
婦人社会政治連合 ㊤30
フセイン，サダム ㊦222, 232–33
仏教 ㊦42, 44
復興開発計画 ㊦300
武帝 ㊤335

プトゥマヨ（コロンビア） ㊦177–78, 180
プナ海岸 ㊤160＊, 198
フビライ・ハン ㊤336
プラーチェ，ソル ㊦295–99
プラート（イタリア） ㊤217＊, 234–37
フライジングのオットー（司教） ㊤218, 238
ブラウン，マイケル ㊦117, 149, 151, 156
プラジャパティ ㊦38
ブラックストン，ウィリアム ㊤308
ブラックハウス，サミュエル ㊤293
プラトー，ジャン＝フィリップ ㊦237–38
フラトリア ⇒「胞族」を参照。
プラハの春 ㊦84
ブラフマン ㊦18–19, 23, 28, 33–39, 43, 46, 48, 56–57, 122
ブラワヨ（ジンバブエ） ㊤151＊, 154, 156
『フランク史』（トゥールのグレゴリウス） ㊤258
フランク族 ㊤256＊, 257–60, 263–64, 266–70, 339
フランクリン，ベンジャミン ㊦389
ブランティング，ヤルマール ㊦362
ブランデンブルク ㊦66, 66＊, 70, 71, 72 ⇒「プロイセン」も参照。
ブラント，E・A・H ㊦33
フランドル ㊤229, 233
フリードリヒ・ヴィルヘルム一世（大選帝侯）（プロイセン王） ㊦71–73
フリードリヒ1世（赤髭王） ㊦280
フリードリヒ1世（プロイセン王） ㊦72
『フリードリヒ一世伝』（フライジングのオットー） ㊤218
フリードリヒ2世（神聖ローマ皇帝） ㊤296
フリードリヒ2世（大王）（プロイセン王） ㊦72
フリッチェ，ピーター ㊦247
ブリットネル，リチャード ㊦19
ブリューニング，ハインリヒ ㊦253
ブリン，セルゲイ ㊦369
フリン，ヘンリー ㊤154
ブルクハルト，ヨハン・ルートヴィヒ ㊦216
プルタルコス ㊤81–82, 85, 86
ブルネル，イザムバード・キングダム ㊦101
フレイ，エドゥアルド ㊦267
ブレヒト，ベルトルト ㊦85
プロイセン ㊤49–50, ㊦61–64, 64＊, 66＊, 70–74, 77–79, 105, 247, 250, 254–59, 261, 290, 373
ブローデル，フェルナン ㊦74
フローレス，フアン・ホセ ㊦189
プロクルステス ㊤82
ブロック，マルク ㊤281
ブワニクワ ㊤63
「分割統治」戦略 ㊤167, ㊦71
分極化 ㊤128, ㊦260, 285
フンババ（シュメールの神話） ㊤27
「ブンブン不平を鳴らすハチの巣」（マンデヴィル） ㊤290

■へ

ペイ，ミンシン ㊤134
ペイジ，ラリー ㊦369
ペイシストラトス ㊤94–95
ヘイズ，ラザフォード ㊦127
ヘイスティングズの戦い ㊤278
ベイツ，ロバート ㊦201–02
ベヴァリッジ報告 ㊤308, 347, 350, 355
ベギン，メナヒム ㊦236

ベケット，サミュエル　㊦180
和珅（ヘシェン）　㊤345–46
ヘッセンのディート（議会）　㊤297
ヘップバーン法　㊦144
ペティット，フィリップ　㊤39–41, 44
ベテイユ，アンドレ　㊦28
ベドウィン　㊤183–84, 192, 212, 214, 218
ベネズエラ　㊦286–88, 298
ペリペテス　㊤81
ペルー　㊦180, 194, 286, 287
ベルナルド，ニッコロ・ディ　㊤236
ヘルマン，エルザ　㊦248
ベルリン会議（1884年）　㊦337
ペレストロイカ　㊦83
ベレゾフスキー，ボリス　㊦89–90
ペロン党　㊦172
弁髪令　㊤338–39
ヘンリー2世（イングランド国王）　㊤280–85, 285, 290, 292

■ほ

ボイル，ロバート　㊤315
貿易保険　㊤232
法家主義　㊤327, 330, 332–35, 337, 341, 360
封建主義　㊤278–83, 286, 289–90, 294, 299, ㊦61, 68, 79–80, 276, 278, 280, 334
胞族　㊤84, 99, 117
「放蕩一代記」（ホガース）　㊤317
法と司法制度
　アルゼンチンにおける～　㊦168, 178
　～とアルフレッド大王の法典　㊤274–77
　～とイギリスにおける国家と社会の関係　㊤290–94⇒「司法制度」も参照。
　～とイタリアのコムーネ　㊤221–23
　～と狭い回廊の経済　㊤240–42
　～と専横的成長　㊤194
　中国の法典　㊤342
　～と中世の商業革命　㊤232
　ノルマンコンクエストの影響　㊤278–85
　～とハワイの文化　㊤197–99
　マヌ法典　㊦26–27
　～とヨーロッパにおけるローマの影響　㊤265–66
法と正義党（ポーランド）　㊦97
法の支配　㊤222
報復行為　㊤168, 266, 270, 275, 280, 308, ㊦76, 278
ホーエンツォレルン家　㊦70
ボーム，クリストファー　㊦76
ポーランド　㊦81, 84–87, 89, 94–95
ホガース，ウィリアム　㊤317
北欧　㊤253, 259
北魏王朝　㊤335
北西部条例　㊦103
ボゴタ（コロンビア）　㊦322–27
ホジェンド地方　㊦93–94
ホセ・ルイス・スルアガ前線（FJLZ）　㊦186
ポターニン，ウラジーミル　㊦89
ホッブズ，トーマス　㊤43–48, 50, 51, 55, 101, 124, 125, 146, ㊦172, 225, 343
ポデスタ（執政長官）　㊤219–22, 224, ㊦275, 279–81
ボナ，ジョゼフ＝マリー　㊤58
ボナパルト，チャールズ・J　㊦157
ボハナン，ポール　㊤110, 112–13, 179, 181
ボハナン，ローラ　㊤110, 180, 181
ポピュリズム　㊦283–88
ポポロ　㊦278–81
ホメロス　㊦37
ポリネシアの社会　㊤158, 162, 163
ボリバル，シモン　㊦187–93

ボリビア ㊦192–93
ポルタレス，ディエゴ ㊦194
ポルトガルの君主 ㊦82
ポレタイ ㊤88–89
ホロウェイ委員会 ㊦297
香港 ㊤349, 368

■ま
マー，ジャック（馬雲） ㊤364, 265
マーウィック，ジョン ㊤292
マーシア ㊤270, 272＊, 274
マーシア王国のオファ王 ㊤270
マウリヤ朝 ㊦17, 44–45
マカアイナナ（庶民） ㊤159, 201
マキャヴェッリ，ニッコロ ㊦61, 283, 288
マクトゥーム，ムハンマド・ビン・ラーシド・アル ㊤29–30
マグナ・カルタ ㊤285–89, 296
マクリ，マウリシオ ㊦172, 175
マケドニア王国 ㊤253
マシソン，ギルバート ㊤202–03
マジュリス（評議会） ㊦216, 224
魔女と魔術 ㊤112–17, 157
マゾヴィエツキ，タデウシュ ㊦85
マタイ，ジョン ㊦51
マタベレランド ㊦342
馬朝柱の陰謀 ㊤340
マッカーサー，ダグラス ㊦307, 308, 310, 315
マップ，ドルリー ㊦128
マディソン，ジェイムズ ㊤26, 99–103, 106–08, 247, ㊦130, 265
マドゥロ，ニコラス ㊦288
マナ（力） ㊤162–64
マハーバーラタ ㊦37
マフカモフ，カハル ㊦83
馬龍山 ㊤53
マルクス主義 ㊤361, ㊦260, 274, 323
マルシュルートカ（乗合バス） ㊤206–09
マルテル，カール ㊤255
マルモン，オーギュスト ㊦74
マロ，デイヴィッド ㊤159, 200
マロキン，ホセ・マヌエル ㊦188
マロン派キリスト教徒 ㊤119, 120
マンサニージョ ㊦323
満州国 ㊦309
満州国政権 ㊦309
満州族 ㊤337–38
マンダミエント ㊦107
マンデヴィル，バーナード ㊤290
マンデラ，ネルソン ㊦301, 303, 304, 327, 331–32

■み
ミース・ファン・デル・ローエ，ルートヴィヒ ㊦249
ミカティ，ナジブ ㊤121
ミズーリ州憲法 ㊦127
ファーガソン（ミズーリ州） ㊦117–19, 123–27, 129, 149–52
ミドルマグダレナ小作農自衛軍 ㊦185
南アフリカ ㊦295–304, 327–32
南アフリカ連邦 ㊦295–96, 297, 298
南アフリカ先住民民族会議（SANNC） ㊦295
南満州鉄道 ㊦309
ミラノ，アリッサ ㊦390
ミラノ（イタリア） ㊦232
ミル，ジョン・ステュアート ㊤311
民営化 ㊤208, ㊦88
明遠（僧） ㊤339
明王朝 ㊤336–38, 341, 350, 353–54, 359, 364
民兵組織 ㊦187, 250, 269

■む
ムアーウィヤ ㊤185
ムカイバー，ガッサン ㊤123
ムカダシ，アル ㊤190
ムガベ，ロバート ㊦332, 342–43
ムガル帝国 ㊦36, 45. 46, 49–50
ムスタファ・ケマル，アタテュルク ㊦312
ムタワ（宗教警察） ㊦227
ムッソリーニ，ベニート ㊦262
ムテトワ ㊤152–53
ムバツァヴ（魔女たち） ㊤112
ムハンマド・アリー（エジプトの支配者） ㊦217
ムハンマド・イブン・イブラヒム，シャイフ（大ムフティー） ㊦221
ムハンマド・ビン・サルマーン（サウジ皇太子） ㊦232
ムハンマド（預言者） ㊤141–49, 162, 168, 183–86, 190, 191–95, ㊦211–14, 226, 228, 232, 237
ムフタスィブ ㊦217, 228
ムベキ，タボ ㊦302
ムベキ，モエレツィ ㊦302
ムヘトリオーニ ㊤165
ムルゲサン ㊦31

■め
メイジャー，アーネスト ㊤348
名誉革命 ㊤304, 306, 314, ㊦81
メイン，ヘンリー・サムナー ㊦51
メキシコ ㊤244–49
メスティーソ ㊦96
メソポタミア ㊤192
メタデータ情報の収集 ㊦380
メッカ ㊤141–46, 142＊, 149, 169, 370, ㊦211, 214–15, 219–20, 222, 226–27, 232
メディケア／メディケイド ㊦146, 148
メディナ ㊤141–47, 142*, 169, 186, 191, 195, ㊦211–14, 220
メディナ憲章 ㊤143–44, ㊦212, 224, 228
メトカーフ，チャールズ ㊦51
メロヴィング朝 ㊤256＊, 259, 265, 302, 303
メンチュウ，リゴベルタ ㊦96–97, 106

■も
孟子 ㊤325–26, 332, 344
毛沢東 ㊤52, 55, 360–63, 369, ㊦173
『毛主席語録』（毛） ㊤52
『毛沢東 大躍進秘録』（楊） ㊤52
モーガン，エドマンド ㊦129
モース，H・B ㊤355
モーラ，フアン＝ラファエル ㊦104
モックス，アンタナス ㊦324–25
モトラナ，タト ㊦301
モナルデスキ ㊦280
モルガルテンの戦い ㊦68
モレノ，イバンおよびサムエル ㊦183, 188, 326
モレル，エドマンド ㊦337
モンゴル族 ㊤338
モンタペルティの戦い ㊤216
モンテ・アルバン ㊤245, 246–49
モンテアレグレ家 ㊦104
モンテネグロ ㊦62–64, 64＊, 66＊, 74–77
モンテネグロ主教公ペタル１世 ㊦75
モントゴメリー（アラバマ州） ㊦141, 142
モンフォール，シモン・ド ㊤288

■や
ヤスリブ ㊤144
ヤダヴ，ラルー・プラサド ㊦53, 56
『闇の奥』（コンラッド） ㊦337

ヤルゼルスキ，ヴォイチェフ　㊦84–87
ヤング，ジョン　㊤161

■ゆ
友好協定　㊦103
郵便サービス　㊦136–37
遊牧民　㊤141, 145, 336, ㊦195
ユスティニアヌス　㊤261
ユニオン・パシフィック鉄道　㊦136

■よ
楊継縄（ようけいじょう）　㊤52–53
幼児保護法　㊤309
『幼児保護法による母と子の別離の考察』（ノートン）　㊤309
『揚州十日記』（王秀楚）　㊤340
「四つの自由」演説　㊦386
ヨハネス・リュドゥス（リュディアン）　㊤261–63
ヨルバランド　㊤37＊, 110

■ら
ラージャディラージャ二世　㊦49
ラーテナウ，ヴァルター　㊦251
ラーマーヤナ　㊦26, 37
ライヒスターク　㊦243, 255
ライン都市同盟　㊤299
ラウシュニング，ヘルマン　㊦243
ラグビー・ワールドカップ　㊦303
ラゴス（ナイジェリア）　㊤36–37, 37＊, 38, 69, ㊦318–22
ラゴス州住民登録庁　㊦320
ラゴス州内歳入庁（LIRS）　㊦320
ラシュトリヤ・ガリマ・アブヒヤン　㊦27
ラシュトリヤ・サム・ヴィカス・ヨジャナ　㊦54
ラッセル，バートランド　㊦340
ラッファー曲線　㊤188–89, 194, 195
ラテンアメリカ　㊦190, 195, 388 ⇒ それぞれの国も参照。
ラトレー，ロバート　㊤60–61, 65
ラマポーザ，シリル　㊦301
ラムズフェルド，ドナルド　㊤188–89
ラムゼー修道院の修道士バートファース　㊤271
ラング，フリッツ　㊦249
ランゴバルド王国　㊤256＊
ランスのヒンクマール　㊤255–58

■り
リーグル・ニール州際銀行業務並びに支店設置の効率化法　㊦367
リープクネヒト，カール　㊦246
『リヴァイアサン』（ホッブズ）　㊤43–44
リオット，ヒュー　㊦73
リオパイラ・カスティーリャ　㊦184
リカード，デヴィッド　㊦266
『リグ・ヴェーダ』　㊦37, 39
李克強（りこくきょう）　㊤136
李斯（りし）　㊤331
李自成（りじせい）　㊤338
リッチャヴィ国家　㊦39–40, 41＊
リトヴィネンコ，アレクサンドル　㊦89
満悦（リドワーン）の誓い　㊤145–47
リベリア　㊦196–97, 203, 208
リホリホ（カメハメハ２世）　㊤164
劉志軍（りゅうしぐん）　㊤134
劉邦　㊤332
呂可興（りょかきょう）　㊤338
リンカーン，エイブラハム　㊤108, ㊦135

■る

ルイス，アーサー　㊦200
ルオ・ホンシャン　㊤55-56
ルガード，フレデリック　㊤110-12，㊦203
ルキウス・タルクィニウス・スペルブス　㊤280
ルクセンブルク　㊦192
ルクセンブルク，ローザ　㊦248
ルフィノ・バリオス・フスト　㊦107
ルペン，マリーヌ　㊦292
ルワンダ　㊦341

■れ
レイエス，ラファエル　㊦178
冷戦　㊦123, 149, 160, 318, 376, 380
『隷属への道』（ハイエク）　㊦348, 359
レーガン，ロナルド　㊤188-89，㊦146
レーム，エルンスト　㊦250
レーン＝メイドナー・モデル　㊦355, 356
レオポルド2世（ベルギー国王）　㊦337-40
レオポルト3世（オーストリア公）　㊦68
「歴史の終わり」論文　㊤33
レギュレーションQ　㊦365
レッドライニング　㊦152-53
レバノン　㊤118-23, 120＊, 124-26，㊦262-63
連合規約　㊤99-101, 104, 106
連帯（労働組合）　㊦84, 85
連邦住宅局（FHA）　㊦152
連邦主義者　㊤101-07，㊦104, 133-34 ⇒「権利章典」「合衆国憲法」も参照。
連邦準備制度　㊦368
連邦捜査局（FBI）　㊦153, 158
連邦第8巡回区控訴裁判所　㊦154

■ろ
ロイド・ジョージ，デイヴィッド　㊤30
労働組合　㊦84, 354-57, 359-62
労働者兵士評議会　㊦246
労働団体　㊦378⇒「労働組合」も参照。
労働党（イギリス）　㊦347
ローズヴェルト，セオドア　㊦144
ローズヴェルト，フランクリン・デラノ（FDR）　㊦145, 357, 386
ローデシア　㊦331
ローマ共和国　㊤260 ⇒「ローマ帝国」も参照。
ローマ帝国：～とアイスランドの政治　㊤300
ローマ帝国：～とイタリアのコムーネ　㊦275-76
ローマ帝国：財政制度　㊤302-03
ローマ帝国：とヨーロッパの政治的発展　㊤254, 261-64, 295-97, 319-20
ローマ帝国：～とフランク族の社会　㊤256＊, 257-60
『ローマ帝国の官僚について』ヨハネス・リュドゥス　㊤262
ロシア　㊦82-84, 86-92, 94-95, 95＊, 111 ⇒「ソヴィエト連邦」も参照。
ロック，ジョン　㊤21, 24, 41，㊦384
ロバーツ，ウィリアム　㊤203
ロハス・ピニージャ，グスタボ　㊦183
露米会社　㊤201
ロペス，ロバート　㊤302
『ロミオとジュリエット』（シェイクスピア）　㊦278
ロルフ，ジョン　㊦131
ロレンツェッティ，アンブロージョ　㊤215-18, 220
『論語』（孔子）　㊤344
ロンドン・スクール・オブ・エコノミクス（LSE）　㊦347
ロンメル，エルヴィン　㊦211

■わ

ワイオミング　㊤67–70
ワイザー，ウィリアム　㊦33–35
ワインスタイン，ハーヴェイ　㊦390
『わが闘争』（ヒトラー）　㊦262
ワシントン，ジョージ　㊤99, 103, 104
ワシントン，ブッカー・T　㊦340
ワット，ジェイムズ　㊤313, 315, 318
ワッハーブ，ムハンマド・イブン・アブド・
　アル　㊦243
ワッハーブ主義　㊦228
ワニスキー，ジュード　㊤188
ワレサ，レフ　㊦84

参考文献

Aaronson, Daniel, Daniel Hartley, and Bhash Mazumder (2017). "The Effects of the 1930s HOLC 'Redlining' Maps." Federal Reserve Bank of Chicago Working Paper No. 2017-12. https://www.chicagofed.org/publications/working-papers/2017/wp2017-12.

Abel, Theodore (1938). *Why Hitler Came into Power: An Answer Based on the Original Life Stories of 600 of His Followers*. New York: Prentice-Hall. [『ヒトラーとその運動――血盟六百の部下は斯く語る』（小池四郎訳、実業之日本社、1940年）]

Acemoglu, Daron (2005). "Politics and Economics in Weak and Strong States." *Journal of Monetary Economics* 52: 1199-1226.

Acemoglu, Daron, and David Autor (2011). "Skills, Tasks and Technologies: Implications for Employment and Earnings." In *Handbook of Labor Economics*, vol. 4: 1043-1171. Amsterdam: Elsevier-North.

Acemoglu, Daron, David Autor, David Dorn, Gordon H. Hanson, and Brendan Price (2015). "Import Competition in the Great U.S. Employment Sag of the 2000s." *Journal of Labor Economics* 34: S141-98.

Acemoglu, Daron, María Angélica Bautista, Pablo Querubín, and James A. Robinson (2008). "Economic and Political Inequality in Development: The Case of Cundinamarca, Colombia." In *Institutions and Economic Performance*, edited by Elhanan Helpman. Cambridge, MA: Harvard University Press.

Acemoglu, Daron, Isaías N. Chaves, Philip Osafo-Kwaako, and James A. Robinson (2015). "Indirect Rule and State Weakness in Africa: Sierra Leone in Comparative Perspective." In *African Successes: Sustainable Growth*, edited by Sebastian Edwards, Simon Johnson, and David Weil. Chicago: University of Chicago Press.

Acemoglu, Daron, Leopoldo Fergusson, James A. Robinson, Dario Romero, and Juan F. Vargas (2016). "The Perils of High-Powered Incentives: Evidence from Colombia's False Positives." NBER Working Paper No. 22617. http://www.nber.org/papers/w22617.

Acemoglu, Daron, Francisco A. Gallego, and James A. Robinson (2014). "Institutions, Human Capital and Development." *Annual Review of Economics* 6: 875-912.

Acemoglu, Daron, Camilo García-Jimeno, and James A. Robinson (2012). "Finding El Dorado: The Long-Run Consequences of Slavery in Colombia." *Journal of Comparative Economics* 40, no. 4: 534-64.

—— **(2015).** "State Capacity and Development: A Network Approach." *American Economic Review* 105, no. 8: 2364-2409.

Acemoglu, Daron, Simon Johnson, and James A. Robinson (2001). "The Colonial Origins of Comparative Development: An Empirical Investigation." *American Economic Review* 91: 1369-1401.

—— **(2002).** "Reversal of Fortune: Geography and Institutions in the Making of the Modern World Income Distribution." *Quarterly Journal of Economics* 118: 1231-1294.

—— (2005a). "The Rise of Europe: Atlantic Trade, Institutional Change and Economic Growth." *American Economic Review* 95: 546-79.
—— (2005b). "Institutions as Fundamental Determinants of Long-Run Growth." In *Handbook of Economic Growth*, edited by Philippe Aghion and Steven Durlauf, vol. 1A, 385-472. Amsterdam: North-Holland.
Acemoglu, Daron, Simon Johnson, James A. Robinson, and Pierre Yared (2008). "Income and Democracy." *American Economic Review* 98, no. 3: 808-42.
—— (2009). "Reevaluating the Modernization Hypothesis." *Journal of Monetary Economics* 56: 1043-58.
Acemoglu, Daron, Jacob Moscona, and James A. Robinson (2016). "State Capacity and American Technology: Evidence from the 19th Century." *American Economic Review* 106, no. 5: 61-67.
Acemoglu, Daron, Tristan Reed, and James A. Robinson (2014). "Chiefs: Elite Control of Civil Society and Development in Sierra Leone." *Journal of Political Economy* 122, no. 2: 319-68.
Acemoglu, Daron, and Pascual Restrepo (2017). "Robots and Jobs: Evidence from U.S. Labor Markets." NBER Working Paper No. 23285. https:// www.nber.org/papers/w23285.
—— (2018). "The Race Between Machine and Man: Implications of Technology for Growth, Factor Shares and Employment." *American Economic Review* 108, no. 6: 1488-1542.
Acemoglu, Daron, and James A. Robinson (2000). "Why Did the West Extend the Franchise? Growth, Inequality and Democracy in Historical Perspective." *Quarterly Journal of Economics* 115: 1167-99.
—— (2006). *Economic Origins of Dictatorship and Democracy*. New York: Cambridge University Press.
—— (2010). "Why Is Africa Poor?" *Economic History of Developing Regions* 25, no. 1: 21-50.
—— (2012). *Why Nations Fail*. New York: Crown. [『国家はなぜ衰退するのか――権力・繁栄・貧困の起源』（上・下、鬼澤忍訳、ハヤカワ・ノンフィクション文庫、2016年）]
—— (2016). "Paths to Inclusive Political Institutions." In *Economic History of Warfare and State Formation*, edited by Jari Eloranta, Eric Golson, Andrei Markevich, and Nikolaus Wolf. Berlin: Springer.
—— (2017). "The Emergence of Weak, Despotic and Inclusive States." NBER Working Paper No. 23657. http://www.nber.org/papers/w23657.
—— (2019). "The Narrow Corridor: The Academic Debate." https://voices.uchicago.edu/jamesrobinson and https://economics.mit.edu/faculty/acemoglu.
Acemoglu, Daron, James A. Robinson, and Rafael Santos-Villagran (2013). "The Monopoly of Violence: Theory and Evidence from Colombia." *Journal of the European Economics Association* 11, no. 1: 5-44.
Acemoglu, Daron, James A. Robinson, and Ragnar Torvik (2013). "Why Vote to Dismantle Checks and Balances?" *Review of Economic Studies* 80, no. 3: 845-75.
—— (2016). "The Political Agenda Effect and State Centralization." NBER Working Paper No. 22250. https://www.nber.org/papers/w22250.
Acemoglu, Daron, James A. Robinson, and Thierry Verdier (2017). "Asymmetric Growth and

Institutions in an Interdependent World." *Journal of Political Economy* 125: 1245-1303.
Acemoglu, Daron, and Murat Üçer (2015). "The Ups and Downs of Turkish Growth: Political Dynamics, the European Union and the Institutional Slide." NBER Working Paper No. 21608. https://www.nber.org/papers/w21608.
Afigbo, A. E. (1967). "The Warrant Chief System in Eastern Nigeria: Direct or Indirect Rule?" *Journal of the Historical Society of Nigeria* 3, no. 4: 683-700.
—— (1972). *Warrant Chiefs Indirect Rule in Southeastern Nigeria, 1891-1929*. London: Longman.
Akiga Sai (1939). *Akiga's Story: The Tiv Tribe as Seen by One of Its Members*. Translated by Rupert East. Oxford: Oxford University Press.
Allen, Robert C., Jean-Pascal Bassino, Debin Ma, Christine Moll-Murata, and Jan Luiten van Zanden (2011). "Wages, Prices, and Living Standards in China, 1738-1925: In Comparison with Europe, Japan, and India." *Economic History Review* 64: 8-38.
Al-Muqaddasi (1994). *The Best Divisions for Knowledge of the Regions*. Translation of *Ahsan al-Taqasim fi ma'rifat al-Aqalim*, by B. A. Collins. Reading: Garnet.
Alston, Lee J., and Joseph P. Ferrie (1993). "Paternalism in Agricultural Labor Contracts in the U.S. South: Implications for the Growth of the Welfare State." *American Economic Review* 83, no. 4: 852-76.
—— (1999). *Southern Paternalism and the American Welfare State: Economics, Politics, and Institutions in the South, 1865-1965*. New York: Cambridge University Press.
Altekar, A. S. (1927). *A History of Village Communities in Western India*. Bombay: Oxford University Press.
Amar, Akhil Reed (2000). *The Bill of Rights: Creation and Reconstruction*. New Haven: Yale University Press.
Ambedkar, B. R. (2014). *Annihilation of Caste: The Annotated Critical Edition*. London: Verso. [『カーストの絶滅（インド——解放の思想と文学）』（山崎元一、吉村玲子訳、明石書店、1994年）]
Anderson, Siwan (2011). "Caste as an Impediment to Trade." *American Economic Journal: Applied Economics* 3, no. 1: 239-63.
Anderson, Siwan, Patrick Francois, and Ashok Kotwal (2015). "Clientelism in Indian Villages." *American Economic Review* 105, no. 6: 1780-1816.
Angell, Alan (1991). "Chile Since 1958." In *The Cambridge History of Latin America*, edited by Leslie Bethell, vol. 8, Latin America Since 1930: Spanish South America, 311-82. New York: Cambridge University Press.
Angold, Michael (1997). *The Byzantine Empire 1025-1204: A Political History*. 2nd edition. New York: Longman.
Ansolabehere, Stephen, and James M. Snyder Jr. (2008). *The End of Inequality: One Person, One Vote and the Transformation of American Politics*. New York: W.W. Norton.
Appiah, Anthony (2007) "A Slow Emancipation." *New York Times Magazine*. https://www.nytimes.com/2007/03/18/magazine/18WWLNlede.t.html.
Arendt, Hannah (1976). *Eichmann in Jerusalem: A Report on the Banality of Evil*. New York:

Viking Press.［『エルサレムのアイヒマン――悪の陳腐さについての報告』（新版、大久保和郎訳、みすず書房、2017 年）］

Aristotle (1996). *The Politics and the Constitution of Athens*. New York: Cambridge University Press.［『政治学』（山本光雄訳、岩波文庫、1961 年）］

Asch, Ronald G. (1988). "Estates and Princes After 1648: The Consequences of the Thirty Years War." *German History* 6, no. 2: 113-32.

Attenborough, F. L., ed. (1922). *The Laws of the Earliest English Kings*. Cambridge: Cambridge University Press.

Autor, David (2014). "Skills, Education, and the Rise of Earnings Inequality Among the Other 99 Percent." *Science* 344: 843-51.

Autor, David H., David Dorn, and Gordon H. Hanson (2013). "The China Syndrome: Local Labor Market Effects of Import Competition in the United States." *American Economic Review* 103: 2121-68.

Autor, David H., David Dorn, Lawrence F. Katz, Christina Patterson, and John Van Reenen (2017). "The Fall of the Labor Share in the Rise of Superstar Firms." NBER Working Paper No. 23396. https://www.nber.org/papers/w23396.

Auyero, Javier (2001). *Poor People's Politics*. Durham, NC: Duke University Press.

—— (2012). *Patients of the State: The Politics of Waiting in Argentina*. Durham, NC: Duke University Press.

Baland, Jean-Marie, and James A. Robinson (2008). "Land and Power." *American Economic Review* 98: 1737-1765.

Baldwin, Peter (1990). *The Politics of Social Solidarity: Class Basis of the European Welfare State 1875–1975*. New York: Cambridge University Press.

—— (2005). "Beyond Weak and Strong: Rethinking the State in Comparative Policy History." *Journal of Policy History* 17, no. 1: 12-33.

Balogh, Brian (2009). *A Government out of Sight: The Mystery of National Authority in Nineteenth-Century America*. New York: Cambridge University Press.

—— (2015). *The Associational State: American Governance in the Twentieth Century*. Philadelphia: University of Pennsylvania Press.

Baram, Amatzia (2014). *Saddam Hussein and Islam, 1968-2003*. Baltimore: Johns Hopkins University Press.

Barlow, Frank (1999). *The Feudal Kingdom of England, 1042-1216*. 5th edition. London and New York: Routledge.

Barnwell, P. S., and Marco Mostert, eds. (2003). *Political Assemblies in the Earlier Middle Ages*. Turnhout, Belgium: Brepols.

Bautista, Maria Angélica, Juan Sebastián Galan, Juan Diego Restrepo, and James A. Robinson (2019) "Acting like a State: The Peasant Self-Defense Forces of the Middle Magdalena in Colombia." Unpublished.

Bates, Robert H. (1981). *Markets and States in Tropical Africa*. Berkeley: University of California Press.

Bayly, Susan (2001). *Caste, Society and Politics in India from the Eighteenth Century to the*

Modern Age. Revised edition. New York: Cambridge University Press.
BBC (2002). "Saudi Police 'Stopped' Fire Rescue." http://news.bbc.co.uk/2/hi/middle_east/1874471.stm.
BBC (2013). "Liberia Students All Fail University Admission Exam." http://www.bbc.com/news/world-africa-23843578.
BBC (2017). "US Inner-City Children Suffer 'War Zone' Trauma." http://www.bbc.com/news/av/world-us-canada-42229205/us-inner-city-children-suffer-war-zone-trauma.
BBC (2018a). "Argentina's Parliament Sacks 'Gnocchi' Phantom Workers." http://www.bbc.com/news/blogs-news-from-elsewhere-42551997.
BBC (2018b). "Argentine President Bans Family Members in Government." http://www.bbc.com/news/world-latin-america-42868439.
Beattie, Hilary J. (2009). *Land and Lineage in China: A Study of T'ung-Ch'eng County, Anhwei, in the Ming and Ch'ing Dynasties*. New York: Cambridge University Press.
Bede (1991). *Ecclesiastical History of the English People*. New York: Penguin.
Beinart, William (2001). *Twentieth-Century South Africa*. Oxford: Oxford University Press.
Benjamin of Tudela (1907). *The Itinerary of Benjamin of Tudela*. Edited by Marcus N. Adler. New York: Philipp Feldheim.
Bensel, Richard F. (1991). *Yankee Leviathan: The Origins of Central State Authority in America, 1859–1877*. New York: Cambridge University Press.
Berman, Sheri (1997). "Civil Society and the Collapse of the Weimar Republic." *World Politics* 49, no. 3.
—— **(2001).** "Modernization in Historical Perspective: The Case of Imperial Germany." *World Politics* 53, no. 3.
—— **(2006).** *The Primacy of Politics: Social Democracy in the Making of Europe's 20th Century*. New York: Cambridge University Press.
Besley, Timothy, and Torsten Persson (2011). *The Pillars of Prosperity*. Princeton, NJ: Princeton University Press.
Béteille, André (2012). *Caste, Class and Power: Changing Patterns of Stratification in a Tanjore Village*. 3rd edition. New York: Oxford University Press.
Beveridge, William H. (1944). *Full Employment in a Free Society: A Report*. London: Routledge.
Bisson, Thomas N. (1964). *Assemblies and Representation in Languedoc in the Thirteenth Century*. Princeton, NJ: Princeton University Press.
Bisson, Thomas N., ed. (1973). *Medieval Representative Institutions: Their Origins and Nature*. Hinsdale: The Dryden Press.
Bisson, Thomas N. (2009). *The Crisis of the Twelfth Century: Power, Lordship and the Origins of European Government*. Princeton, NJ: Princeton University Press.
Black, Bernard, Reinier Kraakman, and Anna Tarassova (2000). "Russian Privatization and Corporate Governance: What Went Wrong?" *Stanford Law Review* 52, 1731-1808.
Blanning, Tim (2016). *Frederick the Great: King of Prussia*. New York: Random House.
Blanton, Richard E., and Lane Fargher (2008). *Collective Action in the Formation of Pre-Modern States*. New York: Springer.

Blanton, Richard E., Gary M. Feinman, Stephen A. Kowalewski, and Linda M. Nicholas (1999). *Ancient Oaxaca*. New York: Cambridge University Press.

Blanton, Richard E., Stephen A. Kowalewski, Gary M. Feinman, and Laura M. Finsten (1993). *Ancient Mesoamerica: A Comparison of Change in Three Regions*. New York: Cambridge University Press.

Blaydes, Lisa, and Eric Chaney (2013). "The Feudal Revolution and Europe's Rise: Political Divergence of the Christian West and the Muslim World Before 1500 CE." *American Political Science Review*107, no. 1: 16-34.

Blickel, Peter, ed. (1989). *Resistance, Representation and Community*. Oxford: Clarendon Press.

Blickel, Peter (1992). "Das Gesetz der Eidgenossen: Überlegungen zur Entstehung der Schweiz, 1200–1400." *Historische Zeitschrift* 255, no. 13: 561-86.

—— (1998). *From the Communal Reformation to the Revolution of the Common Man*. Leiden: Brill.

Bloch, Marc (1964). *Feudal Society*. 2 vols. Chicago: University of Chicago Press. [『封建社会』（堀米庸三監訳、岩波書店、1995 年）]

Blockmans, Wim, André Holenstein, and Jon Mathieu, eds. (2009). *Empowering Interactions: Political Cultures and the Emergence of the State in Europe 1300-1900*. Burlington, VT: Ashgate.

Blunt, E. A. H. (1931). *Caste System of Northern India*. Oxford: Oxford University Press.

Bodde, Derk, and Clarence Morris (1967). *Law in Imperial China*. Cambridge, MA: Harvard University Press.

Boehm, Christopher (1982). *Montenegrin Social Organization and Values: Political Ethnography of a Refuge Area Tribal Adaptation*. New York: AMS Press.

—— (1986). *Blood Revenge: The Enactment and Management of Conflict in Montenegro and Other Tribal Societies*. Philadelphia: University of Pennsylvania Press.

Bohannan, Paul (1958). "Extra-Processual Events in Tiv Political Institutions." *American Anthropologist* 60: 1-12.

Bohannan, Paul, and Laura Bohannan (1953). *The Tiv of Central Nigeria*. London: International African Institute.

—— (1968). *Tiv Economy*. Evanston, IL: Northwestern University Press.

Bolívar, Simón (2003). *El Libertador: The Writings of Simón Bolívar*. Edited by David Bushnell. New York: Oxford University Press.

Bosker, Maarten, Eltjo Buringh, and Jan Luiten van Zanden (2013). "From Baghdad to London: Unraveling Urban Development in Europe, the Middle East, and North Africa, 800-1800." *Review of Economics and Statistics* 95, no. 4: 1418-37.

Bowsky, William M. (1981). *A Medieval Italian Commune: Siena Under the Nine, 1287-1355*. Berkeley: University of California Press.

Bozhong, Li, and Jan Luiten van Zanden (2012). "Before the Great Divergence? Comparing the Yangzi Delta and the Netherlands at the Beginning of the Nineteenth Century." *Journal of Economic History* 72, no. 4: 956-89.

Bracher, Karl Dietrich(1970). *German Dictatorship: The Origins, Structure, and Effects of National Socialism*. New York: Praeger. [『ドイツの独裁——ナチズムの生成・構造・帰結』

（山口定、高橋進訳、岩波書店、2009年)］
Braddick, Michael J. (2000). *State Formation in Early Modern England, c. 1550-1700.* New York: Cambridge University Press.
Brandt, Loren, Debin Ma, and Thomas G. Rawski (2014). "From Divergence to Convergence: Reevaluating the History Behind China's Economic Boom." *Journal of Economic Literature* 52, no. 1: 45-123.
Braudel, Fernand (1996). *The Mediterranean and the Mediterranean World in the Age of Philip II.* Vol. 1. Berkeley: University of California Press. [『地中海 2』（浜名優美訳、藤原書店、2004年)］
Breen, T. H. (2011). *American Insurgents, American Patriots: The Revolution of the People.* New York: Hill and Wang.
Brenner, Robert (1976). "Agrarian Class Structure and Economic Development in Pre-Industrial Europe." *Past and Present* no. 70 (February 1976): 30-75.
Brenner, Robert, and Christopher Isett (2002). "England's Divergence from China's Yangzi Delta: Property Relations, Microeconomics, and Patterns of Development." *Journal of Asian Studies* 61, no. 2: 609-62.
Brewer, John (1989). *The Sinews of Power.* Cambridge, MA: Harvard University Press.
Britnell, Richard H. (1992). *The Commercialisation of English Society 1000-1500.* New York: Cambridge University Press.
Broadberry, Stephen, Hanhui Guan, and David Daokui Li (2017). "China, Europe and the Great Divergence: A Study in Historical National Accounting, 980-1850." https://www.economics.ox.ac.uk/materials/working_papers/2839/155aprilbroadberry.pdf.
Brock, Roger, and Stephen Hodkinson, eds. (2001). *Alternatives to Athens: Varieties of Political Organization and Community in Ancient Greece.* New York: Oxford University Press.
Brook, Timothy, ed. (1989). *The Asiatic Mode of Production in China.* New York: Routledge.
Bundy, Colin (1979). *The Rise and Fall of South African Peasantry.* Berkeley: University of California Press.
Burckhardt, John Lewis [Johann Ludwig] (1830). *Notes on the Bedouins and Wahábys, Collected During His Travels in the East.* London: Henry Colburn and Richard Bentley.
Bureau Topographique des Troupes Françaises du Levant (1935). Carte des Communautés Religieuses et Ethniques en Syrie et au Liban (Map of Religious Communities and Ethnic Groups). Institut Français du Proche-Orient. https://ifpo.hypotheses.org/2753.
Buringh, Eltjo, and Jan Luiten van Zanden (2009). "Charting the 'Rise of the West': Manuscripts and Printed Books in Europe, A Long-Term Perspective from the Sixth Through Eighteenth Centuries." *Journal of Economic History* 69, no. 2: 409-45.
Buruma, Ian (2003). *Inventing Japan: 1853-1964.* New York: Modern Library. [『近代日本の誕生』（小林朋則訳、ランダムハウス講談社、2006年)］
Bursztyn, Leonardo, Alessandra González, and David Yanagizawa-Drott (2018). "Misperceived Social Norms: Female Labor Force Participation in Saudi Arabia." http://home.uchicago.edu/bursztyn/Misperceived_Norms_2018_06_20.pdf.
Byrhtferth of Ramsey (2009). "Vita S. Oswaldi." In *Byrhtferth of Ramsey: The Lives of St. Oswald*

and St. Ecgwine, edited by Michael Lapidge. New York: Oxford University Press.
Çağaptay, Soner (2017). *The New Sultan: Erdoğan and the Crisis of Modern Turkey*. New York: I.B. Tauris.
Camic, Charles, Philip S. Gorski, and David M. Trubek, eds. (2005). *Max Weber's Economy and Society: A Critical Companion*. Stanford, CA: Stanford University Press.
Cammett, Melani (2014). *Compassionate Communalism: Welfare and Sectarianism in Lebanon*. Ithaca, NY: Cornell University Press.
Campbell, Dugald (1933). *Blazing Trails in Bantuland*. London: Pickering & Inglis.
Cardoso, Ciro F. S. (1977). "The Formation of the Coffee Estate in Nineteenth Century Costa Rica." In *Land and Labour in Latin America*, edited by K. Duncan and I. Rutledge. Cambridge: Cambridge University Press.
Cargill, Jenny (2010). *Trick or Treat: Rethinking Black Economic Empowerment*. Johannesburg: Jacana Media.
Carney, Matthew (2018). "Leave No Dark Corner." ABC (Australian Broadcasting Corporation) News. https://www.abc.net.au/news/2018-09-18/china-social-credit-a-model-citizen-in-a-digital-dictatorship/10200278?section=world.
Carpenter, Daniel (2001). *The Forging of Bureaucratic Autonomy: Reputations, Networks, and Policy Innovation in Executive Agencies, 1862-1928*. Princeton, NJ: Princeton University Press.
Carroll, Lewis (1871). *Through the Looking-Glass, and What Alice Found There*. London: Macmillan. [『鏡の国のアリス』（河合祥一郎訳、角川文庫、2010 年）]
Carsten, F. L. (1959). *Princes and Parliaments in Germany: From the Fifteenth to the Eighteenth Century*. Oxford: Clarendon Press.
Castle, Marjorie, and Raymond Taras (2002). *Democracy in Poland*. 2nd edition. New York: Routledge.
Central Intelligence Agency (2017). *The CIA World Factbook*. New York: Skyhorse Publishing.
Chatterjee, Partha (2004). *The Politics of the Governed: Reflections on Popular Politics in Most of the World*. New York: Columbia University Press. [『統治される人びとのデモクラシー――サバルタンによる民衆政治についての省察』（田辺明生、新部亨子訳、世界思想社、2015 年）]
Chaves, Isaías N., Leopoldo Fergusson, and James A. Robinson (2015). "He Who Counts Wins: Determinants of Fraud in the 1922 Colombian Presidential Elections." *Economics and Politics* 27, no. 1: 124-59.
Chen, Janet, Pei-Kai Cheng, Michael Lestz, and Jonathan D. Spence (2014). *The Search for Modern China: A Documentary Collection*. New York: W. W. Norton.
Chinese Human Rights Defenders (2009). "Re-education Through Labor Abuses Continue Unabated: Overhaul Long Overdue." https://www.nchrd.org/2009/02/research-reports-article-2/
Christopher, Barbara (2004). "Understanding Georgian Politics." DEMSTAR Research Report No. 22.
Christopoulos, Georgios, ed. (1970). *Istoria tou Ellinikou Ethnous: Archaikos Ellinismos 1100-479*. Athens: Ekdotike Athinon.
Church, Clive H., and Randolph C. Head (2013). *A Concise History of Switzerland*. New York:

Cambridge University Press.
Clarence-Smith, William Gervase, and Steven C. Topik, eds. (2006). *The Global Coffee Economy in Africa, Asia, and Latin America, 1500-1989.* New York: Cambridge University Press.
Clark, Christopher (2009). *Iron Kingdom: The Rise and Downfall of Prussia, 1600-1947.* Cambridge, MA: Belknap Press.
Clower, Robert W., George Dalton, Mitchell Harwitz, and A. A. Walters (1966). *Growth Without Development: An Economic Survey of Liberia.* Evanston, IL: Northwestern University Press.
Collins, Kathleen (2006). *Clan Politics and Regime Transition in Central Asia.* New York: Cambridge University Press.
Colson, Elizabeth (1962). *The Plateau Tonga of Northern Rhodesia.* Manchester: University of Manchester Press.
—— (1967). *Social Organization of the Gwembe Tonga.* Manchester: University of Manchester Press.
—— (1974). *Tradition and Contract: The Problem of Social Order.* Piscataway, NJ: Transactions.
Commins, David (2009). *The Wahhabi Mission and Saudi Arabia.* London: I.B. Tauris.
Confucius (2003). *Analects: With Selections from Traditional Commentaries.* Indianapolis: Hackett.
Constable, Pamela, and Arturo Valenzuela (1993). *A Nation of Enemies: Chile Under Pinochet.* New York: W. W. Norton.
Corancez, Louis A. O. de (1995). *The History of the Wahhabis.* Reading, UK: Garnet.
Costambeys, Marios, Matthew Innes, and Simon MacLean (2011). *The Carolingian World.* New York: Cambridge University Press.
Crick, Julia, and Elisabeth van Houts, eds. (2011). *A Social History of England, 900-1200.* New York: Cambridge University Press.
Crone, Patricia (2003). *Pre-Industrial Societies: Anatomy of the Pre-Modern World.* London: Oneworld.
Cruickshank, Brodie (1853). *Eighteen Years on the Gold Coast.* Vol. 2. London: Hurst and Blackett.
Cummings, Bruce (2005). *Korea's Place in the Sun: A Modern History.* Updated edition. New York: W. W. Norton.
Cunliffe-Jones, Peter (2010). *My Nigeria: Five Decades of Independence.*New York: St. Martin's Press.
Curtin, Philip (1995). "The European Conquest." In Philip Curtin, Steven Feierman, Leonard Thompson, and Jan Vansina, *African History: From Earliest Times to Independence.* New York: Pearson.
Dahl, Robert A. (1970). *Polyarchy.* New Haven: Yale University Press.
Dalton, George H. (1965). "History, Politics and Economic Development in Liberia," *Journal of Economic History* 25, no. 4: 569-91.
Dardess, John W. (2010). *Governing China, 150-1850.* Indianapolis: Hackett.

Davison, Lee, Tim Hitchcock, Tim Keirn, and Robert B. Shoemaker, eds. (1992). *Stilling the Grumbling Hive: Response to Social and Economic Problems in England, 1689-1750*. New York: Palgrave Macmillan.
Dawisha, Adeed (2009). *Iraq: A Political History*. Princeton, NJ: Princeton University Press.
de Gramont, Diane (2014). "Constructing the Megacity— The Dynamics of State-Building in Lagos, Nigeria, 1999-2013." Unpublished MPhil dissertation in government, University of Oxford.
Dean, Trevor (1987). *Land and Power: Ferrara Under the Este, 1350-1450*. New York: Cambridge University Press.
—— (1999). "The Rise of the Signori." In *The New Cambridge Medieval History*, edited by David Abulafia, vol. 5, *1198-1300*. New York: Cambridge University Press.
DeLong, J. Bradford, and Andrei Shleifer (1993). "Princes and Merchants: European City Growth Before the Industrial Revolution." *Journal of Law and Economics* 36, no. 2: 671-702.
Department of Justice (2015). "Investigation of the Ferguson Police Department." https://www.justice.gov/sites/default/files/opa/press-releases/attachments/2015/03/04/ferguson_police_department_report.pdf.
Deshpande, Ashwini (2011). *The Grammar of Caste: Economic Discrimination in Contemporary India*. Oxford: Oxford University Press.
Devlin, Matthew (2009). "Interview with Liliana Caballero." https://successfulsocieties.princeton.edu/interviews/liliana-caballero.
Devlin, Matthew, and Sebastian Chaskel (2009). "Conjuring and Consolidating a Turnaround: Governance in Bogotá, 1992-2003." https://successfulsocieties.princeton.edu/publications/conjuring-and-consolidating-turnaround-governance-bogot%C3%A1-1992-2003-disponible-en.
Dikshit, G. S. (1964). *Local Self-Government in Mediaeval Karnataka*. Dharwar: Karnatak University.
Dirks, Nicholas B. (2001). *Castes of Mind: Colonialism and the Making of Modern India*. Princeton, NJ: Princeton University Press.
Djilas, Milovan (1958). *Land Without Justice*. New York: Harcourt Brace Jovanovich.
—— (1966). *Njegoš*. New York: Harcourt, Brace and World.
Dogra, Chander Suta (2013). *Manoj and Babli: A Hate Story*. New York: Penguin. [『インドの社会と名誉殺人』（鳥居千代香訳、柘植書房新社、2015 年）]
Doughty, Charles M. (1888). *Travels in Arabia Deserta*. Cambridge: Cambridge University Press.
Dower, John W. (1999). *Embracing Defeat: Japan in the Wake of World War II*. New York: W. W. Norton. [『敗北を抱きしめて——第二次大戦後の日本人』（上・下、増補版、三浦陽一、高杉忠明、田代泰子訳、岩波書店、2004 年）]
Drew, Katherine Fischer (1991). *The Laws of the Salian Franks*. Philadelphia: University of Pennsylvania Press.
Dreyer, Edward L. (2006). *Zheng He: China and the Oceans in the Early Ming Dynasty, 1405-1433*. New York: Pearson.
Driscoll, Jesse (2015). *Warlords and Coalition Politics in Post-Soviet States*. New York:

Cambridge University Press.
Driscoll, Mark (2010). *Absolute Erotic, Absolute Grotesque: The Living, Dead, and Undead in Japan's Imperialism, 1895-1945*. Durham, NC, and London: Duke University Press.
Duby, Georges (1982). *The Three Orders: Feudal Society Imagined*. Chicago: University of Chicago Press.
Dumont, Louis (1980). *Homo Hierarchicus: The Caste System and Its Implications*. 2nd revised edition. Chicago: University of Chicago Press.［『ホモ・ヒエラルキクス――カースト体系とその意味』（田中雅一，渡辺公三共訳、みすず書房、2001年）］
Dunkerly, James (1988). *Power in the Isthmus: A Political History of Modern Central America*. London: Verso.
Duran, Xavier (2012). "The First US Transcontinental Railroad: Expected Profits and Government Intervention." *Journal of Economic History* 73, no. 1: 177-200.
Durham, M. Edith (1909). *High Albania*. London: Edward Arnold.
—— (1928). *Some Tribal Origins, Laws and Customs of the Balkans*. London: George Allen and Unwin.
Dutt, Romesh C. (1916). *The Economic History of India Under Early British Rule, from the Rise of the British Power in 1757 to the Accession of Queen Victoria in 1837*. London: K. Paul, Trench, Trübner.
Dym, Jordana (2006). *From Sovereign Villages to National States: City, State, and Federation in Central America, 1759-1839*. Albuquerque: University of New Mexico Press.
Easter, Gerald M. (2012). *Capital, Coercion and Postcommunist States*. Ithaca, NY: Cornell University Press.
The Economist (2012). "Don't Lie to Me, Argentina." http://www.economist.com/node/21548242.
Edgar, H. Timothy (2017). *Beyond Snowden: Privacy, Mass Surveillance, and the Struggle to Reform the NSA*. Washington, DC: Brookings Institution Press.
Edgar, Thomas (2005). *The Lawes Resolutions of Womens Rights: Or The Lawes Provision for Woemen*. London: Lawbook Exchange.
Edinger, Lewis J. (1953). "German Social Democracy and Hitler's 'National Revolution' of 1933: A Study in Democratic Leadership." *World Politics* 5, no. 3: 330-67.
Edmonds, Eric V., and Salil Sharma (2006). "Institutional Influences on Human Capital Accumulation:Micro Evidence from Children Vulnerable to Bondage." https://www.dartmouth.edu/~eedmonds/kamaiya.pdf.
Edwards, Jeremy, and Sheilagh Ogilvie (2012). "What Lessons for Economic Development Can We Draw from the Champagne Fairs?" *Explorations in Economic History* 49: 131-48.
Eich, Peter (2015). "The Common Denominator: Late Roman Bureaucracy from a Comparative Perspective." In *State Power in Ancient China and Rome*, edited by Walter Scheidel. New York: Oxford University Press.
Eldredge, Elizabeth A. (2014). *The Creation of the Zulu Kingdom, 1815-1828: War, Shaka, and the Consolidation of Power*. New York: Cambridge University Press.
Elton, Geoffrey R. (1952). *The Tudor Revolution in Government: Administrative Changes in the*

Reign of Henry VIII. New York: Cambridge University Press.
Elvin, Mark (1973). *The Pattern of the Chinese Past*. Stanford, CA: Stanford University Press.
Ember, Carol (1978). "Myths About Hunter-Gatherers." *Ethnology* 17: 439-48.
Engerman, Stanley L., and Kenneth L. Sokoloff (2011). *Economic Development in the Americas Since 1500: Endowments and Institutions*. New York: Cambridge University Press.
Epstein, Stephen A. (2009). *An Economic and Social History of Later Medieval Europe, 1000-1500*. New York: Cambridge University Press.
Ertman, Thomas (1997). *Birth of the Leviathan: Building States and Regimes in Medieval and Early Modern Europe*. New York: Cambridge University Press.
Eskew, Glenn T. (1997). *But for Birmingham: The Local and National Movements in the Civil Rights Struggle*. Chapel Hill: University of North Carolina Press.
Esping-Andersen, Gosta (1985). *Politics Against Markets: The Social Democratic Road to Power*. Princeton, NJ: Princeton University Press.
Evans, Richard J. (2005). *The Coming of the Third Reich*. New York: Penguin.［『第三帝国の到来』（上・下、大木毅監修、山本孝二訳、白水社、2018 年）］
Evans-Pritchard, E. E., and Meyer Fortes, eds. (1940). *African Political Systems*. New York: Oxford University Press.［『アフリカの伝統的政治体系』（大森元吉〔ほか〕訳、みすず書房、1972 年）］
Falkus, Malcolm E., and John B. Gillingham (1987). *Historical Atlas of Britain*. London: Kingfisher.［『イギリス歴史地図』（中村英勝〔ほか〕訳、東京書籍、1983 年）］
Farhang, Sean (2010). *The Litigation State: Public Regulation and Private Lawsuits in the U.S.* Princeton, NJ: Princeton University Press.
Farmer, Edward (1995). *Zhu Yuanzhang and Early Ming Legislation: The Reordering of Chinese Society Following the Era of Mongol Rule*. Leiden: Brill.
Faure, David (2006). *China and Capitalism: A History of Business Enterprise in Modern China*. Hong Kong: Hong Kong University Press.
—— (2007). *Emperor and Ancestor: State and Lineage in South China*. Stanford, CA: Stanford University Press.
Fawcett, Peter (2016). " 'When I Squeeze You with Eisphorai': Taxes and Tax Policy in Classical Athens." *Hesperia: The Journal of the American School of Classical Studies at Athens* 85, no. 1: 153-99.
Feinstein, Charles H. (2005). *An Economic History of South Africa: Conquest, Discrimination and Development*. New York: Cambridge University Press.
Feng, Li (2013). *Early China: A Social and Cultural History*. New York: Cambridge University Press.
Fergusson, Leopoldo, Ragnar Torvik, James A. Robinson, and Juan F. Vargas (2016). "The Need for Enemies." *Economic Journal* 126, no. 593: 1018-54.
The Fifth Report from the Select Committee on the Affairs of the East India Company(1812). New York: A. M. Kelley.
Finley, Moses I. (1954). *The World of Odysseus*. New York: Chatto & Windus.［『オデュッセウスの世界』（下田立行訳、岩波文庫、1994 年）］

—— (1976). "A Peculiar Institution." *Times Literary Supplement 3887.*
Flannery, Kent V. (1999). "Process and Agency in Early State Formation." *Cambridge Archaeological Journal* 9, no. 1: 3-21.
Flannery, Kent V., and Joyce Marcus (1996). *Zapotec Civilization: How Urban Society Evolved in Mexico's Oaxaca Valley*. London: Thames and Hudson.
—— (2014). *The Creation of Inequality: How Our Prehistoric Ancestors Set the Stage for Monarchy, Slavery, and Empire*. Cambridge, MA: Harvard University Press.
Fleming, Robin (2010). *Britain After Rome: The Fall and Rise, 400 to 1070*. London: Penguin.
Flynn, Henry F. (1986). *The Diary of Henry Francis Flynn*, edited by James Stuart and D. McK. Malcolm. Pietermaritzburg: Shuter and Shooter.
Fornander, Abraham (2005). *Fornander's Ancient History of the Hawaiian People to the Times of Kamehameha I*. Honolulu: Mutual Publishing.
Forsdyke, Sara (2005). *Exile, Ostracism and Democracy: The Politics of Expulsion in Ancient Greece*. Princeton, NJ: Princeton University Press.
—— (2012). *Slaves Tell Tales: And Other Episodes in the Politics of Popular Culture in Ancient Greece*. Princeton, NJ: Princeton University Press.
Fratianni, Michele, and Franco Spinelli (2006). "Italian City-States and Financial Evolution." *European Review of Economic History* 10, no. 3: 257-78.
Freedman, Maurice (1966). *Lineage Organization in Southeastern China*. London: Athlone. [『東南中国の宗族組織』（末成道男〔ほか〕訳、弘文堂、1991 年）]
—— (1971). *Chinese Lineage and Society: Fukien and Kwantung*. London: Berg. [『中国の宗族と社会』（田村克己、瀬川昌久訳、弘文堂、1995 年）]
Freedom House (2015). "The Politburo's Predicament." https://freedomhouse.org/china-2015-politiburo-predicament#.V2gYbpMrIU0.
Freeland, Chrystia (2000). *Sale of the Century: Russia's Wild Rise from Communism to Capitalism*. New York: Crown Business. [『世紀の売却——第二のロシア革命の内幕』（角田安正、松代助、吉弘健二訳、新評論、2005 年）]
Friedberg, Aaron L. (2000). *In the Shadow of the Garrison State*. Princeton, NJ: Princeton University Press.
Fritzsche, Peter (1990). *Rehearsals for Faseism: Populism and Mobilization in Weimar Germany*. New York: Oxford University Press.
Fukuyama, Francis (1989). "The End of History?" *The National Interest* 16: 3-18.
—— (2011). *The Origins of Political Order: From Prehuman Times to the French Revolution*. New York: Farrar, Straus and Giroux. [『政治の起源——人類以前からフランス革命まで』（上・下、会田弘継訳、講談社、2013 年）]
—— (2014). *Political Order and Political Decay: From the Industrial Revolution to the Globalization of Democracy*. New York: Farrar, Straus and Giroux. [『政治の衰退——フランス革命から民主主義の未来へ』（上・下、会田弘継訳、講談社、2018 年）]
Gargarella, Roberto (2013). *Latin American Constitutionalism, 1810-2010: The Engine Room of the Constitution*. New York: Oxford University Press.
—— (2014). *The Legal Foundations of Inequality: Constitutionalism in the Americas, 1776-1860.*

New York: Cambridge University Press.
Geary, Patrick J. (1988). *Before France and Germany: The Creation and Transformation of the Merovingian World.* New York: Oxford University Press.
Geary, Patrick, ed. (2015). *Readings in Medieval History.* 5th edition. Toronto: University of Toronto Press. Excerpt from Otto of Freising, *The Deeds of Frederick Barbarossa.*
Gennaioli, Nicola, and Hans-Joachim Voth (2015). "State Capacity and Military Conflict." *Review of Economic Studies* 82: 1409-48.
Gerstle, Gary (2008). "A State Both Strong and Weak." *American Historical Review* 113, no. 3: 779-85.
—— (2015). *Liberty and Coercion: The Paradox of American Government from the Founding to the Present.* Princeton, NJ: Princeton University Press.
Gies, Joseph, and Frances Gies (1994). *Cathedral, Forge and Waterwheel: Technology and Invention in the Middle Ages.* New York: HarperCollins. [『大聖堂・製鉄・水車——中世ヨーロッパのテクノロジー』(栗原泉訳、講談社学術文庫、2012年)]
Ginsburg, Tom (2011). "An Economic Analysis of the Pashtunwali." University of Chicago Legal Forum 89. https://chicagounbound.uchicago.edu/cgi/viewcontent.cgi?referer=https://www.google.com/&httpsredir=1&article=2432&context=journal_articles.
Gjeçov, Shtjefën (1989). *The Code of Lekë Dukagjini.* Translated by Leonard Fox. New York: Gjonlekaj.
Gluckman, Max (1940). "The Kingdom of the Zulu of South Africa." In *African Political Systems,* edited by Meyer Fortes and Edward E. Evans-Pritchard. London: Oxford University Press.
—— (1960). "The Rise of a Zulu Empire." *Scientific American* 202: 157-68.
Goldie, Mark (2001). "The Unacknowledged Republic: Officeholding in Early Modern England." In *The Politics of the Excluded, c. 1500-1850,* edited by Tim Harris. Basingstoke, UK: Palgrave.
Goldman, Marshall I. (2003). *The Privatization of Russia: Russian Reform Goes Awry.* New York: Routledge. [『強奪されたロシア経済』(鈴木博信訳、日本放送出版協会、2003年)]
Goldthwaite, Richard A. (2009). *The Economy of Renaissance Florence.* Baltimore: Johns Hopkins University Press.
Gordon, Colin (2009). *Mapping Decline: St. Louis and the Fate of the American City.* Philadelphia: University of Pennsylvania Press.
Gorringe, Hugo (2005). *Untouchable Citizens: Dalit Movements and Democratization in Tamil Nadu.* London: Sage.
—— (2017). *Panthers in Parliament: Dalits, Caste, and Political Power in South India.* Delhi: Oxford University Press.
Gottesman, Alex (2014). *Politics and the Street in Democratic Athens.* New York: Cambridge University Press.
Gourevitch, Peter (1986). *Politics in Hard Times: Comparative Responses to International Economic Crises.* Ithaca, NY: Cornell University Press.
Graves, M. A. R. (2001). *Parliaments of Early Modern Europe: 1400-1700.* New York:

Routledge.
Gregory of Tours (1974). *A History of the Franks*. New York: Penguin. [『フランク史——一〇巻の歴史』（杉本正俊訳、新評論、2007 年）]
Gretsky, Sergei (1995). "Civil War in Tajikistan: Causes, Development, and Prospects for Peace." In *Central Asia: Conflict, Resolution and Change*, edited by Roald Sagdeev and Susan Eisenhower. Washington, DC: Eisenhower Institute.
Gudmundson, Lowell (1986). *Costa Rica Before Coffee: Society and Economy on the Eve of the Export Boom*. Baton Rouge: Louisiana State University Press.
—— (1997). "Lord and Peasant in the Making of Modern Central America." In *Agrarian Structures and Political Power in Latin America*, edited by A. E. Huber and F. Safford. Pittsburgh: University of Pittsburgh Press.
Gudmundson, Lowell, and Hector Lindo-Fuentes (1995). *Central America, 1821-1871: Liberalism Before Liberal Reform*. Tuscaloosa: University of Alabama Press.
Guenée, Bernard (1985). *States and Rulers in Later Medieval Europe*. Oxford: Basil Blackwell.
Habib, Irfan (1999). *The Agrarian System of Mughal India, 1556-1707*. 2nd revised edition. Delhi: Oxford University Press.
Hacker, Jacob S. (2002). *The Divided Welfare State: The Battle over Public and Private Social Benefits in the United States*. New York: Cambridge University Press.
Hall, Jonathan M. (2013). *A History of the Archaic Greek World ca. 1200-479 BCE*. 2nd edition. Malden, MA, and Oxford: Wiley Blackwell.
Hamilton, Gary G. (2006). "Why No Capitalism in China?" In *Commerce and Capitalism in Chinese Societies*. New York: Routledge.
Harari, Yuval Noah (2018). "Why Technology Favors Tyranny." *The Atlantic*. https://www.theatlantic.com/magazine/archive/2018/10/yuval-noah-harari-technology-tyranny/568330/.
Havel, Václav (1985). "The Power of the Powerless." In Václav Havel et al., *The Power of the Powerless: Citizens Against the State in Central-Eastern Europe*. London: Routledge.
Hayek, Friedrich A. (2007) *The Road to Serfdom, Text and Documents, the Definitive Edition*, edited by Bruce Caldwell. Chicago: University of Chicago Press. [日経 BP クラシックス『隷従への道』村井章子訳、日経 BP 社、2016 年]
Heitzman, James (1997). *Gifts of Power: Lordship in an Early Indian State*. Delhi: Oxford University Press.
Heldring, Leander, and James A. Robinson (2018). "Colonialism and Economic Development in Africa." In *The Oxford Handbook on the Politics of Development*, edited by Carol Lancaster and Nicolas van de Walle. New York: Oxford University Press.
Helfont, Samuel (2014). "Saddam and the Islamists: The Ba'thist Regime's Instrumentalization of Religion in Foreign Affairs." *Middle East Journal* 68, no. 3: 352-66.
Helle, Kurt, ed. (2008). *The Cambridge History of Scandinavia*. Vol. 1, *Prehistory to 1520*. New York: Cambridge University Press.
Herrup, Cynthia B. (1989). *The Common Peace: Participation and the Criminal Law in Seventeenth-Century England*. New York: Cambridge University Press.
Hincmar of Reims (1980). "On the Governance of the Palace." In *The History of Feudalism*,

edited by David Herlihy. London: Macmillan. All quotations from 222-27.
Hindle, Steve (1999). "Hierarchy and Community in the Elizabethan Parish: The Swallowfield Articles of 1596." *The Historical Journal* 42, no. 3: 835-51.
—— **(2000).** *The State and Social Change in Early Modern England, 1550-1640*. New York: Palgrave Macmillan.
Hinton, Elizabeth (2016). *From the War on Poverty to the War on Crime: The Making of Mass Incarceration in America*. Cambridge, MA: Harvard University Press.
Hintze, Otto (1975). *Historical Essays of Otto Hintze*. Edited by F. Gilbert. New York: Oxford University Press.
Hirst, John B. (2009). *The Shortest History of Europe*. Melbourne: Black, Inc.
Ho, Ping-ti (1954). "The Salt Merchants of Yang-Chou: A Study of Commercial Capitalism in Eighteenth-Century China." *Harvard Journal of Asiatic Studies* 17, no. 1-2: 130-68.
Hobbes, Thomas (1996). *Leviathan: The Matter, Form, and Power of a Commonwealth, Ecclesiastical or Civil*. New York: Cambridge University Press. [『リヴァイアサン』（1-2、角田安正訳、古典新訳文庫、光文社、2014 年ほか）]
Hochschild, Adam (1999). *King Leopold's Ghost: A History of Greed, Terror, and Heroism in Colonial Africa*. Boston and New York: Mariner.
Hoff, Karla (2016). "Caste System." http://documents.worldbank.org/curated/en/452461482847661084/Caste-system.
Hoff, Karla, Mayuresh Kshetramade, and Ernst Fehr (2011). "Caste and Punishment: the Legacy of Caste Culture in Norm Enforcement." *Economic Journal* 121, no. 556: F449-F475.
Hoffman, David (2002). *The Oligarchs*. New York: Public Affairs.
Holden, Robert H. (2004). *Armies Without Nations: Public Violence and State Formation in Central America, 1821-1960*. New York: Oxford University Press.
Holt, J. C. (2015). *Magna Carta*. 3rd edition. New York: Cambridge University Press. [『マグナ・カルタ』（森岡敬一郎訳、慶應義塾大学出版会、2000 年）]
Holton, Sandra S. (2003). *Feminism and Democracy: Women's Suffrage and Reform Politics in Britain, 1900-1918*. New York: Cambridge University Press.
Holton, Woody (2008). *Unruly Americans and the Origins of the Constitution*. New York: Hill and Wang.
Hourani, Albert (2010). *A History of the Arab Peoples*. Cambridge, MA: Belknap Press. [『アラブの人々の歴史』（湯川武監訳、阿久津正幸編訳、第三書館、2003 年）]
Howard, Allen M. (2003). "Pawning in Coastal Northwest Sierra Leone, 1870-1910." In *Pawnship, Slavery, and Colonialism in Africa*, edited by Paul E. Lovejoy and Toyin Falola. Trenton, NJ: Africa World Press.
Huang, Philip C. C. (1998). *Civil Justice in China: Representation and Practice in the Qing*. Stanford, CA: Stanford University Press.
Huang, Yasheng (2008). *Capitalism with Chinese Characteristics*. New York: Cambridge University Press.
Hudson, John (2018). *The Formation of the English Common Law: Law and Society in England from King Alfred to the Magna Carta*. 2nd edition. New York: Routledge.

Hultzsch, Eugen (1925). *Inscriptions of Asoka*. Oxford: Clarendon Press.
Human Rights Watch (1999). "Broken People: Caste Violence Against India's Untouchables." https://www.hrw.org/report/1999/03/01/broken-people/caste-violence-against-indias-untouchables.
—— **(2008).** "Perpetual Minors: Human Rights Abuses Stemming from Male Guardianship and Sex Segregation in Saudi Arabia." https://www.hrw.org/report/2008/04/19/perpetual-minors/human-rights-abuses-stemming-male-guardianship-and-sex.
—— **(2016).** "Boxed In: Women and Saudi Arabia's Male Guardianship System." https:// www.hrw.org/report/2016/07/16/boxed/women-and-saudi-arabias-male-guardianship-system.
—— **(2018).** "Eradicating Ideological Viruses: China's Campaign of Repression Against Xinjiang's Muslims." https://www.hrw.org/report/2018/09/09/eradicating-ideological-viruses/chinas-campaign-repression-against-xinjiangs.
Hung, Ho-fung (2016). *The China Boom: Why China Will Not Rule the World*. New York: Columbia University Press.
Huntington, Samuel (1968). *Political Order in Changing Societies*. New Haven: Yale University Press.
Hutton, J. H. (1961). *Caste in India*. 3rd edition. New York: Oxford University Press.
Ibn Khaldun (2015). *The Muqaddimah: An Introduction to History*. Translated by Franz Rosenthal. The Olive Press. [『歴史序説』（1-4、森本公誠訳、岩波文庫、2001年）]
International Monetary Fund (2016). "IMF Executive Board Removes Declaration of Censure on Argentina." https://www.imf.org/en/News/Articles/2016/11/09/PR16497-Argentina-IMF-Executive-Board-Removes-Declaration-of-Censure.
James, Edward (1988). *The Franks*. Oxford: Basil Blackwell.
Jefferson, Thomas (1904). *The Works of Thomas Jefferson*. Vol. 5. London: G. P. Putnam's Sons.
Jha, Hit Narayan (1970). *The Licchavis of Vaisali*. Varanasi: Chowkhamba Sanskrit Series Office.
Jie, Yu (2015). *Steel Gate to Freedom: The Life of Liu Xiabo*. Translated by H. C. Hsu. Lanham, MD: Rowman and Littlefield.
John, Richard R. (1995). *Spreading the News: The American Postal System from Franklin to Morse*. Cambridge: Harvard University Press.
—— **(1997).** "Governmental Institutions as Agents of Change: Rethinking American Political Development in the Early Republic, 1787-1835." *Studies in American Political Development* 11, no. 2: 347-80.
Johnson, Marilynn S. (2008). *Violence in the West: The Johnson County Range War and Ludlow Massacre: A Brief History with Documents*. New York: Bedford/ St. Martin's.
Johnson, Simon, and James Kwak (2010). *13 Bankers: The Wall Street Takeover and the Next Financial Meltdown*. New York: Pantheon. [『国家対巨大銀行――金融の肥大化による新たな危機』（村井章子訳、ダイヤモンド社、2011年）]
Jones, A. H. M. (1964). *The Later Roman Empire, 284-602: A Social, Economic and Administrative Survey*. Oxford: Basil Blackwell.
Jones, Philip (1997). *The Italian City State*. Oxford: Clarendon Press.

Kamakau, Samuel M. (1992). *Ruling Chiefs of Hawaii*. Revised edition. Honolulu: Kamehameha Schools Press.
Kaplan, Robert D. (1994). *The Coming Anarchy: Shattering the Dreams of the Post Cold War*. New York: Vintage.
Karlson, Gunnar (2000). *The History of Iceland*. Minneapolis: University of Minnesota Press.
Karnes, Thomas L. (1961). *Failure of Union*. Chapel Hill: University of North Carolina Press.
Kautilya (1987). *The Arthashastra*. Translated by L. N. Rangarajan. New York: Penguin Books. [『実利論――古代インドの帝王学』(上・下、上村勝彦訳、岩波文庫、1984年)]
Keay, John (2000). *India: A History*. New York: HarperCollins.
Keeley, Lawrence H. (1996). *War Before Civilization: The Myth of the Peaceful Savage*. New York: Oxford University Press.
Kelly, Christopher (2005). *Ruling the Later Roman Empire*. Cambridge, MA: Belknap Press.
Kennedy, Hugh (2015). *The Prophet and the Age of the Caliphates: The Islamic Near East from the Sixth to the Eleventh Century*. 3rd edition. New York: Cambridge University Press.
Kepel, Gilles (2005). *The Roots of Radical Islam*. London: Saqi Books.
Kershaw, Ian (2000). *Hitler: 1889-1936: Hubris*. New York: W. W. Norton. [『ヒトラー――1889-1936 傲慢』(川喜田敦子、福永美和子訳、白水社、2016年)]
al-Khalil, Samir (1989). *Republic of Fear: The Politics of Modern Iraq*. Berkeley: University of California Press.
Khan, B. Zorina (2009). *The Democratization of Invention: Patents and Copyrights in American Economic Development, 1790-1920*. Chicago: University of Chicago Press.
Killick, Tony (1976). *Development Economics in Action*. London: Heinemann.
Kim, Sung Ho (2017). "Max Weber." *The Stanford Encyclopedia of Philosophy* (Winter 2017 edition), edited by Edward N. Zalta. https://plato.stanford.edu/archives/win2017/entries/weber/.
King, Desmond, and Robert C. Lieberman (2009). "Ironies of State Building: A Comparative Perspective on the American State." *World Politics* 61, no. 3: 547-88.
King, Gary, Ori Rosen, Martin Tanner, and Alexander Wagner (2008). "Ordinary Economic Voting Behavior in the Extraordinary Election of Adolf Hitler." *Journal of Economic History* 68, no. 4: 951-96.
Kirch, Patrick V. (2010). *How Chiefs Became Kings: Divine Kingship and the Rise of Archaic States in Ancient Hawai'i*. Berkeley: University of California Press.
—— (2012). *A Shark Going Inland Is My Chief: The Island Civilization of Ancient Hawai'i*. Berkeley: University of California Press.
Kirch, Patrick V., and Marshall D. Sahlins (1992). *Anahulu: The Anthropology of History in the Kingdom of Hawaii*. Vol. 1, *Historical Ethnography*. Chicago: University of Chicago Press.
Kitschelt, Herbert P. (2003). "Accounting for Postcommunist Regime Diversity: What Counts as a Good Cause?" In *Capitalism and Democracy in Central and East Europe: Assessing the Legacy of Communist Rule*, edited by Grzegorz Ekiert and Stephen E. Hanson. Cambridge: Cambridge University Press.
Kitson-Clark, G. S. R. (1951). "The Electorate and the Repeal of the Corn Laws." *Transactions*

of the Royal Historical Society 1: 109-26.
Knauft, Bruce (1987). "Reconsidering Violence in Simple Human Societies." *Current Anthropology* 28, no. 4: 457-500.
Kremer, Michael, Nazmul Chaudhury, F. Halsey Rogers, Karthik Muralidharan, and Jeffrey Hammer (2005). "Teacher Absence in India: A Snapshot." *Journal of the European Economic Association* 3, no. 2-3: 658-67.
Kuhn, Philip A. (1990). *Soulstealers: The Chinese Sorcery Scare of 1768*. Cambridge, MA: Harvard University Press. [『中国近世の霊魂泥棒』（谷井俊仁、谷井陽子訳、平凡社、1996年）]
Kümin, Beat (2013). *The Communal Age in Western Europe, 1100-1800*. New York: Palgrave Macmillan.
Kümin, Beat, and Andreas Würgler (1997). "Petitions, *Gravamina* and the Early Modern State: Local Influence on Central Legislation in England and Germany (Hesse)." *Parliaments, Estates and Representation* 17: 39-60.
Kuran, Timur (2012). *The Long Divergence: How Islamic Law Held Back the Middle East*. Princeton, NJ:Princeton University Press.
Kurzman, Charles (2003). "Pro-U.S. Fatwas." *Middle East Policy* 10, no. 3: 155-66. https://www.mepc.org/pro-us-fatwas.
Kurzman, Dan (1960). *Kishi and Japan: The Search for the Sun*. New York: Ivan Obolensky.
Kuykendall, Ralph S. (1965). *The Hawaiian Kingdom, 1778-1854, Foundation and Transformation*. Honolulu, University of Hawai'i Press.
Laiou, Angeliki E., and Cécile Morrisson (2007). *The Byzantine Economy*. New York: Cambridge University Press.
Lanni, Adriaan (2016). *Law and Order in Ancient Athens*. New York: Cambridge University Press.
Lapidus, Ira M. (2014). *A History of Islamic Societies*. 3rd edition. New York: Cambridge University Press.
Larson, John Lauritz (2001). *Internal Improvement: National Public Works and the Promise of Popular Government in the Early United States*. Chapel Hill: University of North Carolina Press.
Larson, T. A. (1990). *History of Wyoming*. 2nd edition. Lincoln: University of Nebraska Press.
Leão, Delfim F., and Peter J. Rhodes (2016). *The Laws of Solon*. New York: I.B. Tauris.
Lepsius, M. Rainer (1978). "From Fragmented Party Democracy to Government by Emergency Decree and National Socialist Takeover: Germany." In *The Breakdown of Democratic Regimes: Europe*, edited by Juan J. Linz and Alfred Stepan. Baltimore: Johns Hopkins University Press.
Levinson, Daryl J. (2014). "Incapacitating the State." *William and Mary Law Review* 56, no. 1: 181-226.
Lewis, Mark Edward (2000). "The City-State in Spring-and-Autumn China." In *A Comparative Study of Thirty City-State Cultures*, edited by Mogens Herman Hansen. Historisk-filosofiske Skrifter 21. Copenhagen: Royal Danish Academy of Sciences and Letters.
—— **(2011).** *The Early Chinese Empires: Qin and Han. Cambridge*, MA: Harvard University Press.

—— (2012a). *China between Empires: The Northern and Southern Dynasties. Cambridge*, MA: Harvard University Press.
—— (2012b). *China's Cosmopolitan Empire: The Tang Dynasty*. Cambridge, MA: Harvard University Press.
Lewis, Oscar (1965). *Village Life in Northern India*. New York: Vintage Books.
Liddell Hart, Basil, ed. (1953). *The Rommel Papers*. New York: Harcourt, Brace.
Lim, Luisa (2014). *The People's Republic of Amnesia: Tiananmen Revisited*. New York: Oxford University Press.
Linz, Juan J. (1978). *The Breakdown of Democratic Regimes: Crisis, Breakdown and Reequilibration*. Baltimore: Johns Hopkins University Press.
Lipset, Seymour Martin (1959). "Some Social Requisites of Democracy: Economic Development and Political Legitimacy." *American Political Science Review* 53, no. 1: 69-105.
Litwack, Leon F. (2009). *How Free Is Free? The Long Death of Jim Crow*. Cambridge, MA: Harvard University Press.
Liu, Alan P. L. (1992). "The 'Wenzhou Model' of Development and China's Modernization." *Asian Survey* 32, no. 8: 696-711.
Liu, William Guanglin (2015). *The Chinese Market Economy, 1000-1500*. Albany: State University of New York Press.
Locke, John (2003). *Two Treatises of Government*. Edited by Ian Shapiro. New Haven: Yale University Press. [『統治論』（宮川透訳、中央公論新社、2007 年ほか）]
Loewen, James W. (2006). *Sundown Towns: A Hidden Dimension of American Racism*. New York: Touchstone.
Lopez, Robert S. (1951). "The Dollar of the Middle Ages." *Journal of Economic History* 11, no. 3: 209-34.
—— (1976). *The Commercial Revolution of the Middle Ages, 950-1350*. New York: Cambridge University Press.
Lovejoy, Paul E., and Toyin Falola, eds. (2003). *Pawnship, Slavery, and Colonialism in Africa*. Trenton, NJ: Africa World Press.
Loveman, Brian (1976). *Struggle in the Countryside: Politics and Rural Labor in Chile, 1919-1973*. Bloomington: University of Indiana Press.
Lugard, Frederick (1922). *The Dual Mandate in Tropical Africa*. London: Frank Cass.
Machiavelli, Niccolò (2005). *The Prince*. New York: Oxford University Press. [『君主論』（新版、池田廉訳、中央公論新社、2018 年ほか）]
Maddicott, J. R. (2012). *The Origins of the English Parliament, 924-1327*. New York: Oxford University Press.
Mahoney, James L. (2001). *The Legacies of Liberalism: Path Dependence and Political Regimes in Central America*. Baltimore: Johns Hopkins University Press.
Majumdar, Ramesh C. (1922). *Corporate Life in Ancient India*. Poona: Oriental Book Agency.
Malaviya, H. D. (1956). *Village Panchayats in India*. New Delhi: All India Congress Committee.
Malo, David (1987). *Hawaiian Antiquities*. Honolulu: Bishop Museum Press.
Mamdani, Mahmood (1996). *Citizen and Subject: Contemporary Africa and the Legacy of Late*

Colonialism. Princeton, NJ: Princeton University Press.
Mandeville, Bernard (1989). *The Fable of the Bees: Or Private Vices, Publick Benefits*. New York: Penguin. [『蜂の寓話——私悪すなわち公益』(新装版、泉谷治訳、法政大学出版局、2015年)]
Mann, Michael (1986). *The Sources of Social Power*. Vol. 1, *A History of Power from the Beginning to AD 1760*. New York: Cambridge University Press. [『先史からヨーロッパ文明の形成へ』(森本醇、君塚直隆訳、NTT出版、2002年)]
Marchal, Guy (2006). "Die 'alpine Gesellschaft.'" In *Geschichte der Schweiz und der Schweizer*. Zurich: Schwabe.
Marongiu, Antonio (1968). *Mediaeval Parliaments: Comparative Study*. London: Eyre & Spottiswoode.
Mathew, Santhosh, and Mick Moore (2011). "State Incapacity by Design: Understanding the Bihar Story." http://www.ids.ac.uk/files/dmfile/Wp366.pdf.
Mathur, Kuldeep (2013). *Panchayati Raj: Oxford India Short Introductions*. Delhi: Oxford University Press.
Matthai, John (1915). *Village Government in British India*. London: T. Fisher Unwin.
Mazzuca, Sebastián L., and James A. Robinson (2009). "Political Conflict and Power-Sharing in the Origins of Modern Colombia." *Hispanic American Historical Review* 89: 285-321.
McAdam, Doug (1999). *Political Process and the Development of Black Insurgency, 1930-1970*. 2nd edition. Chicago: University of Chicago Press.
McCreery, David J. (1994). *Rural Guatemala, 1760-1940*. Stanford, CA: Stanford University Press.
McDonald, Forrest (2000). *States' Rights and the Union: Imperium in Imperio, 1776-1876*. Lawrence: University Press of Kansas.
McPherson, James M. (2003). *Battle Cry of Freedom: The Civil War Era*. New York: Oxford University Press.
Meier, Pauline (2011). *Ratification: The People Debate the Constitution, 1787-1788*. New York: Simon & Schuster.
Menchú, Rigoberta (1984). *I, Rigoberta Menchú*. London: Verso. [『私の名はリゴベルタ・メンチュウ——マヤ＝キチェ族インディオ女性の記録』(高橋早代訳、新潮社、1987年)]
Mengzi (2008). *Mengzi: With Selections from Traditional Commentaries*. Indianapolis: Hackett.
Mettler, Suzanne (2011). *The Submerged State: How Invisible Government Policies Undermine American Democracy*. Chicago: University of Chicago Press.
Michalopoulos, Stelios, Alireza Naghavi, and Giovanni Prarolo (2018). "Trade and Geography in the Spread of Islam." *Economic Journal* 128, no. 616: 3210-41.
Miers, Suzanne, and Igor Kopytoff, eds. (1977). *Slavery in Africa: Historical and Anthropological Perspectives*. Madison: University of Wisconsin Press.
Migdal, Joel (1988). *Strong Societies and Weak States: State-Society Relations and State Capabilities in the Third World*. Princeton, NJ: Princeton University Press.
—— (2001). *State-in-Society: Studying How States and Societies Transform and Constitute One Another*. New York: Cambridge University Press.

Mill, John Stuart (1869). *The Subjection of Women*. London: Longmans, Green, Reader and Dyer. [『女性の解放』（大内兵衛、大内節子訳、岩波文庫、1957年）]
Miller, William Ian (1997). *Bloodtaking and Peacemaking: Feud, Law, and Society in Saga Iceland*. Chicago: University of Chicago Press.
Misgeld, Klaus, Karl Molin, and Klas Amark (1988). *Creating Social Democracy: A Century of the Social Democratic Labor Party in Sweden*. University Park: Pennsylvania State University Press.
Mitchell, Stephen (2004). *Gilgamesh: A New English Version*. New York: Free Press.
Moeller, Robert G. (2010). *The Nazi State and German Society: A Brief History with Documents*. New York: Bedford/ St. Martin's.
Moene, Karl-Ove, and Michael Wallerstein (1997). "Pay Inequality." *Journal of Labor Economics* 15, no. 3: 403-30.
Mokyr, Joel (1990). *The Lever of Riches*. New York: Oxford University Press.
—— **(2009).** *The Enlightened Economy*. New Haven: Yale University Press.
Montgomery, Fiona A. (2006). *Women's Rights: Struggles and Feminism in Britain c. 1770-1970*. Manchester: University of Manchester Press.
Mookerji, Radhakumud (1920). *Local Government in Ancient India*. Oxford: Clarendon Press.
Moore, Barrington (1966). *The Social Origins of Dictatorship and Democracy*. Boston: Beacon Press. [『独裁と民主政治の社会的起源——近代世界形成過程における領主と農民』（上・下、宮崎隆次〔ほか〕訳、岩波文庫、2019年）]
Morerod, Jean-Daniel, and Justin Favrod (2014). "Entstehung eines sozialen Raumes (5.-13. Jahrhundert)." In *Die Geschichte der Schweiz*, edited by Georg Kreis. Basel: Schwabe.
Morgan, Edmund S. (1975). *American Slavery, American Freedom*. New York: W. W. Norton.
Morris, Donald R. (1998). *The Washing of the Spears: The Rise and Fall of the Zulu Nation*. Boston: Da Capo Press.
Morris, Ian (1996). "The Strong Principle of Equality and the Archaic Origins of Greek Democracy." In *Demokratia: A Conversation on Democracies, Ancient and Modern*, edited by Joshua Ober and Charles Hedrick. Princeton, NJ: Princeton University Press.
—— **(2010).** "The Greater Athenian State." In *The Dynamics of Ancient Empires: State Power from Assyria to Byzantium*, edited by Ian Morris and Walter Scheidel. New York: Oxford University Press.
Morse, H. B. (1920). *The Trade and Administration of China*. 3rd edition. London: Longmans, Green.
Mortimer, Edward (1990). "The Thief of Baghdad." *The New York Review of Books* 37, no. 14. https://web.archive.org/web/20031014004305/http://www.nybooks.com/articles/ 3519.
Mote, Frederick W. (2000). *Imperial China 900-1800*. Cambridge, MA: Harvard University Press.
Mouline, Nabil (2014). *The Clerics of Islam: Religious Authority and Political Power in Saudi Arabia*. New Haven: Yale University Press.
Mueller, Reinhold C (1997). *The Venetian Money Market: Banks, Panics, and the Public Debt, 1200-1500*. Baltimore: Johns Hopkins University Press.

Mühlberger, Detlef (2003). *The Social Bases of Nazism, 1919-1933*. New York: Cambridge University Press.
Munshi, Kaivan (2017). "Caste and the Indian Economy." http://www.histecon.magd.cam.ac.uk/km/Munshi_ JEL2.pdf.
Murdock, George P. (1959). *Africa: Its Peoples and Their Culture History*. New York: McGraw-Hill.
Murray, Alexander C. (1983). *Germanic Kinship Structure*. Toronto: Pontifical Institute of Mediaeval Studies.
—— **(1988).** "From Roman to Frankish Gaul." *Traditio* 44: 59-100.
Myers, A. R. (1975). *Parliaments and Estates in Europe to 1789*. San Diego: Harcourt Brace Jovanovich. [『中世ヨーロッパの身分制議会――新しいヨーロッパ像の試み 2 歴史・民族・文明』（宮島直機訳、刀水書房、1996 年）]
Myerson, Roger B. (2004). "Political Economics and the Weimar Disaster." http:// home.uchicago.edu/rmyerson/research/weimar.pdf.
Nee, Victor, and Sonja Opper (2012). *Capitalism from Below: Markets and Institutional Change in China*. New York: Cambridge University Press.
Neier, Aryeh (2012). *International Human Rights Movement: A History*. Princeton, NJ: Princeton University Press.
Nelson, Janet L. (2003). *The Frankish World, 750-900*. London: Bloomsbury Academic.
North, Douglass C., and Robert Paul Thomas (1973). *The Rise of the Western World: A New Economic History*. New York: Cambridge University Press. [『西欧世界の勃興――新しい経済史の試み』（新装版、速水融、穐本洋哉訳、ミネルヴァ書房、2014 年）]
North, Douglass C., John Wallis, and Barry R. Weingast (2009). *Violence and Social Orders: A Conceptual Framework for Interpreting Recorded Human History*. New York: Cambridge University Press. [『暴力と社会秩序――制度の歴史学のために（叢書《制度を考える》）』（杉之原真子訳、NTT 出版、2017 年）]
Novak, William J. (1996). *The People's Welfare: Law and Regulation in Nineteenth-Century America*. Chapel Hill: University of North Carolina Press.
—— **(2008).** "The Myth of the 'Weak' American State." *American Historical Review* 113, no. 3: 752-72.
—— **(2017).** "The Myth of the New Deal State." In *Liberal Orders: The Political Economy of the New Deal and Its Opponents*, edited by N. Lichtenstein, J.-C. Vinel, and R. Huret. Forthcoming.
Novak, William J., and Steven C. A. Pincus (2017). "Revolutionary State Foundation: The Origins of the Strong American State." In *State Formations: Histories and Cultures of Statehood*, edited by J. L. Brooke, J. C. Strauss, and G. Anderson. Cambridge: Cambridge University Press.
Ober, Josiah (2005). *Athenian Legacies: Essays in the Politics of Going On Together*. Princeton, NJ: Princeton University Press.
—— **(2015a).** *The Rise and Fall of Classical Greece*. New York: Penguin.
—— **(2015b).** "Classical Athens [fiscal policy]." In *Fiscal Regimes and Political Economy of Early States*, edited by Walter Scheidel and Andrew Monson. New York: Cambridge University Press.

O'Brien, Kevin J., ed. (2008). *Popular Protest in China*. Cambridge, MA: Harvard University Press.

O'Brien, Kevin J., and Lianjiang Li (2006). *Rightful Resistance in Rural China*. New York: Cambridge University Press.

O'Donnell, Guillermo, and Philippe C. Schmitter (1986). *Transitions from Authoritarian Rule*. Baltimore: Johns Hopkins University Press. [『民主化の比較政治学——権威主義支配以後の政治世界』（真柄秀子、井戸正伸訳、未來社、1991年）]

Origo, Iris (1957). *The Merchant of Prato*. New York: Alfred A. Knopf. [『プラートの商人——中世イタリアの日常生活』（新装版、篠田綾子訳、白水社、2008年）]

Orren, Karen, and Stephen Skowronek (2004). *The Search for American Political Development*. New York: Cambridge University Press.

Osafo-Kwaako, Philip, and James A Robinson (2013). "Political Centralization in Pre-Colonial Africa." *Journal of Comparative Economics* 41, no. 1: 534-64.

Osborne, Robin (2009). *Greece in the Making 1200-479 BC*. New York: Routledge.

Ost, David (2006). *Defeat of Solidarity: Anger and Politics in Postcommunist Europe*. Ithaca, NY: Cornell University Press.

Özmucur, Süleyman, and Şevket Pamuk (2002). "Real Wages and Standards of Living in the Ottoman Empire, 1489-1914." *Journal of Economic History* 62, no. 2: 293-321.

Paige, Jeffrey M. (1997). *Coffee and Power: Revolution and the Rise of Democracy in Central America*. Cambridge, MA: Harvard University Press.

Pamuk, Şevket (2006). "Urban Real Wages around the Eastern Mediterranean in Comparative Perspective, 1100-2000." In *Research in Economic History,* vol. 23, edited by Alexander Field, Gregory Clark, and William A. Sundstrom, 209-28. Bingley, UK: Emerald House.

—— **(2014).** "Institutional Change and Economic Development in the Middle East, 700-1800." In *The Cambridge History of Capitalism*, edited by Larry Neal and Jeffrey G. Williamson, vol. 1, *The Rise of Capitalism: From Ancient Origins to 1848*. New York: Cambridge University Press.

Pantos, Aliki, and Sarah Semple, eds. (2004). *Assembly Places and Practices in Medieval Europe*. Dublin: Four Courts Press.

Parry, Jonathan P. (1979). *Caste and Kinship in Kangra*. New York: Routledge.

Pascali, Luigi (2017). "The Wind of Change: Maritime Technology, Trade, and Economic Development." *American Economic Review* 107, no. 9: 2821-54.

Pattison, George. (2000). *Routledge Philosophy Guidebook to the Later Heidegger*. London: Routledge.

Pearlman, Wendy (2017). *We Crossed a Bridge and It Trembled: Voices from Syria*. New York: Custom House. [『シリア 震える橋を渡って——人々は語る』（安田菜津紀、佐藤慧訳、岩波書店、2019年）]

Pei, Minxin (2016). *China's Crony Capitalism: The Dynamics of Regime Decay*. Cambridge, MA: Harvard University Press.

Perham, Margery (1960). *Lugard: The Years of Adventure, 1858-1945* and *Lugard: The Years of Authority, 1898-1945*. 2 vols. London: Collins.

Perry, Elizabeth J. (2008). "Chinese Conceptions of 'Rights': from Mencius to Mao— and Now."

Perspectives on Politics 6, no. 1: 37-50.
Pettit, Philip (1999). *Republicanism: A Theory of Freedom and Government*. New York: Oxford University Press.
—— (2014). *Just Freedom: A Moral Compass for a Complex World*. New York: W. W. Norton.
Pezzolo, Luciano (2014). "The Via Italiana to Capitalism." In *The Cambridge History of Capitalism*, edited by Larry Neal and Jeffrey G. Williamson, vol. 1, *The Rise of Capitalism: From Ancient Origins to 1848*. New York: Cambridge University Press.
Philby, Harry St. John B. (1928). *Arabia of the Wahhabis*. London: Constable.
Phillippon, Thomas, and Ariell Reshef (2012). "Wages in Human Capital in the U.S. Finance Industry: 1909-2006." *Quarterly Journal of Economics* 127: 1551-1609.
Piketty, Thomas, and Emmanuel Saez (2003). "Income Inequality in the United States, 1913-1998." *Quarterly Journal of Economics* 118, no. 1: 1-41.
Pils, Eva (2014). *China's Human Right Lawyers: Advocacy and Resistance*. London: Routledge.
Pincus, Steven C. A. (2011). *1688: The First Modern Revolution*. New Haven: Yale University Press.
Pincus, Steven C. A., and James A. Robinson (2012). "What Really Happened During the Glorious Revolution?" In *Institutions, Property Rights and Economic Growth: The Legacy of Douglass North*, edited by Sebastián Galiani and Itai Sened. New York: Cambridge University Press.
—— (2016). "Wars and State-Making Reconsidered: The Rise of the Developmental State." *Annales, Histoire et Sciences Sociales* 71, no. 1: 7-35.
Pines, Yuri (2009). *Envisioning Eternal Empire: Chinese Political Thought of the Warring States Era*. Honolulu: University of Hawai'i Press.
—— (2012). *The Everlasting Empire: The Political Culture of Ancient China and Its Imperial Legacy*. Princeton, NJ: Princeton University Press.
Pinker, Steven (2011). *The Better Angels of Our Nature: Why Violence Has Declined*. New York: Penguin Books. [『暴力の人類史』（上・下、幾島幸子、塩原通緒訳、青土社、2015 年）]
Pirenne, Henri (1952). *Medieval Cities: Their Origins and the Revival of Trade*. Princeton, NJ: Princeton University Press. [『西洋中世都市發達史――都市の起源と商業の復活』（今来陸郎訳、白揚社、1943 年）]
Plaatje, Sol (1916). *Native Life in South Africa*. London: P. S. King and Son.
Platteau, Jean-Philippe (2011). "Political Instrumentalization of Islam and the Risk of Obscurantist Deadlock." *World Development* 39, no. 2: 243-60.
—— (2017). *Islam Instrumentalized: Religion and Politics in Historical Perspective*. New York: Cambridge University Press.
Plutarch (1914). *Lives*. Vol. 1, *Theseus and Romulus. Lycurgus and Numa. Solon and Publicola*. Translated by Bernadotte Perrin. Cambridge, MA: Harvard University Press. [『プルタルコス英雄伝』（上・中・下、村川堅太郎訳、ちくま学芸文庫、1996 年ほか）]
Pomeranz, Kenneth (2001). *China, Europe, and the Making of the Modern World Economy*. Princeton, NJ: Princeton University Press.
Pope, Nicole, and Hugh Pope (2011). *Turkey Unveiled: A History of Modern Turkey*. New York:

Overlook Press.
Powell, Anton (2016). *Athens and Sparta: Constructing Greek Political and Social History from 478 BC.* 3rd edition. New York: Routledge.
Procopius (2007). *The Secret History.* New York: Penguin.［『秘史』（和田廣訳、京都大学学術出版会、2015 年）］
Putnam, Robert D., Robert Leonardi, and Raffaella Y. Nanetti (1994). *Making Democracy Work: Civic Traditions in Modern Italy.* Princeton, NJ: Princeton University Press.［『哲学する民主主義――伝統と改革の市民的構造』（河田潤一訳、NTT 出版、2001 年）］
Rattray, Robert S. (1929). *Ashanti Law and Constitution.* Oxford: Clarendon Press.
Reginald of Durham (1918). "Life of St. Godric." In *Social Life in Britain from the Conquest to the Reformation*, edited by G. G. Coulton, 415-20. Cambridge: Cambridge University Press.
Reiche, Danyel (2011). "War Minus the Shooting." *Third World Quarterly* 32, no. 2: 261-77.
Reuter, Timothy (2001). "Assembly Politics in Western Europe from the Eighth Century to the Twelfth." In *The Medieval World*, edited by Peter Linehan and Janet L. Nelson. London and New York: Routledge.
Rhodes, Peter J. (2011). *A History of the Classical Greek World: 478-323 BC.* Oxford: Wiley-Blackwell.
Ricardo, David ([1824] 1951-1973). "Defense of the Plan of Voting by Ballot." In *The Works and Correspondence of David Ricardo*, edited by Maurice H. Dobb and Piero Sraffa, vol. 5. Cambridge: Cambridge University Press.［「無記名投票案の擁護」（『デイヴィド・リカードウ全集第Ｖ巻――議会の演説および証言』杉本俊朗監訳、雄松堂書店、1978 年）
Richards, John F. (1993). *The Mughal Empire.* New York: Cambridge University Press.
Ritter, E. A. (1985). *Shaka Zulu: The Biography of the Founder of the Zulu Nation.* London: Penguin.
Roach, Levi (2013). *Kingship and Consent in Anglo-Saxon England, 871-978: Assemblies and the State in the Early Middle Ages.* New York: Cambridge University Press.
—— **(2017).** *Æthelred: The Unready.* New Haven: Yale University Press.
Roberts, Elizabeth (2007). *Realm of the Black Mountain: A History of Montenegro.* Ithaca, NY: Cornell University Press.
Roberts, Michael (1956). "The Military Revolution, 1560-1660." Reprinted with some amendments in Roberts, *Essays in Swedish History.* London: Weidenfeld and Nicholson.
Robertson, A. J., ed. (1925). *The Laws of the Kings of England from Edmund to Henry I.* Cambridge: Cambridge University Press.
Robinson, Eric W. (2011). *Democracy Beyond Athens.* New York: Cambridge University Press.
Robinson, James A. (2007). "Un Típico País Latinoamericano? Una Perspectiva sobre el Desarrollo." In *Economía Colombiana del Siglo XX: Un Análisis Cuantitativo*, edited by James A. Robinson and Miguel Urrutia Montoya. Bogotá: Fondo de Cultura Económica.
—— **(2013).** "Colombia: Another 100 Years of Solitude?" *Current History* 112 (751), 43-48.
—— **(2016).** "La Miseria en Colombia." *Desarollo y Sociedad* 76, no. 1: 1-70.
Rodinson, Maxime (2007). *Islam and Capitalism.* London: Saqi Books.
Rosenberg, Hans (1958). *Bureaucracy, Aristocracy and Autocracy: The Prussian Experience.*

Cambridge, MA: Beacon Press.
Rothstein, Richard (2014). "The Making of Ferguson." http://www.epi.org/files/2014/making-of-ferguson-final.pdf.
—— (2017). *The Color of Law: A Forgotten History of How Our Government Segregated America*. New York: Liveright.
Rowe, William T. (1984). *Hankow: Commerce and Society in a Chinese City, 1796-1889*. Stanford, CA: Stanford University Press.
—— (1989). *Hankow: Conflict and Community in a Chinese City, 1796-1895*. Stanford, CA: Stanford University Press.
—— (2009). *China's Last Empire: The Great Qing*. Cambridge, MA: Harvard University Press.
Roy, Arundhati (2014). "The Doctor and the Saint." In B. R. Ambedkar, *Annihilation of Caste: The Annotated Critical Edition*. London: Verso.
Roy, Kumkum (1994). *The Emergence of Monarchy in North India, Eighth to Fourth Centuries B.C.* Delhi: Oxford University Press.
Rubinstein, Nicolai (1958). "Political ideas in Sienese Art: The Frescoes by Ambrogio Lorenzetti and Taddeo di Bartolo in the Palazzo Pubblico." *Journal of the Warburg and Courtauld Institutes* 21, no. 3-4: 179-207.
Rueschemeyer, Dietrich, Evelyn H. Stephens, and John D. Stephens (1992). *Capitalist Development and Democracy*. Chicago: University of Chicago Press.
Sablonier, Roger (2015). "The Swiss Confederation." In *The New Cambridge Medieval History*, edited by Christopher Allmand, vol. 7. New York: Cambridge University Press.
Safford, Frank (1985). "Politics, Ideology and Society in Post-Independence Spanish America." In *The Cambridge History of Latin America*, edited by Leslie Bethell, vol. 3, *From Independence to c. 1870*, 347-421. New York: Cambridge University Press.
Samuels, Richard (2003). *Machiavelli's Children: Leaders and Their Legacies in Italy and Japan*. Ithaca, NY: Cornell University Press. [『マキァヴェッリの子どもたち——日伊の政治指導者は何を成し遂げ、何を残したか』（鶴田知佳子、村田久美子訳、東洋経済新報社、2007 年）]
Santos-Villagran, Rafael (2016). "Share Is to Keep: Ownership Transfer to Politicians and Property Rights in Post-Apartheid South Africa." https://sites.google.com/site/rjsantosvillagran/research.
Satyanath, Shanker, Nico Voigtländer, and Hans-Joachim Voth (2017). "Bowling for Fascism: Social Capital and the Rise of the Nazi Party." *Journal of Political Economy* 125, no. 2: 478-526.
Schaller, Michael (1995). "America's Favorite War Criminal: Kishi Nobusuke And the Transformation of US Japan Relations." Japan Policy Research Institute, http://www.jpri.org/publications/workingpapers/wp11.html.
Scott, James C. (2010). *The Art of Not Being Governed*. New Haven: Yale University Press. [『ゾミア——脱国家の世界史』（佐藤仁監訳、池田一人、今村真央、久保忠行、田崎郁子、内藤大輔、中井仙丈共訳、みすず書房、2013 年）]
Shah, Ghanshyam, Harsh Mander, Sukhadeo Thorat, Satish Deshpande, and Amita Baviskar (2006). *Untouchability in Rural India*. Delhi: Sage.
Shang Yang (2017). *The Book of Lord Shang*. Translated and edited by Yuri Pines. New York:

Columbia University Press.
Sharma, J. P. (1968). *Republics in Ancient India: c. 1500 B.C.-500 B.C.* Leiden: Brill.
Sharma, Ram Sharan (2005). *Aspects of Political Ideas and Institutions in Ancient India.* 5th edition. Delhi: Motilal Banarasidass.
Shastri, K. A. Nilakanta (1997). *A History of South India: From Prehistoric Times to the Fall of Vijayanagar.* 4th edition. Delhi: Oxford University Press.
Shatzmiller, Maya (2009). "Transcontinental Trade and Economic Growth in the Early Islamic Empire: The Red Sea Corridor in the 8th-10th centuries." In *Connected Hinterlands*, edited by Lucy Blue, Ross Thomas, John Cooper, and Julian Whitewright. Oxford: Society for Arabian Studies.
Shepard, William R. (1911). *Historical Atlas.* New York: Henry Holt. (Viewed at https://archive.org/details/bub_gb_6Zc9AAAAYAAJ.)
Shirer, William L. (1960). *The Rise and Fall of the Third Reich: A History of Nazi Germany.* New York:Simon & Schuster. [『第三帝国の興亡』(1-5、松浦伶訳、東京創元社、2008 年)]
Simić, Andrei (1967). "The Blood Feud in Montenegro." University of California at Berkeley, Kroeber Anthropological Society Special Publications 1.
Simon, Joshua (2017). *The Ideology of Creole Revolution.* New York: Cambridge University Press.
Simpson, Mark, and Tony Hawkins (2018). *The Primacy of Regime Survival: State Fragility and Economic Destruction in Zimbabwe.* London: Palgrave Macmillan.
Singh, Upinder (2009). *History of Ancient and Early Medieval India: From the Stone Age to the 12th Century.* Upper Saddle River, NJ: Pearson Education.
Skinner, Quentin (1986). "Ambrogio Lorenzetti: The Artist as Political Philosopher." *Proceedings of the British Academy* 72: 1-56.
—— (1999). "Ambrogio Lorenzetti's Buon Governo Frescoes: Two Old Questions, Two New Answers." *Journal of the Warburg and Courtauld Institutes* 62: 1-28.
Skocpol, Theda (1995). *Protecting Mothers and Soldiers: The Political Origins of Social Policy in the United States.* Cambridge, MA: Belknap Press.
Skowronek, Stephen (1982). *Building a New American State: The Expansion of National Administrative Capacities, 1877-1920.* New York: Cambridge University Press.
Smith, Brian K. (1994). *Classifying the Universe: The Ancient Indian Varna System and the Origins of Caste.* New York: Oxford University Press.
Smith-Dorrien, Horace (1925). *Memories of Forty-Eight Years' Service.* London: John Murray.
Sobel, Dava (2007). *Longitude.* New York: Bloomsbury. [『経度への挑戦』(藤井留美訳、角川文庫、2010 年)]
Song, Jae, David J. Price, Fatih Güvenen, Nicholas Bloom, and Till von Wachter (2015). "Firming Up Inequality." NBER Working Paper No. 21199.
Southall, Roger (2005). "Black Empowerment and Corporate Capital." In *The State of the Nation: South Africa 2004-2005*, edited by John Daniel, Roger Southall, and Jessica Lutchman. Johannesburg. HSRC Press.
Soyinka, Wole (2006). *You Must Set Forth at Dawn.* New York: Random House.

Spence, Jonathan D. (1978). *The Death of Woman Wang*. New York: Viking Press. [『ある農婦の死――十七世紀、中国の現実と夢幻世界』（山本英史訳、平凡社、1990年）]
—— (2012). *The Search for Modern China*. 3rd edition. New York: W. W. Norton.
—— (2014). *The Search for Modern China: A Documentary Collection*. New York: W. W. Norton.
Srinivas, M. N. (1976). *The Village Remembered*. Berkeley: University of California Press.
—— (1994). *The Dominant Caste and Other Essays*. Revised and expanded edition. Delhi: Oxford University Press.
Stafford, Pauline (1989). *Unification and Conquest: A Political and Social History of England in the Tenth and Eleventh Centuries*. New York: Hodder Arnold.
Stanger, Allison (2011). *One Nation Under Contract: The Outsourcing of American Power and the Future of Foreign Policy*. New Haven: Yale University Press.
Stein, Burton (1980). *Peasant State and Society in Medieval South India*. Delhi: Oxford University Press.
—— (1990). *Vijayanagara*. New York: Cambridge University Press.
Steinberg, Jonathan (2016). *Why Switzerland?* New York: Cambridge University Press.
Steinberg, Guido (2005). "The Wahhabi Ulama and the Saudi State: 1745 to the Present." In *Saudi Arabia in the Balance: Political Economy, Society, Foreign Affairs*, edited by Paul Aarts and Gerd Nonneman. London: Hurst.
Struve, Lynn A., ed. (1998). *Voices from the Ming-Qing Cataclysm: China in Tigers' Jaws*. New Haven: Yale University Press.
Stuart, Douglas T. (2008). *Creating the National Security State*. Princeton, NJ: Princeton University Press.
Subbarayalu, Y. (1974). *Political Geography of Chola Country*. Madras: Government of Tamil Nadu.
—— (2012). *South India Under the Cholas*. Delhi: Oxford University Press.
Swenson, Peter A. (2002). *Capitalists Against Markets: The Making of Labor Markets and Welfare States in the United States and Sweden*. New York: Oxford University Press.
Tacitus (1970). *The Agricola and the Germania*. Translated by Harold Mattingly. London: Penguin Books. All quotations from pp. 107-12.
Thakur, Sankharshan (2006). *Subaltern Saheb: Bihar and the Making of Laloo Yadav*. New Delhi: Picador India.
Thapar, Romila (1999). *From Lineage to State: Social Formations in the Mid-First Millennium B.C. in the Ganga Valley*. New York: Oxford University Press.
—— (2002). *Early India: From the Origins to AD 1300*. Berkeley: University of California Press.
Therborn, Goran (1977). "The Rule of Capital and the Rise of Democracy." *New Left Review* 103: 3-41.
Thompson, Augustine (2012). *Francis of Assisi: A New Biography*. Ithaca, NY: Cornell University Press.
Thompson, Leonard (2014). *A History of South Africa*. 4th edition. New Haven: Yale University Press.

Tilly, Charles, ed. (1975). *The Formation of National States in Western Europe*. Princeton, NJ: Princeton University Press.
Tilly, Charles (1992). *Coercion, Capital and European States*. Oxford: Basil Blackwell.
—— (1995). *Popular Contention in Great Britain, 1758 to 1834*. London: Paradigm.
Tocqueville, Alexis de (2002). *Democracy in America*. Translated and edited by Harvey C. Mansfield and Delba Winthrop. Chicago: University of Chicago Press. [『アメリカの民主政治』（上・中・下、井伊玄太郎訳、講談社学術文庫、1987 年)]
Todd, Malcolm (2004). *The Early Germans*. 2nd edition. Oxford: Wiley-Blackwell.
Tognato, Carlos, ed. (2018). *Cultural Agents RELOADED: The Legacy of Antanans Mockus*. Cambridge, MA: Harvard University Press.
Tooze, Adam (2015). *The Deluge: The Great War, America and the Remaking of the Global Order, 1916–1931*. New York: Penguin.
Treadgold, Warren (1997). *A History of the Byzantine State and Society*. Stanford, CA: Stanford University Press.
Treisman, Daniel (2011). *The Return: Russia's Journey from Gorbachev to Medvedev*. New York: Free Press.
Turner, Frederick Jackson (1921). *The Frontier in American History*. New York: Holt. [『アメリカ史における辺境（フロンティア)』（松本政治、嶋忠正共訳、北星堂書店、1973 年)]
Turner, Thomas (2007). *The Congo Wars: Conflict, Myth and Reality*. London: Zed Books.
Uberoi, J. P. Singh (1962). *Politics of the Kula Ring: An Analysis of the Findings of Bronislaw Malinowski*. Manchester: University of Manchester Press.
Urban, Michael, Vyacheslav Igrunov, and Sergei Mitrokhin (1997). *The Rebirth of Politics in Russia*. New York: Cambridge University Press.
Uribe, Simón (2017). *Frontier Road: Power, History, and the Everyday State in the Colombian Amazon*.New York: Wiley.
Valenzuela, Arturo (1978). *The Breakdown of Democratic Regimes: Chile*. Baltimore: Johns Hopkins University Press.
Valenzuela, Arturo, and Alexander Wilde (1979). "Presidential Politics and the Decline of the Chilean Congress." In *Legislatures in Development: Dynamics of Change in New and Old States*, edited by Joel Smith and Lloyd D. Musolf. Durham, NC: Duke University Press.
van Wees, Hans (2013). *Ships and Silver, Taxes and Tribute: A Fiscal History of Archaic Athens*. New York: I.B. Tauris.
Vassiliev, Alexei (2013). *The History of Saudi Arabia*. London: Saqi Books.
Veluhat, Kesavan (1993). *The Political Structure of Early Medieval South India*. Delhi: Orient Blackswan.
von Glahn, Richard (2016). *The Economic History of China: From Antiquity to the Nineteenth Century*. New York: Cambridge University Press. [『中国経済史――古代から 19 世紀まで』（山岡由美訳、みすず書房、2019 年)]
Wade, Robert H. (1988). *Village Republics: Economic Conditions for Collective Action in South India*. New York: Cambridge University Press.
Wakeman, Frederic, Jr. (1986). *The Great Enterprise: The Manchu Reconstruction of Imperial*

Order in Seventeenth-Century China. 2 vols. Berkeley: University of California Press.
—— (1993). "The Civil Society and Public Sphere Debate: Western Reflections on Chinese Political Culture." *Modern China* 19, no. 2: 108-38.
—— (1998). "Boundaries of the Public Sphere in Ming and Qing China." *Daedalus* 127, no. 3: 167-89.
Waley, Daniel (1991). *Siena and the Sienese in the Thirteenth Century*. New York: Cambridge University Press.
Waley, Daniel, and Trevor Dean (2013). *The Italian City-Republics*. 4th edition. New York: Routledge. [『イタリアの都市国家』（森田鉄郎訳、平凡社、1971 年）]
Wallace-Hadrill, J. M. (1971). *Early Germanic Kingship in England and on the Continent*. New York: Oxford University Press.
—— (1982). *The Long-haired Kings and Other Studies in Frankish History*. Toronto: University of Toronto Press.
Wang, Hsien-Chun (2015). "Mandarins, Merchants, and the Railway: Institutional Failure and the Wusong Railway, 1874-1877." *International Journal of Asian Studies* 12, no. 1: 31-53.
Watson, Andrew M. (1983). *Agricultural Innovation in the Early Islamic World*. New York: Cambridge University Press.
Watson, James L. (1982). "Chinese Kinship Reconsidered: Anthropological Perspectives on Historical Research." *The China Quarterly* 92 (December 1982): 589-622.
Watt, W. Montgomery (1953). *Muhammad at Mecca*. Oxford: Clarendon Press.
—— (1956). *Muhammad at Medina*. Oxford: Clarendon Press.
—— (1961). *Muhammad: Prophet and Statesman*. New York: Oxford University Press. [『ムハンマド――預言者と政治家』（牧野信也、久保儀明訳、みすず書房、1970 年）]
Watts, John (2009). *The Making of Polities: Europe, 1300-1500*. New York: Cambridge University Press.
Weber, Eugen (1976). *Peasants into Frenchmen*. Stanford, CA: Stanford University Press.
Weber, Max (1946). *From Max Weber: Essays in Sociology*. Edited by Hans H. Gerth and C. Wright Mills. New York: Oxford University Press.
—— (1978). *Economy and Society: An Outline of Interpretive Sociology*. 2 vols. Edited by Guenther Roth and Claus Wittich. Berkeley: University of California Press.
—— (2001). *The Protestant Ethic and the Spirit of Capitalism*. Translated by Talcott Parsons. New York: Routledge. [『プロテスタンティズムの倫理と資本主義の精神』（大塚久雄訳、岩波文庫、1989 年ほか）]
Weiner, Tim (2008). *Legacy of Ashes: The History of the CIA*. New York: Random House. [『CIA 秘録――その誕生から今日まで』（上・下、藤田博司、山田侑平、佐藤信行訳、文藝春秋、2008 年）]
—— (2012). *Enemies: A History of the FBI*. New York: Random House. [『FBI 秘録――その誕生から今日まで』（上・下、山田侑平訳、文藝春秋、2014 年）]
Werlich, David P. (1978). *Peru: A Short History*. Carbondale: Southern Illinois University Press.
Wheatley, Jonathan (2005). *Georgia from National Awakening to Rose Revolution: Delayed Transition in the Former Soviet Union*. New York: Routledge.

Wickham, Christopher (2009). *The Inheritance of Rome*. New York: Penguin.
—— (2015). *Sleepwalking into a New World: The Emergence of Italian City Communes in the Twelfth Century*. Princeton, NJ: Princeton University Press.
—— (2016). *Medieval Europe*. New Haven: Yale University Press.
—— (2017). "Consensus and Assemblies in the Romano-Germanic Kingdoms." *Vorträge und Forschungen* 82: 389-426.
Wilks, Ivor (1975). *Asante in the Nineteenth Century: The Structure and Evolution of a Political Order*. New York: Cambridge University Press.
Williams, Ann (1999). *Kingship and Government in Pre-Conquest England c. 500-1066*. London: Palgrave.
—— (2003). *Athelred the Unready: The Ill-Counselled King*. New York: St. Martin's Press.
Williams, Gavin, and Terisa Turner (1978). "Nigeria." In *West Africa States: Failure and Promise*, edited by John Dunn. New York: Cambridge University Press.
Williams, Robert G. (1994). *States and Social Evolution: Coffee and the Rise of National Governments in Central America*. Chapel Hill: University of North Carolina Press.
Winkler, H. A. (2006). *Germany: The Long Road West*. Vol. 1, *1789-1933*. New York: Oxford University Press.
Wiser, William H. (1936). *The Hindu Jajmani System*. Delhi: Munshiram Manoharlal.
Wiser, William H., and Charlotte Wiser (2000). *Behind Mud Walls: Seventy-five Years in a North Indian Village*. Berkeley: University of California Press.
Witsoe, Jeffrey (2013). *Democracy Against Development*. Chicago: University of Chicago Press.
Wittfogel, Karl (1957). *Oriental Despotism: A Comparative Study of Total Power*. New Haven: Yale University Press. [『オリエンタル・デスポティズム——専制官僚国家の生成と崩壊』(湯浅赳男訳、新評論、1991年)]
Wolfram, Herwig (2005). *The Roman Empire and Its Germanic Peoples*. Berkeley: University of California Press.
Wollstonecraft, Mary (2009). *A Vindication of the Rights of Woman and A Vindication of the Rights of Men*. New York: Oxford University Press.
Wong, R. Bin (1997). *China Transformed: Historical Change and the Limits of European Experience*. Ithaca, NY: Cornell University Press.
Wood, Ian (1990). "Administration, Law and Culture in Merovingian Gaul." In *The Uses of Literacy in Early Mediaeval Europe*, edited by Rosamond McKitterick. Cambridge: Cambridge University Press.
—— (1994). *The Merovingian Kingdoms, 450-751*. Harlow, UK: Pearson Education.
Woodward, C. Vann (1955). *The Strange Career of Jim Crow*. New York: Oxford University Press. [『アメリカ人種差別の歴史』(新装版、清水博、長田豊臣、有賀貞訳、福村出版、1998年)]
Woodward, Ralph L., Jr. (1965). "Economic and Social Origins of Guatemalan Political Parties (1773-1823)." *Hispanic American Historical Review* 45, no. 4: 544-66.
—— (1991). "The Aftermath of Independence, 1821-1870." In *Central America Since Independence*, edited by Leslie Bethell, 1-36. New York: Cambridge University Press.

—— (2008). *Rafael Carrera and the Emergence of the Republic of Guatemala, 1821-1871.* Athens: University of Georgia Press.

World Bank (2005). *Bihar: Towards a Development Strategy*. New Delhi: World Bank.

Wortman, Miles L. (1982). *Government and Society in Central America, 1680-1840*. New York: Columbia University Press.

Wright, Gavin (1986). *Old South, New South: Revolutions in the Southern Economy Since the Civil War*. New York: Basic Books.

Wright, John, and Carolyn Hamilton (1989). "Traditions and Transformations: The Phongolo-Mzimkhulu Region in the late Eighteenth and Early Nineteenth Centuries." In *Natal and Zululand: From Earliest Times to 1910: A New History*, edited by Andrew Duminy and Bill Guest. Durban: University of Natal Press.

Wright, Mary C. (1957). *The Last Stand of Chinese Conservatism*. Stanford, CA: Stanford University Press.

Xiao, Jianhua (2007). "Review on the Inefficiency and Disorganization of Judicial Power: Consideration on the Development of Civil Proceedings." *Frontiers of Law in China* 2, no. 4: 538-62.

Xunzi (2016). Xunzi: The Complete Text. Princeton, NJ: Princeton University Press. [『荀子』（上・下、金谷治訳、岩波文庫、1961年ほか）]

Yang, Jisheng (2012). *Tombstone: The Great Chinese Famine, 1958-1962*. New York: Farrar, Straus and Giroux. [『毛沢東 大躍進秘録』（伊藤正、田口佐紀子、多田麻美訳、文藝春秋、2012年）]

Yashar, Deborah J. (1997). *Demanding Democracy: Reform and Reaction in Costa Rica and Guatemala, 1870s-1950s*. Stanford, CA: Stanford University Press.

Zelin, Madeleine (1984). *The Magistrate's Tael: Rationalizing Fiscal Reform in Eighteen Century Ch'ing China*. Berkeley: University of California Press.

—— (2005). *The Merchants of Zigong: Industrial Entrepreneurship in Early Modern China*. New York: Columbia University Press.

Zürcher, Erik Jan (1984). *The Unionist Factor. The Role of the Community of Union and Progress in the Turkish National Movement, 1905-1926*. Leiden: Brill.

—— (2004). *Modern Turkey: A History*. London: I.B. Tauris.

Zyoob, Mohammed, and Hasan Kosebalaban, eds. (2009). *Religion and Politics in Saudi Arabia: Wahhabism and the State*. Boulder, CO: Lynne Rienner.

文献の解説と出典

第8章　壊れた赤の女王

マノジとバブリの物語はDogra（2013）からの引用。インドにおけるカーストの意味、歴史、重要性を論じる文献は数多くある。画期的な全般的研究にHutton（1961）、Dumont（1980）、Smith（1994）がある。現実にカーストがどのように機能しているか、政治にどのような影響をおよぼしているのかを理解するには、多数の民族誌学的な村落研究が非常に有用である。たとえばLewis（1965）、Srinivas（1976）、Parry（1979）、Béteille（2012）など。現代の学術文献は植民地主義がカースト制に与えた大きな影響を強調する傾向にある（たとえばBayly, 2001、Dirks, 2001、Chatterjee, 2004）。その考えも妥当ではあるが、カースト制度は間違いなく古来のものであり、私たちの分析にとってはそうした特性がより重要である。カースト制度の経済的影響を考察した経済学文献は少数あり、それらの主張は次の２つに分かれる。一つは、市場の失敗や問題の多い不完全な世界にあって、カーストの身分は保険や契約の執行を容易にするといった利点があるというもの（たとえばMunshi, 2017）、もう一つは、カーストは経済関係における非効率を生み出す強力な要因であるというもの（たとえばHoff, 2016）である。私たちの見解は後者にずっと近い［たとえばEdmonds and Sharma（2006）、Anderson（2011）、Hoff, Kshetramade, and Fehr（2011）、Anderson, Francois, and Kotwal（2015）の研究を参照］が、カーストの政治的影響と、カーストのせいで社会が国家に説明責任を負わせ、応答性を高めるよう要求できないことを強調している点で、これらの解釈を越えている。

カウティリヤはKautilya（1987、第１章、第２部）からの引用。ヨーロッパ社会の３つの身分はDuby（1982）による。ブリットネルの分析はBritnell（1992）に示されている。

アンベードカルの引用「階段も入り口もない……」はRoy（2014）から。アンベードカルのその他の引用はAmbedkar（2014）から取った。ヒューマン・

ライツ・ウォッチがアフマダーバード市で行なったダリットの労働者のインタビューはHuman Rights Watch（1999, 1）からの引用。

ベテイユの引用はすべてBéteille（2012）の第5章から。「支配カースト」の考え方に関する小論はSrinivas（1994）を参照。ティライ・ゴーヴィンダンについてはMatthai（1915, 35-37）、Human Rights Watch（1999, 31-32）を参照。その他の引用はMatthai（1915, 88, 93, 98, 114）から。

Gorringe（2005, 2017）は、タミル・ナードゥ州における最近のダリットによる政治的権力行使の試みに関する優れた概説と分析である。ブラントの分析はBlunt（1931）を参照。データは同書第12章からの引用。またとくに同書付録のpp. 247-52を参照のこと。カーストと職業のつながりがこんにちまで続いていることについては、カーストの継続的な経済的意味の有力な根拠を示しているDeshpande（2011）を参照。不可触性の持続についてはShah, Mander, Thorat, Deshpande, and Baviskar（2006）を参照。

カーリンパー村のジャジマーニー制の説明はWiser（1936）からの引用。Wiser and Wiser（2000）からの2つの引用はpp. 18-19および53から。ジャジマーニー制の優れた概説とWiser（1936）の有用な概説がDumont（1980, 97-102）にある。

中世インド史に関する優れた概説と物語は数多くあり、私たちはThapar（2002）とSingh（2009）を参考にしている。ただし多くの古代の制度の解釈については研究者の間でかなりの意見の不一致が見られる。たとえばヴィダタと呼ばれる集会をめぐる論争（Singh, 2009, 188を参照）もその一つ。古代の共和国についてはSharma（1968）と、とくにSharma（2005）を参照。アタルヴァ・ヴェーダはSharma（2005, 110）からの引用。人命金の金額とより一般的な法制度についてはSharma（2005, 245）を参照。リッチャヴィ国家をめぐる議論はSharma（1968, 85-135）と、やや解釈は異なるがJha（1970）も参照のこと。たとえばJhaはリッチャヴィ人には男性参政権があったとする。この点に関する私たちの見解は、研究者のコンセンサスに近いように思われるSharma（1968）を参考にしている。カウティリヤのガナ・サンガ国への言及はKautilya（1987）を参照。『ディーガ・ニカーヤ』はSharma（2005, 64-65）からの引用。王の起源に関するカウティリヤの記述はKautilya（1987）からの引用。インド北部における国家と君主制の起源に関する重要

な研究がThapar（1999）およびRoy（1994）であり、とくに後者はSharma（2005）と同様、ヴァルナ制とのつながりを強調している。

アショーカ王の大法勅第6条はHultzsch（1925, 34-35）からの引用。チャウハーン朝についてはThapar（2002, 451）を参照。

中世および近代初期の南インドとその政治制度に関する基礎的研究はSubbarayalu（1974, 2012）、Stein（1980, 1990）、Veluhat（1993）、Heitzman（1997）、Shastri（1997）を参照。Steinはインド南部における国家と社会の関係のモデルとして「分節国家」の概念を提唱し、その考え方と証拠は私たちの関連する歴史の解釈に大きな影響を与えた。選挙と地方の政治制度の説明はThapar（2002, 375-77）から取ったが、広く引用されている。用水路建設における集会の活動に関する2つの刻文はHeitzman（1997, 52）からの引用。Subbarayalu（1974）は刻文をもとにしたナードゥの徹底分析を提供し、チョーラ・マンダラム内のすべてのナードゥの構成を示している。

村落集会が歴史的にインド全体にあったことを示す古い文献は多数ある。ガナ・サンガや、とくにチョーラ朝のタミル・ナードゥの証拠を疑う人はいないが、それ以外の点では多くの議論がなされている。たとえばMookerji（1920）、Majumdar（1922）、Malaviya（1956）などのように、村落集会や制度の多くがインド全土に普及していたと論じる研究者もいる。あるいはAltekar（1927）のように、実は南部に限られていたと主張する者もいる。ただしAltekarはカルナータカとタミル・ナードゥを含めている（カルナータカからの裏づけとなる証拠はDikshit, 1964を参照）。Altekarは、西インドのほかの場所ではこれらの集会はそれほど制度化されておらず、ずっと非公式なものだったと論じている。Wade（1988）は、インドの地方レベルでの政治参加の度合いが非常に不均一だったという論点において有用である。Mathur（2013）はパンチャーヤトの手に入りやすい概説で、独立後の機能に重点が置かれている。

Richards（1993）はムガル帝国の組織についての有用な入門書であり、同書の第3・4章はこの国家の官僚組織と農村社会との相互作用についてのよい入門書になる。Habib（1999）はムガル期の農村経済の組織の権威であり、村落共同体の第4章、ザミーンダールの第5章を参照のこと。

特別委員会第5報告書は原文である *The Fifth Report from the Select*

Committee（1812, 85）から引用した。メトカーフはDutt（1916, 267-268）からの引用。マタイの著書Matthai（1915）の引用はpp.18、20からで、「インド飢饉委員会報告書」の引用も同書p. 77から。

ビハールの国家能力をめぐる政治的駆け引きの分析はMathew and Moore（2011）の研究を大いに参考にした。過少支出と欠員に関するデータ、およびビハールの政治は、同文献からの引用である。世界銀行の報告書はWorld Bank（2005）からの引用。ビハールの政府についてはMathew and Moore（2011, 17）による。ラルー・ヤダヴの有用な伝記はいくつかある。とくにThakur（2006）を参照。Witsoe（2013）はラルー・ヤダヴの反開発的な政治に関する優れた分析である。教師欠勤率のデータはKremer, Chaudhury, Rogers, Muralidharan, and Hammer（2005）を参照。インドの国家と社会が実際にはほとんど相互作用を行なわずに共存しているという考えは多くの文献に示唆されている。たとえばThapar（2002）およびMookerji（1920）はこの主張を明確に述べている。

第9章　悪魔は細部に宿る

本章はAcemoglu and Robinson（2017）で展開された理論的概念を土台としている。

マキャヴェッリの『君主論』はMachiavelli（2005, 43）からの引用。ヴォルテールのプロイセンに関する引用はしばしば用いられるが、元の出典は不明。モンテネグロの引用はDjilas（1958, 3-4）より。

ティリーの戦争と国家の関係に関する最も有名な記述はTilly（1992）による。その他Tilly, ed.（1975）の小論も参照。国家間戦争が国家形成の推進力になるという考え方は、もとはHintze（1975）のものであり、Roberts（1956）が軍事革命という考えを展開した。この考えは経済学者の最近の研究Besley and Persson（2011）およびGennaioli and Voth（2015）で幅広く論じられている。イギリスの事例に関する別の考えについてはPincus and Robinson（2012, 2016を参照のこと）。

スイスの歴史についてはChurch and Head（2013）およびSteinberg（2016）を参照。Sablonier（2015）も関連のある優れた概説である。スイスの

政治制度の起源に焦点を当てた、より詳細な学術研究にはBlickell（1992）、Marchal（2006）、Morerod and Favrod（2014）が含まれる。1291年連邦憲章の英語版はhttps://www.admin.ch/gov/en/start/federal-council/history-of-the-federal-council/federal-charter-of-1291.htmlで読むことができる。関連するプロイセンの歴史の概説についてはClark（2009）を参照。またErtman（1997）はプロイセンの国家形成に関して非常に有用である。Rosenberg（1958）は英語での古典的議論である。Carsten（1959）およびAsch（1988）は国家の発展がドイツの議会の力を弱体化させたことに焦点を置いている。Blanning（2016）はフリードリヒ大王の最近の優れた伝記である。ゲオルク・ヴィルヘルムとフリードリヒ・ヴィルヘルムの発言、およびエリオットの発言は同書による。

Roberts（2007）はモンテネグロの関連する歴史の概説を提供している。ジラスの著書Djilas（1958, 1966）は必読で、引用はこれら2冊から。ボームの血讐に関する主要な研究はBoehm（1986）にある。Boehm（1982）も参照のこと。引用はBoehm（1986）p.182から。ペタル1世の法典はDurham（1928, 78-88）から、「太古の昔から……」の詩はDurham（1909, 1）からの引用。ブローデルはBraudel（1996, 39）からの引用。マルモンはRoberts（2007, 174）による。

「中央集権的な統治を……」はSimić（1967, 87）から、「それは国家とクランという……」および「政府と国家を……」はDjilas（1966, 107, 115）からの引用。

ハヴェルの引用はHavel（1985, 11）から取った。

ソ連崩壊後の乖離をめぐる私たちの議論はEaster（2012）の影響を受けている。Kitschelt（2003）は非常に興味深い解釈を提供している。Castle and Taras（2002）およびOst（2006）はポーランドの移行の政治的意味について優れており、Treisman（2011）もロシア現代史の優れた説明である。Urban, Igrunov, and Mitrokhin（1997）はロシアに大衆政治が現れなかったことを論じている。ロシアのオリガルヒの概説と台頭についてはFreeland（2000）およびHoffman（2002）を参照。ロシアの民営化に対する特筆すべき批判はBlack, Kraakman, and Tarassova（2000）およびGoldman（2003）である。ベルトルト・ブレヒトの言葉は1953年の詩「解決策」からの引用で、https://

mronline.org/2006/08/14/brecht140806-html/ で読むことができる。
引用したアレクサンドル・リトヴィネンコの手紙は以下に掲載されている。http://www.mailonsunday.co.uk/news/article-418652/Why-I-believe-Putin-wanted-dead-.html

タジキスタンの内戦についてはDriscoll（2015）を参照。中央アジアの政治を理解するうえでのクランの重要性についてはCollins（2006）も参照。サオダット・オリモヴァはCollinsの著書からの引用。Gretsky（1995）からも引用。

メンチュウの痛ましい著書Menchú（1984）から広範に引用した。

中米の関連する歴史の優れた概説はDunkerly（1988）、Woodward（1991）、Gudmundson and Lindo-Fuentes（1995）である。Wortman（1982）は植民地支配からの移行に関して優れている。Williams（1994）、Paige（1997）、Yashar（1997）、Mahoney（2001）、Holden（2004）はどれも関連のある時期の優れた政治経済史であり、コスタリカの軍隊規模の数はHolden（2004）からの引用。Gudmundson（1986, 1997）はコーヒーの小自作農が植民地時代の遺産ではなく、19世紀の政策が生み出したものであることを初めて論じた。Cardoso（1977）はコスタリカのコーヒー経済に関する有力な小論である。サルミエントの言葉はDym（2006, xviii）からで、同書は中米において都市が重要な政治的主体であることを強調する。政治経済における多様性についてはKarnes（1961）を参照。コーヒーの価格、輸出、貿易量のデータはClarence-Smith, Gervase, and Topik, eds.（2006）からの引用。McCreery（1994）はグアテマラのコーヒー経済における強制労働に関する決定的研究である。グアテマラとコスタリカの乖離に関する私たちの仮説を裏づける計量経済的証拠はPascali（2017）を参照。

カレラに関するウッドワードの言葉はWoodward（2008, 254）からの引用。

第10章　ファーガソンはどうなってしまったのか？

ファーガソン市警の行動に関する詳細は、司法省報告書Department of Justice（2015）による。BBC（2017）がアトランタでのPTSD発症率に関する発見を報告している。権利章典が州に適用されないという私たちの議論はGerstle（2015）を参考にしている。また連邦最高裁判事フィールドの発言は

同文献（p. 78）からの引用である。Ansolabehere and Snyder（2008）はウォーレン・コートの判決の政治的影響に関する重要な書物である。Amar（2000）は権利章典に関するより一般的な良書であり、州権についてはMcDonald（2000）を参照のこと。アメリカ国家の歴史的性質に関する歴史家、社会学者、政治学者の重要な研究は数多くある。Novak（2008）と彼の批評者たちの見解、とくにGerstle（2008）がよい出発点になる。またKing and Lieberman（2009）も参照せよ。同文献の大半は、アメリカ国家が「弱かった」という初期の考え方の誤りを暴くことに焦点を置き、アメリカ国家が19世紀においてさえ、多くの側面で制度的な力を開発していたことをさまざまな方法で示している。Orren and Skowronek（2004）は政治学者による研究についての優れた概説であり、重要な研究にはSkowronek（1982）、Bensel（1991）、Skocpol（1995）、Carpenter（2001）、Balogh（2009）がある。Baldwin（2005）は国家の強さと弱さが同時に存在するという興味深い議論である。「姿が見えない国家」（Balogh, 2009）、または目に見えない「水面下の国家」（Mettler, 2011）という考え方、並びに国家が民間部門とのバランスと統合を図ることによって任務を遂行する必要があったという考え方は、同文献における重要な考えである（Stanger, 2011も参照のこと）。

合衆国憲法については、本書上巻の「文献の解説と出典」の第1章に示した出典と議論を参照のこと。国家の「無能力」が、国家が人民の権利を侵害しないことを保証する手段として用いられたという考えはLevinson（2014）によって示された。強いアメリカ国家の起源についてはNovak and Pincus（2017）も参照のこと。

「マップ対オハイオ州」事件の判決はhttp://caselaw.findlaw.com/us-supreme-court/367/643.htmlにある。

Morgan（1975）から「国にほとんど関心をもたず……」（p.238）および「もしも奴隷が主人に抵抗し……」（p.312）を引用した。

郵便局の重要性はJohn（1995, 1997）を参照、インフラ全般についてはLarson（2001）を、大陸横断鉄道の経済的影響についてはDuran（2012）を参照のこと。Acemoglu, Moscona, and Robinson（2016）は郵便局の創設と郵便局長の任命が、19世紀合衆国の特許取得とひいてはイノベーションを刺激したことを示す計量経済データを提供している。ゾリーナ・カーンの引用は同文

献からであり、またKhan（2009）も参照せよ。
「あの荒涼とした……」はTocqueville（2002, 283）からの引用。

アバナシーはEskew（1997、第7章）からの引用。ロバート・ケネディとフランク・ジョンソン判事の引用はMcAdam（1999、第7章）から。リンドン・ジョンソン大統領の演説はhttp://www.historyplace.com/speeches/johnson.htmにある。

Hacker（2002）はアメリカ国家が公的・民間供給を組み合わせる方法に関する重要な分析であり、またこれがなぜ私たちのいう「影の側面」を生み出すかについての重要な議論を展開している。全国酪農生産者会社の広報担当者の発言は同書から取った。ただしHacker自身はこの発言を私たちのように国家の構造と結びつけてはいない。Balogh（2015）の「結社国家」という考え方が密接に関係している。Alston and Ferrie（1993, 1999）は南部諸州の政治家が彼らの経済利益と自律性を脅かすニューディール法案を阻害したことに関する重要な分析である。ニューディール国家についてはNovak（2017）を参照。Friedberg（2000）はアメリカ国家の官民モデルが冷戦の戦い方に大きな影響をおよぼしたと分析している。Stuart（2008）も参照のこと。連邦政府が法制度を利用して政策を実施しているという例はFarhang（2010）から取った。アメリカ国家の初期の能力開発における法制度の重要性についてはNovak（1996）を参照。

Hinton（2016）はジョンソンの偉大な社会プログラムの背景を提供している。

Rothstein（2014）はファーガソンがいまのような姿になった経緯に関する優れた分析であり、また人種差別的な連邦政策の歴史を論じている。Rothstein（2017）のより幅広い議論も参照。Gordon（2009）はセントルイスの人種隔離と都市の衰退の歴史を詳細に説明している。Loewen（2006）は「サンダウン・タウン」の重要な歴史であり、Aaronson, Hartley, and Mazumder（2017）はレッドライニングの長期的な悪影響に関する計量経済的証拠を提供している。引用はRothstein（2014）から。
「コロンビア特別区対ヘラー」事件判決についてはhttps://supreme.justia.com/cases/federal/us/554/570/opinion.htmlを参照。FHAの引受ハンドブックのあからさまに人種差別的な表現についてはhttps://www.huduser.gov/portal/

sites/default/files/pdf/Federal-Housing-Administration-Underwriting-Manual.pdf を参照のこと。

貧困率に関するデータは https://data.oecd.org/inequality/poverty-rate.htm にある。医療保険の加入率データは http://www.oecd-library.org/docserver/download/8113171ec026.pdf?expires=1514934796&id=id&accname=guest&checksum=565E13BC154117F36688F63351E843F1 を参照。国民所得に占める医療費の割合は https://data.worldbank.org/indicator/SH.XPD.TOTL.ZS を参照。

Weiner（2012）は FBI の優れた歴史を提供しており、私たちの議論は同書を参考にしている。CIA に関しては Weiner（2008）を参照、NSA およびスノーデンによる暴露については Edgar（2017）を参照のこと。1975 年のチャーチ委員会報告書は https://www.senate.gov/artandhistory/history/common/investigations/ChurchCommittee.htm で読むことができる。

キース・アレグザンダーの「すべてのシグナルを……」の発言は https://www.theguardian.com/uk/2013/jun/21/gchq-cables-secret-world-communications-nsa を参照。

アイゼンハワー大統領の退任演説は http://avalon.law.yale.edu/20th_century/eisenhower001.asp にある。

第 11 章　張り子のリヴァイアサン

「国家を待つ人々」の考え方は Auyero（2012）からの引用であり、最初の節のすべての証拠はこの重要な著書から取った。引用は pp.10、20、71-72、83、85、99、109、120 からである。ヴェーバーの「鉄の檻」の概念については Weber（2001）を参照。ヴェーバーの官僚主義に関する見解はすべて Weber（1978）からであり、pp.220-21 と 214 から引用した。Camic, Gorski, and Trubek, eds.（2005）および Kim（2017）は、これらのトピックに関するヴェーバーの著書の有用な紹介である。アルゼンチンのニョッキという考え方については BBC（2018a）を、マクリ大統領の縁故主義への対処法については BBC（2018b）を参照。IMF の非難決議とその解除については International Monetary Fund（2016）を参照。アルゼンチン発表のデータを掲載しないという《エコノミスト》誌の決定については The Economist（2012）を参照。

Auyero（2001）はここで取り上げる問題と密接に関係している、「恩顧主義的政治」に関する画期的研究である。

張り子のリヴァイアサンをめぐる議論はRobinson（2007, 2013, 2016）のコロンビアにおける政治経済の合成を参考にしている。これらの文献は同様に、Acemoglu, Bautista, Querubín, and Robinson（2008）、Mazzuca and Robinson（2009）、Acemoglu, Robinson, and Santos-Vilagran（2013）、Acemoglu, García-Jimeno, and Robinson（2012, 2015）、Chaves, Fergusson, and Robinson（2015）、Fergusson, Torvik, Robinson, and Vargas（2016）の研究を参考にしている。「擬陽性」についてはAcemoglu, Fergusson, Robinson, Romero, and Vargas（2016）を参照。ヴェーバーの国家の定義はWeber（1946）に再掲されたヴェーバーの小論「職業としての政治」による。

モコアへの道の歴史はUribe（2017）のpp.29、33、45、124-25、128-30, 163からの引用。

モレノについてはRobinson（2016）を参照。ミドルマグダレナの民兵組織についてはRobinson（2013, 2016）を参照、2016年の文献からイササの発言（18-19)、鉱山労働者の反乱（30)、ブリガード＆ウルティア（29)、ペドロ・ネル・オスピナ大隊（21）を取った。Bautista, Galan, Restrepo, and Robinson（2019）も参照。

ボリバルの「これらお歴々は……」はSimon（2017, 108）からの引用。

ボリバルがフローレス将軍に宛てた手紙はBolívar（2003）に掲載されており、同書には彼がボリビアのための憲法を発表した際の議会演説と、ボリビア憲法それ自体が含まれている。Gargarella（2013, 2014）は19世紀のラテンアメリカ立憲主義と、それがどのようにして（なぜ）合衆国の事例と乖離したかに関する基本的な解釈である。Simon（2017）はきわめて刺激的な比較分析であり、とくに合衆国よりも集権的でより大きな大統領権限を認める憲法を生み出した、彼が「保守－自由融合」と呼ぶものを強調している。こうした憲法上の違いは、ラテンアメリカの植民地時代に端を発した経路依存的な均衡の一環だった。カスティーリャの引用はWerlich（1978, 80）から、ポルタレスの引用はSafford（1985）から。北米と南米の分岐する発展経路についての画期的な議論はEngerman and Sokoloff（2011）を参照。この乖離についてはAcemoglu, Johnson, and Robinson（2001, 2002)、およびAcemoglu and Robinson

（2012）も参照のこと。

Dalton（1965）はリベリアの政治経済に関する画期的研究であり、同文献のpp. 581、584、589から引用した。ガーナについてはKillick（1976）のpp. 37、40、60、231、233を参照。Bates（1981）は政治によって公共サービスの提供が阻害されることに関する画期的研究であり、私たちがここで説明するメカニズムの一部をいち早く提唱した。同文献のpp. 114と117から引用している。アッピアはAppiah（2007）からの引用。

アフリカの間接統治についてはMamdani（1996）を参照。間接統治の地域開発効果の実証的証拠についてはAcemoglu, Reed, and Robinson（2014）を参照。より幅広く、アフリカに間接統治の影響がどの程度強く持続したかに関する議論はAcemoglu, Chaves, Osafo-Kwaako, and Robinson（2015）およびHeldring and Robinson（2018）を参照、また間接統治がアフリカの低開発のより幅広い説明のなかでどのように位置づけられるかについてはAcemoglu and Robinson（2010）を参照。

リベリア大学の入試で受験生全員が不合格だったとBBC（2013）が報じている。

第12章　ワッハーブの子どもたち

中東史と中東における国家と社会の関係についての私たちの解釈は、ジャン＝フィリップ・プラトーの画期的著書Platteau（2017）を大いに参考にしている。ここで論じる歴史の概説を提供する良書はたくさんある。サウジアラビアおよびサウードとアル＝ワッハーブの関係についての私たちの分析はCorancez（1995）、Commins（2009）、Vassiliev（2013）を土台にしているが、ほかにも優れた分析は数多くあり、たとえばSteinberg（2005）、Zyoob and Kosebalaban, eds.（2009）、古典的なPhilby（1928）など。Mouline（2014）はとくに現代の状況についてすぐれている。

ロンメルはLiddell Hart ed.（1953, 328）からの引用。「朝になり……」はVassiliev（2013）からの引用。「ここでは発言したい者に……」はDoughty（1888）から、ブルクハルトはBurckhardt（1830, 116-17）から引用。「アブド・アル＝アジーズより、何々部族のアラブ人へ……」はCorancez（1995,

9）からの引用。

サウード国王の転覆の決定はMouline（2014, 123）からの引用。

アル＝ガザーリーはKepel（2005, 238）からの引用。親米のファトワーについてはKurzman（2003）を参照。〔イラクの〕クウェート侵攻後に発行された1990年のサウジのファトワーは同文献からの引用。

メッカの女子校の火事についてはhttp://news.bbc.co.uk/2/hi/middle_east/1874471.stmを参照。男性の救助隊員〔の証言〕についてはhttp://english.alarabiya.net/en/News/middle_east/2014/02/06/Death-of-Saudi-female-student-raises-uproar.htmlを参照。サウジアラビアの女性に対する制約についての優れた要約がCNNのhttps://www.cnn.com/2017/09/27/middleeast/saudi-women-still-cant-do-this/index.htmlにある。「われわれにとって……」「全能のアッラーは……」「論理的思考と……」はHuman Rights Watch（2016）からの引用。Human Rights Watch（2008）も参照。サウジアラビアの女性の労働参加に対する男性の態度についてはBursztyn, González, and Yanagizawa-Drott（2018）を参照。女性の自動車運転の問題についてはhttps://www.nytimes.com/2017/09/26/world/middleeast/saudi-arabia-women-drive. htmlを参照のこと。

「悲痛な面持ちのサダムは……」はMortimer（1990）からの引用。「不信心者に対する……」はBaram（2014, 207-208）からの引用。Platteau（2017）にサダムと宗教の関係についての鋭い分析がある。Baram（2014）、Helfont（2014）、Dawisha（2009）も参照せよ。ウサマ・ビン・ラディンの1996年のファトワーの英訳はhttps://is.muni.cz/el/1423/jaro2010/MVZ203/OBL___AQ__Fatwa_1996.pdfおよびPlatteau（2011, 245）で読むことができる。

第13章　制御不能な赤の女王

ヴァイマル共和政の崩壊に関する学術文献は数多くある。私たちの考えはKershaw（2000）およびEvans（2005）をもとにしているが、Shirer（1960）、Bracher（1970）、Lepsius（1978）、Winkler（2006）も用いている。Myerson（2004）はヴァイマル政治制度の欠点に関する分析を提供している。ナチ党への投票者を特定するための投票データの分析はMühlberger（2003）および

King, Rosen, Tanner, and Wagner（2008）を参照のこと。さらに強力なのが、Abel（1938）が収集した、ヒトラーを支持したドイツ人の当時の証言である。Tooze（2015）は第一次世界大戦の政治的後遺症についての優れた概説を示している。Berman（2001）はドイツのヴァイマル以前の帝国の政治制度についての有用な概説と解釈である。

ヴェルスはEdinger（1953, 347-348）からの引用。ナチ党の1930年選挙公約はMoeller（2010, 44）から、エルザ・ヘルマンはMoeller（2010, 33-34）から引用した。ヴァイマル憲法の英訳はhttp://www.zum.de/psm/weimar/weimar_vve.phpで読むことができる。Berman（1997）はナチスの台頭がヴァイマル・ドイツの密な市民社会を活用したと指摘し、Satyanath, Voigtländer, and Voth（2017）はこの相関性がかなり一般的であることを示している。

ヒトラーのスポーツ宮殿演説はEvans（2005, 324）を参照。ヒトラーの1932年10月17日の公共演説はEvans（2005, 323）からの引用である。ゲッベルスの発表はEvans（2005, 312）から引用した。ビアホール一揆後のヒトラーの足跡と関連の引用はKershaw（2000, 216）を参照。エヴァンズの「不満分子の虹色連合」はEvans（2005, 294）から引用した。

フリッチェはFritzsche（1990, 76）からの引用。

ムッソリーニは「ザ・ドクトリン・オブ・ファシズム」演説からの引用で、http://www.historyguide.org/europe/duce.htmlで読むことができる。ハーマン・ファイナーの引用は彼自身の『ムッソリーニのイタリア』から。https://archive.org/stream/mussolinisitaly005773mbp/mussolinisitaly005773mbp_djvu.txt.で読むことができる。

チリ民主主義の転覆についての私たちの分析はValenzuela（1978）の画期的研究を参考にしている。同書はLinzとStepanの編集による、民主主義崩壊に関する政治学の比較研究プロジェクトの一部をなしており、結論がLinz（1978）に要約されている。

Angell（1991）は私たちが焦点を当てる時代の優れた歴史的概説であり、Constable and Valenzuela（1993）は1973年のクーデター後の軍事独裁政権の優れた議論を提供している。Baland and Robinson（2008）は1958年の秘密投票導入の政治的影響の実証的分析を提供している。マルトネス上院議員はBaland and Robinson（2008, 1738-39）からの引用。フレイ政権下での国家建

設についての分析は Valenzuela and Wilde（1979）を参照。同文献および Valenzuela（1978）は、フレイのプログラムを破滅的だったと解釈する傾向にある。なぜならプログラムが恩顧主義を攻撃の対象にしたために、アジェンデが政権に就いた際に取引ができなくなったからだという。私たちの解釈は、それを赤の女王効果の自然な一部と見なしている。

スタンリー卿は Kitson-Clark（1951, 112）から、デイヴィッド・リカードは Ricardo（[1824] 1951-1973, 506）からの引用。

「進歩のための同盟」を発表したケネディの演説は https://sourcebooks.fordham.edu/mod/1961kennedy-afp1.asp にある。

アジェンデの保証法の原文は http://www.papelesdesociedad.info/IMG/pdf/estatuto_de_garantias_democraticas.pdf にある。

レジス・ドゥブレによるサルバドル・アジェンデのインタビューは https://www.marxists.org/espanol/allende/1971/marzo16.htm にある。1972 年の《エル・メルクリオ》の社説は Valenzuela（1978, 69）からの引用。《エル・メルクリオ》の２つめの引用は Valenzuela（1978, 93）からの引用である。

カルロス・アルタミラノは Valenzuela（1978, 94）からの引用。チリでの隠密作戦に関する合衆国上院諜報活動特別委員会報告書は https://www.archives.gov/files/declassification/iscap/pdf/2010-009-doc17.pdf よりダウンロード可能。引用は pp.II.10-11 および IV.31 から。

イタリアの共和国の衰退に関する優れた分析は Dean（1999）、Waley and Dean（2013）、Jones（1997）である。1264 年のフェラーラでの会議の議事録は Waley and Dean（2013, 180-81）からの引用。フェラーラの政治に関するより深い分析については Dean（1987）も参照のこと。これが本当に自由選挙だったのかどうかについては学者の間でいくらかの意見の食い違いがある。Jones（1997, 624）はある年代史家の記述「会議全体がエスト党の有力者からなる陰謀団によって仕組まれた茶番だった……武装した支持者や部外者で都市と公共広場をいっぱいにした」を引用している。

本文中で示されたコンソーツェリア協定は Waley and Dean（2013, 132-33）からの引用。ジェノヴァに関するトゥデラのベンヤミンの引用は Benjamin of Tudela（1907, 17）を参照。ピストイアの黒派と白派については Waley and Dean（2013, 137-38）を参照。コムーネ台頭後のエリートの権力と特権の持続

についてはJones（1997、第4章）を参照。ベルガモのカピターノ・デル・ポポロの宣誓はWaley and Dean（2013, 142-43）を参照。パルマのポポロの法的権限についてはWaley and Dean（2013, 152）を参照。ブオスカ・ダ・ドヴァーラとウベルト・パッラヴィチーノはJones（1997, 622）を参照のこと。

マキャヴェッリは『君主論』Machiavelli（2005, 35）からの引用。

抑制と均衡の廃止への大衆の支持をめぐる議論はAcemoglu, Robinson, and Torvik（2013）を参照している。ラファエル・コレアは同文献p. 868からの引用。

第14章　回廊のなかへ

プラーチェはPlaatje（1916）の第1・2章からの引用。

南アフリカの一般的な歴史についてはThompson（2014）を参照。先住民土地法についてはBundy（1979）を、カラーバーと賃金についてはFeinstein（2005）を参照。

ホロウェイ委員会についてはFeinstein（2005, p. 55）を参照。先住民問題特別委員会はBundy（1979, 109）からの引用。

モエレツィ・ムベキはhttps://dawodu.com/mbeki.pdfからの引用。黒人経済力強化政策（BEE）についてはSouthall（2005）、Cargill（2010）、Santos-Villagran（2016）を参照。1995年ラグビー・ワールドカップ決勝戦およびマンデラとピナールのやりとりについてはhttps://www.theguardian.com/sport/2007/jan/07/rugbyunion.features1を参照。

日本の軍国主義の台頭をめぐる私たちの議論はDower（1999）、Buruma（2003）、Samuels（2003）を参照している。戦前・戦後日本における岸信介の役割についてはKurzman（1960）、Schaller（1995）、Driscoll（2010）を参考にした。

ボナー・フェラーズはDower（1999, 282）からの引用。日本国憲法第9条の草案と裕仁（昭和天皇）の新年の詔書は同書pp. 394と314からの引用。

Zürcher（1984, 2004）はオスマン帝国からトルコ共和国への移行についての最も有用な文献である。トルコの近現代史の概説はPope and Pope（2011）およびÇağaptay（2017）を参照。最近の経済・政治的変化とそれらが経済にお

よぼしている影響をめぐる議論はAcemoglu and Üçer（2015）を参照。エルドアンの「黒いトルコ人、白いトルコ人」の引用はttps://www.thecairoreview.com/essays/erdo%C4%9Fans-decadeを参照のこと。

トルコで拘束されたジャーナリストについてはhttps://cpj.org/reports/2017/12/journalists-prison-jail-record-number-turkey-china-egypt.phpを参照。

クーデター未遂後に追放された人の数についてはhttps://www.nytimes.com/2017/04/12/world/europe/turkey-erdogan-purge.html およびhttps://www.politico.eu/article/long-arm-of-turkeys-anti-gulenist-purge/を参照。

エルドアンの演説はhttp://www.diken.com.tr/bir-alman-kac-turke-bedel/を参照。

1999年以降のラゴスの発展に関する最も優れた分析はde Gramont（2014）である。ナイジェリアの1976年憲法起草委員会についてはWilliams and Turner（1978, 133）を参照。

ボゴタについてはTognato（2018）の小論を参照。Devlin（2009）およびDevlin and Chaskel（2009）はボゴタの改善に関する優れた概説を提供している。キャバジェロはDevlin（2009）からの引用。モックスの「嘔吐した人……」はDevlin and Chaskel（2009）からの引用。

モーゼス・フィンリーの引用はFinley（1976）から。

ローデシアとジンバブエの歴史についてはSimpson and Hawkins（2018）を参照。「ジンバブエのあとを追って……」はhttp://www.researchchannel.co.za/print-version/oil-industry-empowerment-crucial-sapia-2002-10-21からの引用。

韓国の工業化と民主主義への移行の概説はCummings（2005）にある。

コンゴ自由国の優れた歴史記述とそれに対する反応はHochschild（1999）を参照。ケースメントの日記も同書から引用した。ケースメントの日記の全文はhttps://ia801006.us.archive.org/14/items/CasementReport/CasementReportSmall.pdfにある。国際人権運動についてはNeier（2012）を参照。

ロバート・ムガベのWHO「親善大使」任命についてはhttps://www.theguardian.com/world/2017/oct/22/robert-mugabe-removed-as-who-

goodwill-ambassador-after-outcry および http://theconversation.com/robert-mugabe-as-who-goodwill-ambassador-what-went-wrong-86244 を参照。

国連の女性器切除反対決議においてアムネスティ・インターナショナルが果たした役割については https://www.amnesty.org/en/latest/news/2012/11/fight-against-female-genital-mutilation-wins-un-backing/ を参照のこと。

第15章　リヴァイアサンとともに生きる

ハイエクのアメリカ版序文とそこからの引用、そしてブルース・コールドウェルによる優れた議論は Hayek（2007）にある。引用は pp. 71、148、44、48 から取った。ベヴァリッジ報告については Beveridge（1944）と、ジェイムズ・グリフィスの引用をとった Baldwin（1990, 116）も参照せよ。

「牛売買」とスウェーデン社会民主主義の台頭については Baldwin（1990）、Berman（2006）、Esping-Andersen（1985）、Gourevitch（1986）を参照。引用は Berman（2006）および Esping-Andersen（1985）から。そのほか Misgeld, Molin, and Amark（1988）の教育と住宅政策の章を参照。同書 p. 325 から引用している。Moene and Wallerstein（1997）は賃金圧縮とイノベーションの関係に関するモデルを開発した。福祉国家に関する資本主義者の選好に関する分析は Swenson（2002）を参照。

連合の役割をめぐる私たちの議論は O'Donnell and Schmitter（1986）の民主化に関する画期的研究と関連している。

オートメーションが賃金と不平等に与える影響は Acemoglu and Restrepo（2018）を参照。グローバリゼーションの影響は Autor, Dorn, and Hanson（2013）を参照。合衆国労働市場における学歴集団別賃金上昇率の数値と不平等は Acemoglu and Autor（2011）および Autor（2014）から取った。合衆国の国民所得の上位1%と0.1%のシェアは Piketty and Saez（2003）を参照しており、最新の数値は https://eml.berkeley.edu/~saez/ から得た（また資本所得を含む数値を参照）。Acemoglu, Autor, Dorn, Hanson, and Price（2015）および Acemoglu and Restrepo（2017）は中国との貿易とロボットが合衆国の雇用に与える影響の推定値について論じている。

合衆国金融制度の改革をめぐる私たちの議論は Johnson and Kwak（2010）

を参照している。金融業界の労働者と重役の相対的な所得については Phillippon and Reshef（2012）を参照。5 大銀行の業界シェアは Global Financial のウェブサイトから。

Autor, Dorn, Katz, Patterson, and Van Reenen（2017）は、GDP に占める資本所得の比率上昇に大企業が大いに寄与していることを示す証拠を提供し、Song, Price, Güvenen, Bloom, and von Wachter（2015）は生産性の高い企業が高賃金を労働者に支払うことの不平等への寄与度が時とともに高まっており、とりわけ所得分布の最上位層において顕著であることを示している。1990 年時点での 5 大企業の時価総額は Global Financial によって算出されている。

ある国の制度的構造を別の国が完全に模倣できないことについては Acemoglu, Robinson, and Verdier（2017）を参照。

スノーデンの暴露とデンマーク政府の「セッション・ロギング」については https://privacyinternational.org/location/denmark を参照。

ベヴァリッジの引用は Beveridge（1994, 9）から。

ローズヴェルト（FDR）の 1944 年一般教書演説については http://www.fdrlibrary.marist.edu/archives /address_text.html がある。ローズヴェルトの「4 つの自由」に対するコメントは https://books.openedition.org/pufr/4204?lang=en にある。ローズヴェルトの演説に関連するアフリカ系アメリカ人の自由のなさについての引用は Litwack（2009, 50）から。国連世界人権宣言は http://www.ohchr.org/EN/UDHR/Documents/UDHR_Translations/eng.pdf にある。

図版の出典

全　般

都市の位置：Geonames, https://www.geonames.org/.
近年の行政区域：GADM（Database of Global Administrative Areas）, https://gadm.org/data.html.
河川：Natural Earth, http://www.naturalearthdata.downloads/10m-physical-vectors/10m-rivers-lake-centerlines.

図12　マウリヤ帝国：Keay（2000）. アショーカ王碑文および石柱：Geonames, https://www.geonames.org/.
図13　神聖ローマ帝国：Shepard（1911）. ブランデンブルク＝プロイセン：EarthWorks, Stanford Libraries, https://earthworks.stanford.edu/catalog/harvard-ghgis1834core
図14　死のトランポリン：Humanitarian OpenStreetMap Team, https://www.hotosm.org. マグダレーナ川およびシブンドイ渓谷：Instituto Geográfico Agustín Codazzi, https://www.igac.gov.co.
図15　Clower, Dalton, Harwitz, and Walters（1966）.

口絵クレジット

page 1: top: Ed Jones / AFP / Getty Images; bottom: RAJAT GUPTA/EPA-EFE/Shutterstock
pages 2-3: Courtesy Mapping Inequality
page 4: © James Rodriguez/Panos Pictures
page 5: top: Schalkwijk / Art Resource, NY; bottom: CPA Media—Pictures from History / GRANGER—All rights reserved.
page 6: top: AP Photo / Ali Haider; bottom: robertharding / Alamy Stock Photo
page 7: top: David Rogers / Getty Images Sport Classic / Getty Images; bottom: Akintunde Akinleye / REUTERS
page 8: top: All rights reserved. Copyright CASA EDITORIAL EL TIEMPO

S.A.; bottom: UN Photo / Cia Pak

自由《じゆう》の命運《めいうん》〔下〕
国家、社会、そして狭い回廊
2020年1月25日　初版発行
2024年10月25日　再版発行
＊
著　者　ダロン・アセモグル
ジェイムズ・A・ロビンソン
訳　者　櫻《さくら》井《い》祐《ゆう》子《こ》
発行者　早川　浩
＊
印刷所　三松堂株式会社
製本所　大口製本印刷株式会社
＊
発行所　株式会社　早川書房
東京都千代田区神田多町2−2
電話　03-3252-3111
振替　00160-3-47799
https://www.hayakawa-online.co.jp
定価はカバーに表示してあります
ISBN978-4-15-209911-2　C0020
Printed and bound in Japan
乱丁・落丁本は小社制作部宛お送り下さい。
送料小社負担にてお取りかえいたします。

貧困の終焉

——2025年までに世界を変える

The End of Poverty

ジェフリー・サックス

鈴木主税・野中邦子訳

ハヤカワ文庫NF

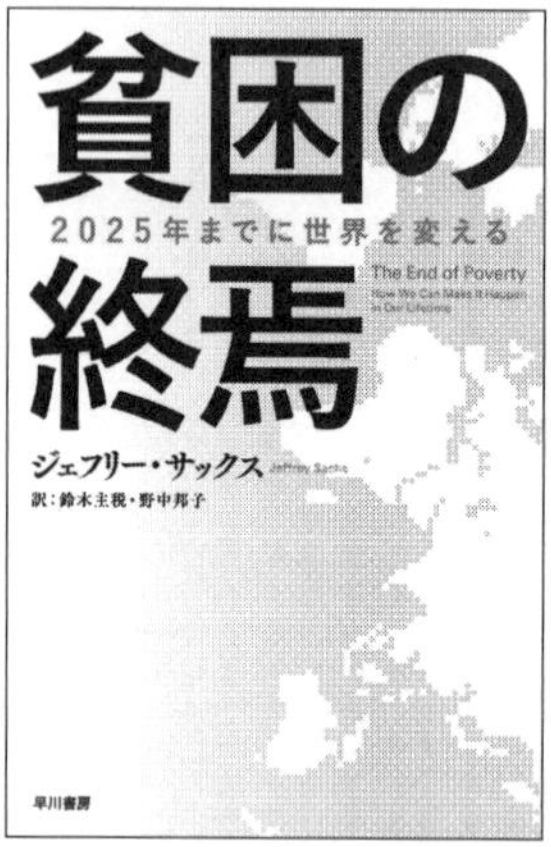

開発経済学の第一人者による決定版！

「貧困の罠」から人々を救い出すことができれば、一〇億人以上を苦しめる飢餓は根絶でき、貧困問題は解決する。先進各国のGNPの一％に満たない金額があれば二〇二五年までにそれが可能となるのだ。世界で最も重要な経済学者による希望の書。

解説／平野克己

貧困の終焉

2025年までに世界を変える

The End of Poverty
How We Can Make It Happen
in Our Lifetime

ジェフリー・サックス Jeffrey Sachs

訳：鈴木主税・野中邦子

早川書房

日本ー喪失と再起の物語（上・下）

——黒船、敗戦、そして3・11

Bending Adversity
デイヴィッド・ピリング
仲 達志訳
ハヤカワ文庫ＮＦ

相次ぐ「災いを転じて」、この国は常に力強い回復力を発揮してきた——。《フィナンシャル・タイムズ》の元東京支局長が、東北の被災地住民から村上春樹、安倍晋三まで、膨大な生の声と詳細な数値を基に描く多面的な日本の実像。激動の国際情勢を踏まえた「文庫版あとがき」収録。

国家はなぜ衰退するのか（上・下）

——権力・繁栄・貧困の起源

Why Nations Fail

ダロン・アセモグル＆ジェイムズ・A・ロビンソン
鬼澤 忍訳
ハヤカワ文庫ＮＦ

歴代ノーベル経済学賞受賞者が絶賛する新古典

なぜ世界には豊かな国と貧しい国が存在するのか？　ローマ帝国衰亡の原因、産業革命がイングランドで起きた理由、明治維新が日本に与えた影響など、さまざまな地域・時代の事例をもとに、国家の盛衰を分ける謎に注目の経済学者コンビが挑む。解説／稲葉振一郎